원스톱 필기 피부미용사

대표저자/ 양일훈
공동저자/ 최윤정 이선영

/요/약/편/

IRM (주)영림미디어

원스톱 피부미용사 필기 1권 요약편

첫째판 1쇄 발행 2013. 3. 8
둘째판 1쇄 인쇄 2015. 4. 13
둘째판 1쇄 발행 2015. 4. 20

지 은 이 양일훈, 최윤정, 이선영
발 행 인 이혜미, 손상훈
편집 · 디자인 최서예

발행처 (주)영림미디어
주 소 (121-894) 서울 마포구 서교동 375-32 무해빌딩 2F
전 화 (02)6395-0045 / **팩 스** (02)6395-0046
등 록 제2012-000356호(2012.11.1)

이 도서의 국립중앙도서관 출판예정도서목록(CIP)은 서지정보유통지
원시스템 홈페이지(http://seoji.nl.go.kr)와 국가자료공동목록시스템
(http://www.nl.go.kr/kolisnet)에서 이용하실 수 있습니다.(CIP제어번호:
CIP2015005445)

*파본은 교환하여 드립니다.
*검인은 저자와의 합의하에 생략합니다.

ISBN 979-11-85834-16-0(93590)(세트)
    979-11-85834-17-7(93590)(요약)
    979-11-85834-18-4(93590)(문제)

정가 28,000원

원스톱 필기

피부미용사

IRM (주)영림미디어

저자소개
AUTHOR

Esthetician

대표저자 양일훈

건국대학교 자연대학원 응용생물화학과 이학박사
중국 요녕대학교 중의학 중의내과 박사과정
미국 Dr. Fulton Clinic Center 여드름전문과정
캐나다 퀘백 Dr. Renaud 피부관리전문과정
미국 달라스 성형외과 준의료 피부관리과정

現) 화장품전문가협회 협회장
現) 건국대학교 산업대학원 향장학과 외래교수
現) 성신여자대학교 문화산업대학원
　　피부비만관리학과 외래교수
現) 중앙대학교 의약식품대학원 향장미용학과 외래교수
現) 한국피부미용학원 총연합회 회장
現) 양일훈에스테틱 아카데미 대표원장
現) (주)양스아카데미 대표이사
前) 에스테틱클럽 양스(고품격테라피센터)원장
前) 김천과학대학 피부미용과 외래교수
前) 군장대학 피부미용과 외래교수
前) 동명정보대학원 뷰티디자인과 외래교수
前) 숙명여자대학교 사회교육대학원
　　피부미용&향장산업 최고경영자과정 외래교수
前) 서경대학교 미용예술대학원 미용예술학과 외래교수

저자 이선영

건국대학교 생물공학 박사
　　숙명여자대학교 향장미용학과 석사

　　現) CL메디시스 교육부장
　　前) 한서대학교 조교수
　　前) 바이오큐틴 spa점장
　　前) 삼육보건대학교 외래교수
　　前) 원광디지털대학교 외래교수
　　前) 양일훈 에스테틱 아카데미 인천(부평) 캠퍼스 원장
　　前) 안양과학 대학교 외래교수
　　前) 여주대학교 외래교수
　　前) 숙명여자대학교 사회교육원 외래교수
　　前) 군장대학교 외래교수
　　前) 태평양, 존슨앤존슨, 엘지생활건강,
　　　　나드리 등 사외강사

저자 최윤정

동양 대학교 경영대학원 경영학과 박사과정
서경대학교 경영대학원 미용경영학과 석사

現) 용인대학교 뷰티케어과 초빙교수
現) 삼육보건대학 피부미용과 외래교수
現) 경민대학교 뷰티케어과 외래교수
現) 서경대학교 미용예술학과(피부) 외래교수
現) 양일훈 에스테틱 아카데미 원장
前) 한서대학교 피부미용과 외래교수
前) 플러스 뷰티 아카데미 원장

前) 양일훈 에스테틱 아카데미 종로캠퍼스 원장
前) 양일훈 에스테틱 아카데미 인천(부평)
　　캠퍼스 원장
前) 양일훈 에스테틱 아카데미 강남본원 부원장
前) 미성 에스테틱 경영
前) 군장대학교 피부미용과 외래교수 역임
前) 여주대학교 뷰티디자인과 외래교수 역임

우리는 꿈을 가지고 새로운 일에 도전합니다.

그 새로운 일은 언제나 두렵지만 꿈이 있기에 모험을 감수하고 또 대단히 어려운 것이지만 꿈이 있기에 그것을 즐겁게 감내합니다. 그러면서 내 인생의 첫 걸음이든 다시 시작하는 재도약의 발판이든 나의 꿈을 위한 밑그림이 완성되어지고 좀 더 구체화 되어지는 것 같습니다.

피부미용사가 국가자격시험으로 이어지고 이에 환호하며 부지런히 준비해오는 동안 이 시험의 역사가 벌써 7년이라는 나이를 먹어갑니다. 피부미용인으로서의 기본적인 자질과 소양을 위한 우리의 노력이 국가의 제도와 함께 발맞추어 온 세월이 이처럼 빨리 지나가니 피부미용업계에서 30년 이상을 보내며 이 업계의 시작과 성장의 흐름을 모두 보아온 필자로서 가슴 찡한 감회를 느낍니다.

세월이 흐르며, 제도가 변하고 업계의 트렌드도 변하고, 또한 이 업계에 대한 소비자의 욕구 및 인식이 변하지만 정말 가장 기본적이고 기초가 되는 우리의 마인드와 자질은 절대로 변하지 않았고 또한 변하지 말아야 한다고 믿고 있기 때문에 그러한 마인드와 자질을 갖추고 피부미용업계에 입문하기 위한 수험생들에게 걸맞는 교재를 탄생시키기 위해 정말 많은 노력을 기울였습니다.

국가자격시험의 출제기준에 맞추어 피부미용학, 피부학, 해부생리학, 피부미용기기학, 화장품학, 공중위생관리학의 6과목에 대한 내용을 체계적으로 기술하고 시험출제가 예상되는 문제를 엄선하고 정리하여 수록하였으며 시시때때로 변화하는 내용이 있다면 그 모든 것을 놓지지 않도록 노력하였습니다. 그래서 이 교재가 피부미용 국가자격시험을 준비하는 수험생들에게 새로운 출발점에 설 수 있도록 하는 최고의 지침서가 될 것이라고 필자는 자신합니다.

끝으로, 이 교재를 만들기 위해 차가운 지성과 뜨거운 열정을 모두 쏟아 부어주신 오랜 피부미용강의와 업계전문경력자인 최윤정 교수와 이선영 교수에게 진심으로 경의와 감사를 드리고 우리와 함께 호흡을 맞추어 세상에서 가장 아름다운 수험서를 탄생시켜 주신 ㈜영림미디어의 이혜미대표님과 모든 임직원들께 깊은 감사를 드립니다.

여러분들의 영광스런 합격과 희망찬 출발을 함께 할 수 있어서 무한한 영광으로 생각합니다.

양일훈 에스테틱 아카데미

대표저자 이학박사 **양일훈**

출제기준 (필기)

직무 분야	이용·숙박 ·여행 ·오락·스포츠	중직무 분야	이용·미용	자격 종목	미용사(피부)	적용 기간	2014.1.1~2019.12.31

○ 직무내용 : 얼굴 및 신체의 피부를 아름답게 유지·보호·개선·관리하기 위하여 각 부위와 유형에 적절한
관리법과 기기 및 제품을 사용하여 피부미용을 수행하는 직무

필기검정방법	객관식	문제수	60	시험시간	1시간

필기과목명	문제수	주요항목	세부항목	세세항목
피부미용이론 해부생리학 피부미용 기기학 공중위생 관리학 화장품학	60	1. 피부미용이론	1. 피부미용개론	1. 피부미용의 개념 2. 피부미용의 역사
			2. 피부분석 및 상담	1. 피부분석의 목적 및 효과 2. 피부상담 3. 피부유형분석 4. 피부분석표
			3. 클렌징	1. 클렌징의 목적 및 효과 2. 클렌징 제품 3. 클렌징 방법
			4. 딥클린징	1. 딥클렌징의 목적 및 효과 2. 딥클렌징 제품 3. 딥클렌징 방법
			5. 피부유형별 화장품 도포	1. 화장품도포의 목적 및 효과 2. 피부유형별 화장품 종류 및 선택 3. 피부유형별 화장품 도포
			6. 매뉴얼 테크닉	1. 매뉴얼 테크닉의 목적 및 효과 2. 매뉴얼 테크닉의 종류 및 방법
			7. 팩·마스크	1. 목적과 효과 2. 종류 및 사용방법
			8. 제모	1. 제모의 목적 및 효과 2. 제모의 종류 및 방법
			9. 신체 각 부위(팔, 다리 등) 관리	1. 신체 각 부위(팔, 다리 등)관리의 목적 및 효과 2. 신체 각 부위(팔, 다리 등)관리의 종류 및 방법

필기과목명	문제수	주요항목	세부항목	세세항목
			10. 마무리	1. 마무리의 목적 및 효과 2. 마무리의 방법
			11. 피부와 부속기관	1. 피부구조 및 기능 2. 피부 부속기관의 구조 및 기능
			12. 피부와 영양	1. 3대 영양소, 비타민, 무기질 2. 피부와 영양 3. 체형과 영양
			13. 피부장애와 질환	1. 원발진과 속발진 2. 피부질환
			14. 피부와 광선	1. 자외선이 미치는 영향 2. 적외선이 미치는 영향
			15. 피부면역	1. 면역의 종류와 작용
			16. 피부노화	1. 피부노화의 원인 2. 피부노화현상
		2. 해부생리학	1. 세포와 조직	1. 세포의 구조 및 작용 2. 조직구조 및 작용
			2. 뼈대(골격)계통	1. 뼈(골)의 형태 및 발생 2. 전신뼈대(전신골격)
			3. 근육계통	1. 근육의 형태 및 기능 2. 전신근육
			4. 신경계통	1. 신경조직 2. 중추신경 3. 말초신경
			5. 순환계통	1. 심장과 혈관 2. 림프
			6. 소화기계통	1. 소화기관의 종류 2. 소화와 흡수
		3. 피부미용기기학	1. 피부미용기기	1. 기본용어와 개념 2. 전기와 전류 3. 피부미용기기의 종류 및 기능
			2.피부미용기기사용법	1. 기기 사용법 2. 유형별 사용방법

필기과목명	문제수	주요항목	세부항목	세세항목
		4. 화장품학	1. 화장품학개론	1. 화장품의 정의 2. 화장품의 분류
			2. 화장품제조	1. 화장품의 원료 2. 화장품의 기술 3. 화장품의 특성
			3. 화장품의 종류와 기능	1. 기초 화장품 2. 메이크업 화장품 3. 모발 화장품 4. 바디(body)관리 화장품 5. 네일 화장품 6. 향수 7. 에센셜(아로마) 오일 및 캐리어 오일 8. 기능성 화장품
		5. 공중위생관리학	공중보건학	1. 공중보건학 총론 2. 질병관리 3. 가족 및 노인보건 4. 환경보건 5. 식품위생과 영양 6. 보건행정
			2. 소독학	1. 소독의 정의 및 분류 2. 미생물 총론 3. 병원성 미생물 4. 소독방법 5. 분야별 위생·소독
			3. 공중위생관리법규 (법, 시행령, 시행규칙)	1. 목적 및 정의 2. 영업의 신고 및 폐업 3. 영업자준수사항 4. 면허 5. 업무 6. 행정지도감독 7. 업소 위생등급 8. 위생교육 9. 벌칙 10. 시행령 및 시행규칙 관련사항

출제기준 (실기)

직무 분야	이용·숙박 ·여행 ·오락·스포츠	중직무 분야	이용·미용	자격 종목	미용사(피부)	적용 기간	2014.1.1~2019.12.31

○ 직무내용 : 얼굴 및 신체의 피부를 아름답게 유지·보호·개선·관리하기 위하여 각 부위와 유형에 적절한
　　　　　 관리법과 기기 및 제품을 사용하여 피부미용을 수행하는 직무
○ 수행준거 : 1. 피부미용 실무를 위한 준비 및 위생사항 점검을 수행할 수 있다.
　　　　　 2. 피부의 타입에 따른 클렌징 및 딥클렌징을 할 수 있다.
　　　　　 3. 피부의 타입별 분석표를 작성할 수 있다.
　　　　　 4. 눈썹정리 및 왁싱 작업을 수행할 수 있다.
　　　　　 5. 손을 이용한 얼굴 및 신체 각 부위(팔, 다리 등)관리를 수행할 수 있다.

실기검정방법	작업형	시험시간	2시간 15분 정도

실기 과목명	주요항목	세부항목	세세항목
	1. 얼굴관리	1. 위생관리하기 (200101020210.2) (200101020210.3)	1. 피부미용기구와 기기는 상태에 맞게 소독방법을 택하여 소독 보관 할 수 있다. 2. 기구 및 비품은 항상 정리된 상태로 준비시킬 수 있다. 3. 피부미용기구와 기기는 상태에 맞게 소독방법을 택하여 소독 보관할 수 있다. 4. 손톱을 짧게 하고 단정하게 머리를 정돈 하고 피부를 관리하는 사람으로서 깨끗한 마스크와 위생복, 신발을 착용하여 관리 할 수 있다. 5. 불필요한 장신구는 피하고 가벼운 화장을 하며 항상 예의 있게 행동할 수 있다. 6. 몸 냄새나 구취에 유의할 수 있다. 7. 관리사가 고객에게 20~30cm 정도 거리를 유지할 수 있다.
		2. 색조화장 지우기 (200101020410.1)	1. 색조화장을 지우는 방법에 따라 클렌저를 메이크업이 되어 있는 눈과 입술 부위에 적용하고 순서대로 닦아낼 수 있다. 2. 속눈썹 세정 방법에 따라 화장솜과 면봉을 사용법을 숙지하고 시행할 수 있다. 3. 색조화장 마무리 작업으로 잔여물을 확인 후 화장 솜과 면봉으로 다시 정리할 수 있다.
		3. 클렌징하기 (200101020410.2)	1. 화장품 성분에 대한 지식을 이해하고 피부 상태에 따라 클렌징 방법과 제품을 선택 할 수 있다. 2. 클렌징 방법을 이해하고 클렌징 제품을 얼굴, 목, 가슴에 도포하여 순서에 맞게 연결동작으로 가볍게 시행할 수 있다. 3. 마무리를 위하여 온 습포, 면 패드, 티슈 등 으로 잔여물을 닦아낸 후 토너로 피부를 정리할 수 있다.

실기과목명	주요항목	세부항목	세세항목
		4. 분석표작성하기 (200101020310. 2) (200101020310. 3) (200101020310. 4) (200101020310. 5)	1. 도구, 기기를 이용하여 피부를 분석할 수 있다. 2. 고객의 피부상태를 고려하여 적합한 피부 관리 상품을 결정할 수 있다. 3. 피부 관리 경위를 상세히 설명하면서 총괄적인 관리 계획을 세울 수 있다. 4. 고객의 환경에 대한 특성과 상담결과에 따른 내용을 고려하여 피부관리 계획을 세울 수 있다. 5. 주 1회, 주 2회 혹은 2주에 1회 등의 관리를 받는 것으로 피부개선의 효율적인 결과를 얻는 데에는 시간소요가 많으므로 홈케어의 중요도에 관한 상세한 설명을 할 수 있다. 6. 홈케어 제품을 선정하고 정확한 사용법을 설명할 수 있다. 7. 음식과 기호식품 및 수면 등의 피부개선을 돕는 일상적인 생활습관에 관한 조언을 할 수 있다.
		5. 눈썹정리하기 (200101020410.3)	1. 눈썹의 모양은 유행에 매우 민감한 부위이므로 얼굴의 크기, 형태와 이미지를 고려하여 정리할 수 있다. 2. 반영구적인 정리 혹은 일시적인 정리를 할 것인가 결정할 수 있다. 3. 정리하기 위한 도구(눈썹브러쉬, 눈썹가위, 족집게, 눈썹칼)를 결정하고 행할 때는 피부에 자극이 덜 가도록 유의할 수 있다. 4. 눈썹 정리를 행할 수 있다.
		6. 딥클렌징하기 (200101020410.4)	1. 피부의 생리 및 각화현상에 대한 지식을 바탕으로 피부 생리에 맞게 시행할 수 있다. 2. 각질제거의 필요성과 효과에 대한 지식과금기사항을 습득하고 시술할 수 있다 3. 화학적인 각질제거 방법의 지식을 바탕으로 효소와 천연산 등을 이용하여 시행할 수 있다. 4. 물리적인 각질제거 방법의 지식을 바탕으로 살구씨, 아몬드, 고령토 등을 이용하여 시행할 수 있다.

실기과목명	주요항목	세부항목	세세항목
		7. 손을 이용한 얼굴 관리하기 (200101020510.1) (200101020510.2)	1. 고객의 피부유형에 따라 크림이나 오일류를 선택하여 부위에 도포할 수 있다. 2. 얼굴의 피부상태를 파악하여 적당한 매뉴얼 테크닉방법을 선택할 수 있다. 3. 얼굴의 피부상태에 따라 매뉴얼 테크닉 구사 시에 리듬, 세기, 속도, 시간 등을 고려할 수 있다. 4. 얼굴의 매뉴얼 테크닉에 따라 얼굴(이마, 눈, 뺨, 입, 턱)과 목, 데콜테부위에 맞는 관리방법을 적용할 수 있다.
		8. 팩하기 (200101020610.1)	1. 피부유형에 따라 팩의 종류를 선택할 수 있다. 2. 제품에 따라 팩의 사용방법이 다르므로 사용 전에 유의하도록 할 수 있다. 3. 팩 적용 시 두께, 방향, 시간 등을 유의하며 도포할 수 있다. 4. 팩의 종류에 따라 제거할 때에 고객이 불편해 하지 않도록 유의할 수 있다.
		9. 마스크 하기 (200101020610.2)	1. 피부유형에 따라 마스크의 종류를 선택할 수 있다. 2. 제품에 따라 마스크의 사용방법이 다르므로 사용 전에 유의하도록 할 수 있다. 3. 마스크 적용 시 두께, 방향, 시간 등을 유의하며 도포할 수 있다. 4. 마스크의 종류에 따라 제거할 때에 고객이 불편해 하지 않도록 유의할 수 있다.
	2. 신체 각 부위 (팔, 다리 등)관리	1. 위생관리하기 (200101020210.2)	1. 피부미용기구와 기기는 상태에 맞게 소독 방법을 택하여 소독 보관할 수 있다. 2. 기구 및 비품은 항상 정리된 상태로 준비 시킬 수 있다. 3. 피부미용기구와 기기는 상태에 맞게 소독 방법을 택하여 소독 보관할 수 있다.
		2. 클렌징하기 (200101020410.2)	1. 화장품 성분에 대한 지식을 이해하고 피부 상태에 따라 클렌징 방법과 제품을 선택 할 수 있다. 2. 클렌징 방법을 이해하고 클렌징 제품을 팔, 다리에 도포하여 순서에 맞게 연결 동작으로 가볍게 시행할 수 있다. 3. 마무리를 위하여 온 습포 등으로 잔여물을 닦아낸 후 토너로 피부를 정리할 수 있다.

실기과목명	주요항목	세부항목	세세항목
		3. 손, 팔 매뉴얼 테크닉하기 (200101020510.6)	1. 손과 팔의 상태를 파악하고 목적에 맞는 매뉴얼 테크닉 방법을 선택할 수 있다. 2. 손과 팔 매뉴얼 테크닉 구사 시에 리듬, 세기, 속도, 시간 등을 고려할 수 있다. 3. 손, 팔 매뉴얼 테크닉에 따라 손에서부터 액와 아래까지에 맞는 관리방법을 적용할 수 있다.
		4. 다리 매뉴얼 테크닉하기 (200101020510.7)	1. 다리의 상태를 파악하고 목적에 맞는 매뉴얼 테크닉 방법을 선택할 수 있다. 2. 다리매뉴얼 테크닉 구사 시에 리듬, 세기, 속도, 시간 등을 고려할 수 있다. 3. 다리매뉴얼 테크닉에 따라 발에서부터 서혜부 아래까지에 맞는 관리방법을 적용 할 수 있다.
		5. 제모관리하기 (200101020810.5)	1. 신체의 불필요한 털을 고객의 요구에 따라 선정할 수 있다. 2. 미용가위, 족집게 등은 소독하여 사용할 수 있다. 3. 온·냉 왁스를 사용하고자 할 경우에 필요한 양을 미리 준비할 수 있다. 4. 제모 하고자 하는 부위를 깨끗이 소독하여 물기를 없앤 후에 털의 방향을 고려하여 제모를 행할 수 있다. 5. 제모한 후에 잔여 털을 정리할 수 있다. 6. 제모 후 피부의 진정을 위하여 크림·젤을 도포할 수 있다. 7. 제모 후 사우나, 운동, 음주 등 주의사항을 전달할 수 있다.
		6. 림프 드레니쥐하기 (200101020810.3)	1. 림프 드레니쥐를 하기 위한 따뜻한 실내 온도유지, 밝지 않은 조명, 조용하고 쾌적한 분위기 조성 등을 할 수 있다. 2. 고객의 스킨타입 및 몸의 상태에 맞는 화장품이나 에센셜 오일을 선택할 수 있다. 3. 고객에게 필요한 제품들을 미리 준비할 수 있다. 4. 다리부종, 피곤한 다리, 셀룰라이트 부위를 택할 수 있다. 5. 손과 팔의 긴장을 푼 후 손놀림은 가볍게, 정확히, 리듬감 있게 손 밑 조직을 느껴가며 실시할 수 있다. 6. 일정한 속도와 압력을 유지 시킬 수 있다. 7. 클렌징 한 후 크림이나 오일을 가능한 사용하지 않은 채 실시할 수 있다. 8. 압력 방향은 피부에서 림프 흐름에 일치하여 시행할 수 있다. 9. 림프경로를 파악하여 안면부위부터 시작할 수 있다.=

2013.12.31에 한국산업인력공단에서 발표
2014년도부터 적용

1. 실기시험문제(공개문제)

국가기술자격 실기시험문제

자격종목	미용사(피부)	과제명	피부관리

◎ 수험자 유의사항(전 과제 공통)

1. 수험자는 반드시 위생복(상의는 흰색 반팔 가운, 하의는 흰색 긴바지로 모든 복식은 흰색으로 통일합니다. 단, 머리 장식품(핀 등)을 사용 시에는 검은 색 착용), 마스크 및 실내화(색상은 흰색 통일)를 착용하여야 하며, 복장 등에 소속을 나타내거나 암시하는 표시가 없어야 하고 눈에 띄어 표식이 될 수 있는 액세서리의 착용을 금지합니다.

2. 수험자는 시험 중에 필요한 물품(습포, 왁스 등)을 가져오거나 관리상 필요한 이동을 제외하고 지정된 자리를 이탈하거나 다른 수험자와 대화 등을 할 수 없으며, 질문이 있는 경우는 손을 들고 감독위원이 올 때까지 기다리시오.

3. 사용되는 해면과 코튼은 반드시 새 것을 사용하고 과제 시작 전 사용에 적합한 상태를 유지하도록 미리 준비하시오.

4. 시험 시 사용되는 타월은 대형과 중형은 지참재료상의 지정된 수량만큼만 사용하고, 소형은 필요시 더 사용할 수 있습니다.

5. 수험자는 작업에 필요한 습포를 시험 시작 전 미리 준비(온습포는 과제당 6매까지 온장고에 보관할 수 있으며, 비닐백(지퍼백 등)에 비번호 기재 후 보관하여야 합니다.

6. 모델은 반드시 화장(파운데이션, 마스카라, 아이라인, 아이섀도우, 눈썹 및 입술화장(립스틱 사용 등)이 되어 있어야 합니다.(남자모델의 경우도 동일)

7. 관리 대상부위를 제외한 나머지 부위는 노출이 없도록 수건 등으로 덮어두시오.(단, 팔은 노출이 가능합니다.)

8. 팩과 딥클렌징 제품을 제외한 화장품은 어느 한 피부타입에만 특화되지 않고 모든 피부타입에 사용해도 괜찮은 타입(올 스킨타입 혹은 범용)을 사용하시오.

9. 위생복을 입지 않은 경우, 모델의 가운을 지참하지 않은 경우, 주요 화장품을 덜어서 온 경우는 시험 대상에서 제외합니다.

10. 다음의 경우에는 득점과 관계없이 채점대상에서 제외합니다.
    ① 시험 전 과정을 응시하지 않은 경우
    ② 시험 도중 시험실을 무단 이탈하는 경우
    ③ 부정한 방법으로 타인의 도움을 받거나 타인의 시험을 방해하는 경우
    ④ 무단으로 모델을 수험자간에 교환하는 경우
    ⑤ 기타 국가자격검정 규정에 위배되는 부정행위 등을 하는 경우

11. 제시된 작업시간 안에 세부 작업을 끝내며, 각 과제의 마지막 작업 시에는 주변정리를 함께 끝내야 합니다. 각 세부 작업 시험시간을 초과하는 경우는 해당되는 세부 작업을 0점 처리합니다.

12. 복장규정에 어긋나는 경우, 관리 범위를 지키지 않는 경우(관리 범위 중 일부를 하지 않거나 범위를 벗어나는 것 모두 해당), 작업순서를 지키지 않는 경우, 눈썹을 사전에 모두 정리를 해서 오는 경우 등은 감점의 대상이 되며, 지압 및 강한 두드림 등 안마행위를 하는 경우 및 눈썹과 체모가 없는 경우는 해당 작업을 0점 처리합니다.

국가기술자격 실기시험문제

자격종목	미용사(피부)	과제명	얼굴관리

비번호 :

※시험시간 : [○ 표준시간 : 2시간15분]
- 1과제 : 1시간25분(준비작업시간 및 위생 점검시간 제외)
- 2과제 : 35분(준비작업시간 제외)
- 3과제 : 15분(준비작업시간 제외)

1. 요구사항

※ 다음과 같이 준비 작업을 하시오.

가. 클렌징 작업 전, 과제에 사용되는 화장품 및 사용 재료를 관리에 편리하도록 작업대에
   정리하시오.
나. 베드는 대형 수건을 미리 세팅하고, 재료 및 도구의 준비, 개인 및 기구 소독을 하시오.
다. 모델을 관리에 적합하게 준비(복장, 헤어터번, 노출관리 등)하고 누워 있도록 한 후
   감독위원의 준비 및 위생 점검을 위해 대기하시오.

※ 아래 과정에 따라 모델에게 피부미용 작업을 하시오.

순서	작 업 명	요 구 내 용	시간	비 고
1	관리계획표 작성	제시된 피부타입 및 제품을 적용한 피부 관리 계획을 작성하시오.	10분	
2	클렌징	지참한 제품을 이용하여 포인트 메이크업을 지우고 관리범위를 클렌징 한 후, 코튼 또는 해면을 이용하여 제품을 제거하고, 피부를 정돈하시오.	15분	도포 후 문지르기는 2~3분 정도 유지하시오.
3	눈썹정리	족집게와 가위, 눈썹칼을 이용하여 얼굴형에 맞는 눈썹모양을 만들고, 보기에 아름답게 눈썹을 정리하시오.	5분	눈썹을 뽑을 때 감독확인 하에 작업하시오. (한쪽 눈썹에만 작업하시오.)
4	딥클렌징	스크럽, AHA, 고마쥐, 효소의 4가지 타입 중 지정된 제품을 이용하여 얼굴에 딥클렌징 한 후, 피부를 정돈하시오.	10분	제시된 지정타입만 사용하시오.

자격종목	미용사(피부)	과제명	얼굴관리

순서	작 업 명	요 구 내 용	시간	비 고
5	손을 이용한 관리 (매뉴얼테크닉)	화장품(크림 혹은 오일타입)을 관리부위에 도포하고, 적절한 동작을 사용하여 관리한 후, 피부를 정돈하시오.	15분	
6	팩	팩을 위한 기본 전처리를 실시한 후, 제시된 피부타입에 적합한 제품을 선택하여 관리부위에 적당량을 도포하고, 일정시간 경과 뒤 팩을 제거한 후, 피부를 정돈하시오.	10분	팩을 도포한 부위는 코튼으로 덮지 마시오.
7	마스크 및 마무리	마스크를 위한 기본 전처리를 실시한 후, 지정된 제품을 선택하여 관리부위에 작업하고, 일정시간 경과 뒤 마스크를 제거한 다음 피부를 정돈한 후 최종마무리와 주변 정리를 하시오.	20분	제시된 지정마스크만 사용하시오.

2. 수험자 유의사항

1) 지참 재료 중 바구니는 왜건의 크기(가로×세로)보다 큰 것은 사용할 수 없습니다.
2) 관리계획표는 제시되어진 조건에 맞는 내용으로 시험에서의 작업에 의거하여 작성하시오.
3) 필기도구는 흑색(혹은 청색) 볼펜만을 사용하여 작성하시오.
4) 눈썹정리 시 족집게를 이용하여 눈썹을 뽑을 때는 감독위원의 입회하에 실시하되, 감독위원의 지시를 따르시오.
   (작업을 하고 있다가 감독위원이 지시하면 족집게를 사용하며, 작업을 하지 않고 기다리지 마시오.)
5) 팩은 요구되는 피부타입에 따라 제품을 선택하여 사용하고, 붓 또는 스파튤라를 사용하여 관리 부위에 도포하시오.
6) 마스크의 작업 부위는 얼굴에서 목 경계부위까지로 작업 시 코와 입에 호흡을 할 수 있도록 해야 합니다.
7) 얼굴 관리 중 클렌징, 손을 이용한 관리, 팩 작업에서의 관리범위는 얼굴부터 데콜테(가슴(breast)은 제외)까지를 말하며, 겨드랑이 안쪽 부위는 제외됩니다.
8) 모든 작업은 총 작업시간의 90% 이상을 사용하시오.(단, 관리계획표 작성은 제외)

국가기술자격 실기시험문제

자격종목	미용사(피부)	세부과제명	관리계획표 작성

비번호 :

※시험시간 : [○ 표준시간 : 2시간15분]
  - 1과제 세부과제 : 10분

※ 아래 예시에서 주어진 조건에 맞는 관리계획표를 작성하시오.

　1. 얼굴의 피부 타입은 팩 사용의 부위별 피부 타입을 기준으로 결정하시오.
　　(단, T-존과 U-존의 피부 타입만으로 판단하며, 피부의 유·수분 함량을 기준으로 한
　　타입(건성, 중성(정상), 지성, 복합성)만으로 구분하시오.

　2. 팩 사용을 위한 부위별 피부 상태(타입)
　　○ T-존 :

　　○ U-존 :

　　○ 목 부위 :

　3. 딥클렌징 사용제품 :

　4. 마스크

※ 기타 유의사항

　1) 관리계획표상의 클렌징, 매뉴얼테크닉용 화장품은 본인이 시험장에서 사용하는 제품의
　　제형을 기준으로 하시오.

관리계획 차트 (Care Plan Chart)

비번호		형별		시험일자 20 . . . (부)

| 관리목적
및
기대효과 | 관리목적 : |
| | 기대효과 : |

클렌징	□ 오일 □ 크림 □ 밀크/로션 □ 젤
딥클렌징	□ 고마쥐(gommage) □ 효소(enzyme) □ AHA □ 스크럽
매뉴얼테크닉 제품타입	□ 오일 □ 크림
손을 이용한 관리형태	□ 일반 □ 림프
팩	T-존 : □ 건성타입 팩 □ 정상타입 팩 □ 지성타입 팩
	U-존 : □ 건성타입 팩 □ 정상타입 팩 □ 지성타입 팩
	목부위 : □ 건성타입 팩 □ 정상타입 팩 □ 지성타입 팩
마스크	□ 석고 마스크 □ 고무모델링 마스크

고객 관리 계획	1주 :
	2주 :
	3주 :
	4주 :

| 자가관리
조언
(홈케어) | 제품을 사용한 관리 : |
| | 기타 : |

※ 관리계획표는 요구하는 피부타입에 맞추어 시험장에서의 관리를 기준으로 하시오.
※ 고객관리계획은 향후 주단위의 관리 계획을, 자가관리 조언은 가정에서의 제품 사용을 위
   주로 간단하고 명료하게 작성하며 **수정 시 두 줄로 긋고** 다시 쓰시오.
※ 체크하는 부분은 주가 되는 하나만 하시오.
※ 고객관리 계획에서 마스크에 대한 사항은 제외하며, 마무리에 대한 사항은 작성하시오.

국가기술자격 실기시험문제

자격종목	미용사(피부)	과제명	팔, 다리 관리

비번호 :

※시험시간 : [○ 표준시간 : 2시간15분]
 - 2과제 : 35분(준비작업시간 제외)

1. 요구사항

※ 팔, 다리 관리를 하기 위한 준비작업을 하시오.

가. 과제에 사용되는 화장품 및 사용 재료는 작업에 편리하도록 작업대에 정리하시오.
나. 모델을 관리에 적합하도록 준비하고 베드 위에 누워서 대기하도록 하시오.

※ 아래 과정에 따라 모델에게 피부미용 작업을 실시하시오.

순서	작업명		요구내용	시간	비고
1	손을 이용한 관리 (매뉴얼 테크닉)	팔(전체)	모델의 관리부위(오른쪽 팔, 오른쪽 다리)를 화장수를 사용하여 가볍고 신속하게 닦아낸 후 화장품(크림 혹은 오일타입)을 도포하고, 적절한 동작을 사용하여 관리하시오.	10분	총 작업시간의 90% 이상을 유지하시오.
		다리(전체)		15분	
2	제모		왁스 워머에 데워진 핫 왁스를 필요량만큼 용기에 덜어서 작업에 사용하고, 다리에 왁스를 부직포 길이에 적합한 면적만큼 도포한 후, 체모를 제거하고 제모부위의 피부를 정돈하시오.	10분	제모는 좌우 구분이 없으며 부직포 제거전 손을 들어 감독의 확인을 받으시오.

2. 수험자 유의사항

1) 손을 이용한 관리는 팔과 다리가 주 대상범위이며, 손과 발의 관리 시간은 전체 시간의 20%를 넘지 않도록 하시오.
2) 제모 시 발을 제외한 좌·우측 다리(전체) 중 적합한 부위에 한번만 제거하시오.
3) 관리부위에 체모가 완전히 제거되지 않았을 경우 족집게 등으로 잔털 등을 제거하시오.
4) 제모 작업은 7×20cm 정도의 부직포 1장을 이용한 도포 범위(4~5 × 12~14 cm)를 기준으로 하시오.

국 가 기 술 자 격 실 기 시 험 문 제

자격종목	미용사(피부)	과제명	림프를 이용한 피부관리

비번호 :

※ 시험시간 : [○ 표준시간 : 2시간15분]
　　　　　 - 3과제 : 15분(준비작업시간 제외)

1. 요구사항

※ 림프관리에 적합한 준비작업을 하시오.

　가. 과제에 사용되는 화장품 및 사용 재료는 작업에 편리하도록 작업대에 정리하시오.
　나. 모델을 작업에 적합하도록 준비하시오.

※ 아래 과정에 따라 모델에게 피부미용 작업을 실시하시오.

순서	작 업 명	요 구 내 용	시간	비 고
1	림프를 이용한 피부관리	적절한 압력과 속도를 유지하며 목과 얼굴 부위에 림프절 방향에 맞추어 피부관리를 실시하시오. (단, 에플라쥐 동작을 시작과 마지막에 하시오.)	15분	종료시간에 맞추어 관리 하시오.

2. 수험자 유의사항

1) 작업 전 관리부위에 대한 클렌징 작업은 하지 마시오.
2) 관리 순서는 에플라쥐를 먼저 실시한 후 첫 시작지점은 목 부위(profundus)부터 하되, 림프절 방향으로 관리하며, 림프절의 방향에 역행되지 않도록 주의하시오.
3) 적절한 압력과 속도를 유지하고, 정확한 부위에 실시하시오.

[3과제] 1-1

2. (표준화)실기시험문제(재료목록)

4. 지급재료 목록

자격종목	미용사(피부)

일련 번호	재 료 명	규 격	단위	수 량	비 고
1	핫왁스	400~500 ㎖	개	1	7인당 1개
2	화장솜	100개	통	1	20인당 1개

5. 수험자 지참 공구목록		자격종목			미용사(피부)
일련번호	지참 공구명	규 격	단위	수 량	비 고
1	위생복	상의 반팔 가운, 하의 긴 바지	벌	1	모든 복식은 흰색 통일
2	실내화	흰색	켤레	1	실내화만 허용
3	마스크	흰색	개	1	
4	대형타월	100×180cm, 흰색	장	2	베드용, 모델용
5	중형타월	65×130cm, 흰색	장	1	
6	소형타월	35×80cm, 흰색	장	5장 이상	습포, 건포용
7	헤어터번(터번)	벨크로(찍찍이)형	개	1	분홍색 or 흰색
8	여성모델용 가운 및 겉가운	밴드(고무줄, 벨크로)형 일반형(겉가운)	벌	1	분홍색 or 흰색
9	남성모델용 옷	박스형반바지 & T-셔츠	벌	1	하의-베이지 or 남색 상의 - 흰색
10	모델용 슬리퍼		켤레	1	
11	필기도구	볼펜	자루	1	검은색 or 청색
12	알코올 및 분무기		개	1	필요량
13	일반솜		봉	1	탈지면, 필요량
14	비닐봉지, 비닐백	소형	장	각 1	쓰레기처리용, 습포보관용(두터운 비닐백)
15	미용솜		통	1	화장솜
16	면봉		봉	1	필요량
17	티슈		통	1	필요량
18	붓		개	2	클렌징, 팩용
19	해면		세트	1	필요량
20	스파튤라		개	3	클렌징, 팩용
21	보울(bowl)		개	3	클렌징, 팩 등
22	가위	소형	개	1	눈썹정리, 제모
23	족집게		개	1	눈썹정리, 제모
24	브러시		개	1	〃
25	눈썹칼	safety razer	개	1	눈썹정리

일련번호	지참 공구명	규 격	단위	수 량	비 고
26	거즈		장	1	
27	아이패드		개	2	거즈, 화장솜 가능
28	나무스파튤라		개	1	제모용
29	부직포	7×20 cm	장	1	〃
30	장갑	라텍스	켤레	1	〃
31	종이컵	100 ml	개	1	〃
32	보관통	컵형	개	2	스파튤라, 붓 등
33	보관통	뚜껑달린 통	개	2	알코올 솜 등
34	해면볼	소형	개	1	
35	바구니		개	2	정리용 사각
36	트레이(쟁반)	소형	개	1	습포용
37	효소		개	1	파우더형
38	고마쥐		개	1	크림형 or 젤형
39	AHA	함량 10% 이하	개	1	액체형
40	스크럽제		개	1	크림형 or 젤형
41	팩	크림타입	set	1	정상,건성,지성
42	스킨토너(화장수)		개	1	모든 피부용
43	크림, 오일	매뉴얼테크닉용	개	1	〃
44	탈컴 파우더		개	1	제모용
45	진정로션 혹은 젤		개	1	〃
46	영양크림		개	1	모든 피부용
47	아이 및 립크림		개	1	〃 (공용사용가능)
48	포인트 메이크업 리무버	아이, 립	개	1	모든 피부용
49	클렌징 제품	얼굴 등	개	1	〃
50	고무볼	중형	개	1	마스크용
51	석고마스크	파우더타입	개	1	1인 사용량
52	고무모델링마스크	파우더타입	개	1	1인 사용량
53	베이스크림	크림타입	개	1	석고 마스크용
54	모델		명	1	

※ 타월류의 경우는 비슷한 크기이면 무방합니다.
※ 기타 필요한 재료의 지참은 가능합니다.
※ 팩과 마스크, 딥클렌징용 제품을 제외한 다른 모든 화장품은 모든 피부용을 지참하십시오.

※ 바구니의 경우 왜건크기보다 크면 사용할 수 없습니다.
※ 부직포는 지정된 길이에 맞게 미리 잘라서 오시면 됩니다.
※ 재료에 관련된 자세한 사항은 홈페이지(www.hrdkorea.or.kr) 공지사항 및 FAQ 안내사항, 큐넷 (www.q-net.or.kr)의 수험자 지참재료목록 등을 참고로 하십시오.

6. 검정장소 시설목록

자격종목	미용사(피부)

구 분	일련번호	장비 및 시설명	규 격	단위	수 량	비 고
	1	베드	1인용	개	1	1인당
	2	탈의실		개소	적정수	모델용
	3	냉·난방시설		대	적정수	실당
	4	wax warmer	can type	대	1	7인당
	5	온장고	중형이상	대	1	〃
	6	의자	베드와 높이 맞는 것	개	1	1인당
	7	작업대	웨건 or 책상	개	1	〃
	8	전기시설		개소	1	실당
	9	수도시설		개소	적정수	없을시 간이시설
	10	대기실		실	적정수	모델 대기실
	11	바인더		개	1	1인당
	12	시계	벽걸이용	개	1	실당
	13	조명시설		실		밝은조명

3. 미용사(피부) 복장감점관련 참고자료 개정안

미용사(피부) 수험자 복장 감점 적용범위

구 분	기 준	내 용	감점 적용	비 고
위생복 (가운)	반팔 흰색	민소매형(민소매 + 반팔티 포함)	√	가운의 목깃, 허리 부분 길이, 디자인 등은 감점사항 아님
		긴팔(걷는 것도 포함)	√	
		반팔가운이지만 속티가 길게 나온 경우	√	
		하얀색 바탕에 검정무늬(단추 등 포함)	√	비표식 개념
위생복 (하의)	흰색 긴 바지	검정, 회색, 아이보리, 베이지 등의 유색 하의	√	하의의 종류, 재질 및 디자인은 구분하지 않음
		긴바지가 아닌 하의 (반바지, 스타킹, 츄리닝, 레깅스 등)	√	
		색줄 혹은 색무늬 있는 하의	√	
		기타 흰색 외 색상	√	
마스크	흰색	청색(하늘색 포함)	√	청색은 비표식 개념 (수험자 재료목록 기재사항)
		미착용	√	
		흰색 외 색상	√	
신발	흰색 실내화	실내화가 아닌 신발(일반운동화, 구두 등 실외에서 착용하는 신발 등)	√	신발 앞 혹은 뒤가 터져 있는 경우 샌달 혹은 슬리퍼 형으로 간주
		샌달 형	√	
		슬리퍼 형	√	
		뒤가 터져 있는 간호사 신발	√	
		선명하고 확실하게 구분되는 두꺼운 줄 및 무늬가 있는 신발	√	
		기타 흰색 외 색상	√	
티셔츠	흰색	흰색을 제외한 유색 티셔츠 (가운 밖으로 노출이 되는 경우)	√	비표식 개념
		목 전체를 덮는 폴라티	√	
양말	흰색	흰색 외 색상(표시가 나는 유색 스타킹 등도 포함) ※ 표시가 나지 않는 스타킹은 감점 제외 ※ 양말은 안신은 경우(맨발)는 감점	√	복식은 흰색으로 통일하도록 되어 있으며, 유색은 비표식 개념
기타	검은색	검은색을 제외한 머리 띠 및 머리망, 머리핀 등의 머리 고정용품 ※ 검은색 고정용품에 큐빅 등이 있는 경우는 감점 제외 ※ 반지, 귀걸이 등은 악세사리로 하여 위생점수에서 반영하면 됨	√	머리용은 검은색으로 통일하도록 되어 있으며, 흰색은 규정위반

4. 미용사(피부) 실기공개문제 관련(재료관련)

※ 양말 – 상표, 유색 테두리 허용

※ 신발 – 상표, 유색 테두리 허용, 젤리화, 크록스화, 벨크로형(찍찍이) 형태의 실내화 등 감점
  (제시된 사진 참고)

※ 반팔 위생복(가운)의 팔부위에서 안쪽 옷(티셔츠)이 밖으로 나오면 감점

※ 허용 양말 및 신발 사진 예시

※ 참고사항

1. 얼굴관리 시 작업범위

※ 클렌징, 팩, 손을 이용한 관리의 범위는 같으며, 팩의 경우는 최소 쇄골
  아래 3 cm 이상이 되어야 합니다.

< 딥클렌징 작업범위 >

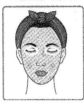

<손을 이용한 관리 작업범위>

< 팩 도포 작업범위 >

쇄골 밑 3cm 이상

2. 모델 사전 메이크업 예시

< Natural Make up >

※ 남성모델의 경우도 위와 비슷한 톤 정도로 메이크업을 하시면 됩니다.

미용사(피부) 공개문제 관련 FAQ(Vol. 1.6)

- 공개문제 관련 -

Q1 2013년부터 실기시험 중 기존 시험과 변경된 사항이 있나요?

A1 2012년 하반기 (7월 2일) 상시 실기 검정 제 22회부터 얼굴관리(1과제)에 마스크 및 마무리 과제가 추가되었으며, 2013년에도 동일하게 작용됩니다. 공단자격홈페이지(www.q-net.or.kr) → 고객만족(화면 상단) → 자료실 → 공개문제 → 검색항목 중 '글제목' 선택 → 종목명 입력 및 검색 → 목록 중 [공개문제]선택 → 다운로드 → 열기로 하반기부터 적용되는 새로운 "공개문제"확인하시면 되겠습니다.

Q2 미용사(피부) 실기시험은 과제 구성이 어떻게 됩니까?

A2 미용사(피부) 실기시험은 공개된 바와 같이 1과제 「얼굴관리」, 2과제 「팔,다리관리」, 3과제 「림프를 이용한 피부관리」의 순으로 구성되어 시험이 시행됩니다. 공개문제 등은 수정사항에 의하여 새로 등재되므로 정기적으로 확인을 하셔야 합니다.

Q3 과제별 시험 시간은 어떻게 됩니까?

A3 시험시간은 전체 2시간(순수작업시간 기준)이며, 각 과제별 시간은 1과제 70분, 2과제 35분, 3과제 15분입니다. 단, 2012년 하반기 (7월 2일)부터는 얼굴관리(1과제)에 마스크 과제가 추가됨에 따라 1과제 시험 시간이 85분, 전체 2시간15분(순수작업시간 기준)으로 변경됩니다.

Q4 기본 준비작업은 어떻게 해야 하나요?

A4 과제 시작 전에 준비작업시간을 따로 부여하며, 이때 과제에 필요한 작업물과 도구, 베드 등을 작업에 적합하게 준비한 다음 대기하고 있으면 됩니다. 모델은 바로 작업이 가능한 상태로 되어 있어야 하며, 눕혀서 대기하면 됩니다.

Q5 손을 이용한 피부관리와 마사지는 어떤 차이가 있나요?

A5 미용사(피부)의 피부관리는 마사지라는 용어를 사용하지 않습니다. 시중의 마사지와 손을 이용한 피부관리(매뉴얼테크닉)는 목적하는 바가 분명히 다릅니다. 피부미용에서의 손을 이용한 피부관리는 원칙적으로 화장품 등의 물질의 원활한 도포 및 그것을 돕기 위한 일련의 손 동작을 의미하며 근육을 강하게 누르거나 마사지하여 일정 부위를 자극하거나 쾌감을 유도하는 일련의 마사지 법과는 분명한 차이가 있습니다.

Q6 피부관리계획표의 작성은 어떻게 하나요?

A6 당일날 시험장에서 얼굴부위별 타입에 대한 내용과 사용할 딥클렌징제를 지정(당일 시험장 측에서 제시함)하면 그에 따른 피부관리계획표를 작성하게 되며, 이는 데려온 모델의 피부타입과는 관계없이 이루어집니다. 그리고 이후의 작업은 모델의 피부타입과는 관계없이 피부관리계획표 상의 제품을 기준으로 수행하면 됩니다. 기타 피부관리 계획표의 기재사항은 공개문제를 참고하시면 됩니다.

Q7 눈썹정리 과제는 어떻게 작업하면 됩니까?

A7 눈썹정리는 가위, 눈썹칼, 족집게를 이용하여 하시면 됩니다. 족집게의 사용 시는 반드시 감독위원의 입회 및 지시에 따라야 되며, 3개 이상만 뽑아내면 됩니다. 넓은 면의 잔털과 모양내기는 눈썹칼을 이용하면 됩니다. 눈썹정리 시 제거한 눈썹은 옆에 티슈에 모아 놓았다가 감독위원의 지시에 따라 휴지통에 버리시면 됩니다.(하나도 없는 경우는 미리 눈썹 정리를 다 해온 것으로 판단하여 채점상 불이익을 받을 수 있습니다.) 단, 2012년 하반기 (7월 2일)부터는 눈썹정리 시 한쪽 눈썹에만 작업하도록 변경됩니다.

Q8 딥클렌징 과제는 어떻게 작업하면 됩니까?

A8 모델의 피부 타입과는 관계없이 4가지 타입 중 당일 지정해주는 제품 타입을 이용하여 관리를 해야 합니다.

Q9 팩은 어떻게 하면 되나요?

A9 시험장에서 지정해주는 얼굴과 목 타입에 맞는 제품을 사용하면 됩니다. 얼굴에서 T 존과 U 존, 그리고 목 부위의 세 부위별로 타입을 제시(전체가 한 가지 타입이 될 수도 있고, 세 부위가 각각 다른 타입이 될 수도 있음)하여 팩을 도포하도록 되어있습니다.

Q10 마스크 어떻게 하면 되나요?

A10 석고마스크와 고무모델링 마스크 중 시험장에서 지정해주는 제품을 사용하면 됩니다. 마스크를 위한 기본 전처리를 실시한 후, 얼굴에서 목의 경계부위까지 (턱 하단 포함) 코와 입에 호흡을 할 수 있도록 도포하시면 됩니다.

Q11 팔, 다리 관리시간은 어떻게 되고 또 관리 부위는 어떻게 되나요?

A11 10분 동안 팔 관리를 하고, 이어 다리 부위를 15분 동안 관리하는 방식으로진행됩니다. 관리부위는 공개된 것처럼 오른 쪽 팔과 오른 쪽 다리 부위 총 2부위를 대상으로 순서대로 작업하게 됩니다. 팔은 전체를 관리대상으로 하고, 다리의 경우도 전체를 대상으로 범위가 넓어졌습니다. 다리는 서혜부를 제외한 아래쪽 전부를 말하며, 뒤쪽도 포함되므로 뒤쪽은 다리를 들어서(다리를 세우거나, 개구리 다리 모양으로 옆으로 해서) 관리를 하시면 됩니다.

Q12 제모는 어떻게 하나요?

A12 제모는 제공되는 왁스를 종이컵에 덜어가서 사용하여 작업하면 됩니다. 제모작업의 작업 부위는 양쪽 다리 전체 중 제모하기에 적합한 부위를 하면 되며, 제모 면적은 수험자 지참 재료인 부직포(7×20cm)를 이용할 때 적합한 정도인 4~5× 12~15cm 정도이면 됩니다. 단, 부직포를 제거할 때는 감독위원의 입회하에 작업을 하면 됩니다.

Q13 림프를 이용한 관리는 어떻게 하나요?

A13 림프를 이용한 관리는 15분의 시간으로 진행되며, 림프관리시에는 종료와 동시에 끝낼 수 있도록 하면 됩니다. 림프를 이용한 관리는 시술 부위는 얼굴과 목을 대상으로 하며 림프절을 따라 손을 이용하여 피부관리를 하면 되며, 순서는 데콜테 부위의 에플라쥐를 가볍게 하신 후 손동작의 시작점은 프로폰두스부터 시작하면 되고, 목관리-얼굴관리 순으로 하고 마지막 동작은 에플라쥐로 끝내면 됩니다.

Q14 시중의 피부관리실 등을 보면 업소에 따라 피부관리하는 방법이 상당히 다르고 또 업소나 사람마다 행하는 시술법이 다른 것 같은데 어떤 것을 기준으로하게 되나요?

A14 미용사(피부)는 기능사 등급의 시험입니다. 즉 피부미용사의 업무를 행하기 위한 기본적인 동작과 시술을 보는 것이기 때문에 화려한 테크닉이나 특별한 시술법을 요구하지 않습니다. 손을 이용한 피부관리는 기본 동작의 정확도, 연결성, 리드미컬한 움직임 등 기본 동작과 자세 등을 가장 중점으로 채점하는 것을 기본 방향으로 하고 있습니다.

Q15 시험 시 검정장에서 제공되는 것은 무엇이 있나요?

A15 공통으로 사용되는 기자재(왁스 워머, 온장고 등)와 베드 등은 검정장에서 준비가 됩니다. 지참 시 필요한 준비물은 공개문제 혹은 원서 접수 시에 www.Q-net.or.kr에서 확인이 가능합니다.

Q16 모델은 직접 데리고 와야 하나요?

A16 모델의 경우도 미용사(일반)와 동일하게 수험자가 대동하고 와야 합니다. 그리고 자신이 데려온 모델은 자신이 관리하게 되며, 사전 준비 시간에 모델에게 필요한 준비물(가운, 슬리퍼 등)은 모델에게 미리 주셔야 합니다.

Q17 모델의 조건은 어떻게 되나요?

A17 모델은 기본적으로 메이크업을 하고 와야 하며, 모델의 나이 상한 제한은 없어졌으며 만 17세가 되는해 출생자부터 모델로서 가능합니다. 그리고 국적이 한국인 사람 외에 조선족이나 중국계 한족 및 동남아인, 백인 등은 모델로서 가능합니다만 피부색 등이 일반적인 한국인과 많이 달라 감독위원의 채점에 지장을 줄 수 있는 모델은 불가합니다. 그 외에 심한 민감성 피부 혹은 심한 농포성 여드름이 있는 사람(스크럽이나 고마쥐의 1회 관리 시에도 문제가 생기는 피부를 의미), 성형수술(코, 눈, 턱윤곽술, 주름제거 등)한지 6개월 이내인 사람, 임신 중인 사람, 피부관리에 적합하지 않은 질환 혹은 피부질환을 가진 사람, 암환자 등은 모델이 될 수 없으며, 눈썹이 없거나 적어(일반적인 기준으로 가로길이의 2/3 정도가 되지 않는 경우) 눈썹관리 작업에 적합하지 않은 사람, 체모가 없거나 아주 적어 제모시술에 적합하지 않은 사람은 감점 등의 불이익이 있을 수 있습니다. 여성 수험자는 여성모델을, 남성 수험자는 남성 모델을 준비하시면 되며 사전에 모델에게 작업에 요구되는 노출에 대한 동의를 받으셔야 합니다.

Q18 남자가 응시하게 되는 경우는 모델을 어떻게 해야 하나요?

A18 남자의 경우는 남자수험자들만 따로, 남성 모델을 대상으로 피부관리를 하게 됩니다. 그리고 모델은 기본적으로 화장이 되어 있어야 하며, 만약 화장이 필요한 남성 모델의 경우 검정장의 대기실에서 모델조건에 맞는 화장을 할 수 있도록 할 예정이니 이를 위한 준비를 따로 하시면 됩니다. 그리고 남자 모델은 시험장의 베드에서 관리를 받기 위해 상의를 탈의 하여야 하며, 다리 관리시에는 하의를 탈의 하거나, 다리 관리 범위에 지장이 없도록 하의를 관리하도록 해야 됩니다.

Q19 볼에 화장품을 덜어서 사용해야 합니까?

A19 기본적으로 관리 시 위생상태의 유지를 위해 한번의 양으로 모두 사용되지않는 한 필요한 양만큼 볼에 덜어둔 뒤 관리 시 사용되는 것이 권장됩니다. 볼 3개를 모두 사용했을 경우에는 티슈 등으로 닦아낸 뒤 소독을 하고 재사용하시는 것은 허용됩니다(필요한 경우 소형 볼을 더 지참할 수 있음).

Q20 습포는 어떻게 사용해야 합니까?

A20 온습포 혹은 냉습포는 관리에 반드시 사용되어야 하는 단계가 있습니다. 그외의 경우에는 습포를 사용하는 것에 대하여는 관리상의 선택 혹은 방법으로간주하여 점수화 하지는 않습니다(언제 사용해야 하는 것은 채점과 관계된 사항이므로 답변하지 않습니다.). 그리고 온습포의 사용은 비치된 온장고를 이용하면 되며, 반드시 사용할 때마다 가져와야 합니다. 그리고 온장고 이용 시에는 집게(비치될 예정임, 개인 집게 사용가능)와 트레이(쟁반)를 사용하여 습포를 가져오면 됩니다.

Q21 1과제의 손을 이용한 관리시 관리 부위는 어디 까지 입니까?

A21 1과제의 손을 이용한 관리시 관리 대상이 되는 부위는 데콜테까지입니다. 단, 가슴 및 겨드랑이 안쪽 부위는 포함하지 않습니다.

Q22 재료를 구비하는데 비용이 많이 소모됩니다. 실기 재료비를 많이 받고 재료를 지급하는 것으로 바꿀 수는 없나요?

A22 실기검정에 필요한 재료는 어느 정도의 비용이 소모된다는 점은 십분 이해하고 있습니다. 그러나 검정 시 필요하다고 제시된 재료들은 실기 검정을 위해 연습 혹은 준비에 모두 사용되는 것입니다. 재료는 한번의 시험만을 위해서가 아니라 지속적으로 적용되는 모든 점을 감안하여서 결정됩니다. 실기재료를 지급하여 검정을 시행하는 경우에는 시험 준비(연습)를 위해서 필요한 물품들을 구입해야 하고, 또 시험을 위해서 같은 재료들에 대한 비용을 다시 지불해야 하며, 한번에 합격하지 못할 경우 같은 것을 또 지불해야 하는 등 오히려 더 많은 비용의 소모가 있는 등외에도 여러 가지 단점을 가지고 있습니다. 이러한 여러 가지 사항을 감안하여 결정된 사항이오니 불편하시더라도 이해해 주시면 감사하겠습니다.

※ 미용사(피부)에 관련된 기본 사항은 본 공단 홈페이지(http://www.q-net) 자료실(공개문제)에 이미 공개되어 있는 미용사(피부) 관련 FAQ를 참고하시기 바랍니다.

※ 기타 공지 되지 않은 사항 중 안내가 필요한 사항은 추후 FAQ를 통해 안내하거나, 원서 접수시 q-net의 수험자지참재료 목록을 통해 공지하겠습니다.

※ 추후 공지되는 사항은 본 공단 홈페이지를 통해 확인하실 수 있습니다.

6. 미용사 피부 실기공개문제 관련(재료 관련)

미용사(피부) 공개문제 관련 FAQ(Vol. 2.6)

– 재료관련 사항–

미용사(피부) 실기시험 문제에 대한 재료관련 공통 질의 사항을 정리하여 알려드립니다.

Q1 위생복(관리사 가운)과 실내화, 마스크는 어떤 것으로 준비해야 합니까?

A1 위생복은 현재 미용사(일반)에서 사용하고 있는 흰색 반팔 의사 가운 및 흰색바지로, 몸의 모든 복식은 흰색으로 통일하시면 됩니다. 실내화도 역시 미용사(일반)에서 사용하는 앞, 뒤가 트이지 않은 실내화(운동화는 안되며, 반드시 실내화를 지참해야 함)를 준비하면 되고 관리 작업상 굽이 있는 경우도 가능합니다. 마스크의 경우는 약국 등에서 판매하는 일회용 흰색 마스크를 사용하시면 됩니다. 즉, 복장은 외부에서 보았을 때 머리부분의 악세사리를 제외하고 모두 흰색(양말 등 포함)이면 되며, 반팔 가운 밖으로 긴팔 옷을 입는다던지, 가운 밖으로 다른 색의 옷이 보인다던지 하면 채점 상 불이익을 받을 수 있습니다. (흰색은 가능) 기타 자세한 사항은 "미용사(피부) 수험자 복장 감점 적용범위"를 참고하시기 바랍니다.

Q2 타월은 어떻게 준비하고 또 사용용도는 어떤가요?

A2 타월은 대, 중, 소로 지정된 사이즈(대형의 경우 10% 정도의 크기 차이는 무방합니다.)로 준비하시면 되며, 대형은 베드 깔개와 1,3과제에서의 모델을 덮는 용으로, 중형은 2과제에서 신체 부위를 가리는 용도 및 목 등 부위 받침용으로, 소형은 기타 및 습포용으로 사용하시면 됩니다. 수량은 대형과 중형은 지정된 수량을 준비하면 되고, 소형은 작업에 필요한 습포의 양에 따라 최소 5장 이상 가져오시면 됩니다(온장고에는 최대 6장까지 보관할 수 있습니다.). 그리고 대형의 경우 보통 피부미용업소에서 사용하는 베드용 타올의 폭으로 되어있는 것(100~135×180cm)도 무방합니다.

Q3 모델용 가운은 어떻게 준비하나요?

A3 모델용 가운은 지정된 색의 가급적 무늬가 없는 것으로 준비하시면 됩니다. 현란하거나 큰 무늬를 제외한 작은 무늬(일명 땡땡이 등)가 있는 정도는 허용하며, 밴드형과 벨크로(찍찍이)형 중 하나를 준비 하시면 됩니다. 그리고 겉가운은 검정시설 상 모델 대기실과 검정장이 떨어져 있어 이동을 해야 하는 경우가 많으므로 이때 사용하는 것으로 색깔 역시 지정된 색 계통으로 일반 가운형을 준비하시면 됩니다.

Q4 남성 모델용 옷은 색상이 상하의 통일인가요?

A4 남성 모델용 옷은 상의는 흰색, 하의는 베이지 혹은 남색으로 준비하시면 됩니다.

Q5 모델용 슬리퍼는 특별한 제한이 없나요?

A5 모델용 슬리퍼는 특별한 제한은 없습니다.

Q6 알콜 및 분무기는 분무기에 알콜을 넣어오면 되는 건가요?

A6 펌프식 혹은 스프레이식의 분무기에 알콜을 넣어오시면 되고 이것은 화장품, 기구 혹은 손 등의 소독시에 사용됩니다. 그리고 스프레이식을 사용하여 소독하는 것에 대한 감점 등의 사항은 없습니다.

Q7 정리대는 가져가야 하나요?

A7 왜건은 기본적인 검정장 시설에 속하므로 모두 구비되어 있습니다. 그러므로 가져오실 필요가 없습니다.

Q8 미용솜과 일반솜은 무엇을 얘기하는 건가요?

A8 미용솜은 일반 화장솜을, 일반솜은 탈지면(코튼)을 의미합니다. 둘 다 소독용혹은 클렌징용으로 사용됩니다.

Q9 보울과 대야(해면볼)는 어떤 사이즈를 준비하면 됩니까?

A9 보울은 소형의 유리 혹은 플라스틱 볼을 준비하면 되고 화장품을 덜어서 사용하는 용도로 이용됩니다. 그리고 대야(해면볼)는 물을 떠놓거나 해면 볼로 사용됩니다. 대야의 경우는 대형 볼을 사용하셔도 됩니다.

Q10 팩 시 거즈와 아이패드는 어떻게 사용되고 준비하여야 합니까?

A10 거즈는 팩 시 얼굴 전체에 깔고 그 위에 팩을 도포하는 용도로 사용되는 것이 아니고, 팩이나 딥크린징 시 입술을 덮는 용으로 사용되는 거즈를 의미합니다. 아이패드도 역시 팩이나 딥크린징 시 눈을 덮는 용도로 사용되며, 상품화된 아이패드를 사용하시던지, 아니면 일반적으로 화장솜을 덮어서 사용하셔도 됩니다. (단, 하반기부터 실시되는 마스크 시에는 얼굴전체에 깔고 그 위에 마스크를 도포하는 용도로 사용됩니다.)

Q11 제모시의 부직포는 무엇이며 제시된 규격대로만 준비해야 합니까?

A11 부직포는 제모시에 사용되는 머슬린 천으로 사용되는 용도의 종이(혹은 천)을 의미하며 일반적으로 롤로 말려서 상품화되어 판매되고 있습니다. 규격에 맞추어 준비해오시면 되고, 한 장만 사용하므로 정해진 크기의 부직포를 가지고 제모작업을 할 수 있을 정도로 제모부위를 정하시면 됩니다.

Q12 보관통의 재질은 반드시 금속이어야 하나요?

A12 보관통의 재질은 금속, 플라스틱, 유리 모두 관계없이 준비하시면 됩니다.

Q13 딥클렌징용 화장품 4가지를 모두 준비해야 하나요?

A13 딥클렌징 시에는 지정된 타입을 사용하시는 것이므로 목록의 4가지를 모두 준비해 오셔야 하며, 각각을 피부타입 별로 따로 더 많이 준비하실 필요는 없습니다. 이 중 효소는 가루를 물에 개어서 크림상으로 만들어 사용하는 것을 준비하셔야 합니다. AHA의 경우는 액체형으로 준비하시며, 시중에 있는 제품 중에서 함량표시가 되어있는 것이 많지 않으므로 함유표시는 있되, 함량이 겉으로 표시 안 된 제품을 가져오시는 경우 함량을 확인하여 준비하시고 만약에 지정된 함량 이상의 것을 사용하였을 때 심한 트러블이 생기는 경우는 수험자에게 귀책이 돌아갈 수 있습니다.

Q14 팩은 어떤 피부타입을 준비하면 됩니까?

A14 팩은 기본적으로 중성(정상), 지성, 건성의 3가지 피부타입을 기본으로 준비하시면 되고, 필요에 따라 여드름 혹은 민감성 등 기타 타입을 1~2가지 정도 더 준비하셔도 무방합니다만 필수조건은 아닙니다. 그리고 팩은 기본적으로 크림 타입을 준비해 오시면 되며, 투명하거나 팩의 도포 타입 및 도포 방향 등을 구별할 수 없는 것은 제외됩니다.

Q15 탈컴파우더는 베이비파우더를 준비해 와도 됩니까?

A15 탈컴파우더를 사용하는 목적과 실제 효과가 베이비파우더와 유사하므로 베이비파우더로 대체하셔도 됩니다만 탈컴파우더를 권장합니다(이와 관련해서 감점 등은 없습니다.).

Q16 진정로션 혹은 젤 용으로 알로에 젤을 사용해도 됩니까?

A16 일반적으로 알로에의 함유량이 높은 알로에 젤이 진정용으로 많이 사용되고 있으므로 가능합니다.

Q17 아이크림과 립크림은 같이 사용하는 경우가 많은데 같이 사용해도 되나요?

A17 아이크림과 립크림은 각각 따로 준비하셔도 되고 같이 사용하셔도 됩니다.

Q18 메이크업 리무버와 클렌징 제품이 혼동됩니다. 설명해 주세요

A18. 메이크업 리무버는 포인트 메이크업 리무버와 페이셜 클렌저를 의미하며, 클렌징 제품은 바디 클렌징 제품으로 현재 시험에서는 알콜을 함유하고 있는 화장수 등으로 가볍게 닦아내는 클렌징을 하도록 되어 있으므로 이에 필요한 화장품을 준비하면 됩니다(추후 스크럽 및 클렌저를 사용하는 클렌징을 요구하는 문제가 공개되는 경우에는 거기에 맞는 제품을 준비하면 됩니다.).

Q19 팔, 다리 관리용 화장품은 어떤 타입이 사용됩니까?

A19 팔, 다리 관리용 화장품은 오일타입 및 크림타입 둘 다 사용이 가능합니다.

Q20 화장품은 어떤 형태로 가져와야 합니까?

A20 화장품은 판매되는 제품으로 가져오시면 되고, 사용하시던 것도 무방합니다만 덜어오시는 것은 안됩니다. 그리고 외부 등에 관련된 화장품의 타입이나 용도 등이 프린트 혹은 스티커(제품회사에서 붙인, 단 인쇄된 것이어야 하며, 조잡하게 프린트 되어 개인이 만들 수 있는 것과 구분이 되지 않는 것은 붙이지말 것)등으로 적혀져 있으면 됩니다. 모든 피부용의 경우 "all skin type 혹은 모든 피부용"이라고 적혀 있지 않아도 범용 혹은 모든 피부에 사용할 수 있다는 등의 내용이 설명서 혹은 제품에 안내되어 있으면 사용 가능합니다. 그리고 딥클렌징제의 경우는 4가지 타입으로 목록상의 제품 성상에 맞는 제품이면 사용이 가능합니다. 그리고 화장품은 브랜드를 차별하지 않으며, 같은 회사의 라인으로 통일시킬 필요도, 제품용량의 일정이상이 들어 있을 필요도 없습니다.

Q21 기타 자신이 가지고 오고 싶은 도구를 가져오는 것은 가능한가요?

A21 목록상의 재료의 수량을 더 가져오시는 것은 가능합니다. 그러나 개인 왁스 및 왁스 워머는 따로 전원이 준비되지 못하므로 불가능하고 베게 등은 타올로 대체 가능하므로 불필요하며, 면 시트 등은 검정장의 시설에 따라 적용사항이 다를 수 있으니 불필요합니다. 기타 화장품 등은 더 가져오셔도 됩니다.

Q22 2013년 목록에서 추가된 것은 어떠한 제품인가요?

A22 2012년 하반기(7월2일)부터 1과제에 마스크 및 마무리가 추가됨에 따라 마스크 작업에 필요한 지참 준비물이 추가되었으며,(고무볼, 석고마스크, 고무모델링마스크, 베이스크림)2013년에도 동일하게 적용됩니다. q-net의 수험자지참재료목록을 통해 하반기부터 적용되는 새로운 "공개문제"에 따른 수험자지참재료목록의 추가사항을 확인하시면 되겠습니다.

※ 재료는 문제의 변경이나 기타 다른 사유로 수량 및 품목 등이 변경될 수도 있으니 정기적인 확인을 부탁드립니다.

※ 미용사(피부) 국가기술자격 종목의 실기 공개문제는 한국산업인력공단 검정포탈사이트 큐넷(www.q-net.or.kr)의 "고객만족→자료실→공개문제" 항목에서 확인하실 수 있습니다.

※ 기타 공지 되지 않은 사항 중 안내가 필요한 사항은 추후 FAQ를 통해 안내하거나, 원서 접수시 q-net의 수험자지참재료목록을 통해 공지하겠습니다.

※ 추후 공지되는 사항은 본 공단 홈페이지를 통해 확인하실 수 있습니다.

미용사(피부) 실기시험 관련 FAQ

- 마스크 과제 추가 관련 -

Q1 기존의 팩 작업이 변경되었나요?

A1 기존의 팩 및 마무리(15분) → 팩(10분)으로 변경되었습니다. 팩 작업은 10분 동안 기존과 동일하게 진행하고 팩이 건조되면 해면이나 습포 등을 이용하여 제거하며 토닝 후, 마스크 작업 준비를 하시면 됩니다. 기존의 팩 작업 후에 했던 마무리는 마스크 작업 후에 합니다.

Q2 고무 마스크 작업은 어떻게 해야 하나요?

A2 마스크를 위한 기본 전처리를 실시하며, (젖은 아이패드 사용)석고마스크와 동일한 작업범위로 적용하여 도포합니다. 앰플이나 거즈는 적용 할 필요는 없습니다.

Q3 시중에 판매되고 있는 마스크의 종류가 다양한데 어떤 것을 준비해야 되나요?

A3 석고 마스크와 고무 마스크의 추가 성분에 따른 제품의 종류에 특별한 제한을 두진 않습니다.(예: 비타민, 콜라겐, 녹차 등)

Q4 석고 마스크 작업은 어떻게 해야 하나요?

A4 마스크를 위한 기본 전처리를 실시하며 석고 베이스 크림을 도포하고, (젖은 아이패드와 젖은 거즈를 사용) 물에 갠 석고 파우더를 얼굴에서 목의 경계부위까지 (턱 하단 포함)도포하되, 코와 입에 호흡을 할 수 있도록 도포하여야 합니다.

Q5 석고 마스크 작업을 위해 미온수를 준비해야 하나요?

A5 시험 중 수험자 편의를 위해 미온수를 별도로 제공 및 사용하지 않으며 석고팩의 종류를 제한하지 않기 때문에 반드시 미온수를 사용할 필요는 없습니다. 석고마스크의 경우 냉(cool)타입도 사용가능합니다.

Q6 마스크 작업에 필요한 재료(파우더, 물)는 어떻게 가져 오나요?

A6 마스크 파우더의 경우 시중에서 판매 되는 제품의 양이 많기 때문에 필요량만큼 위생적으로 청결한 상태의 용기나 지퍼백에 덜어 오시면 됩니다. 마스크에 사용되는 물의 경우도 시험장의 개수 시설에서 이용하시거나 필요량만큼 위생적으로 청결한 상태의 용기에 덜어 오시면 됩니다.

Q7 마스크 도포 시 자리에 일어서서 도포해도 되나요?

A7 기존의 팩 작업과는 달리 마스크는 제형특성상 흘러내릴 수가 있으므로 타인의 수험이나 시험 진행에 방해되지 않는 범위 내에서 필요에 따라 일어서서 도포하셔도 됩니다.

Q8 마스크 도포가 끝난 후 도포된 부위의 가장자리에 티슈 처리를 해도 되나요?

A8 마스크의 완성 상태를 평가해야 하므로 마스크가 도포된 가장자리에 티슈처리 등 별도의 추가 작업을 해서는 안됩니다.

Q9 마스크 작업 후 마무리는 어떻게 하나요?

A9 기존의 팩 작업 후에 하셨던 최종 마무리를 마스크 작업 후에 하시면됩니다. 팩은 마무리 과정 없이 10분 동안, 마스크는 마무리 작업을 포함하여 마스크 전체 과제를 20분 동안 수행하시면 됩니다.

Q10 시험 중 마스크 작업으로 추가되는 재료는 정리대의 상단에 보관해야되나요?

A10 마스크 작업이 1과제에 해당되므로 정리대의 상단에 보관하는 것이 좋으나 정리대의 상단이 복잡할 경우 필요 시, 하단에 보관하셔도 됩니다. 다만, 시험 진행 중 정리대의 위생 상태가 청결하도록 유지하여야 합니다.

※ 미용사(피부)에 관련된 기본 사항은 본 공단 홈페이지(http://www.q-net) 자료실(공개문제)에 이미 공개되어 있는 미용사(피부) 관련 FAQ를 참고하시기 바랍니다.

피부미용사

Skin Natural Therapies

P·A·R·T

1

피부미용학

CHAPTER 01

피부미용 개론

▶ 피부 미용의 개념

1. 피부미용의 정의

피부미용이란 전신과 피부의 미용적인 문제점을 개선하여 아름답고 깨끗한 피부로 가꾸어 준다는 의미로 사용되며 이러한 신체적인 아름다움의 유지를 위해서는 여러 가지 테크닉과 미용기기, 화장품을 이용할 수 있다.

　피부미용이란 피부의 생리기능을 자극함으로써 아름답고 건강한 피부를 유지하고 관리하는 미용기술을 말하며 내·외적 요인으로 인한 미용상의 문제를 물리적이나 화학적 방법을 이용하여 예방하는 것이다.

　즉, 피부미용은 과학적 지식을 바탕으로 다양한 미용적인 관리를 행하므로 하나의 과학이라 말할 수 있다.

2. 피부미용 용어

① Cosmetic(Kosmetik)의 어원은 고대 그리스어인 Kosmos(우주)에서 유래되었으며 Kosmetikos (화장)란 뜻을 갖고 있다. Aesthetic(Esthetique)의 어원은 예술적, 심미적, 미적 감각이 있는 뜻을 갖고 있다.
② 나라별 피부미용의 용어 : 독일은 'Kosmetik', 프랑스는 'Esthetique', 영국은 'Cosmetic', 미국의 경우 'Skin care(Aesthetic)'으로 사용된다.
③ Cosmetic이란 용어는 화장품과 피부 관리를 구별하기 위해 사용된 것이다.
④ 피부미용이라는 명칭은 독일의 미학자 A.G 바움가르덴에 의해 처음 사용되었다.

3. 피부미용 업무

① 미용업(피부) : 의료기기나 의약품을 사용하지 아니하는 피부상태분석·피부관리·제
   모·눈썹손질을 행하는 영업(공중위생관리법 의거)이다.
② 안면 및 전신의 피부를 분석하고 관리하여 피부상태를 개선시킨다.
③ 피부미용사의 손과 화장품 및 적용 가능한 피부미용기기를 이용하여 관리한다.

4. 피부 미용의 기능

① 건강적 기능 : 건강 측면의 피부 관리로서 외적인 환경으로부터 피부가 손상되는 것을
   막아주고 피부의 조기 노화를 예방 하여 피부를 건강하고 아름다운 상태로 유지하는
   기능
② 심리적 기능 : 고객의 피부 상태에 따른 분석 및 관리를 통해 심신의 이완감과 만족감
   을 주는 기능
③ 미적 기능 : 피부를 아름답게 유지하거나 개선시킴으로써 인체의 외관을 아름답게 가
   꾸어 지는 기능

5. 피부미용사 자세 및 복장

① 피부미용사는 위생적인 복장 및 외형을 갖추고 있어야
   한다. 헤어의 경우 관리사의 유니폼과 고객의 몸에 닿
   지 않도록 정리하며, 깔끔한 위생복, 편안하고 안정적
   인 신발 등을 착용한다.
② 손은 늘 청결하고 따뜻하게 유지하며, 액세서리는 지
   양하되 특히, 손에 하는 모든 액세서리는 착용하지 않
   는다.
③ 구취 및 비말 감염 방지를 위해 관리 시 반드시 마스
   크를 착용한다.

[피부미용사의 복장]

④ 피부상태를 돋보이게 하는 자연스럽고 부드러운 메이
   크업을 하며, 너무 향이 짙은 향수는 고객에게 거부감을 느끼게 할 수 있으므로 주의
   한다.

⑤ 늘 미소를 띄고 밝은 표정을 유지하며, 고객응대 시 겸손하고 예의 바르게 행동한다.

⑥ 고객에게는 반드시 경어를 사용하고 주의사항 및 조언 시에도 강한 어구는 피해야 한다.

⑦ 고객의 말에 경청하며, 사적인 대화는 주의하고 주변 동료들과의 대화에서 실수하지 않도록 주의한다.

⑧ 고객을 평등하게 대하고, 고객이 불편함이 없도록 항시 체크하며, 불만제기 시 변명보다는 적극적으로 시정하도록 노력한다.

⑨ 관리 시 앉는 자세는 의자를 깊숙이 당겨 앉고 허리가 굽지 않도록 하며, 너무 가깝게 다가가지 않도록 한다.

⑩ 서있는 자세에서 관리 시 체중의 무게를 양다리에 균일하게 두며, 관절에 무리가 가지 않도록 주의한다.

6. 피부 관리실의 환경 및 준비상태

① 베드는 용도에 맞는 베드를 선택하고, 관리사의 키를 고려하여야 하며, 겨울에는 따뜻함을 유지하도록 한다.

② 시트와 담요는 늘 위생적으로 유지하며, 덮는 시트는 포근하고 부드러운 재질로 선택한다.

③ 수건은 위생적인 흰색 계열의 면 재질을 선택하고 용도에 따라 크기를 다양하게 구비하며

[베드 세팅]

발에 사용하는 수건은 색깔을 달리하여 구분해 놓으며, 사용 후 자주 소독처리를 한다.

④ 드레싱커(트레이, 웨건)는 늘 위생적인 준비 상태로 유지시키며, 관리 시 불편함이 없도록 정리정돈하도록 한다.

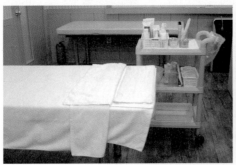

[드레싱커 세팅]

⑤ 관리실의 조명은 필요 시 적절하게 사용될 수 있도록 직접조명과 간접조명 또는 조도기 설치를 통하여 빛의 밝기를 조절하도록 한다.

⑥ 계절에 맞게끔 온도를 조절할 수 있어야 하며, 냉·난방이 잘되어 있어야 한다.

⑦ 불쾌한 냄새가 나지 않도록 환기에 신경쓰며, 아로마 향을 이용하여 고객의 심리적인 부분까지 신경 쓰도록 한다.

⑧ 관리 시 소음이 나지 않도록 방음 및 관리사의 행동에 주의 하도록 한다.

Ⅱ 피부 미용의 변천사

1. 한국의 역사

1) 고조선

단군신화에서 곰과 호랑이가 인간이 되기 위해 100일 동안 햇빛을 보지 않고 쑥과 마늘을 먹었다는 내용에서 미백에 대한 열망과 흰 피부를 선호했다고 유추할 수 있다.

2) 삼국시대

① 고구려

수산리 고분벽화와 쌍영총에서 보여지는 여인상에서 뺨과 입술에 연지를 발랐다는 사실을 알 수 있다.

[고구려 쌍영총]

② 백제

백제인들은 분은 바르되 연지를 바르지 않는 은은한 화장을 좋아했다. 하지만 일본인들에게 화장품 제조기술에 영향을 줄 정도로 높은 수준이었음을 알 수 있다.

③ 신라

남·여 모두 미를 추구하였고 백분 같은 화장품이 제조되었다. 또한, 목욕 및 향 문화도 발달하였다. 신라의 승려가 일본에 연분을 전파시켰다는 기록이 남아 있다.

3) 고려시대

신라의 영향을 받아 외형상 사치스러웠으며, 내면은 탐미주의 사상이 농후했고 신분에 따라 여염집 여인들은 비분대 화장을 하였고 기생들은 눈썹을 가늘고 까맣게 그리며 짙은 분대 화장이 성행하였다. 또한 목욕과 향료가 발달하여 향을 바르고 향낭을 차고 다녔다.

4) 조선시대

유교적 도덕관념과 가부장적인 사상으로 외적인 미보다는 내적인 아름다움을 강조 하였다. 남성들의 경우 부인과 며느리는 내면의 미를, 소실이나 기생의 경우 요염함과 화려함이 있는 여성미를 꿈꾸었다.

[신윤복 미인도]

5) 개화기

서구화장품이 도입되며 백분, 비누, 향수 등이 수입되었고 1922년 박가분이 출시되었다. 기생과 신여성을 중심으로 신식화장이 유행하여 일반 여성과의 화장법 구분이 뚜렷해 졌다.

6) 현대

1960년 이후 국내 화장품 개발이 활성화되기 시작하였다. 1981년 YWCA에서 '피부미용'이 도입되어 정식 피부미용수업이 진행되었고 그 후 80년대 중반 피부미용 전문 제품이 수입되어 에스테틱 전문 살롱이 오픈되었고 1986년 CIDESCO(국제 피부관리협회)에 가입하여 세계대회에 참여하기 시작하였다. 이후 현재까지 다양한 에스테틱 전문 살롱으로 발전하게 되었다.

2. 서양의 역사

1) 이집트

고대 미용의 발상지로써 종교의식의 필요에 의해 시초하여 장식과 보호를 위한 목적으로 발전하였으며, 사막의 모래 및 태양으로부터 보호하기 위한 화장으로 개성적인 화장을 하였고 향유

[이집트시대]

를 사용하여 피부 손질을 하였다. 클레오파트라 시대에는 절정에 이르러 다양한 미용법이 개발되었다.

[그리스 시대]

2) 그리스

이 시대에는 건강한 신체에 건강한 정신을 추구하였다. 여성의 지위가 하락되었고, 인공보다는 자연스러운 모습을 중시하였다. 남성들은 목욕 후 마사지와 향수를 즐겼으나 여성들의 경우 기초 피부 손질 외에 거의 메이크업을 하지 않았으며, 반면 창부들은 매우 짙은 메이크업을 하였다.

3) 로마

청결, 몸치장을 중요하게 여겼으며 향수, 오일, 화장품이 생활의 필수품으로 등장하였다. 공중목욕탕이 발달하였으며, 자신의 몸을 치장하는 데 많은 시간을 투자하였다. 올리브 오일을 이용하여 목욕을 하였고 흰 피부를 선호하여 발랐던 백연으로 인해 얼굴빛과 건강의 문제점을 야기 시켰다.

4) 중세

기독교의 금욕 사상 및 봉건사상으로 청정한 피부 관리에 중점을 두었으며 피부에 스팀법이 이용되고 각종 꽃과 식물을 이용한 아로마 요법의 기초가 되는 시기였다. 십자군 전쟁이후 동양으로부터 전달된 진기한 메이크업 재료로 인해 여자들 사이에 치장하는 것에 대한 관심이 커졌다.

[로마시대]

5) 르네상스

그리스 로마의 문화 부흥에 따라 남녀를 불문하고 과장되고 화려한 의복과 메이크업을 즐겼다. 머리는 염색과 가발을 이용하였고, 남자와 여자 모두 피부를 하얗게 하기 위해 분을 발랐다. 퐁테뉴(1533년~1592년)의 저서에는 크림과 팩의 처방이 실려 있다.

[중세시대]

6) 근대(19C)

19C 자연주의 사상의 대두로 자연스러운 메이크업이 주조를 이루고 화학과 화장품 제조기술이 발달하여 안전한 새로운 분이 개발되었다. 비누의 등장으로 위생과 피부 관리에 대한 관심이 증가되었다. 하얀 피부를 위한 관리가 성행 하였다.

[르네상스]

7) 현대(20C)

1901년 마사지 크림이 개발되어 대중화 되었으며 현대의 피부미용은 자연 그대로의 피부 건강과 아름다움을 추구하며 자연에서 추출 한 원료에 기초하여 피부과학을 토대로 고도로 발달한 생양학, 생화학, 전기학등 과학 기술을 바탕으로 발전하고 있다.

[근대]

TIP

요점 정리

분류	시대		특징
한국의 역사	고조선		단군신화에서 미백에 대한 열망을 엿볼 수 있음
	삼국시대	고구려	뺨과 입술에 연지를 도포(쌍영총)
		백제	은은한 화장 선호, 일본에 화장품 제조기술 전파
		신라	남녀 모두 美 추구, 목욕, 향문화 발달
	고려시대		사치스러웠고, 탐미주의 발달 어염집과 기생화장으로 양분화
	조선시대		유교사상의 영향으로 내면·외면 모두 중시 어염집과 기생화장으로 양분화
	개화기		서구화장품, 화장법 도입/1922년 박가분 출시
	현대		1981년 YWCA로부터 피부미용 도입
서양의 역사	이집트		종교의식으로부터 시초, 클레오파트라 때 절정
	그리스		시민들의 자연스러운 메이크업과 창부의 짙은 화장이 양분화
	로마		목욕문화 발달, 사치스러움과 탐미주의 발달
	중세		기독교의 봉건사상 영향으로 미용 침체기
	르네상스		로마시대의 사치가 다시 유행, 남·여 모두 화장
	근대		자연스러운 메이크업, 비누 등장
	현대		피부과학 및 생화학, 전기학을 중심으로 피부미용발전

02
CHAPTER

피부 분석 및 상담

▶ 피부 분석의 목적 및 효과

피부분석은 보다 정확하고 안전한 피부관리를 위하여 꼭 필요한 단계로 다양한 피부 유형에 맞는 피부관리를 위하여 가장 먼저 이루어져야 하는 단계이다. 올바른 피부분석은 미용기기 및 고객 피부 유형에 맞는 화장품 선택과 고객의 피부 상태에 따른 프로그램을 진행하여 정상적인 피부로 유도하기 위한 과정이다.

1. 피부 분석 목적 및 효과

① 고객의 피부상태와 유형을 판단하여 적절한 피부관리 계획을 수립할 수 있다.
② 고객의 피부 문제점의 원인을 파악할 수 있다.
③ 관리 전 부적용증이 있는 경우 관리 유·무와 주의사항을 사전에 체크하고 예방할 수 있다.
④ 고객이 원하는 부분(방문목적)을 파악할 수 있다.
⑤ 고객에게 올바른 홈 케어를 처방할 수 있다.

2. 피부 분석 방법

① 견진법 : 관리사의 눈이나 기기(확대경, 우드램프, 스킨스코프)를 이용하여 피부색, 피지분비, 피부두께, 피부결, 보습상태, 예민도, 색소, 여드름 상태를 알아보기 위한 방법이다.
② 촉진법 : 탄력, 함수량, 피부두께, 피부결 및 예민도를 알아보기 위해 손가락으로 집거나 스파츌라로 살짝 눌러보는 방법이다.

③ 문진법 : 개인의 신상(나이, 직업, 결혼유·무, 취미 등)과 라이프 스타일(수면, 식이, 운동), 건강상태, 피부문제점 및 발생 시기, 스트레스에 대해 알아보는 방법으로서 피부문제점에 대한 원인을 파악할 수 있는 방법이다.

3. 안면 관리 순서

문진법을 통한 상담 → 클렌징 → 피부 분석 → 딥 클렌징(눈썹수정 시 딥 클렌징 전에 실시) → 매뉴얼테크닉 → 팩 → 마무리

Ⅱ 피부 상담

고객이 피부관리를 목적으로 샵에 방문 시 독립공간인 상담실에서 상담을 진행한다. 상담 시 피부 미용사는 고객이 피부에 관한 문제를 스스로 이야기할 수 있도록 상담을 유도해야 한다.

피부미용사는 상담과정에서 나타나는 고객의 잘못된 피부관리 습관을 지적하는 방법보다 조언하는 식의 자연스러운 대화방법으로 설명하는 것이 중요하다. 또한 피부상담을 통하여 고객카드를 작성하고 피부상태를 파악한 후 구체적인 관리 방법을 설명하고 피부관리를 실시한다.

1. 피부 상담의 목적

① 고객이 피부미용실을 방문한 목적을 파악한다.
② 고객이 가지고 있는 피부의 문제점을 체크한다.
③ 고객이 원하는 피부관리, 고객의 성격과 취향 등을 이해하여 성공적인 피부관리 방법을 제시 한다.
④ 고객이 가지고 있는 피부의 문제점에 진지하게 관심을 보임으로서 고객과의 신뢰감을 형성 한다.
⑤ 성공적인 피부 상담으로 피부 관리의 티켓을 유도한다.

2. 피부상담 시 체크사항

① 나이 : 고객의 실제 나이와 피부나이를 비교해 보고, 노화 상태를 체크한다.
② 직업 : 고객의 피부 문제점과 관련이 있는지 체크한다.
③ 결혼유·무 : 임신, 출산 등 여성의 생리 사이클을 체크한다.
④ 라이프 스타일(수면습관, 식이방법, 취미, 운동, 스트레스 등)을 체크한다.
⑤ 병력사항 및 부적용증 : 심장 관련 질병, 혈압, 간질, 당뇨, 피부질환, 알레르기, 호르몬
　계 이상, 몸에 금속물질 부착 여부, 현재 복용중인 약, 수술 및 입원 여부(최근 1년 내)
⑥ 기존 관리 방법
⑦ 고객이 현재 사용하고 있는 화장품
⑧ 피부문제점 발생 시기 및 발생 후부터 현재까지 진행상태

3. 피부상담 방법

① 상담실은 관리실과 구분된 독립된 장소이어야 하며, 편안한 분위기를 연출한다.
② 상담 시 고객에게 맞는 차나 다과를 준비한다.
③ 상담자는 고객이 방문한 목적이 무엇인지 경청하고, 전문적인 지식을 바탕으로 피부에
　관련된 조언을 하도록 한다.
④ 상담 시 관리실의 매뉴얼을 이용하여 다양한 프로그램을 소개한다.
⑤ 너무 사적인 대화나 고객이 불편할 수 있는 질문은 피하도록 한다.
⑥ 피부상태는 시시각각 변화될 수 있으므로, 관리 전 피부상태를 늘 체크하여 관리하도록
　한다.

4. 피부관리에 대한 첫 상담과정에서 고객이 얻는 효과

① 피부관리에 대한 지식을 얻게 한다.
② 피부관리에 대한 경계심이 풀어지며 심리적으로 안정된다.
③ 피부관리에 대하여 긍정적이고 적극적인 생각을 가지게 된다.

5. 피부에 관련된 상담과정에서 파악할 수 있는 사항

① 고객의 방문 목적을 파악할 수 있다.
② 피부문제의 원인을 파악할 수 있다.
③ 피부관리 계획을 수립할 수 있다.

Ⅲ 피부 유형 분석

1. 일반적 피부 타입

1) 정상(중성)피부 타입(Normal Skin Type)

① T존과 U존의 피지분비량의 차이가 있으며, 번들거리지 않는다.
② 피부결이 비교적 섬세하고, 전반적으로 피부가 부드러워 보이며 깨끗하다.
③ T존 부위에 모공이 보이며, 그 외 부위는 모공이 보이지 않는다.
④ 세안 후 피부 당김이 거의 느껴지지 않는다.
⑤ 표정주름 외에는 전반적으로 주름이 없다.
⑥ 전반적으로 피부의 결점이 보이지 않는다.
⑦ 나이와 계절의 변화에 따라 관리 방법이 달라져야 한다.
⑧ 관리 : 계절 및 연령에 따른 기본관리 방법이 달라져야 한다.

2) 건성 피부 타입(Dry Skin Type)

(1) 피지 부족 건성 피부(Alipic skin)

① 피부결이 섬세하고 얇다.
② 피부 표면이 투명하다.
③ 모공이 거의 보이지 않는다.
④ 심하게 당기는 현상이 있으며, 다른 피부 타입에 비해 주름이 잘 생긴다.
⑤ 피부에 홍조를 띄는 경우가 많다.
⑥ 과색소 침착 현상이 나타난다.
⑦ 노화가 되기 쉽다.(당김, 늘어짐, 주름 발생)
⑧ 원인 : 유전, 호르몬의 영향, 양질의 단백질 및 수분 섭취량 부족, 외적자극

⑨ 관리 : 지나친 세안제의 사용을 자제하고 피부에 유연막을 형성할 수 있는 크림을 사용한다.

(2) 수분 부족 건성 피부(Dehydration skin)

① 표피 수분 부족 피부

   ㉠ 주로 젊은층에 발생

   ㉡ 표피가 얇고 표피에 수분이 부족한 피부

   ㉢ 잔주름 발생

   ㉣ 약간의 당김 현상

   ㉤ 피부 가려움증

   ㉥ 예민성 동반

   ㉦ 원인 : 자극적인 세안 및 습관, 피부타입에 맞지 않는 화장품 사용

   ㉧ 관리 : 원인물질 제거, 수분 관리, 진정 관리

② 진피 수분 부족 피부

   ㉠ 진피성 주름 발생

   ㉡ 탄력 저하

   ㉢ 늘어짐 현상

   ㉣ 피부 속으로부터의 당김 현상

   ㉤ 원인 : 영양부족, 콜라겐·엘라스틴의 기능 저하, 노화 등

   ㉥ 관리 : 재생, 영양관리

3) 지성 피부 타입(Oily Skin Type)

① 피부 결이 거칠고, 모공이 크다.

② 각질층의 두께가 두껍다.

③ 피부가 번들거리고 화장이 잘 지워지며, 온도가 상승하면 더 심해진다.

④ 피부색이 탁해 보인다.

⑤ 다른 피부 타입에 비해 예민화, 과색소 침착, 노화가 덜 오거나 늦어질 수 있다.

⑥ 잦은 피지 제거 후 수분관리가 안 될 경우 표피성 수분 부족이 될 가능성이 높아져 예민화, 과색소 침착, 노화가 빨리 올 수 있다.

⑦ 원인 : 유전, 임신 및 생리주기, 프로게스테론(Progesterone)증가, 갑상선 기능항진

⑧ 관리 : 정화관리, 수분관리

4) 복합성 피부 타입(Combination Skin Type)

① T존과 U존이 확연하게 차이가 나타나는 피부타입이다.
② T존의 경우 피지분비가 과다하고, 블랙헤드가 많이 나타나며, 모공이 크고 피부결이
   거칠다.
③ U존의 경우 피지분비가 저하되어 있으며, 모공이 거의 보이지 않고 섬세하여, 예민화,
   과색소 침착, 노화 가능성이 높다.
④ T존과 U존의 차별화된 관리가 필요하다.
⑤ 관리 : T존의 경우 피지조절, U존의 경우 유·수분 공급 및 자극을 피하는 관리

2. 문제성 피부 타입(Problem Skin Type)

1) 노화 피부 타입(Ageing Skin Type)

① 피부두께는 얇아지나, 각질의 두께는 두꺼워 진다.
② 모공이 두드러져 보이며, 피부의 투명감이 떨어져 칙칙해 보인다.
③ 피지선과 한선이 퇴화되어 피부의 윤기가 떨어지고, 탄력이 없어 늘어져 보인다.
④ 굵은 주름이 두드러져 보이고, 얼굴이 그늘져 보인다.
⑤ 과색소 침착(기미, 잡티, 검버섯)이 많이 나타난다.
⑥ 원인 : 유전, 유해산소, 자외선, 질병이나 심한 다이어트 등
⑦ 관리 : 내적관리(영양, 운동), 유·수분 관리, 순환관리, 리프팅, 주름, 탄력 관리

2) 예민 피부 타입(Sensitive Skin Type)

① 자극에 민감하고, 쉽게 반응이 나타난다.
② 전반적 혹은 국부적으로 피부홍반, 염증 현상이 나타나기도 한다.
③ 혈관 확장 및 혈관 파열 현상이 나타나기도 한다.
④ 색소침착, 노화현상이 쉽게 나타난다.
⑤ 원인 : 유전, 잦은 피부자극, 자극적인 식생활, 과도한 약품 및 화장품 사용
⑥ 관리방법 : 자극인자를 피할 것, 진정관리

3) 여드름 피부 타입(Acne Skin Type)

① 모공속 각질 비후로 인한 피지선 부위에 발생하는 만성 염증성 질환이다.
② 여드름의 종류는 크게 비화농성 여드름과 화농성 여드름으로 나눈다.
③ 비화농성 종류 : 흑두(Black Head), 백두(White Head)
④ 화농성 여드름 종류 : 구진(Papule), 농포(Pustule), 결절(Nodule), 낭포(Cyst)
⑤ 비화농성 여드름 관리 : 피지제거, 각질제거
⑥ 화농성 여드름 관리 : 피지제거, 각질제거, 항균, 진정관리

4) 과색소 침착 피부 타입(Hyper Pigmentation Skin Type)

① 가장 큰 외적 요인은 자외선이다.
② 외적요인 : 자외선, 잘못된 화장품 사용 후, 홍반 후 등
③ 내적요인 : 임신, 피임약 복용 후, 난소기능 저하, 스트레스, 그 외 내적 건강 문제 등
④ 종류 : 기미, 주근깨, 갈색반점, 검버섯, 잡티 등
⑤ 관리방법 : 보호, 진정관리, 미백 관리

Ⅳ 피부 분석표

1. 피부 분석시 피부 체크 사항(11가지)

① 피부결 및 피부두께(Skin Texture)

피부 결이 거칠고 두께가 두꺼운 경우는 볼 부위까지 모공이 드러나 보이고, 반대로 피부 결이 섬세하고 얇은 두께의 경우에는 T존 부위에도 모공이 쉽게 보이지 않는다.

② 피부보습정도(Hydration)

　㉠ 표피성 수분 부족(Superficial Dehydration) : 표피에는 각질간 지질 및 약산성 피지 막 같은 지질 성분이 피부의 수분을 증발하지 못하게 하는 기능을 한다. 하지만 이런 지질 성분을 자극적으로 자주 제거하고, 보습을 해주지 않으면 표피에 수분이 부족해져 각질이 들뜨고, 피부가 예민해지는 상태가 된다.

　㉡ 진피성 수분 부족(Deep Dehydration) : 진피의 콜라겐, 엘라스틴, 무코다당류 같은 물질들이 줄어들고, 파괴되어 깊은 주름 및 탄력이 부족해지는 노화 상태가 된다.

③ 피지량(Sebaceous Secretion)

T존 부위가 U존에 비해 피지분비량이 조금 많아야 정상피지 분비 상태이며, U존 부위에도 피지분비가 왕성하면 과다 피지분비, T존 부위에도 피지 분비가 덜하면 피지부족 현상으로 본다.

④ 모공크기(Pores)

T존의 모공이 U존의 모공 보다 조금 더 크게 보이는 것이 정상이며, T존에도 모공이 보이지 않으면 작은 모공 형태, 볼 부분에 모공이 육안으로 크게 드러나 보인다면 전체적으로 모공이 크다고 볼 수 있으며, 나이가 들면서 모공이 커 보이는 현상은 노화로 인한 모공의 늘어짐으로 볼 수 있다.

⑤ 혈액순환정도(Blood Circulation)

얼굴이 창백하거나, 칙칙한 상태는 혈액순환이 좋지 않은 상태이며, 전체적으로 톤이 밝고 맑아 보여야 혈액순환이 원활하다고 볼 수 있다.

⑥ 색소침착상태(Pigmentation)

기미, 주근깨, 잡티, 갈색반점, 검버섯 등이 있는지 체크한다.

⑦ 피부탄력도(Elasticity)

탄력도가 좋은 경우 피부가 통통해 보이고, 손으로 누르거나 집어 봤을 때 물렁한 느낌이 없다.

⑧ 여드름(Acne Vulgaris)

여드름의 상태가 비화농성(블랙헤드, 화이트헤드) 또는 화농성(구진, 농포, 결절, 낭포)의 상태에 대하여 표현하고, 전체적으로 여드름이 많은 경우는 여드름 등급으로 나눈다.

여드름 등급	형태
Ⅰ등급	흑두가 많고, 백두가 적은 상태
Ⅱ등급	백두가 많고, 흑두가 적은 상태
Ⅲ등급	흑두, 백두, 구진, 농포가 있는 상태
Ⅳ등급	흑두, 백두, 구진, 농포, 결절, 낭포가 있는 상태

⑨ 피부민감도(Sensitive)

이마나 데콜테 부위에 스파츌라로 살짝 눌러 보았을 때 붉어지거나 피부가 부풀어 오르는 경우, 클렌징 후 피부가 붉어지는 현상을 본다. 붉어지고 다시 되돌아오는 시간에 따라 홍반의 정도를 나눈다. 종류로는 홍반, 모세혈관 확장증, 모세혈관 파열증, 주사 등이 있다.

⑩ 피부주름(Wrinkles)

표정 주름, 가는 주름, 굵은 주름 등 주름의 형태 및 부위를 기술한다.

⑪ UV예민도(UV Sensitivity)

자외선에 노출 되었을 때 홍반이 나타나는 시간을 인종 및 종족에 따라 6개의 타입으로 나눈다.

photo type	hair color	홍반	흑화	인종
I	붉은색	가장 빠름(약 10분)	잘 어두워지지 않음	백인종
II	금발	약 20분		
III	옅은 갈색	약 30분	동북아시아계(한국, 중국, 일본) 홍반, 흑화가 모두 나타나기 때문에 과색소 침착(기미)이 나타남	황인종
IV	갈색	약 40분		
V	짙은 갈색	홍반이 잘 나타나지 않음	붉어짐 없이 어두워짐	흑인종
VI	검은색	홍반이 전혀 나타나지 않음	붉어짐 없이 어두워짐	

⑫ 피부타입

일반적 피부타입	문제성 피부타입
중성(정상) 피부 타입	예민 피부타입
지성 피부타입	노화 피부타입
건성 피부타입	여드름 피부타입
복합성 피부타입	과색소 침착 피부타입

⑬ 피부상태

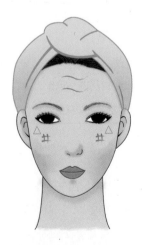

주 름 : ≈
여드름 : △
기 미 : #

TIP

요점 정리

피부타입 결정인자	측정
① 피부결 및 피부두께	모공 상태 및 투명도로 측정
② 피부 보습 정도	표피성 수분부족, 진피성 수분부족 상태, 정상상태로 구분
③ 피지량	T존과 U존을 구분하여 측정
④ 모공의 크기	T존의 상태와 U존의 상태를 구분하여 측정
⑤ 혈액순환 정도	혈관의 상태 및 안색으로 측정
⑥ 색소침착상태	기미, 주근깨, 갈색반점, 검버섯, 잡티 등으로 구분
⑦ 피부 탄력도	주름 및 늘어짐, 손으로 집어보았을 때 느낌
⑧ 여드름	여드름 형태, 여드름 등급으로 구분
⑨ 피부 민감도	예민의 상태 및 종류로 구분
⑩ 피부 주름	주름부위 및 주름 형태로 구분
⑪ UV 예민도	6단계의 광민감도로 구분

2. 피부 분석 차트

1) 국가 자격증 피부 분석표(2012년 산업인력공단 발표)

딥 클렌징 : / 마스크 :

관리계획 차트 (Care Plan Chart) -10분

비번호		시험일자 20 . . . (1부)			
관리목적 및 기대효과	관리목적				
	기대효과				
클렌징	□ 오일 □ 크림 □ 밀크/로션 □ 젤				
딥 클렌징	□ 고마쥐(gommage) □ 효소(enzyme) □ AHA □ 스크럽				
매뉴얼 테크닉 제품타입	□ 오일 □ 크림				
손을 이용한 관리형태	□ 일반 □ 림프				
팩	T 존 □ 건성타입팩 □ 정상타입팩 □ 지성타입팩 U 존 □ 건성타입팩 □ 정상타입팩 □ 지성타입팩 목부위 □ 건성타입팩 □ 정상타입팩 □ 지성타입팩				
마스크	□ 석고 마스크 □ 고무모델링 마스크				
고객관리 계획	1 주				
	2 주				
	3 주				
	4 주				
자가관리 조언 (홈케어)	제품을 사용한 관리 :				
	기타 :				

* 관리계획표는 요구하는 피부타입에 맞추어 시험장에서의 관리를 기준으로 할 것
* 고객관리계획은 향후 주단위의 관리 계획을, 자가관리 조언을 가정에서의 제품 사용을 위주로 간단하고 명료하게
  작성하며 수정 시 두 줄로 긋고 다시 쓸 것
* 체크하는 부분은 주가 되는 하나만 할 것

관리계획 챠트 예시 : 복합성 피부

- T존 부위 : 과각질화 현상이 있어 피부가 두껍고 피부표면이 귤 껍질 같아 보인다. **(지성)**
- U존 부위 : 눈가에 주름이 있고 모공이 작으며 볼 부위가 트고 갈라지고 건조하다. **(건성)**
- 목 부위 : 유수분 발란스가 좋고 주름이나 기미, 주근깨, 잡티나 색소침착이 없다. **(정상)**

딥 클렌징 : 아하 / 마스크 : 고무마스크

관리계획 차트 (Care Plan Chart) −10분

비번호		시험일자 20 . . . (1부)		
관리목적 및 기대효과	관리목적	T존 부위는 지성이므로 피지조절과 각질정리를 통해 정화관리를 해주고, U존 부위는 건성이므로 영양과 보습을 공급하는 관리를 해주며, 목 부위는 정상피부로 유·수분을 적절히 공급하는 보습 및 영양관리를 하는것에 관리목적을 둔다.		
	기대효과	T존은 피부의 pH발란스를 조절해주고, U존 부위는 유·수분 발란스를 맞추어 주며, 목부위는 현재 상태를 유지하도록 기대해본다.		
클렌징		□ 오일 □ 크림 □ 밀크/로션 □ 젤		
딥 클렌징		□ 고마쥐(gommage) □ 효소(enzyme) □ AHA □ 스크럽		
매뉴얼 테크닉 제품타입		□ 오일 □ 크림		
손을 이용한 관리형태		□ 일반 □ 림프		
팩	T 존 U 존 목부위	□ 건성타입팩 □ 정상타입팩 □ 지성타입팩 □ 건성타입팩 □ 정상타입팩 □ 지성타입팩 □ 건성타입팩 □ 정상타입팩 □ 지성타입팩		
마스크		□ 석고 마스크 □ 고무모델링 마스크		
고객관리 계획	1 주	클렌징 로션/ 딥클렌징(AHA)/ 매뉴얼 테크닉/ 머드팩(T존), 보습팩(U존, 목)/ 수분크림 T존은 정화관리, U존은 영양공급 관리를 해 주어 발란스를 맞춰준다.		
	2 주	클렌징 로션/ 딥클렌징(효소)/ 매뉴얼 테크닉/ 아크네 마스크(T존),하이드로 팩(U존,목) / 수분크림		
	3 주	클렌징 로션 /딥클렌징(고마쥐)/ 매뉴얼테크닉/알로에보습팩/ 보습크림 매뉴얼 테크닉으로 혈액순환 촉진시킴과 수분공급을 해 주어 보습력을 잃지 않도록 관리한다.		
	4 주	클렌징 로션/ 딥클렌징(효소)/ 매뉴얼테크닉/ 클레이 마스크(T존), 영양 공급팩(U존), 하이드로 팩(목)/ 모이스춰 크림		

자가관리 조언 (홈케어)	제품을 사용한 관리 : – 아침 : 미온수로 가볍게 세안, 히아루론산 에센스, 아이크림, 수분크림, 자외선 차단제 – 저녁 : 복합성 클렌징 로션으로 세안, 토너, 히아루론산 에센스, 아이크림, 피지조절 크림(T존), 수분크림(U존) – 주 1회 정도 딥 클렌징을, 주 1회 T존은 피지흡착 팩, U존은 보습 팩을 병행
	기타 : 충분한 수면과 영양 섭취, 규칙적인 운동을 통해 건강한 피부가 될 수 있도록 한다. vit C 섭취를 하여 노화 예방에 힘쓴다.

* 관리계획표는 요구하는 피부타입에 맞추어 시험장에서의 관리를 기준으로 할 것
* 고객관리계획은 향후 주단위의 관리 계획을, 자가관리 조언을 가정에서의 제품 사용을 위주로 간단하고 명료하게 작성하며 수정 시 두 줄로 긋고 다시 쓸 것
* 체크하는 부분은 주가 되는 하나만 선택하시오.

클렌징 Cleansing

클렌징이란 피부 표면에 있는 화장품 잔여물과 피지나 땀등의 피부 노폐물 및 피부에 부착되어 있는 먼지 등을 제거하는 과정으로 피부를 청결하게 하며 피부의 생리적 기능을 원활하게 하는 것을 말한다.

▶ I 클렌징의 목적 및 효과

1. 클렌징 목적

① 고객과의 첫 대면이기 때문에 관리의 첫 이미지를 결정한다.
② 피부 관리의 첫 단계로서 준비 단계이다.
③ 클렌징 후 피부식별을 할 수 있다.

2. 클렌징 효과

① 노폐물 배출을 원활하게 한다.
② 혈액순환을 촉진하고, 신진대사를 원활하게 한다.
③ 다음 단계의 화장품 유효 성분의 흡수를 도와준다.
④ 피부의 생리적인 기능을 정상적으로 도와준다.

3. 클렌징 단계

1) 1단계(포인트 클렌징)

포인트 색조 화장을 지우는 클렌징단계로 예민한 부위인 눈과 입술을 닦는 것으로써 가장 조심스럽고 자극 없이 진행해야 한다.

2) 2단계(안면 클렌징)

눈과 입술을 제외한 나머지 데콜테·목·안면 부위의 클렌징으로 피부타입에 따라 올바르고 적당한 클렌징제를 선택한다.

3) 3단계(토너 정리)

화장수를 이용해 피부 정돈을 해주는 클렌징의 마지막 단계로서 피부결 정돈, pH 밸런스, 보습의 효과가 있다.

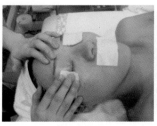  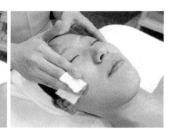

[1단계]   [2단계]   [3단계]

Ⅱ 클렌징 제품

1. 클렌징 제품의 조건

① 피부의 노폐물과 더러움을 제거할 수 있도록 유화력이 좋아야 한다.
② 사용 후 피부의 산성 보호막(피지막)의 손상이 없어야 한다.
③ 피부 유형에 따라 적절한 제품을 선택하여야 하며 자극이나 트러블이 없어야 한다.

2. 클렌징 제품의 종류

1) 포인트 메이크업 리무버(Point Make up Remover)

① 눈과 입술의 화장을 자극 없이 제거해야 한다.

② 눈에 들어가도 따가움 및 자극이 없어야 한다 .

③ 제거한 뒤 건조함이 없어야 하며, 주름발생을 예방해야 한다.

2) 클렌징 크림(Cleansing Cream)

① 다량의 미네랄 오일 함유로 진한 메이크업을 한 사람에게 적당하다.

② 비누나 클렌징 폼을 이용한 이중세안이 필요하다.

③ 지성, 예민, 여드름 피부는 가급적 사용을 피한다.

3) 클렌징 밀크(Cleansing Milk)

① 친수성 에멀션으로 이중 세안이 필요 없다.

② 물에 쉽게 제거되어 비교적 피부자극이 적고, 피부 타입별 사용이 가능하다.

4) 클렌징 오일(Cleansing Oil)

① 친수성 오일로 물에 쉽게 용해된다.

② 건성, 노화 피부에 적당하다.

5) 클렌징 워터(Cleansing Water)

① 화장수 타입으로 청량감과 산뜻함을 부여한다.

② 가벼운 화장을 제거하는 데 적당하다.

6) 클렌징 젤(Cleansing Gel)

① 친수성 타입으로 청량감과 산뜻함을 부여한다.

② 지성, 여드름 피부에 적당하다.

TIP

• 비누 : 비누는 일종의 계면활성제로 물의 표면 장력을 떨어뜨려 물로 씻기지 않는 수성이나 유성의 더러움을 제거하는 기능이 있다. 일반적으로 pH 10 정도의 알카리성 비누를 사용하면 거품이 많이 나고 깨끗하게 닦여지는 뽀도독한 느낌을 주지만 피부가 당기는 느낌과 약산성 상태인 피부 표면의 pH를 상승시키는 단점이 있다

비누의 주성분은 쇠기름, 야자유, 경화유 등이고 이것에 향료와 색소 등을 첨가하여 만든다.

약용 비누는 일반 비누에 살균제나 특수 약재등을 배합하여 여드름과 같은 문제성 피부에 효과가 있다.

• 폼 클렌징 : 무스처럼 거품을 내어 사용하는 폼 타입의 부드러운 형태로서 비누보다 보습력이 우수하다.

7) 화장수

① 유연 화장수 : 보습 성분 및 유연 성분이 함유되어 있어 피부의 보습 및 유연성을 증가
   시키며 pH바란스를 빠르게 맞추어 주는 효과가 있다.
② 수렴 화장수 : 피부의 수분 공급 및 모공 수축 효과가 있다.
   사용시 청량감이 있으며 탈지 효과가 있어 지성 및 여드름 피부에 사용시 효과적이다.

Ⅲ 클렌징 방법

1. 클렌징 시술 시 주의사항

① 고객에게 가운을 입히고 고객이 액세서리를 제거하여 보관하게 한다.
② 터번은 귀가 나오고 겹쳐지지 않게 사용한다.
③ 콘텍트 렌즈를 뺀 후 시술한다.
④ 눈과 입은 포인트 메이크업 리무버를 사용하여 제거 한다.
⑤ 포인트 클렌징 제거 시 자극이나 주름이 생성되지 않도록 주의한다.
⑥ 클렌징은 자극 없이, 깨끗이, 빠르게 제거한다.
⑦ 클렌징 제품이 눈, 코, 입에 들어가지 않도록 주의한다.
⑧ 클렌징 제품 사용은 피부 타입에 따라 선택하여야 한다.

Ⅳ 클렌징 제거

1. 해면(Sponge)

① 따뜻한 물에 적신 해면으로 자극 없이 제거한다.
② 눈 – 이마 – 코 – 볼 – 턱 순으로 제거한다.
③ 해면은 사용한 부위는 재사용하지 않는다.

2. 온습포(Hot Towel)

① 모공을 확장시켜 화장품의 잔여물 및 노폐물을 제거
한다.

② 혈관을 확장시켜 혈액순환 촉진 효과가 있다.

③ 관리자의 판단에 따라 클렌징 후, 딥 클렌징 후, 매
뉴얼 테크닉 후에 적용할 수 있다.

④ 예민 피부나 혈관확장 피부, 화농성 여드름 피부의
경우는 주의한다.

⑤ 온습포 사용 시 피부가 예민해지지 않도록 주의한다.

3. 냉습포(Cold Towel)

① 모공을 수축시켜 수렴효과가 있다.

② 혈관을 수축하여 진정효과가 있다.

③ 팩이나 마스크 관리 후 적용할 수 있다.

④ 잦은 사용과 자극적으로 닦아낼 경우 오히려 피부 민감을 초래할 수 있다.

CHAPTER 04

딥 클렌징 Deep Cleansing

▶ 딥 클렌징의 목적 및 효과

1. 딥 클렌징 목적

각질층 상부와 모공 내 각질과 피지를 인위적으로 제거하여 정상적인 피부 신진대사를 도와주는 과정이다.

2. 딥 클렌징 효과

① 피지와 노화된 각질제거 효과가 있다.
② 피부표면을 매끈하게 해주고 혈색을 맑게 한다.
③ 다음 단계의 유효성분 침투 촉진한다.
④ 노화된 각질탈락으로 인한 간접 재생 효과가 있다.
⑤ 피부 청량감 효과가 있다.
⑥ 면포를 연화시킨다.
⑦ 피부 유형에 따라 주 1~2회 정도 실시한다.

▶ 딥 클렌징 제품

1. 스크럽(Scrub) 타입

① 물리적 딥 클렌징으로 알갱이의 성질을 이용하여 물리적으로 피부 표면의 각질을 제거한다.

② 천연(씨앗, 조개껍질, 밀기울), 합성의 형태가 있는데, 자연적인 알갱이의 경우 모양이 불규칙하고 거칠어 피부가 민감해질 우려가 있어 최근에는 합성 알갱이를 많이 사용한다.

③ 피부가 예민하거나 혈관이 확장된 부위는 사용을 피한다.

④ 눈이나 코, 입에 들어가지 않도록 주의한다.

⑤ 알갱이의 마사지 효과로 피부가 두껍고 안색이 칙칙한 피부에 사용하면 효과적이다.

⑥ 심한 핸들링을 피하며, 마사지 동작을 해서는 안 된다.

⑦ 코튼이나 해면을 사용하여 닦아낼 때 알갱이가 남지 않도록 깨끗하게 닦아낸다.

2. AHA

① 화학적 딥 클렌징으로 과일 및 채소에서 자연적으로 발생되는 천연산이다.

② 사탕수수(Glycolic Acid), 젖산(Lactic Acid), 사과산(Malic Acid), 주석산(Tartaric Acid), 구연산(Citric Acid) 등이 있다.

③ 피부 미용적 허용기준은 농도 10% 미만, pH 3.5 이상을 사용해야 한다.

④ 민감한 부위는 주의하여 사용한다.

⑤ 각질탈락 이외 보습의 기능이 있어 건성 및 노화 피부에 적당하다.

3. 고마쥐(Gommage) 타입

① 손을 이용하여 물리적으로 밀어내고, 화학적 효소작용으로 각질을 탈락시켜 준다.

② 제거 시 제품이 눈, 코, 입에 들어가지 않도록 주의한다.

③ 홍반, 모세혈관 확장성 피부, 화농성 여드름 피부에는 적용하지 않는다.

4. 효소(Enzyme) 타입

① 화학적 딥 클렌징으로 효소의 촉매 작용을 이용하여 죽은 각질을 분해한다.

② 동물성으로는 펩신, 트립신, 판크레아틴이 있으나 최근에는 거의 사용하지 않는다.

③ 식물성으로는 파파인, 브로멜린, 에씬, 라이스브랜 등이 있다.

④ 효소 촉매를 위해 온도, 습도, 영양, pH의 적합한 환경이 갖추어져야 한다.

> **TIP**
> **효소의 활동조건**
> ① 온도 : 0~70℃(최적 온도 36.5℃)
> ② 습도 : 70%
> ③ 영양 : 피부에 있는 각질
> ④ pH : pH 5 ~ 7

5. 그 외(Sulfur, BHA)

① 썰퍼(Sulfur)는 각질을 건조시켜 탈락시켜주는 딥 클렌징제로써 주로 여드름 피부에 사용되며, 전문가의 처방과 조언에 따라 관리를 해주어야 한다.

② BHA(β-Hydroxy Acid) : 대표적으로 살리실산이 있으며, 각질 간 지질을 끊어주는 딥 클렌징제로, 친유성 성질과 향균능력이 뛰어나 지성 및 여드름 피부에 적용한다.

6. 기계를 이용한 딥 클렌징

① 브러시 머신(Brush Machine) : 프리마톨이라고도 하며, 피부에 클렌징제를 도포한 후 브러시의 회전으로 클렌징과 마사지 효과가 있다. 예민성 피부, 화농성 여드름피부, 모세혈관 확장피부에는 금기해야 한다.

② 석션(Suction) : 진공관의 흡입작용으로 피지를 배출하는 효과가 있으며, 오일을 바르고 주로 블랙헤드 부위에 적용한다. 과도한 흡입으로 피부 울혈이 없도록 주의하며, 예민부위, 피부질환, 모세혈관 확장 부위, 심한 여드름 피부에는 금기해야 한다.

③ 갈바닉 디스인크러스테이션(Descincrustation) : 음극봉 아래에서 생성되는 알칼리는 죽은 각질을 제거하고, 피부표면의 피지와 모공 깊은 부위의 불순물을 제거한다.

분류	딥 클렌징 유형	종류
제품을 이용한 딥 클렌징	물리적 딥 클렌징	스크럽, 고마쥐
	화학적 딥 클렌징	AHA, 효소, 고마쥐
기기를 이용한 딥 클렌징	브러시머신, 석션, 갈바닉	

Ⅲ 딥 클렌징 시술

1. 스크럽 타입의 시술 방법 및 주의사항

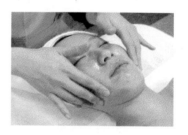

① 스크럽제를 얼굴 각 부위에 브러쉬로 펴 바르고, 물을 묻혀가며 가볍게 롤링하듯 문질러 준다.
② 볼이나 예민한 부위는 압을 최소화하며, 피부가 예민해지지 않도록 주의한다.
③ 눈, 코, 입에 들어가지 않도록 한다. 특히 눈에 들어가지 않도록 주의한다.
④ 제거 시 스크럽이 남지 않도록 주의하며, 피부 습기를 제거한 후 마른 탈지솜으로 털어내어 스크럽의 잔여물이 남지 않도록 한다.

2. AHA 타입 시술 방법 및 주의사항

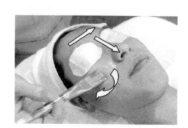

① 눈에 젖은 아이패드를 댄 후 AHA를 브러시나 면봉을 이용하여 T존 부위부터 도포하고 U존 부위를 도포한다.
② 피부타입별로 적용시간은 차이가 있으며, 정상적인 피부는 5분~7분, 노화 및 색소 침착 피부는 7~9분, 예민한 경우는 3~5분 정도이다.

31

③ 제거 시 눈 주변을 먼저 자극 없이 닦은 후에, 나머지 부분을 제거한다.

④ 냉습포나 진정관리로 마무리한다.

3. 고마쥐 타입 시술 방법 및 주의사항

① 손이나 브러시를 이용하여 얇게 얼굴부위에 도포
한다.

② 2~3분 후에 약간 덜마른 상태에서 근육결 방향대
로 주름이 생기지 않도록 스트레칭 하면서 손가
락을 이용해 밀어낸다.

③ 예민한 부위는 밀어내지 않고, 남아있는 고마쥐는 물을 이용하여 롤링하여 크림상태
로 만든 후 제거한다.

④ 너무 강하게 밀어내지 않도록 하며, 제거 시 가루가 눈, 코, 입, 귀, 헤어에 들어가지 않
도록 주의한다.

4. 효소 타입 시술 방법 및 주의사항

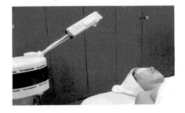

① 효소는 물에 개어서 사용하는 가루타입, 크림 형
태로 팩처럼 도포한 후 제거하는 타입, 앰플 타입,
고마쥐 타입, 폼 타입 등 다양한 형태가 있다.

② 효소 사용 시 효소가 활동할 수 있는 적합한 환
경을 만들어 주기 위해 종류에 따라 베퍼라이저
나 온습포를 사용해야 하는 경우가 있다.

피부유형별 화장품 도포

I 화장품 도포의 목적 및 효과

① 세정효과 → 클렌징 제을 이용한 잔여물과 노폐물 제거
② 정돈효과 → 토너(화장수)를 이용한 pH 균형, 피부정돈, 보습 등 피부결 정돈
③ 영양 공급 효과 → 에센스와 크림을 이용한 영양공급
④ 보호효과 → 크림, 자외선 차단제를 이용한 피부보호

II 피부 유형별 화장품 종류 및 선택

기초화장품의 분류	세부 분류	세세 분류	피부타입
세안용 화장품	클렌징용	클렌징 밀크	모든 피부 가능
		클렌징 크림	예민, 지성 및 여드름 피부 제외
		클렌징 오일	모든 피부 가능
		클렌징 젤	지성 및 여드름 피부 적당
		클렌징 워터	지성 및 여드름 피부, 간단한 메이크업 제거
	딥 클렌징용	스크럽	각질이 두껍고 순환 저하 피부
		AHA	건성, 노화, 색소침착 피부 적당
		고마쥐	모든 피부 가능
		효소	모든 피부 가능
		BHA	여드름, 지성 피부 적당
		썰퍼(Sulfur)	여드름, 지성

기초화장품의 분류	세부 분류	세세 분류	피부타입
화장수	유연용 화장수	건성, 노화 피부	
	수렴용 화장수	지성, 여드름 피부	
보호용 화장품	로션(Lotion)	O/W	정상, 지성 피부
	크림(Cream)	W/O, O/W	건성, 노화 피부
	에센스 (Essence)	수용성	정상, 지성, 여드름
		지용성	건성, 노화 피부
	자외선 차단제	모든 피부에 사용해야 함 기미피부에는 다양한 형태의 자외선 차단 필요	
팩, 마스크형	크림타입	건성, 노화 피부	
	젤타입	지성, 여드름, 예민 피부	
	왁스타입	건성, 노화 피부	
	머드타입	지성, 여드름 피부	
	벨벳 마스크	심한 농포성 피부를 제외한 모든 피부	
	석고 마스크	건성, 노화 피부	
	고무 마스크	모든 피부에 가능하나 예민 피부에 특별히 탁월	

Ⅲ▶ 피부 유형별 화장품 도포

1. 정상 피부(Normal Skin)

정상적인 유·수분 관리를 유지시켜주기 위해 계절 및 나이에 따라 적절한 화장품 및 관리가 필요하다.

2. 건성 피부(Dry Skin)

① 부족한 유·수분을 채워주기 위한 화장품과 수분증발을 억제할 수 있는 화장품 및 관리가 필요하다.

② 클렌징의 경우 탈지력이 강한 제품은 피하고, 밀크 타입 및 유분기가 있는 크림 타입, 오일 타입을 선택 한다.

③ 유·수분 공급 및 수분증발 억제 기능이 있는 토너, 에센스, 크림 등을 선택한다.

④ 잦은 딥 클렌징은 피부 유·수분을 빼앗기 때문에 주 1회 정도로 사용하고, 딥 클렌징 후에는 진정 및 유·수분 공급 팩을 해준다.

⑤ 세라마이드, 호호바 오일, 아보카도 오일, 알로에베라, 히아루론산 등의 성분이 함유된 제품을 사용한다.

3. 지성 피부(Oily Skin)

① 피지를 조절해 주고, 두꺼운 각질을 정리해 주며, 수분을 보충해주는 관리를 적용한다.

② 클렌징의 경우 유분이 적고 산뜻한 젤 및 워터 타입을 사용한다.

③ 토너는 피지조절과, 항균작용(과다피지로 인한 균 번식 방지)을 해 줄 수 있는 종류를 선택한다.

④ 수분 타입의 에센스 및 수분크림을 발라준다.

⑤ 주 2~3회 정도의 피지와 각질을 정리해 줄 수 있는 각질제거를 실시한다.

⑥ 수분 공급을 해줄 수 있는 팩을 해준다.

4. 복합성 피부(Combination Skin)

① T존과 U존의 차이가 큰 피부 타입으로 피부 타입별 차별화된 관리가 필요하다.

② 클렌징의 경우 피부타입별로 모두 적용이 가능한 밀크 타입을 사용한다.

③ T존은 피지조절 및 항균작용이 있는 토너를 퍼프에 묻혀 닦아내고, 건조하고 예민한 U존은 유·수분 공급을 위한 스프레이타입 토너을 사용한다.

④ 건조하고 예민한 부위인 U존의 경우 유·수분 관리를 위한 에센스, 크림 등을 사용하고, T존은 딥 클렌징과 팩으로 피지와 각질을 조절해 준다.

5. 예민 피부(Sensitive Skin)

① 피부자극이 될 수 있는 습관 및 환경을 주의한다.

② 화장품의 경우 알코올 함량이 낮고, 진정 성분이 함유되어 있는 화장품을 사용하며, 자극이 될 수 있는 방부제, 색소, 향, 고농도 유효성분 등을 최대한 배제한 화장품을 사용한다.

피부 유형별 화장품 도포 chapter 05

③ 클렌징의 경우 자극없이 사용할 수 있는 클렌징 밀크, 젤, 오일타입 등을 사용한다.

④ 딥 클렌징의 경우 정기적이기보다 피부상태에 따라 적절한 시기에 가볍게 적용한다.

⑤ 잦은 매뉴얼 관리나 팩은 오히려 피부 예민을 초래 할 수 있으므로 최대한 자제한다.

⑥ 샵에서는 근육을 자극하는 매뉴얼 테크닉보다는 림프를 이용한 피부관리를 해준다.

6. 여드름 피부(Acne Skin)

① 여드름의 원인이 될 수 있는 습관 및 화장품 등을 주의한다.

② 클렌징의 경우 유분감이 없고, 산뜻한 젤타입을 사용한다.

③ 피지 및 각질 조절과 항균 및 보습기능이 있는 성분이 함유된 제품으로 선택한다.

7. 과색소 침착 피부(Hyper Pigmentation Skin)

① 과색소 침착의 가장 큰 원인인 자외선의 피해를 예방할 수 있는 관리와 화장품을 사용한다.

② 진정, 미백, 항산화 및 보호성분이 함유된 토너, 에센스, 크림 등의 화장품을 사용한다.

③ 두꺼워진 각질을 탈락시켜 주기 위해 주기적으로 딥 클렌징(AHA)을 실시한다.

④ 진정, 미백, 보습효과가 있는 팩을 주기적으로 실시한다.

⑤ 다른 피부 타입보다 자외선 차단에 각별히 신경쓰고 주의하도록 한다.

8. 노화 피부(Ageing Skin)

① 피부의 신진대사가 떨어지고, 피지선의 위축과 보습기능이 저하됨으로서 수반되는 피부노화 증상들을 지연시키고 예방해 주는 관리와 화장품 선택이 필요하다.

② 탈지, 탈수 현상이 강한 클렌징제의 사용은 자제한다.

③ 유·수분 공급, 노화지연 및 예방을 위한 유효성분이 함유된 토너, 에센스, 크림 등을 사용한다.

④ 노화는 외적 관리와 함께 내적 관리도 중요하므로 운동 및 식이 관리도 중요하다.

TIP 보충

피부타입	활성성분
지성, 여드름 피부	썰퍼, 살리실산, 유칼립투스, 티트리, 라벤더, 레몬, 알로에, 아줄렌, 클레이, 카오린, 벤토나이트, 캄포
건성, 노화 피부	콜라겐, 엘라스틴, 하이루론산, 소듐 피롤리돈 카르복실릭 엑시드, 아미노산, 세라마이드, 솔비톨, 레시틴, 해초, 플라센타, 레티놀, 비타민 E, 징코, AHA
예민 피부	비타민 P, C, K, 판테놀, 알란토인, 캐모마일, 아줄렌, 비사볼롤, 알로에, 감초, 루틴
색소침착 피부	하이드로퀴논, 코직산, 알부틴, 뽕나무 추출물, 닥나무 추출물, 비타민 C

CHAPTER **06**

매뉴얼 테크닉 Manual Technique

▶ 스웨디쉬 매뉴얼 테크닉 Swedish Manual Technique

매뉴얼 테크닉은 마사지(Massage)를 의미하며 그리스어의 Masso에서 유래 하였으며 보통 훼이셜 마사지는 얼굴, 목, 데콜테를 포함하는 부위이며 나머지는 바디 마사지에 속한다.

1. 목적 및 효과

① 피지와 땀의 분비를 촉진시켜 피부 신진대사를 원활하게 한다.
② 피부의 혈액순환을 촉진시켜 세포 영양 공급 및 간접재생을 돕는다.
③ 자율신경계를 조절하여 신경의 안정을 돕는다.
④ 경직되고 긴장된 근육을 이완한다.
⑤ 늘어지고 탄력없는 피부에 긴장감을 준다.
⑥ 부종 및 통증을 완화시켜 준다.
⑦ 지방 감소에 도움을 준다.

2. 적용해야 할 시기

① 화장이 잘 받지 않을 때
② 푸석거리고, 건조해지는 환절기 때
③ 근육 피로 및 경직 시
④ 수면 전이나 목욕 직후

3. 주의를 요하거나, 적용하지 말아야 할 시기

① 상처가 있을 경우
② 생리 전이나 생리 중인 경우
③ 피부 질환 시
④ 피부가 극도로 예민할 경우
⑤ 임신 시 주의를 요하는 경우
⑥ 수술한 지 1년이 안 된 경우는 의사와 상의 후 실시
⑦ 종양 및 암의 경우 의사와 상의 후 실시

4. 기본 동작

기본동작	방법 및 효과		그림
쓸어주기, 쓰다듬기 (경찰법, 무찰법, Effeurage)	손가락이나 손바닥 전체를 이용하여 가볍게 쓸어준다. 모든 동작의 시작과 마무리, 연결 동작, 혈액·림프순환 촉진, 신경안정, 긴장완화		
문지르기 (강찰법, 마찰법, Friction)	손가락 끝부분을 이용하여 원을 그리며 문지른다. 주름이 생기기 쉬운 곳, 결체조직이 강한 부위, 피지선·한선 분비 촉진(노폐물 분비 촉진), 혈액순환 촉진, 긴장된 근육이완, 탄력증진		
주무르기 (유연법, 유찰법), (Petrissage, Kneading)	롤링(Rolling)	나선형으로 문지르며 하는 압박 유연 기법	근육에 쌓여있는 노폐물 제거, 혈액순환 촉진, 근육의 뭉친 부분을 이완, 근육의 탄력 부여
	처킹(Chucking)	가볍게 상하운동 하듯이 주무르는 기법	
	린징(Wringing)	비틀듯이 행하는 기법	
	풀링(Fulling)	피부를 주름잡듯이 행하는 기법	

기본동작		방법 및 효과	그림
두드리기 (고타법) (Tapotment, Tapping)	태핑 (Tapping)	손가락의 바닥면을 이용하여 두드린다.	말초신경 조직을 자극 하는 가장 적극적 형 태의 기법, 혈액순환 촉진, 신진대사 작용 높임, 근육위축 예방
	슬래핑 (Slapping)	손바닥을 이용하여 두드린다.	
	해킹 (Hacking)	손의 측면을 이용하여 두드린다.	
	비팅 (Beating)	주먹을 가볍게 쥐고 두드린다.	
	커핑 (Cupping)	손을 오목하게 한 상 태에서 두드린다.	
떨기(진동법, Vibration)		손바닥이나 손가락 끝을 이용하여 진동을 주는 방법, 긴장된 근육이완, 경련, 마비에 효과적이 다. 혈액순환과 림프순환 촉진	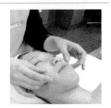
집어주기, 꼬집기(Dr.Jacquet) 재큐어트 마사지		손가락 끝을 이용하여 팅기듯 집어준다. 혈액순 환 촉진, 탄력, 지성 및 여드름 피부의 피지선 자 극하여 모공 내 피지 배출 촉진, 결체조직 단련	

5. 시술 시 주의 사항

① 주변 환경 정리정돈을 깨끗이 한다.
② 조명은 너무 밝지 않도록 한다.
③ 관리사의 손은 청결하고 따뜻하게 한 후 실시한다.
④ 마사지시에는 대화를 피한다.
⑤ 근육방향을 고려하여 심장방향으로 실시하며, 부위별 실시 시 심장과 먼 쪽부터 시행한다.
⑥ 압력은 고객에게 맞는 압력으로 너무 강하지 않게 실시한다.

⑦ 속도의 경우 이완을 위해서는 빠르지 않게 실시한다.

⑧ 시술자 손톱은 짧게 깍고 손톱끝을 부드럽게 한다.

⑨ 일광으로 붉어진 피부나 상처가 난 피부는 피한다.

⑩ 동작마다 일정한 리듬을 유지하면서 정확한 속도를 지키도록 한다.

⑪ 피부타입과 피부의 필요성에 따라 동작을 조절한다.

▶ 림프 매뉴얼 테크닉 Lymph Manual Technique

1933년 세계 시데스코 대회에서 처음으로 피부미용인들에게 림프 드레너쥐를 소개한 사람은 덴마크의 생물학자인 에밀 보더(Emil Vodder)와 그의 부인 에스트리드 보더(Emil Vodder)이다.

1. 목적 및 효과

① 노폐물, 독소배출과 과잉수분 및 부종을 완화시켜 준다.

② 면역기능을 강화시킨다.

③ 통증을 가라 앉히고 진정시켜 준다.

④ 자율신경계를 조절하여, 저항력을 증진시키고, 항상성 유지를 도와준다.

⑤ 근육계에 영향을 주어 근육이완과 수축작용으로 통증이 완화되고 감소된다.

2. 적용하면 좋은 경우

① 모든 순환 촉진을 시키는 관리 후(예 : 팩관리 후, 기기관리 후, 마사지 후)

② 여드름 피부

③ 민감성 피부(주사, 홍반, 모세혈관 확장)

④ 부종, 셀룰라이트, 비만, 눈물주머니

⑤ 켈로이드, 수술 전·후, 수술 후 상처

3. 주의해야 할 경우

① 치료된 암   ③ 기관지 천식   ⑤ 만성 염증

② 갑상선 기능 장애   ④ 자율신경 장애   ⑥ 육아종

4. 피해야 할 경우

① 악성 종양   ③ 혈전증

② 급성염증   ④ 심장 기능 부진

5. 시술 시 주의 사항

① 조명은 밝지 않도록 하며, 실내온도는 따뜻하게 유지한다.

② 시술 시 방해가 되지 않도록 음악을 사용하지 않거나, 이완시켜 주는 음악을 틀어준다.

③ 시술 전 손을 청결하게 하고 시작한다.

④ 클렌징 후 청결한 상태에서 시작한다.

⑤ 관리 중 대화는 가급적 삼가한다.

⑥ 최대한 이완이 되도록 편안한 자세에서 실시한다.

⑦ 일정한 속도를 유지한다.

⑧ 근육에 압이 가해지지 않도록 가볍고, 리듬감있게 실시한다.

⑨ 피부 신장을 최대로 하고, 림프의 흐름 방향에 역행하지 않도록 실시한다.

⑩ 크림이나 오일 사용은 자제하고, 피부가 아주 건조할 경우 소량 사용한다.

6. 시술 방법

① **강도** : 30~40mmHg 압력으로 하되, 많은 압력이 주어졌을 때 오히려 림프액의 흐름을 방해할 수 있다.

② **시간** : 같은 동작을 한부위에서 5회씩 3회 정도로 반복적으로 시행되어야 충분한 효과를 거둘 수 있다.

③ **진행방향** : 항상 림프액이 흐르는 방향으로 진행(심장 방향)해야 한다.

④ 기본동작

　㉠ 얼굴부위 : 고정원 그리기(Stationary Circle)

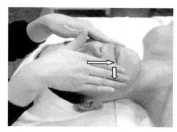

　㉡ 바디부위

　　• 펌프 테크닉(Pump Technique Circle)

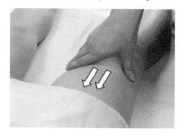

　　• 로터리 테크닉(Rotary Technique)

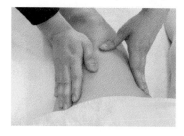

　　• 말아서 올리기(Scoop Technique)

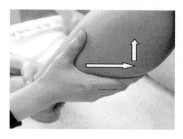

CHAPTER 07

팩 Pack

I 팩의 목적 및 효과

1. 팩의 정의

'Package'라는 말에서 유래되었으며, '포장하다', '둘러싸다'라는 뜻이다. '얼굴을 감싼다'는
의미로 피부에 피막을 형성하고 일시적으로 피부를 유연하게 하여 유효성분의 침투를 용
이하게 한다.

2. 팩(Pack)과 마스크(Mask) 차이점

① 팩(Pack) : 공기가 투과되며, 마르지 않은 상태에서 제거한다.
② 마스크(Mask) : 외부와 차단되어 공기가 투과되지 않으며, 마른 상태에서 제거한다.

3. 팩의 목적 및 효과

① 피부에 영양분과 수분을 공급한다.
② 혈액순환 및 신진대사를 촉진한다.
③ 피지와 각질을 제거하여 피부 안색을 맑게 한다.
④ 클렌징 효과, 보습, 진정, 세포재생, 피부탄력 등 성분 및 팩의 특징에 따라 주 효능의
　차이가 있다.

4. 주의사항

① 팩의 효능과 느낌을 긍정적으로 미리 설명한다.
② 팩의 적정 시간은 제품에 따라 다르나 일반적으로 10~20분 정도의 범위이다.
③ 외부와 차단되는 마스크의 경우 고객의 건강상태를 고려하고 문제 발생 시 고객이 수 신호를 하도록 교육한다.
④ 팩 도포 시 굳는 정도와 향의 강도에 따라 도포방법을 달리한다.
⑤ 도포 및 제거 시 눈, 코, 입에 들어가지 않도록 주의한다.
⑥ 한방 팩의 경우 너무 많은 종류를 섞지 않는다.
⑦ 천연 팩의 경우 사용 직전에 만든다.
⑧ 팩 도포 후 대화 및 얼굴을 움직이지 않도록 주의한다.
⑨ 피부타입과 상태에 따라 팩의 종류를 선택한다.
⑩ 계절 및 주변 실내 온도를 고려한다.
⑪ 팩을 사용하기 전 알레르기 유·무를 확인한다.
⑫ 팩을 하는 동안 아이패드를 적용한다.

▶ Ⅱ 팩의 종류 및 사용방법

1. 제거 방법에 따른 분류

1) 필 오프 타입(Peel-Off Type)

① 피부에 도포하여 건조되면 피부에 피막이 형성되어 떼어내는 타입이다.
② 피부 불순물 및 노화된 각질제거 등에 효과적이며, 피부 청정효과를 준다.
③ 떼어내는 과정에서 자극적일 수 있으므로 예민한 피부에는 잦은 사용을 금한다.

2) 워시 오프 타입(Wash-Off Type)

① 팩 제거 시 물로 씻어 내거나, 해면으로 닦아내는 타입으로 가장 일반적으로 사용하는 타입이다.
② 크림팩, 거품팩, 클레이팩 등이 이에 속한다.

3) 티슈 오프 타입(Tissue-Off Type)

팩 제거 시 티슈로 가볍게 닦아내는 타입으로 피부에 흡수가 되어도 무방한 팩 타입이다.

2. 팩 성상에 따른 분류

1) 파우더 타입(Powder Type)

분말 타입으로 정제수나 화장수에 섞어서 사용하는 타입이다.

2) 크림 타입(Cream Type)

① 크림형태로 영양, 유연, 보습 등의 작용이 있으며, 가장 일반적인 형태이다.
② 피부타입에 따라 다양하게 사용되며, 유화형태이므로 사용감이 부드럽고 침투가 쉽다.
③ 사용량만큼 필요한 부위에 바르고 필요에 따라 호일, 랩, 적외선 램프 등을 사용한다.

3) 젤 타입(Gel Type)

젤 성상으로 진정 및 보습작용이 뛰어나며, 사용 시 시원하고 청량감이 있어 예민피부, 지성, 예민성을 동반한 화농성 여드름 피부에 효과적이다.

4) 왁스 타입(Wax Type)

왁스 형태로 밀봉이 되는 팩으로 영양침투 효과가 뛰어나 노화 및 건성 피부에 적당하며, 핸드, 풋 관리 후 사용된다.

3. 재료 및 성분에 따른 분류

1) 천연팩

① **장점** : 손쉽게 구입이 용이하고 비용이 저렴하다.

② **단점** : 침투력이 낮으며 보관기관이 짧고, 자체 독소로 인해 트러블을 유발할 수 있으며 사용이 번거롭다.

③ **주의사항**
  ㉠ 미리 팔 안쪽에 패치 테스트를 실시한다.
  ㉡ 만든 즉시 사용해야 한다.

④ 각종 천연팩의 종류와 효과

   ㉠ 벌꿀팩 : 모든 피부에 사용할수 있으며 특히 건성이나 노화 피부에 효과적이다.

   ㉡ 달걀노른자팩 : 영양성분이 많아 건성피부에 주로 이용되며, 중년기의 쇠퇴한 피부나 윤기가 없는 피부에 효과적이다.

   ㉢ 달걀흰자팩 : 지성 피부에 좋으며 세정작용과 살균 작용, 미백에 효과적이다.

   ㉣ 오이팩 : 피부에 수분을 공급하는데 효과적이다.

   ㉤ 레몬팩 : 햇빛에 탄 피부에 적당 하나 건조한 피부에는 사용하지 않는다.

   ㉥ 감자팩 : 햇빛에 타거나 화상을 입었을때 진정 효과가 있다.

   ㉦ 딸기팩 : 거친 피부, 지친 피부, 피로한 피부에 효과적이다.

   ㉧ 알로에팩 : 여드름이나 염증성 피부에 효과적이며 보습 효과가 뛰어나다

   ㉨ 수박팩 : 수분공급에 효과적이다.

   ㉩ 흑설탕팩 : 각질제거 시 건조하고 거친 피부에 효과적이다.

TIP 　내용 정리

피부타입	천연팩
건성, 노화	계란 노른자팩, 올리브오일팩, 벌꿀팩, 우유팩
지성, 여드름	계란 흰자팩
수분 부족	해초팩, 오이팩, 요구르트팩, 수박팩
진정, 소염	수박팩, 해초팩, 감자팩, 알로에팩, 오이팩
색소침착	레몬팩, 딸기팩, 오이팩, 포도팩

2) 한방팩

① 장점 : 경제적이며, 천연팩에 비해 보관기간이 길다.

② 단점 : 침투력이 떨어지며, 사용이 번거롭고, 보관기간이 짧다.
　자체 독소로 인해 트러블 유발 가능성이 높다.

③ 주의사항

   ㉠ 미리 팔 안쪽에 패치 테스트를 실시한다.

ⓛ 3종류 이상은 되도록 섞지 않는다.

ⓒ 피부타입에 따라 우유, 요구르트, 해초 등과 섞어서 사용한다.

④ 한방팩의 종류외 효과

　ㄱ 감초 : 해독, 미백, 소염 작용

　ⓛ 녹두 : 진정, 해독, 미백, 세정 작용

　ⓒ 도인 : 혈액 순환 촉진, 각질화 방지효과

　ⓔ 맥반석 : 피지제거, 각질 제거

　ⓜ 밀배아 : 진정 작용, 피부 재생
　　작용

　ⓗ 백강잠 : 진정, 미백, 피부 재생

　ⓢ 율무 : 미백, 잔주름 제거, 피부
　　재생

　ⓞ 율피 : 보습, 부종 완화, 미백
　　효과

　ⓩ 카올린 : 피지제거, 각질제거,
　　보습

　ⓩ 토사자 : 미백 작용

　ⓚ 해초 : 피부 보습 작용

　ⓣ 행인 : 미백, 진정 작용, 피부재생

TIP 내용 정리

피부타입	한방팩
건성, 노화	당귀, 백강잠, 율무, 행인, 흑축
지성, 여드름	맥반석, 카오링, 율피, 진피, 박하
진정	감초, 녹두, 해초
색소침착	백강잠, 토사자, 행인, 율무, 녹두, 감초

3) 콜라겐 벨벳 마스크(Collagen Valvet Mask)

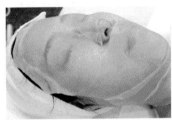

① **주성분** : 콜라겐, 히아루론산 등

② **효능** : 피부의 수화능력을 증진시켜 주름을 완화
　시키며, 탄력을 강화시킨다.

③ **적용피부** : 화농성 여드름 피부를 제외한 모든 피부에 사용이 가능하다.

④ **콜라겐 벨벳 마스크는 시트 타입이다.**

⑤ **주의사항**

　ㄱ 얼굴의 유분기를 완전히 제거하고, 유분기가 있는 화장품을 도포하지 않는다.

　ⓛ 기포가 생기지 않도록 피부에 밀착시킨다.

　ⓒ 찢어지지 않도록 주의한다.

⑥ 사용법

　㉠ 얼굴에 유분기를 완전히 제거한다.

　㉡ 얼굴 크기에 맞게 벨벳을 커팅한다.

　㉢ 피부 유형에 맞는 수용성 앰플을 도포하고 밸벳을 얹는다.

　㉣ 기포가 발생하지 않도록 주의하며, 앰플이나 증류수로 피부에 밀착시킨다.

　㉤ 30분쯤 약간 덜마른 상태에서 제거한다.

　㉥ 토너 정리 후 남은 앰플을 얼굴에 흡수시킨다.

4) 석고 마스크(Gypsum Mask)

열을 내서 혈액 순환을 촉진시키고 또한 피부를 완전 밀폐시키는 마스크로, 도포 전에 바르는 앰플과 영양크림의 성분이 피부 깊숙이 흡수되어 피부개선에 효과를 준다.

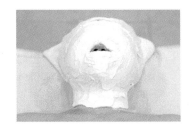

① **주성분** : 크리스탈, 벤토나이트, 황산칼슘

② **효능** : 침투, 탄력, 리프팅 효과

③ **적용피부** : 노화, 건성피부에 적용한다.

④ **부적용 피부** : 예민, 여드름 피부

⑤ 주의사항

　㉠ 헤어 및 눈썹이 직접 닿지 않도록 주의한다.

　㉡ 예민해지지 않도록 크림을 적당하게 도포한다.

　㉢ 고객의 건강상태를 미리 체크하고, 경우에 따라 입을 밀봉하지 않는다.

　㉣ 한곳에 열이 집중되지 않도록 균일하게 도포한다.

⑥ 사용방법

　㉠ 헤어가 나오지 않도록 헤어밴드 및 헤어상태를 준비한다.

　㉡ 피부에 맞는 지용성 앰플 및 에센스를 도포한다.

　㉢ 크림을 얼굴전체에 도포한다.

　㉣ 눈과 입에 마른 아이 패드를 도포한다.

　㉤ 코를 커팅한 거즈를 밀착시킨다.

　㉥ 석고를 바르기 전에 고객에게 의향을 물어 목베개를 해준다.

　㉦ 석고를 물에 갠 후 빠르게 도포한다.

◎ 20분쯤 후에 석고가 식으면 좌우로 가볍게 흔들어 자극 없도록 제거한다.

㉠ 잔여물 제거 후 토너와 남은 앰플 및 에센스를 도포한다.

5. 고무 마스크(Algin Mask, Cooling Mask, Modeling Mask)

① **성분** : 알긴산(소듐 알지네이트), 황산칼슘, 카올린, 규조토, 민트계열

② **효능** : 진정, 보습, 부종완화, 모델링 효과

③ **적용피부** : 모든 피부 적용이 가능하다.

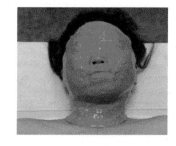

④ **주의사항**

㉠ 고객의 건강상태를 미리 체크하여 체온이 너무 내려가지 않도록 주의한다.

㉡ 경우에 따라 입을 밀봉하지 않는다(공황장애).

㉢ 단시간 내에 굳을 수 있으므로 빠르게 도포한다.

⑤ **사용방법**

㉠ 머리카락이 나오지 않도록 하고, 마스크가 터번에 묻지 않도록 정리한다.

㉡ 피부타입에 맞는 앰플이나 에센스를 도포한다.

㉢ 팩 도포 전에 의향을 물어 목베개를 해준다.

㉣ 파우더에 정제수나 활성액을 섞어 도포한다.

㉤ 20분 후 고무가 완전히 굳어지고 온도가 높아지면 제거한다.

㉥ 남은 잔여물은 젖은 탈지솜으로 가볍게 제거한다.

㉦ 토너와 남은 앰플을 도포하여 마무리 한다.

6. 파라핀 마스크

열과 오일이 모공을 열어주고, 피부를 밀봉하는 과정에서 발한작용이 발생 한다.

7. 젤라틴 마스크

중탕하여 녹여진 젤라틴을 브러쉬 등으로 피부에 도포하며, 주로 예민 피부의 진정효과가 있다.

제모 Depilation

I 제모의 목적 및 효과

1. 제모란

제모란 미용상 불필요한 털을 제거하는 방법이다.

2. 제모의 목적

① 노출부위에 미관상 보기 싫은 경우 바디제모를 실시한다.
② 얼굴화장이 잘 받지 않은 경우 페이스제모를 실시한다.

II 제모의 종류 및 방법

1. 영구제모

1) 전기 분해요법(직류법)

직류 전기를 이용하는 방법으로 바늘을 이용해 털의 모낭을 파괴하여 영구적으로 제거하는 방법으로 털을 하나씩 제거하기 때문에 시간이 많이 소요된다. 피부 자극이 심하다.

2) 전기 응고법(응고법)

고주파에서 발생하는 높은 열을 이용해 털이 자라는 모낭세포를 가열하고 응고시켜 모발을 파괴하는 제모법으로, 털을 하나씩 제거하기 때문에 시간이 많이 소요 되나 전기 분해 요법보다 피부 자극이 덜하다.

3) 레이저 관리

레이저를 이용하여 많은 헤어를 단시간에 제거할 수 있는 방법으로 눈과 가까운 부위를 제외하고는 전신에 가능하다.

2. 일시적 제모

1) 화학적 방법

각질을 녹여 털을 제거하는 방법으로 빠르고, 손쉽게 제거할 수 있어 홈케어로도 적당하나 피부 자극을 유발 할 수 있으므로 패치 테스트를 실시해야 한다.

2) 물리적 방법

(1) 면도기를 이용한 제모

피부표면에 나와 있는 모간만을 제거하는 방법으로 털이 나올 때 마다 제거해야 하므로 정기적으로 제모 해야 하는 번거로움과 털이 점점 굵고 거세게 나온다는 단점이 있다.

(2) 핀셋(족집게)을 이용한 방법

좁은 부위를 제거할 때나 왁스 제모 후 뽑히지 않는 털을 제거할 때 사용한다. 넓은 부위 제거 시 시간이 오래 걸리고, 제거 시 피부가 늘어질 수 있다는 단점이 있다.

(3) 왁스를 이용한 제모 방법

① 온왁스(Warm Wax) : 왁스 워머에 데워 사용하는 방법으로, 사용 시 미리 온도를 체크하고, 종류 중 부직포를 이용하여 떼어내는 방법인 스트립 타입과 부직포를 사용하지 않고, 왁스 자체를 떼어내면서 헤어를 제거하는 하드타입이 있다.

② 냉왁스(Cool Wax) : 워머에 데우지 않고 바로 사용할 수 있으며, 홈케어 용도로 많이 사용되나 웜왁스에 비해 잘 제거되지 않는 단점이 있다.

③ 왁싱(Waxing)을 이용한 제모는 얼굴이나 다리의 털을 제거하는데 적합하며 모근까지 제거되기 때문에 보통 4~5주 정도 지속된다.

4) 제모(스트립 왁스) 부적용 증과 주의사항

① 미리 온도 체크를 하고 실시한다.

② 눈 및 머리카락등 원하지 않는 부위와 접촉하지 않도록 주의한다.

③ 사마귀, 점 부위의 털은 제모를 금한다.

④ 햇빛에 노출이 된 후에 자극이 되어진 부위나 그 외 자극이 받아 예민해진 경우, 염증, 상처, 피부질환이 있는 경우는 금한다.

⑤ 정맥류, 혈관이상이 있는 경우 금한다.

⑥ 목욕 후, 사우나 직후, 열관리 직후, 선탠 후에 사용을 금한다.

TIP 요점 정리

분류	종류			장점	단점
영구 제모	전기분해요법			• 영구적이다.	• 시간이 많이 소요된다. • 자극이 있을 수 있다.
	전기응고법				
	레이저시술법				• 단시간에 제거 가능
일시적 제모	화학적 방법			• 간편하다.	• 피부자극이 있을 수 있다.
	물리적 방법	면도기를 이용한 제모		• 간편하다.	• 자주 제거해야 하고 털이 억세지며, 굵어진다.
		핀셋(족집게)을 이용한 제모		• 간편하다.	• 시간이 오래 걸리고 제거시 피부가 늘어질 수 있다.
		왁스를 이용한 제모	온왁스 (Warm) 스트립 (Strip)	• 시간이 절약 (넓은 부위에도 가능하다.)	• 피부자극유발이 될 수 있다. • 얼굴 및 국소부위에 부적합
			하드 (Hard)	• 피부자극이 적다. • 얼굴 및 국소부위 가능(눈썹이나 겨드랑이 등) • 부직포를 사용하지 않고 체모를 제거할 수 있다.	• 스트립에 비해 시술시간이 길다.
			냉왁스	• 간편하다.	• 전문성이 결여 되었고 제모 효과가 떨어진다.

5) 부위별 제모 방법

① 다리(스트립 왁스)

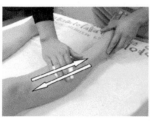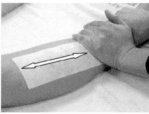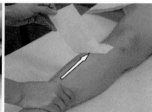

㉠ 순서는 하단 – 무릎 – 상단 – 하단 뒷부분 – 상단 뒷부분의 순으로 진행한다.

㉡ 무릎 부위를 시술할 경우에는 다리를 세운 상태에서 실시한다.

㉢ 제모부위를 털 안쪽까지 소독이 되도록 알코올 솜으로 소독한다(털의 반대방향으로, 다시 털의 방향으로 소독한다).

㉣ 습기와 유분기를 없애기 위해 파우더를 제모부위에 적당량을 발라 준다(털의 반대방향으로, 다시 털의 방향으로 발라 준다).

㉤ 나무 스파츌라에 왁스를 발라 45° 각도로 세워서 털의 방향대로 최대한 얇게 바른다. (바르기 전 손목 안쪽에 온도 테스트를 한다.)

㉥ 왁싱 전용 천을 대고 털이 난 방향으로 밀착을 시킨다.

㉦ 한손으로는 발등이나 발목 쪽을 고정하고 다른 손으로 털의 반대방향으로 빠르게 제거한다.

㉧ 핀셋을 이용하여 뽑히지 않은 털을 제거한다.

㉨ 진정용 제품을 도포한다.

② 액와(겨드랑이) – 주로 하드왁스 이용

㉠ 털이 너무 긴 경우는 제모부위 털을 1cm 길이로 커팅하고 털의 방향을 확인한다.

㉡ 제모 부위를 털의 안쪽까지 골고루 알코올 소독한다.

㉢ 파우더로 털의 안쪽까지 꼼꼼하게 유·수분을 제거한다.

㉣ 스파츌라에 왁스를 발라 털이 서로 엉겨붙도록 원 방향이나 8자형태로 도포한다.

㉤ 한손으로는 털 방향대로 고정하고, 다른 손으로 털의 반대방향으로 빠르게 제거한다.

㉥ 제거되지 않은 털은 핀셋을 이용하여 털을 제거한다.

㉦ 진정용 제품을 도포한다.

③ 왁싱 후 사후 관리

　㉠ 목욕이나 사우나는 금지하고, 가볍게 미온수로 샤워해야 한다.

　㉡ 왁싱 후 자극을 주는 행위(선 베드, 딥 클렌징, 때를 미는 행위)는 금한다.

　㉢ 24시간 내 수영장 출입을 삼간다.

　㉣ 열을 내는 행위(음주, 땀을 내거나 열을 내는 운동)는 금한다.

　㉤ 향이 강한 화장품 사용을 자제한다.

　㉥ 청바지 및 꼭 끼는 옷은 입지 않는다.

　㉦ 마사지 및 열 관리는 금한다.

신체 각 부위 관리

Ⅰ 신체 각 부위(팔, 다리, 등) 관리의 목적 및 효과

① 美(미, 아름다움)란 얼굴뿐 아니라 전신이 건강하고 균형 있는 상태를 뜻하고, 에스테틱은 전신의 美를 가꿔주는 행위이다.

② 전신의 혈액순환과 림프순환으로 노폐물을 배출시켜 신진대사를 원활하게 한다.

③ 전신관리는 미적인 행위와 함께 건강한 신체를 유지시켜 주며, 스트레스를 완화시켜 주는 행위이다.

Ⅱ 신체 각 부위(팔, 다리, 등) 관리의 종류 및 효과

1. 손을 이용한 관리(Manual Therapy)

1) 스웨디쉬 마사지(Swedish Massage)

스웨덴 Dr. 퍼핸링에 의해 체계적으로 이론이 세워진 마사지로 유럽과 서양을 대표하고 전 세계적인 일반적인 마사지 방법이다. 목적은 혈액순환과 근육이완과 탄력이 저하된 근육을 긴장시켜 주는 마사지 방법이다.

2) 경락 마사지(Meridian Massage)

피부에 분포되어 있는 경혈점과 경락의 흐름을 촉진시켜 주는 마사지로 장부에까지 영향을 주는 마사지 방법이다. 유주방향 및 건강상태에 따라 마사지와 경혈을 자극해 주는 마사지 방법이다.

3) 발 반사 요법(Reflexology)

인체의 축소판인 발반사구를 자극함으로서 장기 및 관련 부위에 영향을 주는 마사지 방법으로 노폐물 배출과 반사구와 관련된 장기 및 부위의 건강을 주는 마사지 방법이다.

4) 림프 드레나쥐(Lymphdrainage)

① Dr. 에밀보더에 의해 개발된 물리치료 요법으로 림프액의 흐름을 증가시켜 면역기능 및 노폐물을 배출시키는 마사지 방법이다. 림프 흐름에 따른 방향대로 해주어야 한다.
② 혈액순환, 림프순환이 잘 안되는 셀룰라이트 관리에 주로 사용된다.

5) 아율베딕 마사지(Ayurvedic Indian Massage)

고대 인도의 초기 의학인 베다의학에 기초를 두고, 약초와 향료를 이용한 인도 전통 마사지 방법이다. 체질에 따라 약초, 향료를 달리하여 해주고, 전신의 건강에 영향을 미치는 마사지 방법이다.

6) 시아츄 마사지(Shiatsu Massage)

시아츄 마사지(Shiatsu)는 일본 전통 마사지 기법으로 경락과 지압이 혼합된 형태의 마사지이다.

7) 아로마테라피 마사지(Aromatherapy Massage)

아로마테라피 요법과 마사지가 접목된 마가렛 모리 여사의 방법이 널리 실행되고 있으며, 아로마 오일이 효과적으로 흡수되도록 하는 마사지 방법이다.

8) 타이 마사지(Traditional Tai Massage)

태국 전통 마사지 방법으로 주로 손과 다리를 이용하여 스트레칭과 강한 지압을 행하는 마사지 기법이다.

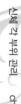

신체 각 부위 관리 chapter 09

2. 기기 및 기구를 이용한 관리(Electric Therapy)

① 온열요법(사우나, 온열 매트 등)
② 석션
③ 고주파
④ 갈바닉
⑤ G5
⑥ 초음파
⑦ 엔더몰로지
⑧ 기구 : 스톤, 접시, 옥, 도자기, 물소뿔 등

3. 화장품을 이용한 관리(Cosmetic Therapy)

1) 냉동 요법

냉동 제품을 붕대에 적셔 체지방 많은 부위에 래핑해 주는 방법으로 부종이나 지방이 많은 부위에 주로 적용되며, 온도를 약 8℃ 정도를 낮춰줌으로써 신체의 기초 대사량을 높여 지방을 연소시켜 주고, 노폐물을 배출시켜 주는 원리이다.

2) 발열요법

(1) 지방분해 젤

피부 표면에는 전혀 자극을 주지 않고 강력한 내부적인 열감으로 인해 매우 뜨거우면서 딱딱하고 뭉친 부위를 연화시키는데 도움을 주는 지방분해(Fat-Fight)겔로 특별한 활성성분들로 인해 빠르고 만족스러운 결과를 준다.

(2) 산소공급 자가열 마스크

슬리밍과 대사촉진 또는 독소배출을 돕는 푸쿠스 성분과 발한 촉진, 독소 배출 성분으로 신체 균형 유지, 자가열 마스크 형태이다. 슬리밍과 대사촉진 성분, 발한 촉진과 독소 배출성분으로 신체균형 유지를 해주는 자가열 마스크 형태이다.

3) 셀룰라이트 및 지방 연화

① 카페인, 아이비, 센텔라 아시아티카, 민트, 멘톨, 캄파, 캡사이신, 테오필린, 엘카르니틴,
　해조 추출물 성분이 첨가된 제품이 효과적이다.
② 바디랩(body wraps) 요법으로 효과를 더 배가시킨다.

4) 아로마 요법

약용식물의 꽃, 잎, 줄기, 뿌리, 열매 등으로부터 추출한 방향성 오일을 이용하여 마사지
흡입, 입욕 등의 방법으로 심신의 균형을 유지하는 자연치유요법이다. 대표적 오센셜 오일
로 쥬니퍼, 유칼립투스, 사이프러스, 블랙페퍼, 진저, 휀넬, 파츌리, 페퍼민트, 그레이후룻,
타임, 만다린 등이 있다.

4. Hydro therapy(수요법)

물을 이용한 시술 및 치료 요법 등을 이야기하며 기계나 화장품을 이용하는 등 다양한
형태로 진행될 수 있다.

1) 스파 테라피

물의 수압을 이용해 혈액순환을 촉진시켜 체내의 독소 배출, 세포재생 등의 효과를 증진
시킬 수 있는 전신관리법이다.

2) 탈라소 테라피

해양 환경에 포함된 바다의 천연 제품을 이용하여 신체 내에 미네랄을 공급, 노폐물을 제
거 및 디톡스 관리, 인체 균형 유지 등을 유도하는 전신관리법이다.

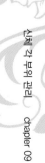

신체 각 부위 관리　chapter 09

마무리

 마무리의 목적 및 효과

1. 마무리 관리

마무리 관리는 마무리 화장품 도포와 마무리 스트레칭 및 고객관리 후 고객 상담 등이 해당된다.

2. 마무리 관리 목적, 효과 및 피부관리사가 해야 할 사항

1) 마무리 화장품 도포

① 피부타입에 적당한 화장수로 피부결을 일정하게 한다.
② 관리의 지속효과와 시너지 효과를 위해 영양 및 수분 공급 후 증발 및 보호용 화장품을 발라준다.
③ 낮 시간에 관리를 받았을 경우에는 반드시 자외선 차단 효과가 있는 제품과 커버력이 있는 제품을 도포해 주어야 한다.
④ 여드름 추출 후 붉음증 완화 및 항균력이 있는 제품을 발라준다.
⑤ 토너 → 에센스 → 아이&립크림 → 마무리 크림 → 자외선 차단제 → 커버용 보호 크림 순으로 도포한다.

2) 마무리 스트레칭

① 장시간 관리 후 근육 경직 및 순환이 떨어질 수 있고, 수면 후에 머리가 무거워질 수 있으므로 관리가 끝났음을 알리는 스트레칭을 해 주어 고객의 만족을 최대로 향상시킨다.

② 누운 자세에서 앉은 자세로 옮겨 실시한다.

③ 머리, 귀, 뒷목, 어깨, 팔, 척추 순으로 스트레칭을 한다.

3) 관리 후 고객 상담과 배웅

① 관리의 효과 상승을 위해 차를 대접한다.

② 다음 관리를 예약한다.

③ 피부 관리 기록카드에 사용 화장품에 대한 기록을 한다.

④ 고객이 집에서 자가 관리를 잘 하도록 홈케어에 대한 상담을 하고, 그 내용을 기록하여 추후 참고 자료로 활용한다.

⑤ 고객을 배웅한다.

4) 피부미용 관리가 마무리 되면 베드와 주변을 청결하게 정리한다.

CHAPTER 11

출제예상문제

01 피부미용에 대해 적절치 않은 것은?

① 손이나 화장품, 피부미용기기를 이용, 피부를 아름답게 하는 일이다.
② 인체의 모든 기능을 정상적으로 유지시키고, 치료하는 일이다.
③ 피부에 관한 해박한 피부학 및 해부학 지식이 필요한 일이다.
④ 매뉴얼테크닉을 사용하여 전신을 아름답게 만들어 주는 일이다.

ANSWER
② 치료는 의학의 목적이다. 피부미용학적인 용어로는 적합하지 않다.

02 다음 중 피부미용 업무에 해당하는 것은?

① 피부상태분석, 매뉴얼 테크닉. 제모, 눈썹문신을 한다
② 피부의 빠른 개선을 위하여 의료기구 및 의약품을 사용할 수도 있다.
③ 피부미용사의 손과 의약품, 레이저등의 기기를 적절히 이용하여 관리한다.
④ 안면 및 전신의 피부를 분석하고 관리하여 피부상태를 개선시킨다.

ANSWER
④ 피부 관리와 의료의 영역을 정확히 구분해야 한다. 문신 및 의약품, 의료기기는 의료의 영역이다.

03 피부 관리실의 준비상태가 적절하지 못한것은?

① 시트와 담요는 늘 위생적으로 유지하며, 수건은 면 재질을 선택, 용도에 따라 크기를 다양하게 구비한다
② 드레싱카(웨건) 위의 제품은 깔끔하게 정리정돈 되어 있어야 하며, 늘 위생적인 준비상태 유지한다
③ 베드는 관리 용도에 맞게 비치하고 관리사의 키를 고려하여 적절한 높이를 선택한다
④ 관리시 소독한 물품과 소독하지 않는 물품을 구분할 필요는 없다.

ANSWER
④ 소독한 물품과 소독하지 않은 물품은 구분을 해야 한다.

04 피부미용 관리의 목적과 관계가 먼 것은?

① 피부 보호와 항상성을 유지 하는데 목적이 있다.
② 피부탄력증진과 주름예방 효과로 피부 노화를 지연하고자 함이다.
③ 피부 신진대사를 높여 주고자 함이다.
④ 피부 질환을 치료하기 위함이다.

ANSWER
④ 피부질환을 치료하는 목적은 의학적 목적이다.

05 피부미용사의 자세 및 복장에 대해 바르게 서술한 것은?

① 고객을 평등하게 대하며, 고객이 불편함이 없도록 항시 체크하며, 불만 제기 시 임기응변으로 적절히 대처한다

② 관리시 앉는 자세는 허리가 굽지 않도록 하며, 관리시 관리사의 호흡이 느껴질 정도로 고객에게 가깝게 다가가지 않도록 한다

③ 고객에게는 반드시 경어를 사용하고, 주의사항 및 조언시에는 고객이 따를수 있도록 강한 어구를 사용한다

④ 손은 늘 청결하고 따뜻하게 유지하며, 손이 돋보일수 있도록 적절한 악세사리를 착용한다.

ANSWER
② 불만 제기시 변명 보다는 적극적으로 시정하도록 노력하며, 조언시 강한어구는 피해야 하며, 손에는 악세사리를 착용하지 말아야 한다.

06 고객 응대시 바르지 않은 태도는?

① 예의 바르고 친절한 서비스를 모든 고객에게 평등하게 제공한다

② 효과적인 의사소통 방법을 익혀두어야 한다

③ 종교나 정치 같은 논쟁이나 개인적인 문제에 대해 자주 논의하여 친근감을 갖도록 한다.

④ 고객의 말을 들어주는 마인드가 있어야 한다

ANSWER
③ 너무 사적인 대화는 피하도록 한다.

07 국내 에스테틱의 역사로 맞는 설명은?

① 조선시대에 서구화장품이 도입되고, 기생을 중심으로 신식화장이 유행하였다

② 개화기에는 유교적 도덕관념과 가부장적인 사상으로 내면의 미와 외면의 미가 동일시된 미의식으로 발전하였다.

③ 백제시대에는 수수한 화장을 좋아했으며, 그다지 화장품 제조 기술이 발달하지 못했다.

④ 1981년 YWCA에서 피부미용이 도입되어 정식 피부미용 수업이 진행되었다

ANSWER
④ 개화기 시대에 서구화장품이 도입되고, 기생을 중심으로 신식화장이 유행하였으며, 조선시대에는 어염집과 기생화장의 양분화와 백제시대에는 일본에 화장품 제조기술을 전파할 정도로 높은 수준이었다.

08 서구의 에스테틱의 역사로 바른것은?

① 이집트 : 목욕문화 발달, 사치스러움과 탐미주의 발달

② 그리스 : 시민들의 자연스러운 메이크업과 창부의 짙은 화장이 양분화

③ 중세 : 자연스러운 메이크업, 비누등장

④ 근대 : 기독교의 봉건사상 영향으로 미용 침체기

ANSWER
② 로마가 목욕문화가 발달하였으며, 중세는 기독교의 영향으로 미용이 침체되었고, 근대에 비누가 등장 하였다.

09 피부분석의 목적으로 알맞은 것은?

① 화장품 판매를 유도 할수 있다.

② 고객의 경제력을 판단할 수 있다.

③ 고객의 사생활을 알아낼 수 있다.

④ 고객의 피부 문제점과 원인을 파악하여 알맞은 피부관리를 할수 있다.

ANSWER

④ 피부분석의 목적은 고객의 피부문제점과 원인을 정확히 파악하여 알맞을 피부관리를 할수있게 하기 위함이다.

10 피부 상담 시 체크사항이 아닌 것은?

① 라이프스타일

② 병력사항 및 부 적용증

③ 현재 사용하고 있는 화장품

④ 재산 정도

ANSWER

④ 피부상담시 라이프 스타일이나 고객의 병력사항 및 현재 사용하고 있는 제품 등을 체크한다.

11 피부상담방법이 적절한 것은?

① 상담자는 고객이 방문한 목적이 무엇인지 경청하고 전문적인 지식을 바탕으로 피부에 관련된 조언을 한다.

② 정확한 피부분석을 위해 고객이 불편해 할수 있는 질문까지도 한다.

③ 고객이 늘 갖고 있는 피부 문제점만 파악한다.

④ 상담실은 관리실과 연결된 오픈된 장소가 좋다.

ANSWER

① 피부 상담의 가장 올바른 방법은 고객이 방문한 목적이 무엇인지 경청하고 관리사의 전문적 지식을 바탕으로 피부에 관련된 조언을 행한다.

12 피부 분석 시 유의 사항으로 맞는 것은?

① 고객의 피부상태를 견진, 촉진 두 가지 방법으로 파악 한다.

② 딥클렌징 단계 이후에 실시한다.

③ 예민도 정도를 체크하기 위해 고객을 화나게 해서 피부의 변화를 본다.

④ 확대경이나 우드 램프를 사용할 때에는 세안 후 아이 패드를 하고 측정한다.

ANSWER

④ 견진, 촉진, 문진의 방법으로 피부 상태를 체크하며, 클렌징 이후 피부 분석을 한다. 예민도의 경우 스파츌라로 살짝 눌러보아 피부의 변화를 체크한다.

13 피부 관리를 위해 실시하는 피부상담의 목적과 가장 거리가 먼 것은?

① 고객의 방문 목적 확인

② 피부문제의 원인 파악

③ 피부 관리 계획 수립

④ 고객의 사생활 파악

ANSWER

④ 피부상담의 목적은 고객의 피부 문제점을 체크하고, 고객이 방문한 목적을 알아내어 피부관리 계획을 수립하는데 있다.

14 모세혈관 확장 피부의 관리방법으로 적합한 것은?

① 탄력 관리   ② 주름 완화

③ 진정 및 보습   ④ 미백 관리

ANSWER

③ 모세혈관 확장 피부는 혈관의 상태가 약한 피부로서 자극을 피하고, 진정과 보습관리를 해주어야 한다.

15 다음 중 지성 피부의 특성으로 가장 거리가 먼 것은?

① 잔주름이 많이 보인다.
② 피부가 번들거리고, 화장이 잘 지워진다.
③ 피부의 두께가 두꺼워 보인다.
④ 피부결이 거칠고, 모공이 크다.

> ANSWER
> ① 잔주름이 많이 보이는 피부는 건성 피부에 해당된다.

16 모공 넓이, 피부 투명도, 건조 상태 등의 피부상태를 판단하기에 좋은 방법은?

① 문진 ② 촉진
③ 압진 ④ 견진

> ANSWER
> ④ 견진법은 관리사의 눈이나 기기 등을 이용하여 피부색, 피부의 두께, 피부결, 모공의 크기, 예민도, 색소, 여드름 상태등을 알아보기 위한 방법이다.

17 피부결이 섬세하고, 모공이 작으며 주름 발생등 노화현상이 빨리 오는 피부는?

① 지성 피부 ② 중성 피부
③ 건성 피부 ④ 민감성 피부

> ANSWER
> ③ 건성피부에 대한 설명이다.

18 지성피부 관리 방법 중 틀린것은?

① 클레이 제품으로 주 1회 정도 피지흡착을 시켜준다.
② 효소 등을 이용해 주 1회 정도 각질을 제거해준다.
③ 유분에 의해 피부 트러블을 유발하므로 화장수만 바른다.
④ 진정작용과 피지 제거에 효과가 있는 팩을 사용한다.

> ANSWER
> ③ 지성피부의 경우 수용성 에센스 및 수분크림등을 바르지 않으면, 표피성 수분 부족 피부화 된다.

19 노화피부의 특징은?

① 피지선과 한선이 퇴화되어 피부의 윤기가 떨어져 칙칙해 보인다.
② 모공이 크고 피지분비가 원활하다.
③ 외관상 피부결은 섬세하여 깨끗해 보이나 건조하고 자극에 민감하다.
④ 피지와 땀의 분비가 많아 탄력 있고 윤기 있어 보인다.

> ANSWER
> ① 노화피부에 대한 설명이다.

20 다음 지성피부의 주된 특징을 나타낸 것은?

① 모공이 크고 피지분비량이 많아 번들 거린다.
② 유분이 적어 각질이 잘 일어 난다.
③ 조그만 자극에도 피부가 예민하게 반응 한다.
④ 세안 후 피부가 쉽게 붉어지고 당김이 심하다.

> ANSWER
> ① 지성피부는 피지 분비가 많아 모공이 크고 뾰루지, 여드름이 잘 생긴다.

21 예민 피부에 대한 설명으로 옳지 않은 것은?

① 자극에 민감하고 쉽게 반응이 나타난다.

② 강한 필링을 하여 피부 저항력을 길러준다.

③ 색소침착, 노화 현상이 쉽게 나타 난다.

④ 자극에 민감하므로 진정 및 보습을 시켜주는 것이 좋다.

ANSWER

② 예민피부는 되도록 필링 등 자극을 주의하여야 한다.

22 피부 유형을 분석하는 방법에 속하지 않는 것은?

① 견진   ② 촉진

③ 문진   ④ 타진

ANSWER

④ 피부 유형의 분석 방법으로는 견진법, 촉진법, 문진법이 있다.

23 여름철의 피부의 상태를 설명한 것으로 틀린 것은?

① 각질층이 두꺼워지고, 안색이 칙칙해진다.

② 색소의 상태가 짙어진다.

③ 피지분비가 증가 한다

④ 각질이 들뜨며 혈액순환이 둔화 된다

ANSWER

④ 각질이 들뜨며, 순환이 저하되는 계절은 건조해지고, 추위지는 겨울철 피부에 해당되는 설명이다.

24 피부분석 시 적당한 피부분석 시기는?

① 처음 차트 작성 때만

② 월 1회

③ 3개월에 한 번

④ 매번

ANSWER

④ 피부상태는 상황에 따라 변할수 있는 가변성이 있기 때문에 관리 시 매번 피부 분석을 한다.

25 과색소 침착 피부 특성에 대해 틀린 것은?

① 가장 큰 외적 요인은 자외선이다.

② 종류는 기미. 주근깨. 갈색반점, 검버섯, 잡티 등이다.

③ 보호, 진정관리, 화이트닝관리를 한다.

④ 모공속 각질 비후로 인한 피지선 부위에 발생하는 질환이다.

ANSWER

④ 모공속 각질 비후로 인해 피지선 부위에 발생하는 질환은 여드름 피부이다.

26 피부 분석표 작성으로 올바르지 않은 것은?

① 제품의 주요 성분까지 적는다

② 분석표와 피부타입은 일치해야 한다

③ 피부분석표 작성은 고객이 직접 한다.

④ 고객 시술에 대해 전체적인 소견을 적는다.

ANSWER

③ 피부 분석표 작성은 관리를 직접 해주는 관리사가 해야 한다.

27 과도한 냉, 난방기 사용으로 인해 생길 수 있는 피부 문제점은?

① 과 각질화   ② 탄력저하

③ 보습 저하   ④ 혈액순환 저하

ANSWER

③ 과도한 냉, 난방의 사용은 피부의 보습력을 저하시켜 예민하고 건조한 피부를 만들기 쉽다.

28 클렌징의 목적에 해당되지 않는 것은?

① 피부 깊숙한 모공 속 피지와 각질을 제거한다.

② 피부 표면에 있는 노폐물과 화장품의 잔여물을 제거한다.

③ 피부관리의 첫 단계로서 준비단계이다.

④ 클렌징 후 피부식별을 할수 있다

ANSWER

① 피부 깊숙한 모공 속 피지와 각질 제거는 딥클렌징의 효과이다.

29 클렌징 제품에 대한 기술 중 바른 것은?

① 클렌징 크림 : 자극이 덜하고 건성 및 예민 피부에 적당하다.

② 클렌징 밀크 : 친수성 에멀전으로 자극이 덜하고 물에 쉽게 제거되어 비교적 모든 피부에 사용 가능하다

③ 클렌징 젤 : 건성, 노화 피부에 적당하다

④ 클렌징 오일 : 청량감과 산뜻함을 부여 한다

ANSWER

② 클렌징 크림은 이중세안이 필요하기 때문에 지성, 예민, 여드름 피부는 가급적 피하는게 좋으며 클렌징 젤은 산뜻한 사용감 으로 지성, 여드름 피부에 적당하며, 클렌징 오일은 건성, 노화 피부에 적당하다.

30 클렌징 단계에 대해 바르게 기술한 것은?

① 1차 클렌징의 경우 눈과 입술을 닦는 것으로 2차 클렌징 제품과 같이 사용 하는게 좋다.

② 2차 클렌징의 경우 all skin type제품을 이용하여 클렌징 한다.

③ 3차 클렌징은 비누로 깨끗하게 마무리 한다.

④ 3차 클렌징의 목적은 피부정돈과 pH발란스, 수분공급이다.

ANSWER

④ 1차 클렌징은 포인트 전용 메이크업 리무버를 사용하는게 좋으며, 2차 클렌징의 경우 피부타입을 고려하여 선택하며, 3차클렌징은 토너를 이용한 마지막 단계이다.

31 클렌징의 단계에 대한 설명으로 틀린 것은?

① 1차 클렌징은 색조화장을 지우는 단계이다.

② 2차 클렌징 단계는 피부유형에 알맞은 전문 클렌징제품을 사용한다.

③ 3차 클렌징 단계는 토너를 이용해 피부정돈을 해주는 마지막 단계이다

④ 3차 클렌징 단계는 비누나 폼클렌징을 사용한다.

ANSWER

④ 1차 클렌징 : 포인트 클렌징 – 2차 클렌징 : 안면클렌징 –3차 클렌징 : 토너단계

32 포인트 클렌징 시술 방법 중 맞는 것은?

① 콘택트렌즈를 빼지 않아도 무방하다.
② 눈과 입술 부위 중 되도록 입술부터 제거하도록 한다.
③ 아이라인과 입술 제거시 안에서 바깥쪽으로 제거한다.
④ 마스카라 제거시 최대한 자극없도록 면봉을 이용하여 속눈썹을 한올 한올 녹여 아랫방향으로 제거한다.

ANSWER
④ 관리 전 콘텍트 렌즈를 빼도록 하며, 눈은 안에서 밖으로, 입술은 밖에서 안으로 립스틱이 번지지 않도록 제한다.

33 클렌징 시술시 잘못된 방법은?

① 클렌징을 1차, 2차, 3차의 단계로 청결하고 자극없이 시행한다.
② 클렌징 시술 시 시간을 두고 천천히 흡수를 시키며 진행한다.
③ 클렌징 시술 시 코 및 피지가 많은 부위는 다른 부위 보다 약간 강한 압을 이용해 러빙해 준다.
④ 클렌징의 자극을 최소화하기 위해 신속하게 진행한다

ANSWER
② 클렌징은 피부표면에 있는 노폐물과 화장품 잔여물을 제거하는 방법으로 가능한 빠른 시간내에 피부에서 깨끗히 제거하는 것이 좋다.

34 피부 관리시 클렌징제 선택 사항으로 적합하지 않은 것은?

① 화장의 두께(옅고 짙음)에 따라 고려한다.
② 피부 타입을 고려하여야 한다.
③ 피지막이 완전히 제거되는 강력한 제품을 선택한다.
④ 메이크업 및 이물질이 양호하게 제거되어야 한다.

ANSWER
③ 피지막은 피부를 보호하는 보호막이므로, 완전히 제거하면 안된다.

35 안면 클렌징 순서로 적합한 것은?

① 1차 : 눈 → 입(포인트 메이크업 리무버),
  2차 : 얼굴(목) 클렌징, 3차 : 토너 정돈
② 1차 : 입 → 눈(포인트 메이크업 리무버),
  2차 : 얼굴(목) 클렌징, 3차 : 토너 정돈
③ 1차 : 눈 → 입(포인트 메이크업 리무버),
  2차 : 얼굴(목) 클렌징, 3차 : 마사지
④ 1차 : 입 → 눈(포인트 메이크업 리무버),
  2차 : 얼굴(목) 클렌징, 3차 : 마사지

ANSWER
① 안면 클렌징의 순서 : 눈 →입 →얼굴+목 →토닉 순으로 진행한다.

36 효과적인 세안(cleansing)의 방법으로 적합한 내용은?

① 세안 시 깨끗하고 차가운 물을 이용하고, 헹구는 물은 미온수를 이용한다.
② 손동작은 최대한 빠르고 힘있게 한다.
③ 화장을 하지 않은 경우 피부손상방지를 위해 세안은 생략하는것이 좋다.
④ 피부타입에 따라 각각 알맞은 세안제를 이용한다.

ANSWER

④ 클렌징은 미온수로, 손동작은 가볍게, 화장을 하지 않아도 피부 노폐물이나 먼지를 제거해야 한다.

37 클렌징크림의 주된 역할은?

① 피부 영양분을 준다.
② 피부에 수렴작용을 한다
③ 피부 노폐물과 먼지 및 이물질을 제거한다.
④ 피부 혈액순환을 촉진한다.

ANSWER

③ 클렌징크림의 역할을 피부 표면의 노폐물과 메이크업의 잔여물을 제거하는 것이다.

38 클렌징에 대한 설명 중 바른 것은?

① 클렌징은 밀착감과 리듬감을 살려 천천히 한다.
② 가벼운 동작으로 신속하게 해야 한다.
③ Massage 동작과 따로 구분하지 않아도 된다.
④ 노메이크업일 경우 클렌징을 하지 않고 바로 Massage한다.

ANSWER

② 클렌징동작은 피부의 이물질을 제거하는 단계인 만큼 가벼운 동작으로 신속하게 진행 한다.

39 물에 잘 지워지지 않는 짙은 색조화장에 적당하고 이중세안이 필요한 클렌징제품은?

① 밀크타입
② 젤 타입
③ 오일 타입
④ 크림 타입

ANSWER

④ 크림타입은 W/O타입으로 짙은 색조화장을 지우는데 용이하며 사용 후 반드시 비누나 폼 타입의 클린져를 이용하여 이중세안을 실시한다.

40 다음 중 친수성이 뛰어나고 피부자극이 적어 비교적 모든 피부에 사용가능한 클렌징타입은?

① 젤 타입
② 오일 타입
③ 거품 타입
④ 밀크 타입

ANSWER

④ 밀크타입은 모든 피부에 자극없이 클렌징이 가능한 친수성 화장품이다.

41 온습포의 효과는?

① 모공을 확장시켜 화장품의 잔여물 및 노폐물 제거를 용이하게 한다.
② 예민 피부나 화농성 여드름 피부에 사용하면 효과가 크다.
③ 마사지 전에 사용해 모공을 열어주어 영양크림의 침투를 돕는다.
④ 피부를 긴장시켜 탄력을 도와준다.

ANSWER

① 온습포는 닦아내는 목적으로 사용되며 모공의 확장 시켜 화장품의 잔여물과 피부의 이물질등을 제거하는 데 용이하다.

42 온습포의 주의사항이 아닌 것은?

① 혈관확장피부나 화농성 여드름 피부의 경우는 주의한다.
② 혈액순환 촉진 효과가 있으므로 피부관리 마지막 단계에는 필수이다.
③ 예민피부에 적용할 경우는 약한 압으로 부드럽게 행한다.
④ 예민피부나 혈관확장피부는 온도를 조금 떨어뜨려 온도 변화에 대한 자극을 줄인다.

ANSWER
② 피부관리 마지막 단계에서는 혈관을 수축시키는 효과가 있는 냉습포를 사용해야 한다.

43 냉습포의 목적이 아닌 것은?

① 모공을 수축시켜 수렴효과가 있다.
② 혈관을 수축시켜 진정효과가 있다.
③ 팩 관리후 마무리 단계에 적용해 피부를 진정시킨다.
④ 클렌징 단계에서 자극받은 피부를 진정시키기 위해 냉습포를 사용한다.

ANSWER
④ 냉습포는 모공수축, 혈관수축을 시켜 피부를 진정시키고, 긴장감을 준다.

44 딥클렌징의 목적으로 적합하지 않는 것은?

① 혈액순환과 림프순환 촉진
② 유효성분 침투 용이
③ 각질층 상부와 모공 내 각질과 피지 제거
④ 신진대사 순환으로 인한 간접재생 효과

ANSWER
① 혈액순환과 림프순환 촉진은 마사지 효과이다.

45 딥클렌징의 효과로 부적합한 것은?

① 피부 죽은 각질과 과각질을 제거시켜 준다.
② 피부 표면을 매끈하게 해준다.
③ 화장품 성분의 침투를 원활하게 해준다.
④ 피부 식별을 용이하게 한다.

ANSWER
④ 피부식별은 클렌징 후에 진행한다.

46 딥클렌징 시술시 올바른 사용 방법은?

① 스크럽의 경우 천연알갱이 등을 이용하므로 코에 들어가도 문제가 없다.
② 예민한 부위나 혈관이 확장된 부위는 사용하지 않는다.
③ A·H·A 사용 시 pH 및 함량을 꼭 확인하며, 50% 이상의 함량은 사용하지 않도록 한다.
④ 화농성 여드름의 경우 딥클렌징의 효과를 높이기 위해 스티머를 함께 사용한다.

ANSWER
② 스크럽 및 알갱이가 있는 제품은 눈이나 코에 들어가지 않도록 주의하며, A·H·A는 피부관리 용도로서 30%미만, pH3.5이상을 사용해야 한다.

47 다음 중 딥클렌징의 주된 효과가 아닌 것은?

① 주름이 개선된다.
② 혈액순환 촉진 효과가 있다.
③ 노화되고 각화된 각질 제거 효과가 있다.
④ 모공 속의 피지 제거 효과가 있다.

ANSWER
① 주름 개선 효과가 있는건 마사지, 팩의 효과이다.

48 물리적 방법으로서 알갱이를 이용하여 피부의 각질을 제거하는 각질 제거제는?

① 고마쥐　　　　② 효소
③ A·H·A　　　　④ 스크럽 타입

ANSWER

④ 스크럽은 알갱이를 이용하여 주로 지성, 두꺼운 피부에 사용하는 각질 제거제이다.

49 물리적 각질제거제에 해당되는 것은 무엇인가?

① 설파(sulfur)　　② 프리마톨
③ 효소　　　　　④ 과일산(A·H·A)

ANSWER

② 물리적 딥클렌징
├ 스크럽, 고마쥐
└ 프리마톨

화학적 딥클렌징
효소, AHA, Sulfur, BHA

50 화학적 각질제거제에 속하지 않는 것은 무엇인가?

① 효소　　　　　② 머드
③ 살리실산(BHA)　④ A·H·A

ANSWER

② 대표적인 화학적 딥클렌징은 효소, A·H·A, Sulfur, BHA…

51 다음 중 효소의 설명으로 옳지 않은 것은?

① 동, 식물성 각질분해 효소를 함유하고 있다.
② 시간, 온도, 습도를 적절히 조절하여야 한다.
③ 모든 피부타입에 적용 가능하다.
④ 과일산으로 죽은 각질세포를 녹여준다.

ANSWER

④ A·H·A는 종합과일산으로 화학적으로 각질을 제거하는 효과가 있다.

52 딥클렌징의 종류 중 물리적 방법이 아닌 것은?

① 머드　　　　　② 프리마톨
③ 스크럽　　　　④ A·H·A

ANSWER

④ 딥클렌징제 중 A·H·A는 효소와 함께 대표적인 화학적 방법이다.

53 다음 중 효소의 성분으로 적당하지 않은것?

① 파파인　　　　② 알란토인
③ 브루멜린　　　④ 라이스 브랜

ANSWER

② 알란토인은 상처치유 효과로서 진정작용이 있는 성분이다.

54 피부타입별 화장품 및 관리방법으로 적합한 것은?

① 건성 피부 : 피지조절 기능과 항균작용이 있는 제품을 사용하며, 피지제거와 각질제거 능력이 있는 딥 클렌징과 팩을 주 2회 정도 실시한다.

② 지성피부 : 보습기능과 유분이 들어가 있는 제품을 이용하여 유. 수분의 발란스를 맞추며, 피지분비 촉진을 위한 마사지를 실시한다.

③ 노화피부 : 두꺼워진 각질을 탈락시키는 딥클렌징과 주름을 완화시키며 탄력을 줄 수 있는 제품을 사용하며, 마사지와 탄력을 강화시킬 수 있는 팩을 실시한다.

④ 예민피부 : 모세혈관 벽을 강화시키기 위해 주 2회 정도의 마사지와 팩을 실시한다.

ANSWER
③ ①의 경우 지성피부의 관리방법, ②경우 건성피부의 경우이다. ④ 예민 피부는 마사지같은 물리적 자극을 주지 않는 것이 좋다.

55 피부의 유분과 수분을 공급해주고 피부보호막을 형성하여 각질층의 수분 증발을 막아 외부의 자극으로부터 피부를 보호해주는 제품은?

① 아스트리젠트(수렴화장수)

② 클렌징 크림

③ 영양크림

④ 자외선 차단제

ANSWER
③ 피부에 가장 중요한 수분증발을 막고 촉촉하고 매끄러운 유연막 형성과 외부자극으로부터 피부를 보호해주는 대표적 화장품은 영양크림이다.

56 다음중 피부에 모공을 열어주는 역할을 하지 않는 것은?

① 온습포   ② 적외선

③ 수렴화장수   ④ 유연화장수

ANSWER
③ 수렴화장수는 과도한 피지를 조절하고 모공을 조여줌으로서 피부의 수렴작용이 있다.

57 피부 유형과 화장품의 사용목적이 틀리게 연결된 것은?

① 여드름 피부 : 보습 및 유연기능이 있는 화장품 사용

② 색소침착 피부 : 미백 및 각질 탈락 효과가 있는 화장품 사용

③ 예민 : 진정 및 보습 효과

④ 노화 피부 : 주름을 완화시키고, 재생작용, 탄력을 주는 화장품 사용

ANSWER
① 여드름 피부는 각질제거, 피지제거, 항균효과 등의 화장품 사용

58 민감성 피부의 화장품 사용에 대한 설명으로 틀린 것은?

① 석고팩 이나 피부에 자극이 되는 제품의 사용을 피한다.

② 피부의 진정. 보습 효과가 뛰어난 제품을 사용한다.

③ 스크럽이 들어간 세안제를 사용하고 알코올 성분이 들어간 화장품을 사용한다.

④ 화장품 도포시 첩포시험(Patch test)을 하여 적합성 여부의 확인 후 사용하는 것이 좋다.

ANSWER
③ 민감성 피부에 자극을 줄 수 있는 스크럽이나 알콜이 함유된 화장품은 피하는 것이 좋다.

59 기미 피부에 맞는 화장품 선택은?

① 항균 작용 있는 화장수
② 모공수축을 위한 에센스
③ 알부틴, VitC가 함유된 에센스
④ 카올린, 벤토나이트가 다량 함유된 팩

ANSWER
③ 미백효과가 있는 대표적 성분으로 알부틴, VitC, 감초추출물 등이 있다.

60 노화피부의 화장품 사용에 대해 적당한 것은?

① 오일 프리 화장품을 선택한다.
② 항균 작용이 있는 화장품을 선택한다.
③ 유. 수분이 있는 화장품을 선택한다.
④ 피지 조절 능력이 있는 화장품을 선택한다.

ANSWER
③ 노화피부는 한선과 피지선의 위축으로 피지 분비 능력이 떨어진다.

61 노화피부의 관리 방법으로 적합 하지 않는 것은?

① 각질화 과정이 느려지므로, 정기적으로 딥클렌징을 실시한다.
② 혈액순환이 저하되므로, 매뉴얼 테크닉을 정기적으로 실시한다.
③ 보습기능이 저하되므로, 보습을 해줄 수 있는 콜라겐 벨벳을 해준다.
④ 피지기능이 활발해 지므로 피지 조절을 위한 머드팩을 정기적으로 실시한다.

ANSWER
④번은 지성피부에 대한 관리방법이다.

62 복합성 피부 관리 방법으로 적합한 것은?

① T존 부위는 피지조절 팩을 해주며, U존 부위에는 유분감이 많은 영양크림을 발라준다.
② 팩 사용시 전체적으로 통일화 하여 1가지 팩을 사용해야 한다.
③ 피지 분비를 정상화 하기 위해 T존 부위는 다소 강한 압을 이용하여 문지른다.
④ T존 부위에는 자주 강한 압을 이용해 손을 이용하여 블랙헤드를 제거한다.

ANSWER
① T존과 U존이 다른 피부이므로 T존은 지성 피부 관리로, U존은 건성피부 타입으로 관리한다.

63 스웨덴식 매뉴얼 테크닉시 고려해야 할 사항이 아닌 것은?

① 동작과 동작의 연결감
② 화려한 테크닉 기교
③ 알맞은 속도
④ 근육결 방향

ANSWER
② 매뉴얼 테크닉시 고려사항 : 속도, 연결감, 압력, 근육결 방향

출제예상문제 chapter 11

64 스웨덴식 매뉴얼 테크닉(Massage) 시 고려 사항 중 옳은 것은?

① 속도와 리듬 : 빠르게 시작하여 부드럽고 천천 히 마무리한다.

② 시간 : 얼굴관리는 피부 타입에 따라 선택하며 10~15분이 적당하다.

③ 방향 : 얼굴관리 시 내리는 동작은 힘 있게, 올 리는 동작은 끌어올리듯이 한다.

④ 횟수 : 일반적으로 피부 타입에 상관없이 정해 진 횟수로 진행 한다.

ANSWER

② 속도는 처음과 끝은 부드럽고, 천천히 시행하며, 시간과 횟수의 경우 피부타입에 따라 달라지며, 대략 10분~15분, 방향은 근육결 방향대로 하며 내리는 동작의 경우 가볍게 실시한다.

65 스웨덴식 매뉴얼 테크닉 고타법 중 손가락의 바닥면을 사용한 기법은?

① 커핑(cupping)　　② 슬래핑(slapping)

③ 해킹(hacking)　　④ 태핑(tapping)

ANSWER

④ 두드리기 동작 : 커핑 : 손을 오목하게 실시/ 슬래핑 : 손바닥을 이용한 동작/ 해킹 : 손의 측면을 이용/태핑 : 손가락의 바닥면을 이용

66 다음 중 스웨덴식 매뉴얼 테크닉 중 말초신 경 조직을 자극하는 가장 적극적인 형태 및 전신에 쾌감을 주는 기법은?

① 경찰법　　　　② 고타법

③ 강찰법　　　　④ 유연법

ANSWER

② 고타법은 말초신경 조직을 자극하는 가장 적극적 형태의 기법, 혈액순 환 촉진, 신진대사 작용 높임.근육 위축 예방

67 스웨덴식 매뉴얼테크닉을 적용할 수 있는 경우는?

① 상처가 있는 경우

② 셀룰라이트가 있는 경우

③ 생리시

④ 피부가 예민한 경우

ANSWER

② 스웨덴식 매뉴얼 테크닉을 주의를 요하거나 적용할 수 없는 경우
㉠ 상처가 있을 시
㉡ 생리 전이나 생리 시기에는 되도록 시술하지 않는다.
㉢ 피부 질환 시
㉣ 피부가 극도로 예민할 때
㉤ 임신 시 주의를 하여 실시한다.
㉥ 수술한지 1년이 안된 경우는 의사와 상의 후 실시한다.
㉦ 종양 및 암의 경우 의사와 상의 후 실시한다.

68 스웨덴식 매뉴얼 테크닉 기법중 혈액의 흐 름을 촉진하고 경련과 마비에 효과적인 방법은?

① 진동법　　　　② 강찰법

③ 관절운동법　　④ 고타법

ANSWER

① 진동법은 혈액의 흐름을 촉진 하고 경련과 마비에 효과적이다.

기본동작	방법 및 효과
쓸어주기	모든 동작의 시작과 마무리 연결동작, 혈액, 림프 순환촉 진, 신경안정, 긴장완화
문지르기	결체조직이 강한조직, 피지선 한선 분비 촉진, 혈액순환촉 진, 긴장된 근육이완
주무르기	근육내 노폐물 제거, 혈액순환 촉진, 뭉친 근육이완
두드리기	말초신경 조직자극, 혈액순환촉진, 신진대사 작용 높임
떨기	긴장된 근육이완, 경련마비에 효과적
집어주기	혈액순환촉진, 탄력, 피지선을 자극하여 모공내 피지배출, 결체조직 탄력

69 스웨덴식 매뉴얼 테크닉(마사지)에 대한 설명 중 맞는 것은?

① 근육결 반대 방향으로 해줘야 주름을 생성시키지 않는다.
② 피부에 화학적 작용을 한다.
③ 피부질환이 있는 경우 효과가 크다.
④ 피부를 이완시키고 혈액 순환을 촉진 한다.

ANSWER
④ 근육결 방향대로 해주어야 하며, 피부에 물리적 작용을 한다. 피부질환이 있을때는 매뉴얼 테크닉을 하지 않는다.

70 매뉴얼 테크닉 적용시기에 적당하지 않은 것은?

① 푸석거리고 건조해지는 환절기
② 근육 피로 및 경직시
③ 수면 전이나 샤워후
④ 상처가 있을때

ANSWER
④ 상처가 있는 경우에는 매뉴얼테크닉을 실시하지 않는다.

71 매뉴얼 테크닉의 기술 숙달의 포인트로 가장 거리가 먼 것은?

① 압력을 적절히 주는 방법
② 근육의 방향을 익히는 것
③ 손톱을 짧게 자르고 손을 청결히 한다.
④ 리듬을 넣는 방법

ANSWER
③ 매뉴얼테크닉 시 주의사항이다.

72 피부 노폐물의 배출, 뭉친 근육 이완, 탄력 등을 목적으로 손가락으로 근육을 반죽하듯 주무르는 매뉴얼 테크닉 기법은 무엇인가?

① 고타법   ② 강찰법
③ 유연법   ④ 경찰법

ANSWER
③ 유연법은 근육에 쌓여있는 노폐물을 제거하거나 혈액순환 촉진 근육의 뭉친 부위를 이완시키고 근육의 탄력을 부여한다.

73 스웨덴식 매뉴얼 테크닉 동작별 효과가 바르게 연결된 것은?

① 문지르기 : 피부탄력 강화
② 진동하기 : 신경안정
③ 두드리기 : 노폐물 제거
④ 쓰다듬기 : 혈액과 림프순환 자극

ANSWER
④ 문지르기 : 노폐물 배출 용이/ 진동법 : 긴장된 근육이완, 경련, 마비에 효과적/ 두드리기 : 혈액순환촉진 신진대사 작용 높힘, 근육위축 예방

74 스웨덴식 매뉴얼 테크닉 시술시 주의사항으로 옳은 것은?

① 예민 피부는 매뉴얼 테크닉을 생략하거나, 가볍게 실시한다.
② 고객의 느낌을 알기 위해 시술 중간 중간 고객에게 말을 건다.
③ 고객의 피부를 잘 살피기 위해 직접 조명을 켜고 실시한다.
④ 테크닉 시 관리사의 손에 열이 발생할 수 있으므로 손을 차갑게 한 상태에서 시술이 들어간다.

ANSWER
① 스웨덴식 매뉴얼 테크닉 시술시 예민피부나 화농성여드름 피부, 상처가 있는 부위나 피부질환이 있는 경우는 피하는 것이 좋다.

75 스웨덴식 매뉴얼 테크닉 기본 동작 중 피지가 많은 부위에 시행하면 가장 좋은 테크닉은?

① 쓸어주기　　　② 두드리기

③ 문지르기　　　④ 집어주기

ANSWER

③ 문지르기는 노폐물 배출에 용이하다.

76 스웨덴식 매뉴얼 테크닉시 시작할 때와 끝날 때 들어가는 기본동작은?

① 경찰법　　　② 강찰법

③ 고타법　　　④ 유연법

ANSWER

① 메뉴얼 테크닉시 처음과 마지막 연결 동작에 사용되는 기본동작은 경찰법이다.

77 스웨덴식 매뉴얼 테크닉의 기본 동작 중 신경조직을 자극하여 혈액순환을 촉진시켜 피부 탄력 증가에 가장 효과적인 기법은?

① 쓰다듬기　　　② 문지르기

③ 두드리기　　　④ 반죽하기

ANSWER

③ 두드리기 동작은 신경조직을 자극하여 혈액순환을 촉진하고 피부탄력을 증가시키는 효과가 있다.

78 스웨덴식 매뉴얼 테크닉에서 Friction(문지르기)의 가장 큰 효과는?

① 늘어진 근육을 수축

② 경련, 마비에 효과적

③ 피지선, 한선 분비 촉진하여 노폐물 배출을 용이하게 한다.

④ 피부의 과민해진 신경을 진정시켜준다.

ANSWER

③ Friction의 대표적 효과이며 이외에도 경직된 근육을 이완시키는 효과가 있다.

79 고타법(Tapotment)이 효과 중 맞는 것은?

① 신경안정

② 근육의 탄력 준다.

③ 모세혈관 투과성을 높힘

④ 피지분비 촉진

ANSWER

② 고타법은 말초신경을 자극하여 혈액순환을 촉진하고 근육의 탄력을 준다.

80 매뉴얼 테크닉시 진동법에 관한 설명 중 맞는 것은?

① 근육 위축

② 지방 과잉 축적 방지

③ 경련과 마비에 효과적

④ 모공의 피지 배출

ANSWER

③ 진동법은 긴장된 근육을 이완하고 경련과 마비에 효과적이다.

81 조직의 혈행 촉진, 결체조직 강화, 탄력, 모공의 피지 배출을 도와주는 기본동작은?

① 고타법　　　　② 경찰법
③ 강찰법　　　　④ 진동법

ANSWER

③ 강찰법은 클렌징이나 딥클렌징 작업시 모공내 피지 배출을 도와주는 대표적인 기본동작이다.

82 집어주기, 꼬집기 동작은 어느 부위에 적당한 동작인가?

① 탄력이 부족한 부위
② 피지분비가 많은 부위
③ 예민한 부위
④ 뼈가 드러난 부위

ANSWER

집어주기-꼬집기 동작은 결체조직을 단련시키고 혈액순환을 촉진하여 탄력을 증가시킨다.

83 스웨덴식 매뉴얼 테크닉 시술 시 맞는것은?

① 압력의 경우 강하게 시행해야 고객에게 만족감을 줄 수 있다.
② 빠르고, 리드미컬 하게 한다
③ 천천히 오래할수록 효과적이다.
④ 시술 전 고객의 건강 및 피부상태를 체크한다.

ANSWER

④ 매뉴얼 테크닉 시술 시 피부의 자극적이지 않도록 적절한 압력을 이용하여 천천히 리드미컬하게 진행하며, 10~15분 정도의 시간이 효과적이며 피부타입에 따라 시간을 더 단축할 수도 있다.

84 눈 밑에 눈물 주머니가 있을 때 하면 좋은 마사지는?

① 시술하지 않는다.
② 눈의 바깥쪽에서 안쪽으로 원을 그리면서 문지른다.
③ 눈 주변을 압박하는 동작을 반복적으로 시행한다.
④ 림프 매뉴얼 테크닉을 눈주위에 실시한다.

ANSWER

④ 림프 매뉴얼 테크닉은 눈 주변에 Dark Circle 이나 눈물주머니 등의 문제가 있는 부위에 시술하면 좋다.

85 다음 중 림프 매뉴얼 테크닉이 가장 적당한 대상은?

① 심장 기능에 문제가 있는 경우
② 결핵을 앓고 있는 경우
③ 부종이 있는 경우
④ 천식이 있는 경우

ANSWER

③ 적용하면 좋은 경우
㉠ 모든 순환 촉진을 시키는 관리 후(예 : 팩관리후, 기기관리 후, 마사지후)
㉡ 여드름 피부
㉢ 민감성 피부(주사, 홍반, 모세혈관 확장)
㉣ 부종, 셀룰라이트, 비만, 눈물주머니
㉤ 켈로이드, 수술 전 후, 수술 후 상처

출제예상문제　chapter 11

86 림프 매뉴얼 테크닉을 적용하면 안되는 경우는?

① 모든 순환 촉진을 시키는 관리 후 적용
② 부종, 셀룰라이트, 비만 등에 적용
③ 여드름 피부 관리시 적용
④ 갑상선 기능 장애가 있는 경우

ANSWER
④
주의해야 할 경우
① 치료된 암   ② 갑상선 기능 장애
③ 기관지 천식   ④ 자율신경 장애
⑤ 만성 염증   ⑥ 육아종

피해야 할 경우
① 악성종양   ② 급성염증
③ 혈전증   ④ 심장 기능 부진

87 팩(pack)과 마스크(mask)의 차이점에 대하여 올바르게 서술한 것은?

① 팩은 공기가 투과되며 마르지 않은 상태, 마스크는 공기가 투과 안되며 마른 상태에서 제거되는 것
② 팩은 마르지 않아서 밀봉되지 않는 것, 마스크도 마르지 않아서 밀봉되지 않는 것
③ 팩은 말라서 밀봉되는 것, 마스크는 마르지 않아서 밀봉되지 않는 것
④ 팩은 말라서 밀봉되는 것, 마스크도 말라서 밀봉되는 것

ANSWER
① 팩: 공기가 투과되며 마르지 않는 상태에서 제거하는 것
   마스크: 외부와 차단되어 공기가 차단되지 않으며 마른 상태에서 제거하는 것

88 팩의 목적 및 효능이 바르지 않은 것은?

① 성분 및 팩의 특징에 따라 주 효능의 차이가 있다.
② 피지와 각질을 제거하여 영양 침투를 용이하게 한다.
③ 피부에 보습과 영양을 공급한다.
④ 혈액순환 및 신진대사를 촉진한다.

ANSWER
② 피지와 각질을 제거하여 영양 침투를 용이하게 하는것은 딥클렌징의 특징이다.

89 다음 중 한방 팩에서 박하의 효능으로 타당한 것은?

① 미백기능이 뛰어나다.
② 흡착기능이 좋다.
③ 순환효과가 뛰어나다.
④ 재생효과가 뛰어나다.

ANSWER
③ 한방팩의 성분 중 박하는 순환촉진 효과와 피지조절기능이 뛰어나다.

90 팩 사용 시 주의사항이 아닌 것은?

① 팩 관리의 적용시간은 10~20분이다.
② 눈 부위는 진정용 화장수나 정제수를 적신 아이패드로 반드시 덮어준다.
③ 한방팩, 천연팩 등은 가급적 즉석에서 만들어 사용한다.
④ 볼은 두텁고 턱, 코, 입은 얇게 바른다.

ANSWER
④ 팩은 볼부위가 아주 예민한 경우를 제외하고 균일하게 도포한다.

91 모델링마스크의 특징에 대한 내용으로 알맞은 것은?

① 팩이 딱딱하게 굳어지면서, 열을 발생시키면서 영양성분이 침투된다.

② 냉동건조된 천연 콜라겐 성분이 함유된다.

③ 해조류 추출물이 다량 함유되어 피부에 미네랄이 공급되며 쿨링 효과로 피부를 진정시킨다.

④ 파라핀 왁스를 녹여 도포하면 피부가 밀봉되면서, 영양성분이 침투되는 효과가 있다.

ANSWER
③ 모델링마스크란 알긴산 등의 해조류가 다량 함유되어 피부에 미네랄 공급과 보습기능이 뛰어나며 쿨링효과로 피부 진정작용이 뛰어나다.

92 천연 팩중 보습을 주는 팩하고 거리가 먼 것은?

① 오이팩　　　② 우유팩
③ 계란 노른자팩　　　④ 알로에팩

ANSWER
③ 계란 노른자 팩은 보습 보다는 피부유연을 주는 팩이다.

93 팩을 한 다음 팩을 빠르게 건조시키기 위한 방법 중 적합한 것은?

① 자외선을 쬔다
② 선풍기를 쏘인다.
③ 적외선을 쬔다.
④ 랩핑을 한다.

ANSWER
③ 팩을 도포후 팩의 침투력을 돕고 건조 시키는 방법으로 적외선을 10분 정도 사용하면 좋다.

94 도포 후 온도가 40℃ 이상 올라가며, 노화 및 건성 피부에 효과 적인 팩은?

① 콜라겐 벨벳마스크
② 석고마스크
③ 머드 마스크
④ 고무 마스크

ANSWER
② 석고마스크란 열과 밀봉요법을 이용하여 피부에 영양공급을 하는 대표적 마스크로 특히 노화, 건성 피부에 효과적이다.

95 석고마스크 시술 시 주의 사항이 아닌 것은?

① 여드름 피부나 모세혈관 확장 피부에는 사용하지 않는 것이 좋다.
② 헤어에 묻지 않도록 주의하며 실시한다.
③ 콧구멍을 제외한 나머지 부위는 반드시 밀봉하도록 한다.
④ 한 곳에 열이 집중되지 않도록 균일하게 도포한다.

ANSWER
③ 감기등으로 인해 코가 막히거나, 숨쉬기가 불편한 경우 고객의 요구에 따라 입을 개봉 할 수 있다.

96 콜라겐, 히아루론산, 무코다당류등의 유효성분이 함유된 시트 형태의 팩은 무엇인가?

① 벨벳 마스크　　　② 석고 마스크
③ 클레이 마스크　　　④ 왁스 마스크

ANSWER
① 콜라겐이 주성분으로 피부의 수화능력을 증가시키는 시트형태의 마스크는 벨벳 마스크이다.

97 피부타입에 맞는 팩의 성상이 맞지 않는 것은?

① 여드름 피부 : 머드 타입
② 노화 피부 : 클레이 타입
③ 건성 피부 : 크림 타입
④ 지성 피부 : 젤 타입

ANSWER
② 피지가 부족한 노화피부에는 머드 타입이 적당하지 않다.

98 다음중 팩 사용시 주의사항으로 올바르지 않는 것은 ?

① 건조되는 팩은 입술, 눈 가까이는 도포하지 않는다.
② 적용시간은 약 15분 정도로 한다.
③ 팩의 효능과 느낌을 긍정적으로 고객에게 전달한다.
④ 천연팩은 사용의 편리함을 위해 미리 만들어 놓는다.

ANSWER
④ 천연팩은 사용시 바로 만들어야 하며, 보관기간이 길지 않다.

99 석고마스크를 할 때 부적합한 피부는?

① 늘어진 피부
② 붉은피부
③ 탄력이 없는 피부
④ 주름이 많고, 건조한 피부

ANSWER
② 석고마스크의 경우 예민피부나 화농성 여드름 피부는 적용하지 않는다.

100 한방팩에 대한 설명 중 맞는 것은?

① 가격이 너무 비싸 경제적이지 못하다.
② 관리 후 남은 팩은 랩으로 잘 밀봉하여 냉장 보관 시, 길게 보관할 수 있는 장점이 있다.
③ 효과를 높이기 위해 3가지 이상의 팩을 혼합한다.
④ 침투력이 떨어지고, 트러블 유발 가능성이 높으므로 미리 패취테스트를 실시한다.

ANSWER
④ 장점 : 경제적이며, 천연팩에 비해 보관기간이 길다.
단점 : 침투력이 떨어지며, 사용이 번거롭고, 보관기간이 짧으며, 자체 독소로 인해 트러블 유발 가능성이 높다.

101 팩에 대한 설명으로 잘못된 것은?

① 색소침착 피부에는 미백용 팩을 사용한다.
② 팩제를 바를 때는 최대한 얇게 발라 진공상태를 유지 시킨다.
③ 팩 전에 유효성분이 함유되어 있는 오일이나 크림을 이용하여 매뉴얼 테크닉을 하고 실시하면 효과가 더 크다.
④ 팩은 피부에 바른 후 15분에서 20분 정도 후 팩이 덜 마른 상태에서 제거한다.

ANSWER
② 팩 도포시 피부색이 보이지 않을 정도의 두께로 균일하게 도포하는 것이 좋다.

102 한방팩 중 지성, 여드름 피부에 적당한 것은?

① 율무   ② 토사자
③ 행인   ④ 맥반석

ANSWER
④
① 율무: 건성, 노화, 재생
② 토사자: 미백, 노화
③ 행인: 건성, 노화, 미백

103 다음 중 제모의 순서로 올바른 것은?

① 자르기 → 소독하기 → 왁스바르기 → 부직포 붙이기 → 떼어내기 → 파우더바르기
② 자르기 → 소독하기 → 파우더바르기 → 왁스 바르기 → 부직포붙이기 → 떼어내기
③ 자르기 → 파우더바르기 → 왁스바르기 → 부직포붙이기 → 떼어내기 → 소독하기
④ 자르기 → 소독하기 → 부직포붙이기 → 왁스바르기 → 파우더바르기 → 떼어내기

ANSWER
② 제모의 올바른 순서는 : 자르기 → 소독하기 → 파우더 바르기 → 왁스 바르기 → 부직포붙이기 → 떼어내기

104 다음 제모 방법 중 성격이 다른 하나는?

① 전기 응고술 ② 제모크림
③ 왁스 ④ 족집게

ANSWER
① 전기응고법은 영구 제모에 해당된다.

105 다음 중 영구적인 제모 방법은?

① 하드왁스 ② 전기 분해요법
③ 면도 ④ 족집게

ANSWER
② 영구제모- 전기분해, 전기응고, 레이저 시술
일시적 제모- 면도기, 핀셋(족집게), 왁스(온왁스- 스트립하드, 냉왁스)

106 다음 중 제모의 방법으로 바른 것은?

① 제모하기 전에 털을 적당한 길이로 자른다.
② 털이 난 반대 방향으로 왁스를 두껍게 바른다.
③ 털이 난 방향으로 부직포를 떼어낸다.
④ 파우더를 털의 방향으로 도포한다.

ANSWER
① 털이난 방향대로 왁스를 얇게 도포하며, 털이난 반대방향으로 부직포를 떼어내고, 파우더는 털방향과 털의 반대방향 모두를 꼼꼼하게 도포한다.

107 다음 중 핫 왁스를 바를 때 사용하는 것은?

① 상관없음 ② 플라스틱주걱
③ 나무주걱 ④ 알루미늄주걱

ANSWER
③ 핫왁스 도포 시 열에 견디기 쉽고 1회용으로 사용이 가능한 나무주걱이 좋다.

108 제모시 유의사항으로 올바른 것은?

① 미리 온도를 관리사의 팔에 체크하고 실시한다.
② 사마귀, 점 부위 털의 경우 웜왁스로 제거한다.
③ 제모 후 썬탠을 하면 균일하게 썬탠을 할 수 있다.
④ 목욕은 제모 후에 실시한다.

ANSWER
① 제모를 진행한 후 제모부위에 자극이 갈수있는 목욕 등은 24~48시간 이후 실시 하는 것이 좋다.

109 제모의 방법으로 틀린 것은?

① 제모할 부위를 미리 소독한다.
② 털이 난 반대 방향으로 부직포를 빠르게 떼어낸다.
③ 털이 난 반대 방향으로 45도 각도로 왁스를 얇게 도포한다.
④ 부직포를 떼어낸 후 남은 털은 족집게로 뽑고, 진정화장품을 발라준다.

ANSWER

③ 왁스 도포시 털이 난 방향으로 45도 각도로 왁스를 얇게 도포한다.

110 영구제모에 관한 설명으로 맞는 것은?

① 제모크림을 사용하여, 바라주는 방법이다.
② 과산화수소를 이용해 털에 발라주는 방법이다.
③ 털의 모유두를 태워 털을 제거하는 방법이다.
④ 족집게를 이용하여 하나 하나 털을 제거하는 방법이다.

ANSWER

③ 영구제모란 털의 모유두를 태워 털을 영구히 제거하는 방법으로 전기분해요법, 전기응고법, 레이져 등이 있다.

111 일시적 탈모를 위해 사용되는 것이 아닌 것은?

① 제모크림   ② 왁스
③ 핀셋   ④ 전기바늘

ANSWER

④ 일시적 제모의 종류
-제모제, 면도, 핀셋, 왁싱

112 왁싱에 관한 설명 중 틀린 것은?

① 왁싱 온도테스트를 손목 안쪽에 시행한다.
② 온 왁스중 하드 왁스는 겨드랑이나 안면과 같은 국소부위에 사용한다.
③ 왁스 후 제거되지 않은 털은 핀셋으로 제거한다.
④ 소독은 족집게로 마지막 털을 제거한 후 실시한다.

ANSWER

④ 왁싱을 이용한 제모

• 온왁스 ┌ 스트립: 사지
          └ 하드: 겨드랑이, 얼굴, 비키니라인
• 냉왁스

113 다음은 왁싱 사후 관리에 관한 내용이다. 잘못된 것은?

① 너무 꼭 끼는 의상을 착용하지 않는다.
② 관리 후 24시간 이내에 수영장 출입을 삼간다.
③ 선탠을 하지 않는다.
④ 뜨거운 물로 샤워를 하여 혈액순환을 촉진시킨다.

ANSWER

④ 왁싱 이후 샤워를 하거나 입욕을 금지한다.

114 스트립 왁스를 특징으로 가장 적합한 것은?

① 영구적으로 털이 나지 않는다.

② 많은 비용이 든다.

③ 통증이 전혀 없다.

④ 털을 한 번에 제거하여 즉각적인 결과를 가져온다.

ANSWER

④ 일시적 제모인 스트립 왁스는 넓은 부위의 털을 한번에 제거할 수있는 즉각적 효과가 있다.

115 전신 매뉴얼 테크닉(Massage)을 받기에 부적합한 사람은?

① 비만이 있는 사람

② 근육의 탄력이 없는 사람

③ 수술한지 얼마 안 된 사람

④ 셀룰라이트가 많은 사람

ANSWER

③ 수술후 상처가 아물지 않은 상태에서는 가급적 매뉴얼 테크닉은 삼가는것이 좋다.

셀룰라이트 : 림프계의 순환이상으로 조직액이 정체되어 부종현상을 일으켜 피부가 오렌지 껍질처럼 보이는 현상

116 매뉴얼 테라피의 종류에 대한 설명중 바른 것은?

① 아로마 테라피 마사지 : 스웨덴의 퍼헨링에 의해 체계적 이론이 세워졌다.

② 발반사 요법- 발에 있는 경혈을 자극하는 방법이다.

③ 림프 드레니지- 마가렛 모리 여사의 방법이 널리 알려졌다.

④ 타이마사지- 일본 전통기법으로 주로 손과 다리를 이용하여 스트레칭과 강한 지압을 행하는 마사지 기법이다.

ANSWER

②

① 림프드레너지, ③ 아로마테라피, ④ 시아추 마사지

117 전신관리에 사용되는 기기로 적합하지 않은 것은?

① 석션   ② 고주파

③ G5   ④ 프리마톨

ANSWER

④ 프리마톨은 딥클렌징용 기기이다.

출제예상문제 chapter 11

118 전신관리 시 사용되는 화장품에 대해 바른 설명은?

① 냉동요법은 냉동제품을 전신에 바르고, 체온을 떨어뜨려준다.

② 발열요법은 순환을 촉진시켜, 신체의 노폐물을 배출시켜 준다.

③ 콜라겐은 셀룰라이트 및 지방연화에 좋은 성분이다.

④ 아로마 요법의 경우 비만부위에 직접 에센셜 오일을 도포하면 효과적이다.

ANSWER
② 냉동요법을 전신적용시 신체의 온도가 너무 낮아질 수 있어, 부분적으로 적용한다. 에센셜 오일의 경우 케리어 오일과 블랜딩 하여 적용해야 안전하고, 흡수가 빠르다.

119 전신관리 적용 시 주의사항으로 적합한 것은?

① 감기에 걸리거나, 건강이 좋지 않을때 적용하면 큰 효과를 거둘 수 있다.

② 전신관리 적용 전 고객의 건강상태 및 피부상태를 미리 체크해 본다.

③ 식사를 바로 한 후 실시하는게 좋다.

④ 관리 후 커피 등을 대접하여, 정신을 맑게 한다.

ANSWER
② 전신관리는 식사 후 바로 실시하는 것보다 1~2시간 이후에 실시 하는 것이 좋다.

120 마무리 스트레칭의 효과로 맞는 것은?

① 관리가 끝났음을 알리는 신호

② 수면효과

③ 신경안정

④ 순환 저하

ANSWER
① 고객이 모든 관리가 끝나면 장시간 누워있는 고객의 몸을 스트레칭하고 관리가 끝났음을 알리는 신호의 역할로 마무리 스트레칭을 실시한다.

121 다음 중 지성피부에 가장 알 맞는 성분은?

① 콜라겐　　　　② 코직산

③ 카올린　　　　④ 아줄렌

ANSWER
③ 콜라겐은 건성 및 노화 피부, 코직산은 미백성분, 아줄렌은 진정 성분이다.

Dermatology

P·A·R·T

2

피부학

피부와 피부부속기관의 구조 및 기능

Ⅰ 피부의 개요

① 신체의 표면을 덮고 있는 조직으로 표피, 진피, 피하지방층으로 이루어지며, 부속기관으로는 한선, 피지선, 모발 및 손, 발톱 등이 있다.

② 표면적이 약 1.6~1.8㎡이고 피부두께는 1.5~4mm로 부위에 따라 다양하고 체중의 16%로 가장 큰 인체기관이다.

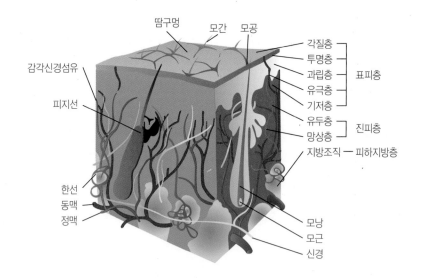

[피부의 단면]

피부의 구조

1. 표피(Epidermis)

표피는 외배엽에서 유래하며 혈관이 없으며 중층편평상피로 구성되어 있고, 주로 각질형
성 세포로 이루어져 있으며 그 외에 멜라닌세포, 랑게르한스세포, 머켈세포가 존재한다.

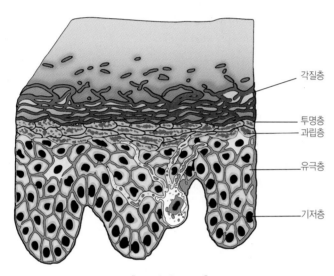

각질층

투명층
과립층

유극층

기저층

[표피의 구조]

TIP　　**표피의 구성세포**

• **케라티노사이트(Keratinocyte)각질형성세포**
표피의 주요구성 성분으로 세포분열을 하면서 표피의 위층으로 점차 이동한다.
기저층으로부터 계속적으로 재생되어 유극층, 과립층, 투명층, 각질층으로의 이동과정 후에 사세포로
떨어지는 과정을 각화(keratinization)과정이라 한다.
각질형성 세포의 주기는 약 28±3일이다.

• **멜라노사이트(Melanocyte)색소형성세포 = 멜라닌 세포**
대부분 기저층에 위치하고 있는 멜라닌세포는 긴 수지상 돌기를 가지고 있어 멜라닌세포에서 만들어진
멜라닌은 세포돌기를 통하여 각질형성세포로 전달된다.
멜라닌세포의 수는 인종과 피부색에 관계없이 일정하며 멜라닌 양과 크기의 차이에 의해 피부색이 결정
된다.

• **랑게르한스세포(Langerhans Cell)**
주로 유극층에 존재하는 세포로 면역에 관여하며 외부로부터 들어온 이물질인 항원을 면역 담당 세포
인 림프구로 전달하는 역할을 담당한다.

• **머켈세포(Merkel Cell)**
기저층에 위치하고 있고 신경세포와 연결되어 촉각을 감지하는 세포로 작용한다.

1) 기저층(Stratum Basal)

① 표피의 가장 아래층에 위치해 진피 유두층으로부터 영양공급을 받는다.

② 살아있는 세포로 활발한 세포분열이 이루어진다.

③ 단층의 원주상 세포로 배열되어 있다.

④ 평균 수분이 70% 함유되어 있다.

⑤ 케라티노사이트(Keratinocyte : 각질형성세포)와 멜라노사이트(Melanocyte : 색소형성
세포)가 4 : 1~10 : 1의 비율로 구성되어 있다.

⑥ 상처 발생 시에는 흉터 발생 가능성이 있다.

2) 유극층(가시층, Stratum Spinosum)

① 표피 중 가장 두터운 층이며 70%의 수분을 함유하고 있고, 표피 전체의 영양을 관장
하며 노화될수록 얇아 진다.

② 살아있는 세포들로 구성되어 있으며 케라틴(Keratin)의 성장 및 분열에 관여한다.

③ 세포간교(Desmosome) 형성 : 세포에서 짧은 가시모양의 돌기가 나와 세포 사이를 연결
하고 물질대사가 이루어 진다.

④ 랑게르한스세포(Langerhans Cell)가 존재하여 피부의 면역기능을 담당한다.

3) 과립층(Stratum Granulosum)

① 작은 과립모양의 케라토히알린(Keratohyaline)이 함유되어 있어 본격적인 각질화 과정
이 시작된다.

② 수분 저지막(Rein Membrane / Barrier Zone)이 있어 외부물질에 대한 방어역할과 수분
유출을 막는다.

• 해부생리학적으로 물의 투과과정을 저해하는 방벽대

• 피부를 보호하는 작용 – 수분 증발 억제

– 과잉 수분 침투 억제

– 유해 물질 침투 억제

③ 1겹 내지 3겹의 편평의 납작해진 세포층으로 구성되어 있다.

④ 수분이 약 30%로 줄어든다.

⑤ 각질층에 지방세포(각질 세포간 지질)를 생성해 낸다.

4) 투명층(Stratum Lucidum)

① 주로 손바닥, 발바닥에 존재하며 2~3층의 편평한 세포로 이루어져 있고 핵이 없다.

② 엘라이딘(Elaidin)이라는 반유동물질이 함유되어 있어 투명하게 보인다.

③ 자외선을 난반사하여 색소 침착이 안되며 완충작용과 수분 침투 및 증발을 억제하는 역할을 한다.

5) 각질층(Stratum Corneum)

① 표피의 최상층에 위치하고 정상 각질층은 약 14~20개의 층으로 이루어져 있다. 각질층의 모양은 표면에 가까울수록 납작하고 길쭉한 모양을 하게 된다.

② 무핵의 사세포층이다.

③ 수분 함유 : 15~30%

④ 주성분으로는 케라틴 단백질 (58%), 지질(11%), 천연보습인자 (N.M.F)(31%)를 함유하고 있다.

TIP

• **케라틴(Keratin)**
피부의 기초를 이루는 단백질 층으로 물, 화학물질에 잘 견뎌 이물질의 침입을 방지

• **각질 세포간 지질**
벽돌의 구조와 같이 라멜라구조로 되어 있으며 수분의 증발 및 외부 이물질의 침투를 억제
– 세라마이드(Ceramide) 50%
– 지방산(Fatty Acid) 30%
– 콜레스테롤에스테르 5%

• **N.M.F (Natural Moisturizing Factor)**
천연보습인자 : 친수성 성분으로 각질층의 수분보습량을 조절하는 물질의 총칭
– 아미노산(Amino Acid) : 약 40%
– P.C.A (Pyrrolidone Carboxylic Acid) : 약 12%
– 젖산 (Lactic Acid) : 약 12%
– 요소 (Urea) : 약 7% 등

---

2. 진피(Dermis)

표피와 피하지방층 사이에 위치하며 피부의 대부분을 차지하고 있는 진피는 경계가 확실하지 않은 유두층과 망상층으로 구분되며 교원섬유, 탄력섬유, 무정형의 기질 등의 구성물질로 되어 있다. 또한 한선, 피지선, 모발, 감각세포, 혈관 등의 피부의 부속기관을 가지고 있다.

TIP

진피의 구성세포

• **섬유아세포(Fibroblast)**
결합조직 내에 널리 분포되어 콜라겐과 엘라스틴과 기질을 합성하는 역할

• **비만세포(Mast Cell)**
유두층내 모세혈관 가까이 있어 염증매개물질인 히스타민을 생성하거나 분비

• **대식세포(Macrophage)**
백혈구의 포식작용을 통해 인체를 보호

피부와 피부부속기관의 구조 및 기능 chapter 01

1) 진피의 구조

(1) 유두층 (Papillary Layer)

① 전체 진피의 10~20%를 차지하며 진피상단에 표피와 경계부위에 작은 돌기물이 유두
모양을 형성하고 있다.

② 모세혈관과 림프관이 신경종말에 풍부하게 분포되어 있어 표피와 진피에 영양소와 산
소를 운반하고 신경을 전달하는 역할을 한다.

③ 콜라겐섬유(Collagen Fiber)와 엘라스틴섬유(Elastin Fiber)들이 가늘고 느슨한 조직으
로 구성되어 있다.

④ 노화될수록 진피와의 경계인 물결모양의 파형이 완만해 진다.

[망상층 모세혈관 모식도]

(2) 망상층(Reticula Layer)

① 유두층 아래 위치하고 불규칙하며 밀도가 높은 결합조직으로 진피의 대부분을 차지하고
있다.

② 탄력성과 팽창성이 큰 지지조직이다.

③ 탄력성과 팽창성이 큰 부위이므로 피부가 어느 정도 늘어나도 지탱할 수 있으나 한계
가 지나쳐서 트게 되는 것을 튼살(팽창선조)이라 한다.

④ 혈관, 피지선, 감각신경, 한선 등이 분포되어 있다.

⑤ 일정한 방향성을 가지고 배열되어 각기 다른 주름을 형성하는 선을 랑거선(Langer'
line)이라 하며 수술 시 이용하면 흉터를 적게 남긴다.

2) 진피의 주요성분

(1) 콜라겐(Collagen) : 교원섬유 또는 아교섬유

㉠ 진피의 대부분을 차지하는 아교질로 이루어진 섬유상 단백질이다.

ⓛ 피부의 저수지 역할을 할 정도로 피부 내의 자연보습을 담당하는 요소이다.

ⓒ 인체 내에 진피, 근육, 연골, 치아, 심장에 존재하며 피부에서는 주름을 관장한다.

ⓔ 아미노산으로 결합된 3중 나선상 구조로 되어 있다.

ⓜ 수분보유력이 좋은 용해성 콜라겐과 수분보유력이 나쁜 불용성 콜라겐으로 나뉘며, 노화될수록 불용성 콜라겐으로 변질되어 주름이 발생된다.

(2) 엘라스틴 (Elastin) : 탄력섬유

ⓝ 탄력성이 강한 단백질로서 피부탄성을 결정하는 요소이다.

ⓛ 자기 길이의 1.5배까지 늘어난다.

(3) 기질 (Ground Substance) : Muco-Polysaccharide(무코다당류)

ⓝ 진피 내 세포들 사이를 메우고 있는 당질 성분이다.

ⓛ 노화될수록 감소되며, 우수한 수분 유지능력을 지닌 물질이다.

ⓒ 자체 질량의 수 백 배의 수분을 함유하는 히아루론산(Hyaluronic Acid)이 약50%를 차지하며 이외에 콘드로이틴 황산(Chondroitin Sulfate) 등으로 구성되어 있다.

3) 피하조직 (Subcutaneous Tissue)

① 진피와 근육사이에 위치하고 있고, 지방을 함유하고 있는 피부의 가장 아래층에 위치해 있다.

② 여성호르몬(Estrogen)과의 상관성이 있고 신체의 영양상태, 부위, 성별, 연령 등에 따라 다양한 양상을 보인다.

③ 완충작용과 절연작용이 있다.

• 완충작용 : 외상으로부터 내부를 보호

• 절연작용 : 지방은 열의 부도체이기 때문에 체내의 열이 외부의 온도에 의해 좌우되지 않도록 조절

④ 불규칙한 분포부위를 가진다.

• 과다 부위 : 아랫배, 허리, 둔부, 유방 등

• 과소 부위 : 입술, 안검, 귀 등

TIP

셀룰라이트(Cellulite)

인체 내 노폐물(수분)과 폐기물(아미노산)은 정맥(하수도)을 통해 배농되고, 정맥의 기능이 떨어질 경우 림프를 통해 배농되어 진다. 그러나 이러한 물질들이 정맥과 림프 순환에 문제가 발생하여 밖으로 배설되지 못하고 정체되어 피하지방층에 쌓인 결과물을 셀룰라이트라 하며 주로 허벅지, 무릎 안쪽, 팔 바깥쪽, 배 등에 발생한다.

Ⅲ 피부의 생리기능

피부의 주요기능	보호작용
	체온조절작용
	분비·배설작용
	감각·지각작용
	흡수작용
	비타민 D 합성작용
	호흡작용

1. 보호작용

1) 물리적 힘에 대한 보호작용

① 지속적이고 완만한 만성적인 자극에 대해 발바닥의 굳은살이나 손가락의 굳은살 같이 각질층을 두껍게 하여 보호한다.

② 진피층의 탄력성과 피하지방의 완충작용이 외부로부터의 자극으로부터 보호한다.

2) 화학적인 힘에 대한 보호작용

① 피부는 화학적 자극으로부터 pH 5.5의 약산성으로 복귀하려는 중화능력을 가지고 있다.

② 각질층의 케라틴이 자기용해를 통한 방어를 한다.

3) 세균의 침입에 대한 보호작용

pH 5.5의 약산성 피지막이 박테리아의 성장을 억제한다.

TIP 피부와 pH(수소이온농도지수, Power Of Hydrogen Ions)

수용액 중의 수소이온농도를 지수함수로 표시한 것으로 피부의 pH는 피지선 및 한선에서 분비되는 피지막에 의해 형성되며 약산성의 특성을 보인다.

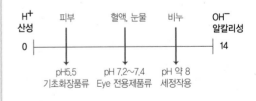

4) 광선에 대한 보호작용

① 기저층에서 햇빛을 받으면 멜라노사이트가 자극을 받아 활동을 활발하게 시작한다. 그래서 멜라노좀에서 형성된 멜라닌이 각질층으로 전달되어 멜라닌색소로서 더 이상 자외선에 대한 피해를 갖지 않도록 방어를 하게 된다.

② 자외선을 받으면 각질층이 반사, 산란시켜 자외신의 에너시를 약하게 하고, 햇빛에 대한 피해가 있을 때 각질층의 두께를 두껍게 함으로써 방어를 한다.

2. 체온조절 작용

① 모세혈관의 수축 또는 확장에 의해 열 발산이 일어난다.

② 항상성을 유지하기 위해 외부의 변화에 따라 한공이 확장되어 발한작용이 일어난다.

③ 모공의 일시적 수축, 확장에 의해 체온을 조절한다.

3. 분비·배설 작용

① 한선과 피지선에서 각각 땀과 피지를 분비해 낸다.

② 땀과 피지가 섞여 피지막을 형성하여 수분증발 억제와 박테리아 성장을 억제한다.

4. 감각·지각 작용

① 진피에 일반 감각기관의 말단 수용기가 분포되어 있다.

② 1㎠ 피부면적 기준으로 촉각점 25개, 온각점 1~2개, 압각점 6~8개, 냉각점 12개, 통각점 100~200개가 존재한다.

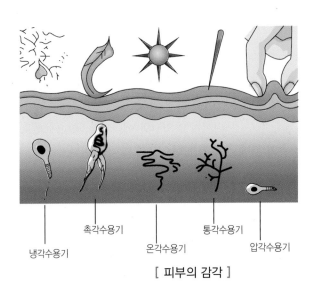

냉각수용기　촉각수용기　온각수용기　통각수용기　압각수용기

[피부의 감각]

5. 흡수작용

① 경피 흡수 보다는 모공을 통한 흡수도가 높다.
② 물질의 종류, 피부 상태, 환경 등에 영향을 받는다.

> **TIP**
> 경피 흡수 촉진 방법
> ① 밀봉 요법 : 모든 종류의 Mask, Wrap
> ② 발열 작용 : 석고 Mask, 파라핀 왁스 Mask, 원적외선 램프, 마사지 등
> ③ 피부관리용 전기기계 : 갈바닉, 초음파 등
> ④ 수용성 성분의 지용성화

6. 비타민 D 합성

① 프로비타민 D가 자외선에 의해 비타민 D로 활성화된다.
② 비타민 D는 칼슘의 흡수 촉진과 인의 대사에 관여해 뼈의 발육을 도와주는 작용을 한다.

7. 호흡작용

① 피부표면을 통한 산소의 흡수, 이산화탄소의 방출을 이용하여 에너지를 생성해가는 과정을 피부호흡이라 한다.

② 인체의 호흡은 대부분을 폐호흡을 통해 하며, 피부호흡에 영향을 주는 요인는 온도, 습도, 연령, 성별, 신체부위 등이다.

Ⅳ 피부 부속기관의 구조 및 생리기능

1. 한선(Sweat Gland)

① 신장의 기능을 보조하고 체온을 조절하며, 피부의 약산성도를 유지(pH 5.5)하는 기능을 가지고 있다.

② 수분 99%, Na, Cl, K, 요소, 단백질, 지질, 아미노산 등의 구성 성분이 있다.

③ 보통 하루에 700~900cc의 땀을 분비한다.

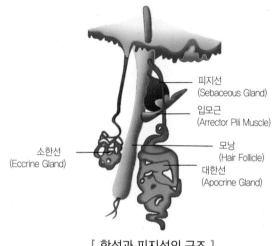

[한선과 피지선의 구조]

ㄱ 소한선 : 에크린선(Eccrine Gland)

• 체온유지 및 노폐물 배출을 한다.

• 입술과 생식기를 제외한 전신에 분포되어 있다.

• 무색, 무취의 약산성 액체를 분비한다.

• 손바닥과 발바닥에 가장 많이 분포되어 있다.

• 땀샘 분비 이상으로 많은 양의 땀이 배출되는 경우를 다한증이라 한다.

ㄴ 대한선 : 아포크린선(Apocrine Gland)

• 모공과 연결되어 분비되며 유백색으로 특정부위에 분포되어 있다.

　: 액와, 유륜, 배꼽, 생식기, 항문 등

• 출생 시 전신의 피부에 형성되나 생후 5개월경 점차 퇴화되었다가 사춘기부터 분비량이 증가한다.

• 표피에 배출된 후 세균에 의해 분해되어 특유의 액취증을 형성한다.

• 여성이 남성보다 더 발달되어 있다.

2. 피지선(Sebaceous Gland)

1) 피지의 특징

① 진피의 망상층에 위치하고 일 1~2g 분비되며, 모낭에 연결되어 입구를 같이한다.

② 손바닥과 발바닥을 제외한 전신에 분포되어 있으며, 이 중 얼굴부분에 가장 많이 분포
되어 있다.

③ 피부나 털에 광택을 부여하며 수분 증발을 억제하는 기능을 한다.

④ 남녀 모공의 차이가 있으며, 피지 분비는 사춘기에 가장 왕성해지며, 남녀 모두 테스토
스테론(Testosterone)과 밀접한 관련이 있다.

⑤ 모낭과 무관하게 직접 피부표면으로 연결되어 존재하는 독립 피지선을 가지고 있는 입
술, 눈가부위는 보호막인 피지 분비량이 적어 건조함이 쉽게 느껴진다.

⑥ 피부에서 피지가 하는 작용은 수분증발억제·살균작용·유화작용이 있다.

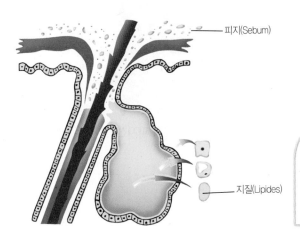

피지(Sebum)

지질(Lipides)

[피지선의 구조]

> **TIP**
>
> **피지분비경로**
>
> 테스토스테론(Testosterone) → 디하
> 이드로테스토스테론(Dihydrotestos-
> terone) → 피지선 자극 → 피지 분비

2) 피지(Sebum)의 주요 구성성분

① 트리글리세라이드(Triglyceride) : 43%

② 왁스 에스테르(Wax Ester) : 25%

③ 지방산(Fatty Acid) : 16%

④ 스쿠알렌(Squalene) : 12%

> **TIP**
>
> • **산성 피지막 (Acid Mantle)**
> 땀 + 피지 ⇒ 산성피지막, 지방막
>
> • **피지막의 기능**
> ① 수분증발억제
> ② 박테리아 성장 억제

3. 모발

1) 모발의 특징

① 피부표면을 보호한다.

② 유해물질의 침입을 방지한다.

③ 체온을 유지하고 촉각 및 통각을 전달한다.

④ 피지 및 노폐물 배출한다.

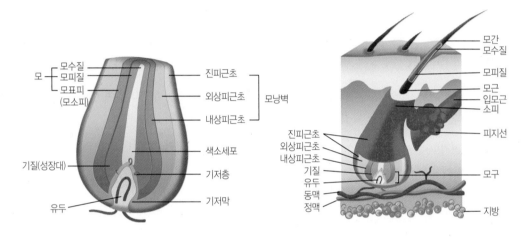

[모발의 구조]

2) 모발의 구조

① **모간(Hair Shaft)** : 피부 밖으로 나와 있는 부분

　㉠ 모표피(모소피) : 모발의 가장 바깥부분에 있으며, 비늘모양으로 겹겹이 배열되어 있
으며 흔히 큐티클 층이라 한다.

　㉡ 모피질 : 모표피 안쪽에 있으며, 모발의 대부분을 차지하고 모발색상을 결정하는 멜
라닌 색소를 함유하고 있다.

　㉢ 모수질 : 모발의 중심부에 있으며, 멜라닌 색소를 함유하고 있고 두꺼운 모발에 많이
있다.

② **모근(Hair Root)** : 피부 안쪽에 들어있는 모발 부분이다.

③ **모낭(Hair Follicle)** : 모근을 싸고 있는 부분이다.

④ 모구(Hair Bulb) : 전구모양 또는 곤봉모양으로 모낭의 아랫 부분이다.

⑤ 모유두(Hair Papilla) : 모구 바닥 부분의 오목하게 들어간 부분으로 혈관과 신경이 있으며 모발에 영양을 공급하고 모발을 만드는 모모세포가 모여 있는 부분이다.

⑥ 모모세포(Germinative Cell) : 모세혈관과 연결되어 영양을 공급받아 모발을 성장시킨다.

⑦ 피지선(Sebaceous Gland) : 입모근에 있는 기름샘으로 모공으로 피지를 배출한다.

⑧ 입모근(Arrector Pili Muscle) : 털을 지지하며 추위, 공포, 놀람 등의 상태에 위축된다.

3) 형태

① 취모 : 태아 5개월 경에 생겨 태아를 보호하다 임신 8개월쯤 탈락된다.

② 연모 : 취모가 빠지고 이어서 나는 솜털로 사춘기까지 존속, 부드러우며 멜라닌 색소가 적다.

③ 종모(경모) : 사춘기 전 후로 검게 자라는 털로서 수질이 있고 굵으며 멜라닌 색소가 풍부하다.

4) 모발의 생장주기(Hair Cycle)

① 성장기(Anagen) : 모근세포의 세포분열 및 증식작용에 의해 왕성하게 자라는 시기이며 사람의 연령이나 건강상태에 따라 다르나 기간은 3~5년으로 전체 모발의 약 88%를 차지한다.

TIP

모발의 반복주기

성장기(Anagen) ⇒ 퇴행기(Catagen) ⇒ 휴지기(Telogen)의 사이클을 가지고 있으며, 인간의 모발은 각각의 주기가 독립적 이므로 동물과 달리 일시에 탈모되지 않는다.

성장기   퇴행기   휴지기

[모발의 주기]

② **퇴행기(Catagen)** : 성장기가 지나면서 대사과정이 느려져 차츰 모발의 성장도 더뎌지는 시기이며, 약 1개월로 모발의 1%를 차지한다.

③ **휴지기(Telogen)** : 성장이 멈추어 버리는 정지단계로 모낭이 차츰 쪼그라들면서 모근 이 빠지는 시기이며 기간은 2~3개월로 전체모발의 11%를 차지한다.

4. 조갑 (손톱과 발톱)

1) 조갑의 특징

① 손가락, 발가락 끝을 보호하기 위해 피부나 모발과 같이 케라틴이라는 단백질로 이루 어진 피부 부속기관이다.

② 모발과 달리 생장주기가 없이 계속 성장한다.

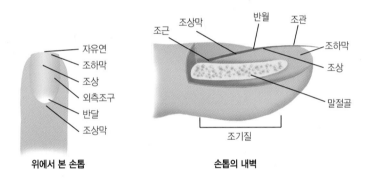

[조갑의 구조]

2) 조갑의 구조

① **조체(Nail Body)** : 육안으로 보이는 손톱 부분으로 신경이나 모세혈관이 없다.

② **조근(Nail Root)** : 손톱의 뿌리에 해당하는 부분으로 손톱이 자라는 가장 중요한 부분 이다.

③ **조기질(Nail Matrix)** : 모세혈관과 림프, 신경세포가 있는 가장 중요한 부분이며, 조모가 손상되면 더 이상 손톱이 자라지 않으며 세포분열을 통해 계속적으로 손톱을 만드는 부분이다.

④ **조상(Nail Bed)** : 네일바디를 받치고 있는 부분으로 손톱의 신진대사와 수분 공급의 역할을 담당한다.

⑤ **자유연(Free Edge)** : 손톱의 끝부분으로 손톱이 잘려나가는 부분이다.

⑥ **조소피(Cuticle)** : 조표피라고도 하며, 손톱 부분을 덮고 있는 부분으로 신경이 없는 피부이다.

⑦ **반월(Lunula)** : 완전히 케라틴화 되지 않아 흰색 반달모양으로 보이는 부분이다.

피부와 영양

 영양학 개론

1. 영양학의 정의

1) 영양

생명체가 음식물을 통해 영양소를 섭취하여 성장을 하고 생명을 유지하며, 활동하는 과정을 영양이라고 한다.

2) 영양소

음식물 속에는 인간의 생명활동을 유지 시키는데 필요한 물질을 함유하고 있다. 음식물을 섭취하여 소화기관에서 소화 흡수하고, 체내 조직에 공급하여 생명과정을 조절하고 에너지를 공급하는 물질을 영양소라고 한다.

3) 영양학

영양소의 특성, 작용, 필요량, 함유식품, 결핍증, 과잉증, 체내대사, 에너지대사, 영양소의 배설문제 등을 공부하는 학문이다.

2. 영양소의 일반적인 작용

① 신체의 구성 성분
② 에너지 공급
③ 생리작용의 조절

3. 영양학에서 사용되는 용어

1) 칼로리

정상기압에서 1g의 물을 1℃ 올리는 데 요구되는 열 에너지의 양을 말한다.

2) 기초대사량(=기초대사율)

기본적인 생명 현상을 유지하는 데 필요한 에너지를 말한다. 호르몬분비, 수면, 연령, 체온, 환경, 운동, 흡연 등은 기초대사량의 변화에 영향을 준다.

3) 신진대사

영양소가 몸 안에 흡수되어 물질로 이용되었다가 불필요한 물질은 체외로 배설되는 변화 과정을 뜻한다.

4. 영양소의 분류

① 열량소(에너지원) : 탄수화물, 단백질, 지방
② 구성소(몸을 구성하는 것) : 단백질, 무기질, 물, 지질, 지방
③ 조절소 : 비타민, 무기질, 물, 단백질, 지방

> **TIP** 영양소
> • 3대 영양소 : 탄수화물, 단백질, 지방
> • 5대 영양소 : 탄수화물, 단백질, 지방, 무기질, 비타민
> • 6대 영양소 : 탄수화물, 단백질, 지방, 무기질, 비타민, 물

▶ 3대 영양소

1. 탄수화물

① 탄수화물은 일반적으로 탄소, 수소, 산소의 세 원소로 이루어져 있다.
② 생물체의 에너지원으로 사용되는 등 생물체에 꼭 필요한 화합물로써 곡류 및 감자류의 주성분이며 당질이라고도 불린다.
③ 탄수화물은 포도당의 형태로 혈액 중에 함유되어 있으며, 과잉 섭취 시 지방으로 전환되어 피하조직에 축적되며, 일부는 간과 근육에 글리코겐의 형태로 저장된다.

1) 탄수화물의 작용

① 에너지 공급 : 1g당 4kcal의 열량을 발생한다. 주요한 열량원으로 포도당은 신경조직 작용을 유지하는 데 주요한 작용을 한다.

② 혈당유지

③ 단백질의 조절 : 탄수화물을 충분히 섭취하지 않으면 단백질이 대신하여 체내에 열량 원으로 많이 소모되는데, 탄수화물을 충분히 섭취하면 단백질의 소모를 막을 수 있다.

④ 필수영양소로서의 작용 : 탄수화물은 필수영양소이고, 1일에 50~100g이 최소한 필요하다.

2) 탄수화물의 분류

(1) 단당류

단당류는 탄수화물의 기본단위로 더이상 가수분해 되지 않는 것을 말한다.

① 포도당(Glucose, Grape Sugar)
- 가장 중요한 단당류로서 녹말, 글리코겐, 자당, 맥아당, 유당 등을 가수분해해서 얻어 진다.
- 혈액 중 포도당의 농도는 0.1%이다.
- 열량원으로 쓰이고 남은 포도당은 글리코겐과 지방으로 전환되어 저장된다.

② 과당(Fructose) : 단맛이 가장 강하며 과일과 꿀에 다량 함유되어 있고, 녹말, 자당(설 탕)을 가수분해해서 얻어진다.

③ 갈락토오스(Galactose) : 유당을 가수분해하면 생기는 형태로 동물의 유즙에 함유된 단당류이다. 특히 뇌 성장에 아주 중요한 역할을 한다.

(2) 이당류

두 분자의 단당류가 결합된 것으로 자당, 맥아당, 유당이 있다.

① 자당(설탕, Sucrose, Saccharose) : 자당은 사탕수수의 줄기, 사탕무우의 뿌리에 가장 많이 함유되어 있다. 산이나 효소에 의해 포도당과 과당으로 분해되며, 가수분해가 되 면 단맛이 더욱 강해진다.

② 맥아당 : 맥아당은 전분이나 글리코겐이 산이나 효소에 의해 분해되어 얻어진다.

③ 유당(젖당, Lactose) : 동물의 유즙에 존재하며 식물계에는 존재하지 않는다. 뇌 발달에 필수적인 갈락토오스를 제공하고 2당류 중에서 단맛이 가장 약하다.

3) 다당류

단당류와 이당류와는 달리 물에 녹지 않으며 단맛이 없다.

(1) 전분(Starch)

전분은 식물성 다당류로서 감자, 고구마에 널리 존재한다. 전분은 물보다 무거워서 침전되는데 백색의 분상으로 침전되므로 전분이란 이름이 붙여졌다.

(2) 글리코겐(Glycogen)

동물성 저장 다당류로서 간, 근육에 저장되고, 조개류에 많고 균류나 효모 등에도 있다.

(3) 섬유소(Cellulose)

섬유소는 고등 식물의 세포막의 주성분으로 자연계에 널리 분포되어 있다. 인체에는 섬유소를 분해하는 효소가 없으므로 소화가 되지 않는다. 장의 연동작용을 촉진하여 대변의 배설을 잘 도와준다.

2. 단백질

① 단백질이란 희랍어의 Proteois에서 유래 되었으며 탄소, 수소, 산소로 구성, 추가적으로 질소를 함유하고 있다.
② 일반식품에서는 약 20종의 아미노산이 발견되고, 수천 수백 개의 아미노산이 펩티드 결합에 의해 단백질을 이룬다.

1) 단백질의 작용

① 조직의 생성 : 모발, 손톱, 피부, 뼈 ,혈관 등
② 혈청 단백질 형성
③ 효소, 호르몬을 합성
④ 에너지 발생 : 1g당 4kcal의 열량을 발생한다.
⑤ 체내의 수분 조절과 산, 염기의 평형을 유지

2) 단백질과 아미노산

① 아미노산은 단백질의 최소한의 단위로서 단백질은 아미노산이 결합된 큰 분자 덩어리이다.

② 아미노산은 약 20가지의 종류가 있고 하루에 15% 정도를 공급해야 하며, 체내에서 합성되지 못하고 반드시 외부의 식품을 통해서만 합성되는 필수아미노산과 식품으로부터 공급 받지 않아도 체내에서 합성되는 비 필수아미노산이 있다.

필수아미노산

- 이소류신
- 리신
- 페닐알라닌
- 트립토판

- 류신
- 메티오닌
- 트레오닌
- 발린

TIP

히스티딘은 어린이에게는 필수아미노산이나 성인기에는 비필수 아미노산이다.

3) 과잉과 결핍증세

① 과잉 증세 : 비만, 불면증, 신경예민, 변비유발, 골다공증
② 결핍 증세 : 저단백질증, 성장발육 저조, 소화기관의 질환, 빈혈증, 성욕 감퇴, 유즙분비감소, 무월경 등

3. 지방

지방은 탄소, 수소, 산소로 구성, 물에 녹지 않는 유기용매에만 녹는 생체성분이다. 주로 동물성 식품에 분포하고 동물의 피하조직이나 식물의 종자에 많이 함유되어 있다.

1) 지방과 기름

① 지방 : 상온에서 고체상태로 있는 것
② 기름 : 상온에서 액체상태로 있는 것

2) 지방의 체내 작용

① 에너지의 공급과 저장 : 체내의 중요한 에너지원으로 1g당 9kcal의 열량을 낸다.
② 신체의 구성 성분
③ 필수 영양소로서의 작용
④ 체온유지 및 장기의 보호 작용
⑤ 체내 중요 물질 합성

3) 지방의 분류

(1) 단순지질

① 중성지방 : 1개의 글리세롤 분자와 3개의 지방산 분자가 결합되어 있다.

② 밀납 : 지방산과 글리세롤 외에 알코올이 더 결합된 물질이다.

(2) 복합지질 : 지방산 외에 다른 원자단이 결합된 화합물이다. 인지질, 당지질, 황지질, 지단백질이 있다.

① 인지질 : 지방산, 글리세롤, 인산이 결합한 것으로 신경, 골수, 간, 뇌 조직에 많이 함유되어 있다.

② 당지질 : 지방산과 스핑고신, 당이 결합한 것으로 뇌신경에 많이 있고 세포구성에 관여한다.

③ 황지질 : 지질에 황이 결합된 것

④ 지단백질 : 지질대사에 중요한 것으로 중성지방, 단백질, 콜레스테롤, 인지질이 결합된 것으로 지질의 운반작용을 한다.

(3) 유도지질 : 단순지질 및 복합지질의 가수분해로 얻어진다.

① 지방산 : 중성지방을 가수분해하여 얻어지며 포화지방산과 불포화지방산이 있다.

② 글리세롤 : 중성지방을 가수분해하여 얻어지며, 단맛이 나고 끈기가 있다.

③ 콜레스테롤 : 뇌와 신경조직에 다량 함유, 성 호르몬, 비타민 D, 담즙산의 기본 물질이다.

④ 에르고스테롤 : 효모나 곰팡이 등에 다량 함유되어 있다.

4) 지방산

① 탄소원자의 수에 의해 탄소가 12개 이하이면 저급지방산, 14개 이상이면 고급지방산이라고 한다.

② 탄소의 결합방식에 따라 포화지방산, 불포화지방산이 있다.

③ 체내의 합성에 따라 필수지방산과 비 필수지방산이 있다.
　(필수지방산 : 오메가3, 오메가 6이 대표적이다)

5) 과잉 및 결핍증세

① 과잉 증세 : 비만, 고혈압, 동맥경화, 간 질환

② 결핍 증세 : 체중감소, 발육부진, 신진대사 저하, 세포활력 감퇴

Ⅲ 무기질

① 식품에서 유기질과 수분을 제거한 나머지 성분을 무기질(광물질, Mineral)이라고 하고, 식품을 태우고 나면 재로 남기 때문에 '회분'이라고도 한다.
② 탄소, 질소, 수소, 산소를 제외한 다른 원소를 통틀어 광물질이라고 한다.

1. 무기질의 작용

① 체조직의 구성 : 뼈와 치아의 구성성분, 연조직 구성
② 체내 대사작용의 조절 : 체액과 혈액의 산과 알칼리 평형을 조절한다.
③ 효소작용의 조절
④ 신경흥분 전달
⑤ 혈액응고

2. 무기질의 종류

1) 칼슘(Ca)

① 체내 다량 함유하고 있는 무기질
② 뼈와 치아의 형성, 근육의 수축과 이완작용, 신경흥분 전달 작용, 혈액응고
③ 결핍증 : 구루병, 골절, 충치, 고혈압, 신경과민증, 골다공증

2) 인(P)

① 칼슘 다음으로 가장 많이 함유
② 뼈와 치아의 형성, 세포의 핵산과 세포막의 구성 성분, 비타민 및 효소의 활성화에 관여, 에너지의 저장과 방출에도 관여
③ 결핍증이 거의 일어나기 드무나 장기적으로 인이 결핍될 경우 식욕부진, 근육약화, 뼈의 약화, 통증이 나타남

3) 철(Fe)

① 철분은 적혈구의 헤모글로빈의 구성성분으로 산소 운반작용을 한다.
② 면역기능
③ 결핍증 : 적혈구 수의 감소, 빈혈

4) 요오드(I)

① 성인의 체내에 함유된 요오드는 갑상선에 70~80% 함유, 나머지는 근육과 혈액에 존재한다.
② 갑상선의 구성요소, 활력증진, 건강한 피부, 체온조절, 기초대사율 증가, 성장, 신경과 근육에 작용한다.
③ 결핍증 : 점액수종, 크레틴병

5) 나트륨(Na) / 칼륨(K)

① 산과 알칼리 평형유지
② 체내 노폐물 배설 촉진

6) 셀레늄(Se)

① 셀레늄은 항산화력이 뛰어나 체내의 과산화지질의 생성을 억제하며 광범위하게 노화현상을 억제 한다.
② 면역기능 증진, 항암작용, 생식기능 증진효과, 중금속 오염의 해독작용, 백내장 예방

7) 마그네슘(Mg)

① 당질대사, 지질대사, 단백질 대사에 관여
② 체내의 산과 알칼리평형의 유지, 단백질 합성, 콜레스테롤의 축적을 방지하는 작용으로 동맥경화 예방
③ 결핍증 : 근육의 경련, 심장발작, 동맥경화, 신장결석, 수족냉증

Ⅳ 비타민

① 비타민은 단백질, 탄수화물, 지방, 미네랄처럼 체내에서 에너지원이나 구성소는 아니다.
② 인간은 체내에서 비타민을 합성할 수 없고 다만 식품을 통해서 얻을 수 있다.
③ 비타민은 체내 생리작용의 조절과 성장유지에 도움을 주고, 결핍증이 생기면 치명적이긴 하나 비타민을 보충하면 다시 원래 상태로 회복된다.
④ 비타민은 물에 녹는 수용성 비타민과 기름에 녹는 지용성 비타민이 있다.

1. 지용성비타민

기름과 유지용매에 용해되며, 일일섭취량이 초과 시 지방에 축적, 체외로 쉽게 방출되지 않는다.

1) 비타민A(레티노이드, Retinoid)

① 비타민 A는 처음으로 발견된 지용성 비타민이다.
② 작용 : 시각관련 작용, 세포분화 (상피세포의 유지), 항산화 및 항암작용, 정자생성, 면역기능, 야맹증, 약시를 예방 치료
③ 결핍증 : 야맹증, 안구 건조증, 반점
④ 함유식품 : 생선간유, 녹황색채소, 해조류, 토마토, 계란 노른자, 버터, 우유

2) 비타민 D(칼시페롤, Calciferol)

① 비타민 D는 햇빛을 받아 체내에서 합성된다.
② 혈중 칼슘 농도의 조절, 세포의 증식과 분화 조절, 구루병, 충치, 골절을 예방
③ 결핍증 : 구루병, 골연화증 및 골다공증, 소아의 발육부진
④ 함유식품 : 마가린, 우유제품, 생선간유, 계란노른자

3) 비타민 E(토코페놀, Tocopherol)

① 항산화 기능, 불포화지방산과 비타민 A의 산화를 방지, 세포의 화상이나 상처의 치유를 돕고, 유산과 불임증, 갱년기 장애의 예방과 치료 효과
② 결핍증 : 용혈성 빈혈, 신경계 장애, 노화촉진, 조산, 유산, 불임
③ 함유식품 : 곡물의 배아, 콩류, 푸른 잎 채소, 식물성 기름

4) 비타민 K(나프토퀴논, Naphthoquinone)

① 혈액응고에 관여, 간 기능을 돕고, 뼈의 형성에 관여, 모세혈관을 튼튼하게 해줌
② 결핍증 : 출혈
③ 함유식품 : 켈프, 푸른 야채, 콩기름, 계란 노른자, 우유, 간

2. 수용성 비타민

물에 잘 녹고 열에 쉽게 파괴되며, 수용성 비타민에는 비타민 C와 비타민 B 복합체들이 대다수이다.

종류	주요기능	결핍증
비타민 B_1(티아민)	항신경성, 탄수화물대사보조	각기병, 식욕부진, 당뇨병, 신경쇠약, 신경염, 소화장애
비타민 B_2(리보플라빈)	항피부염인자, 성장촉진인자	구각구순염, 결막염, 설염, 눈의 충혈, 지루성 피부염, 빈혈
비타민 B_3(니아신)	당질, 지질, 단백질, 산화과정 시 촉매역할	펠라그라, 구내염, 피부염, 설사, 불면증, 신경쇠약
비타민 B_5(판테놀)	당질, 지질대사작용에 조효소작용, 호르몬, 콜레스테롤, 헤모글로빈합성에 보조 효소	불안정, 피로, 무감각, 불면증, 구토, 마비, 근육경련
비타민 B_6(피리독신)	항피부염, 체내 대사 작용촉진	당뇨병, 빈혈, 지루성피부염, 경련, 우울증, 설염
엽산	동물의 세포분열에 관여, DNA를 합성	빈혈, 설염, 설사 , 성장장애, 정신혼란, 신경장애
비타민 B_{12}(코발라민)	엽산대사와 밀접한 관계, 항빈혈	악성빈혈, 엽산의 결핍증과 동일, 집중력과 기억력 상실, 치매, 마비
비타민 C(아스코르빈산)	항산화기능, 면역기능, 모세혈관강화	괴혈병, 골절, 설사증세, 상처치유 지연
비타민 H(비오틴)	지방산, 당질대사, 장벽보호	피부발진, 원형탈모증, 중추신경계 이상

TIP 펠라그라

니아신(나이아신)이나 그 전구체인 트립토판이 부족하여 여러 기관에 병변을 나타내는 영양장애에 의한 질환이다. 옥수수를 주식으로 하는 지역에서 주로 발생하며 피부염 설사, 심한 경우 사망까지 초래한다.

Ⅴ▶ 피부·체형과 영양

1. 피부와 영양

① 아름다운 피부의 조건으로는 유·수분의 밸런스가 가장 중요하다. 외적으로 화장품을
   통해 공급받는 방법이 보편화되지만, 음식을 통한 영양의 공급은 건강한 피부를 유지
   하는 데 가장 중요하다.
② 건강한 피부를 위한 방법
   ㉠ 하루에 2ℓ의 물을 마신다.
   ㉡ 비타민, 무기질, 아미노산과 같은 필수 영양소들을 섭취하여 건강한 세포와 내분비
      적인 밸런스를 유지한다.
   ㉢ 비타민 A, C, E와 같은 비타민은 노화를 예방, 유해산소를 억제, 색소침착을 억제
      하는데 효과적이므로 함유된 식품을 섭취한다.

2. 체형과 영양

① 현대에는 음식이 넘쳐나고 인스턴트 식품이 범람하여, 영양의 균형을 고려하지 않은
   음식의 섭취로 비만과 질병을 초래하고 있다.
② 질병과 비만의 원인
   ㉠ 영양이 결여된 식품의 섭취
   ㉡ 인스턴트 식품과 과다 섭취
   ㉢ 편형된 식사(=편식)
   ㉣ 영양의 밸런스의 부족 : 필수지방산 결핍과
      불균형, 비타민, 미네랄, 항산화 영양소 결
      핍, 섬유질 결핍
   ㉤ 심적인 불안정 : 스트레스로 인한 음식의
      과다 섭취

> **TIP**
> 한국인의 식품 구성
>
> 1. 곡류 및 녹말류
> 2. 채소 및 과일류
> 3. 고기, 생선, 달걀 및 콩류
> 4. 유유 및 유제품
> 5. 유지, 견과류 및 당류

③ 식품의 양을 생각하여 식단을 구성하고 영양적으로 균형잡힌 식사를 하여 건강한 체
   형을 유지 하는 것이 중요하다.

피부와 광선

 태양광선과 에너지

1. 태양광선

① 태양은 모든 생명체들에게 없어서는 안 되는 에너지의 근원으로, 인간은 태양을 벗어나서 살 수 없다.
② 태양광선은 방출되는 전자파들의 파장에 따라 짧은 파장부터 긴 파장으로 구분할 수 있다.
③ 이 중 생명체에 미치는 영역은 파장이 짧은 자외선, 우리 눈으로 볼 수 있는 가시광선, 파장이 긴 적외선이다.

2. 태양광선 분석

전자파	파장(nm)
X–선	0.01~10
자외선 – UV–C	200~290
– UV–B	290~320
– UV–A	320~400
가시광선	400~770
적외선	770~2,200

[광선의 피부침투]

1) 가시광선(Visible Ray)

태양광선의 약 40%를 차지하며 400~770nm의 중파장으로 사물을 볼 수 있게 하는 광선이다.

2) 적외선(Infra Red Ray)

① 태양광선의 50% 이상을 차지하며 770~2200nm의 장파장이다.
② 발열작용이 있어 열선이라 하며 피부 깊숙이 침투하여 혈액순환을 촉진하고 신진대사를 원활하게 하는 효과가 있다.
③ 근육이완 효과, 피부 깊이 영양분을 침투시킨다.

3) 자외선(Ultraviolet Ray)

냉선(무열선)이며 생화학적 변화를 일으키는 화학선이고 자외선의 양은 4~8월에 강해지며 특히, 6월에 가장 강하고 하루 중에는 오전 10시~ 오후 2시 사이에 가장 강하다.
자외선은 신진대사를 촉진시키며, 살균소독 기능이 있고, 노폐물의 제거를 촉진시키고, Vitamin D를 합성한다.

(1) UV A(320~400nm)

① 언제나 존재하며 유리창도 투과(315nm 또는 350nm 이상)하여 생활 자외선이라 부른다.

② 즉각 색소 침착을 유발해 Sun Tan 발생시킨다(기계선탠에 이용).

③ 진피상부까지 침투되므로 콜라겐과 엘라스틴을 파괴, 변형시켜 노화현상을 일으킨다.

(2) UV B(290~320nm)

① 세포 파괴 작용이 있고, 홍반을 일으켜 썬번(Sun Burn, 일광화상)을 유발한다.

② 파장이 짧은 대신 강도는 UV A 보다 강하다.

③ 직접적으로 피부 표피 층에 조사됨으로 표피의 하부층인 기저층에 있는 멜라노 사이트를 자극시켜 과색소 침착을 일으킬 수 있다(지연 색소 침착).

(3) UV-C(200~290nm)

① 오존층에서 거의 흡수된다(파장이 짧아서 거의 오존층에서 흡수되나, 최근 오존층 파괴로 UV C에 대한 문제도 대두되고 있다).

② 파장이 짧지만 에너지가 커서 피부 각질층에 집중적으로 조사되게 되면 DNA 변화를 초래해 피부암을 유발할 수 있다.

③ 강력한 살균작용이 있다.

04 CHAPTER

피부면역

Ⅰ 피부면역

1. 면역의 정의

면역이란(Immunity) 외부로부터 침입하는 항원으로부터 생긴 질환이나 질병에 대해 저항 할 수 있는 인체의 방어체계를 말한다.

즉, 조직이나 기관에 손상을 줄 수 있는 모든 병원체나 독소에 저항 할 수 있는 신체의 능력을 면역이라 부른다.

> **TIP**
>
> **• 항원(Antigen)**
> 외부에서 침입한 세균이나 바이러스로 면역반응을 유발할 수 있는 원인 물질
>
> **• 항체(Antibody)**
> 면역계 내에서 항원의 자극에 의하여 만들어지는 물질로써, 생체의 일정한 조직이 항원을 만났을 때 이것에 대응하여 생기는 것

2. 면역의 형태와 종류

1) 비특이성면역(자연면역, 선천적면역)

태어날 때부터 가지고 태어난 자연 방어 체계로 특정 이질인자를 인식하지 않으며 많은 각기 다른 이질인자로부터 인체를 보호, 모든 유해 물질에 대해 가장 먼저 방어하는 1차적 방어작용을 한다.

(1) 제1 방어계

① 기계적 방어벽 : 병원체의 침입을 막고 감염을 방지

 피부의 각질층, 점막, 약산성 피지막, 코털

② 화학적 방어벽 : 병원체가 살 수 없는 환경을 만들어 잠재적 병원체 살해

　　ex 눈물의 리소자임(Lysozyme), 위산 및 소화효소)

③ 반사 작용 : 호흡기계의 점막에서 분비된 점액질은 흡입된 이물질을 포획, 섬모운동이나 재채기 등에 의해 병원체 제거에 도움을 준다.

(2) 제2 방어계

① 식세포 작용 : 단핵구, 대식세포 (Macrophage)

② 염증 및 발열 : 히스타민(Hista-mine)

③ 방어 단백질 : 인터페론(Inter-feron), 보체(Complement)

④ 자연살해세포(Natural Killer Cell)

2) 특이성면역(획득면역, 후천면역)

한번 만났던 항원을 기억하고 다음 침입 때 특정하게 반응하여 특이성면역이라고도 하며 자연면역을 보강하는 역할을 한다.
이 특이성 면역의 가장 중요한 세포로 림프구가 있다.

> **TIP**
>
> • **대식세포(Macrophage)**
> 인체 내로 들어온 항원을 잡아 섭취 및 소화하는 능력을 가진 면역담당 세포
>
> • **히스타민(Histamine)**
> 비만세포(Mast Cell)에 과립상태로 저장되어 있다가 상처나 자극을 받게 되면 과립의 일부를 방출, 혈관확장 및 혈류량을 증가 시킴으로써 손상 부위로 방어인자들이 빨리 도달하도록 한다. 이로인해 부종 및 소양감이 나타나기도 함.
>
> • **인터페론(Interferon)**
> 항상 생산되는 것이 아니라 바이러스 침입 후에 생산되며 바이러스의 체내 증식을 방해하는 단백질의 일종
>
> • **보체(Complement)**
> 방어 단백질로써 항원에 결합하여 면역세포가 식작용을 잘 할 수 있도록 돕는 효소나 단백질
>
> • **자연살해세포(Natural Killer, NK Cell)**
> 비특이적으로 암세포와 바이러스 감염세포를 살해하며 항원 생성을 억제시키는 세포

(1) 제3차 방어계(림프구)

① B림프구(B Cell, B-Lymphocyte) : 골수에서 생성되어, 항원과 반응하여 '면역글로불린'이라는 단백질을 분비하며 간접적으로 항원을 공격한다. 또한 항체는 혈액이나 다른 조직액(체액)에 의해 운반되기 때문에 체액성 면역(Humoral Immunty)이라고도 한다.

② T림프구(T Cell, T-Lymphocyte) : 흉선에서 유래하는 림프구로 혈액내 림프구의 약 70~80%를 차지한다. B세포에게 정보를 제공하여 B세포를 활성화시킬 뿐만 아니라, 세포 대 세포의 접촉을 통하여 직접적으로 항원을 공격하고 세포성 면역(Cellular Immunity)이라고도 한다.

3) 피부의 면역 작용

① 피부는 여러 층으로 이루어져 외부의 이물질이 침입하기에 어려운 구조로 되어 있다.

② 땀과 피지선에서 분비한 피지가 약산성 형태를 유지시켜 세균(박테리아)의 번식을 억제한다.

③ 피부 유극층에 존재하는 랑게르한스 세포는 외부 항원을 면역담당 세포인 림프구로 전달해서 세포성 면역을 유발한다.

④ 피부의 각질형성 세포는 면역학적 반응을 조절하는 사이토카인을 비롯한 다양한 생물학적 반응조절 물질을 생성·분비한다.

▶ Ⅱ 피부장애와 질환

1. 원발진(Primary Lesion)

건강한 피부에 처음으로 나타나는 병적 변화를 원발진이라하며, 질병의 초기 병변이 나타나는 증상을 말한다.

① 반점(Macule) : 피부 표면이 융기되거나 함몰 없이 피부 색조의 변화, 주변부위와 경계가 있는 색이 다른 반점을 말한다. 주근깨, 기미, 작은 점 등이 해당된다.

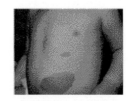

② 반(Patch) : 반점보다 넓은 색조의 변화, 반점보다 1cm이상 큰 점, 화염상모반, 몽고 반점 등이 있다.

③ 구진(Papule) : 직경 1cm미만의 크기로 융기된 병변으로 주위 피부보다 붉음 피부의 만성 염증성 질환이다.

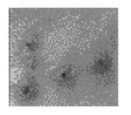

④ 판(Plaque) : 구진이 커지거나 융합된 넓은 병변을 말한다.

⑤ 결절(Nodule) : 구진보다 크고 단단하며, 경계가 명확하고 딱딱한 덩어리가 만져지는 융기로, 표피, 진피, 피하지방층까지 자리를 잡고 있다.

⑥ 종양(Tumor) : 직경 2cm 이상의 혹처럼 큰 결절을 말한다.

⑦ 팽진(Wheal) / 담마진(두드러기) : 일과성인 부종성 병변, 가렵고 부어서 넓적하게 올라와 있는 일시적 부종으로 수 시간 내 변화된다.

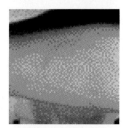

⑧ 소수포(Vesicle) 및 대수포(Bulla) : 맑은 액체가 포함된 물집, 직경 1cm를 기준으로 구분, 1cm까지는 소수포, 이상은 대수포라 한다.

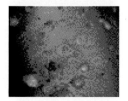

⑨ 농포(Pustule) : 농(Pus)을 포함한 융기된 병변으로 1cm 미만이며 표면위로 돌출되었고 고름이 모여 있으며, 진피, 피하조직에 나타나는 것과 구별된다.

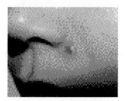

⑩ 낭포(Cysts) : 액체나 반고형 물질로 인해 표면이 융기되어 있으며, 피하지방층까지 침범하여 통증을 유발, 여드름의 가장 심각한 마지막 단계를 말한다.

2. 속발진(Secondary Lesion)

원발진이 진행되거나 외적 요인에 의해 변화된 병변, 원발진의 병변이 더욱 심화되어진 것을 말한다.

① 인설(Scales) : 피부 표면으로 부터 탈락되는 층상의 각질덩어리, 인설은 눈에 보이게 각질세포가 가루 모양으로 떨어지거나 비듬 모양의 덩어리로 떨어진다.

② 가피(Crusts) : 혈청과 농 및 혈액이 말라붙은 병변, 속칭 딱지를 말한다.

③ 찰상(Excoriations, Scratch Marks) : 소양증 등으로 긁어생긴 병변, 기계적 외상이나 지속적 마찰, 손톱으로 긁힘 등에 의한 표피가 벗겨진 손상, 흉터없이 치유된다.

④ 미란(Erosions) : 표피가 떨어져 나간 병변, 흉터없이 치유된다.

⑤ 궤양(Ulcers) : 표피와 함께 진피까지 패인 상태의 병변, 고름이나 출혈이 있다. 피부가 손상되어 색이 변하거나 피부에 흉터를 남긴다.

⑥ 반흔(Scars) : 진피와 심부에 생긴 피부결손 부위에 새로운 결체 조직의 증식으로 생긴 흉터, 위축성 반흔이나 켈로이드 경향이 있는 비대한 섬유상 병변으로 섞여서 나타난다.

⑦ 균열(Fissures) : 표피에 생기는 선상의 틈, 질병이나 외상에 의해 피부가 갈라진 상태를 말한다. 출혈과 통증이 동반될 수 있다.

⑧ 켈로이드(Keloid) : 진피의 콜라겐이 과다 생성되어 흉터가 굵고 크게 표면 위로 융기한 흔적을 켈로이드라 한다.

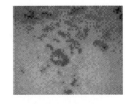

⑨ 위축(Atrophia) : 진피의 세포나 성분이 감소로 피부가 얇아진 상태, 화상 환자들의 피부 변화, 노화가 되면서 피부가 얇아지는 현상을 들 수 있다.

⑩ 태선화(Lichenification) : 표피전체와 진피 일부가 가죽처럼 두꺼워지며 광택이 없는 현상이다.

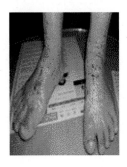

Ⅲ 유전성 피부질환(모반증)

선천성 망막종양과 피부병변을 나타내는 중추신경계통의 유전성 질환을 총칭

병변		특징
결절성 경화증		상염색체 우성 유전으로 간질, 정신박약, 피지선종이 나타나는 유전질환으로 뇌, 눈, 심장, 신장, 피부, 폐 여러 장기에 양성종양을 일으킨다. 결절성 경화증을 가진 사람은 상당수가 자폐성을 가지고 있다.
신경섬유종증		상염색체 우성유전으로 신경계통, 뼈, 피부에 발육이상을 초래하는 증후군을 말한다.
어린선 (Lchthyosis Vulgaris)		물고기비늘 모양의 각화이상을 보이는 유전성 질환들의 총칭을 말하는데, 소양감을 동반한다.

Ⅳ 물리적 인자에 의한 피부질환

1. 열에 의한 피부질환

① **화상(Burn)** : 화염, 뜨거운 물이나 액체, 섬광, 강산이나 강 알칼리 등의 화학물질 및 전기, 열에 의한 피부손상을 말한다.

- 1도 화상 : 주로 표피에 화상을 입는 경우로, 홍반, 부종, 통증을 수반하며 색소침착을 남긴다.
- 2도 화상 : 25시간 이내에 수포가 형성, 지각적으로 작열감과 동통이 심하다. 홍반, 부종, 통증, 수포, 흉터를 남긴다.
- 3도 화상 : 표피, 진피가 괴사되고 피부의 변형이나 운동장애를 낳기도 하며, 심한 흉터를 남긴다.

② **한진(Miliaria, 땀띠)** : 땀이 표피로 분비되는 도중 한관이나 한관구의 어느 부위가 폐쇄되어 나타나는 피부병변이다.

③ **열성홍반(Erythema Abigne)** : 화상을 입지 않을 정도의 열에 장기간 지속적으로 노출된 후 발생하는 망상의 과색소성 반을 말한다.

2. 한랭에 의한 피부질환

① **동창(Chilblain, Pernio)** : 한랭에 의한 비정상적인 국소적 염증반응으로 홍반과 종창이 생기고, 한랭에 과민한 사람에게 발생한다. 코, 귀, 손·발가락, 다리에 주로 발생한다.

② **동상(Frostbite)** : 연부조직이 영하 2~10℃의 한랭노출 시 연부조직이 얼어버려 국소 혈액공급이 없어진 경우에 발생하는데, 귀, 코, 뺨, 손가락, 발가락 등 노출부위에 주로 생긴다.

③ **한랭두드러기** : 찬 공기, 얼음, 찬물에 장시간 노출할 경우 두드러기가 생긴다.

3. 기계적 손상에 의한 피부질환

① **굳은살** : 외부의 압력에 의해 각질층이 두꺼워지는 현상이다. 굳은살은 스스로 사라지기도 한다.

② **티눈** : 압력과 마찰로 인해 각질이 두꺼워지는 현상으로 중심핵을 가지고 있어 통증을 동반한다.

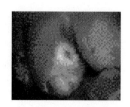

③ **욕창** : 피부를 오랫동안 바닥에 마찰을 주면 혈액순환의 저하로 피부가 괴사하는 현상을 말한다.

　　(EX) 오랫동안 누워있는 환자들

④ **마찰성 수포** : 마찰로 인해 수포를 동반하는 현상이다.

　　(EX) 새 신발 신고 다닐 경우 발생

피부염(습진)

① 습진이란 염증성 피부반응으로 피부염이란 용어와 같은 의미로 쓰인다.

② 습진성 피부염은 급성과 만성으로 나눌 수 있는데, 급성기에는 수포성 구진, 홍반, 부종을 보이며 만성기에는 피부가 두꺼워지고 태선화, 인설을 나타내는 피부염이다.

1. 접촉성 피부염

외부 자극제나 알레르기를 일으키는 물질과의 접촉에 의해 발생하는 피부염이다.

피부염 (습진)	접촉성 피부염 	① 원발형 자극피부염 : 강산 및 강 알카리에 의한 피부염, 물이나 세정제에 의한 주부 습진, 기저귀 피부염, 직업적으로 절삭유, 타르 등에 노출 후 발생하는 피부염 등이 있다.
		② 알레르기성 : 접촉피부염원인 항원이 함유된 물질이 접촉한 부위에 소양증과 미세 소수포 등 급성 습진의 형태로 발생한다.

2. 아토피 피부염

1) 특 징

① 소양증으로 피부를 긁어 태선화가 일어나고, 이 태선화는 소양감을 더욱 높여준다.

② 가을이나 겨울에 심해진다.

③ 정전기가 일어나는 재질의 옷을 피하고, 면직물의 의복 착용을 권장한다.

④ 천식, 알러지 비염과 동반되어 나타나기도 한다.

2) 원 인

① **환경적인 영향** : 집먼지, 꽃가루, 곰팡이, 동물의 털이나 분비물 또는 우유, 계란 등의 음식물로 인해 생길 수 있다.

② **유전적인 영향**

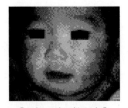

[아토피 피부염]

3. 지루성 피부염

만성 염증성 피부질환으로 피지분비가 많은 두피, 눈썹, 눈꺼풀, 앞가슴에 발생한다. 두피에 생겼을 경우 탈모의 원인이 될 수 있다.

[지루성 피부염]

4. 화폐상 습진

손등, 팔등, 하지, 둔부에 호발하고 심한 소양증을 동반, 현재까지 원인을 추측하자면 니켈 알레르기, 세균감염, 유전요인, 아토피와 관련, 정서적 긴장 등을 들 수 있다.

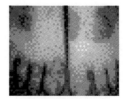

[화폐상 습진]

5. 건성 습진

중년 이상 인체의 사지, 특히 정강이에 호발, 소양증동반, 미세한 인설과 건조증을 보이고 심하면 피부의 균열도 생긴다.

[건성습진]

VI ▶ 세균 감염성 질환

1. 포도구균성 피부 감염증

피부나 그 주위에 직접 감염되는 피부질환으로 모낭염, 농가진, 절종, 옹종, 농창이 있다.

① **모낭염** : 터지기 쉬운 황백색의 반구형 농포가 털구멍에 일치하여 발생

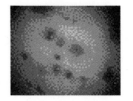

② **농가진** : 접촉에 의해 전염되는 피부의 표재성 화농성 감염으로 여름철 아이들 얼굴이나 팔, 다리에 발생한다.

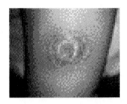

③ **농 창** : 위생이 좋지 않은 소아의 하지에 발생하는 궤양성 농피증이다.

④ **절종 및 옹종** : 절종은 모낭 주위 조직 깊숙이 발생한 급성 화농성 염증, 옹종은 두 개 이상의 절종이 융합된 보다 더 심한 형태의 염증을 말한다.

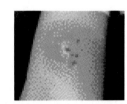

2. 연쇄구균성 피부 감염증

피부나 피하조직에 직접 감염되어 나타나는 피부 전염성으로 농가진, 농창, 봉소염, 단독이 있다.

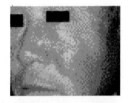

① **단 독** : 연쇄구균에 의한 감염으로 선홍색 반점으로 발생부위는 얼굴에 많다.

② **봉소염** : 진피와 피하조직의 급성 화농성 염증으로 부종이 동반된다.

Ⅶ 바이러스성 피부질환

① **단순포진** : 단순포진 바이러스의 감염은 점막이나 피부를 침범하는 급성 수포성 질환으로, 입주위, 성기부분에도 침범한다.

② **대상포진** : 잠복 감염되어 있던 바이러스가 신경절을 따라 감염을 일으킨다.

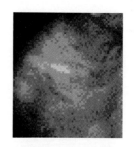

③ **수두** : 어린아이의 피부에 붉고 둥근 발진이 나다가 얼마 뒤에 물집으로 변하며, 일명 작은 마마라고도 한다.

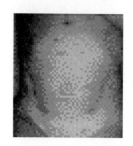

④ **전염성연속증** : 무사마귀라고 하며, Pox바이러스에 의한 피부질환이다. 소아에게 흔히 발생하며 전염성이 강하고, 재발 가능성이 많다.

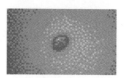

⑤ **사마귀(Wart)** : 파포바바이러스의 감염에 의해 발생되는 질환으로, 자기신체 여러 부위와 타인에게 옮길 수 있다.

⑥ **홍역** : 파라믹소바이러스의 감염에 의해 발생되는데, 전염성이 매우 높은 급성발진성 바이러스 질환이다.

⑦ **풍진** : 급성발진과 림프절 종대가 특징인 질환으로, 임신초기에 산모가 풍진에 감염되어 있을 경우 선천성 기형이 될 수 있다.

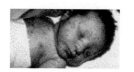

TIP

- 심상성사마귀 – 손등, 손가락에 발생하는 사마귀
- 족저사마귀 – 발바닥에 발생하는 사마귀
- 편평사마귀 – 얼굴에 발생하는 하는 사마귀
- 성기사마귀 – 성기부변에 발생하는 사마귀

Ⅷ 진균성 피부질환(곰팡이균)

① 백 선

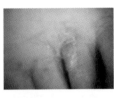

   ㉠ 일명 무좀이라고 하는데, 발생되는 부위에 따라 명칭이
     다르다.

   ㉡ 두부백선(머리에 발생), 조갑백선(손·발톱에 발생), 체부백
     선(몸통에 발생), 고부백선(성기주변에 발생), 수발백선(수
     염에 발생), 안면백선(얼굴에 발생), 수부백선(손바닥에 발생) 등이 있다.

② 칸디다증 : 피부, 점막, 입안에서도 발생된다.

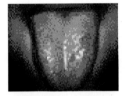

③ 어루러기(전풍) : 피부각질층에만 존재하는 균으로 말라세지
   아 푸르푸르라는 진균에 의해 발생된다.

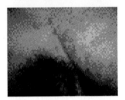

TIP

피부 진균증은 각질층에 발생되면 표재성진균증, 피하조직 심부에 진
균증이 발생하면 심재성진균증이라고 한다.

Ⅸ 그 외 피부질환

① 한관종 : 눈가에 발생하는 병반으로 한관의 조직이 비정상
   적으로 증식하며 한관이 막혀 생기는 질환이다.

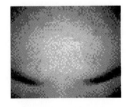

② 비립종 : 눈 주위와 뺨에 좁쌀 같은 알갱이가 생기는 것을
말한다.

③ 섬유종(쥐젖), 지방종, 혈관종, 주사 등이 있다.

동물 기생충에 의한 피부질환

① **옴(개선)** : 옴진드기가 각질층 내에 터널을 만들고 진드기의
분비물이 알레르기 반응을 유발하여 소양감을 느끼게 한다.

② **곤충교상** : 모기, 벼룩, 빈대, 개미 등의 여러 곤충이 물때
타액 속에 포함된 독소에 의해 유발된다

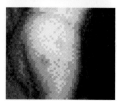

③ **이증**

㉠ 머리잇증 : 이에 의해서 발생되는 것으로 소양감, 진물, 가피를 동반하고 탈모증상은
없다. 이는 서캐를 낳는데 두피에 가깝게 모발에 붙어 있으며 모발이 성장함에 따라
말단부로 이동한다.

㉡ 몸이증 : 의복, 섬유에 붙어 있는 성충이나 서캐가 발견, 견갑부, 둔부에 호발된다.

㉢ 사면발이 : 모발에 밀착되어 있으며, 접촉과 성교 후에 발생
하며 소양감을 동반한다.

XI 피부 색소 질환

1. 피부와 색

피부의 색은 개인별, 지역별, 인종별, 신체부위별로 모두 다르며 피부색은 멜라닌, 헤모글로빈, 카로틴의 색소에 의해 결정된다.

① **멜라닌** : 아미노산으로부터 형성된 단백질성 유기색소로서 UV A, B를 차단하기 위해 우리 몸이 스스로 만들어 내는 방어기전이다. 피부색을 결정하는 중요한 요소이다.

② **헤모글로빈** : 혈액의 적혈구 속에만 존재하며 산소를 세포에 전달해주는 역할을 한다. 헤모글로빈의 붉은색이 피부색에 영향을 준다.

③ **카로틴** : 피부의 황색은 카로틴에 유래하며 황인종은 다른 인종에 비해 카로틴색소가 많이 있다.

2. 멜라닌생성과정

태아 14주경에 멜라노사이트(Melanocyte)가 생성되어지며 피부의 활성산소를 소거하고 자외선의 투과를 막기 위해 멜라닌을 생성한다. 멜라닌은 티로신(Tyrosin)이라는 아미노산으로부터 만들어지는데 티로시나아제라는 효소의 활성에 의해 최종적으로 두가지 종류인 유멜라닌(Eumelanin)과 피오멜라닌(Pheomelanin)으로 합성된다.

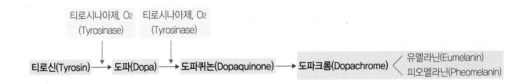

[멜라닌의 생성기전]

3. 과색소침착의 원인

① 자외선에 평소보다 많이 노출되었을 경우
② 기타 질병이나 상처, 자극에 의한 염증반응
③ 각질제거용 등의 화장품, 감광성 성분의 화장품 성분, 제모 후 햇빛에 노출되었을 때
④ 스트레스를 받게 되면 스트레스(Stress)호르몬의 분비와 동시에 MSH가 증가
⑤ 기타 원인 : 피임약, 갑상선 기능 항진, 난소 기능 저하, 스테로이드(Steroid)제제 사용
　후, 내적 자극 (위장, 비장, 간장, 신장 등)

4. 색소이상 증상

1) 과색소침착(Hyper-Pigmentation)

① 기미 (Chloasma) : 자외선에 노출되었을 때 자외선에 의해
　늘어난 멜라닌은 세포 전환주기(약 28일)에 의해 각질층으
　로 올라가 배출된다. 그러나 자극과 생리활성 저하로 각질
　층 탈락 기간이 길어지면서 색소가 탈락되지 않음으로써 피
　부에 머물게 되는 현상을 기미라고 한다.

[기미]

　특히 얼굴에 많이 발생하며, 경계가 불규칙한 연한갈색 또는 암갈색의 과색소침착을
　일으키는 후천적인 피부의 변화이다. 자외선에 과다 노출되거나 임신, 경구 피임약 복
　용, 내분비장애, 스트레스 등의 원인이 복합적으로 작용된다.

② 주근깨(Freckle) : 대체로 유전적 요인이 강하며, 햇볕 노출부위에 잘 발생하는데 여름
　철에는 수가 증가되고 색이 짙어졌다가 겨울이 되면 약해진다.

③ 갈색반점(Brown Spot) : 피부표면 혈액순환의 이상으로 발생
　하며, 기미와 거의 유사하나 명확한 반점 형태를 갖는다.

④ 검버섯(Senescence Spot) : 지루성각화증이라고 하며, 안
　면, 팔, 다리, 목 등에 경계가 뚜렷한 구진 형태로 발생된다.

[갈색반점]

⑤ 오타모반(Ota's Spat) : 출생 시나 사춘기 이후에 나타나는
　청갈색 또는 청회색의 진피성 색소반점이다.

⑥ 릴 흑피증(Riehl's Melanoderma) : 화장품이나 비누 등의 인

[오타모반]

공향 등의 도포 후 일광노출 시 갈색의 색소침착이 나타난다.

⑦ 버록 피부염(Berloque Dermatitis) : 향수를 도포 후 일광에 노출되어 색소가 침착된 것이다.

2) 저색소침착(Hypo-Pigmentation)

① 백피증(Albinism) : 피부, 모발, 눈 등에 티로시나아제의 이상으로 멜라닌 색소가 결핍되어 나타나는 선천성 질환으로 멜라닌 세포의 수는 정상이지만 멜라닌 소체를 만들어내지 못한다.

② 백반증(Vitiligo) : 유전적, 또는 후천적인 자극에 의해 멜라닌 세포가 파괴되어 그 숫자가 감소되거나 소실됨으로써 발생하는 질환으로 타원, 원형, 부정형의 흰색반점이 나타난다.

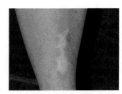

[백반증]

 ## XII 여드름

1. 여드름의 정의

① '여드름은 청춘의 심볼이다'라는 비유와, 라틴어로는 '아크네'라고 하는데 절정, 정상이라는 의미의 '아크메'에서 전해진 것이라는 가설이 있다.

② 여드름의 전문 용어로는 심상성좌창, 모낭에 생기는 만성 염증성 질환의 가장 일반적인 표준형을 말한다.

2. 여드름의 발생 원인

① 모낭 내 각질 비후
② P. acne(여드름균)
③ 과도한 피지분비

3. 여드름의 발생기전

테스토스테론(남성호르몬)이 디하이드로테스토스테론으로 전환 → 피지선 자극 → 피지 분비 촉진 → 모공 속의 각질이 탈락이 안되고 모공 내에 정체 → 모공의 입구가 막힘 → 여드름씨 형성 → 성숙 여드름

4. 여드름의 종류

1) 비화농성 여드름

① **열린 여드름(Blackhead)**
  ㉠ 액상에서 단단한 고형으로 굳어진 피지의 끝부분이 모공 밖으로 돌출, 산화되어 검게 변화된 상태의 여드름을 말한다.
  ㉡ 얼굴의 T존 부위 코 주변에 까맣게 보여지는 여드름, 그 외 안면 부위에도 발생 할 수 있다.

② **닫힌 여드름(Whitehead)**
  ㉠ 모공입구가 닫힌 형태로 피지가 모낭 속에 가득 채워져 있어 피부 표면 위로 미세한 돌기를 형성, 좁쌀 형태로 발생한다.
  ㉡ 혼자 관리하지 않고 전문가에게 관리를 권장한다.

여드름씨
(Micro Comedo)

백두 · 흰여드름
(Whitehead)

흑두 · 검은여드름
(Blackhead)

모공열림
(Enlarged Pore)

[비화농성 여드름의 형태]

2) 염증성 여드름

① 구진(적 여드름, Papule)

㉠ 통증이 있고 혈액이 몰려 부종이 있으며 선홍색의 염증 증상을 보인다.

㉡ 만지면 단단하고 피부 위로 돌출되어 있다.

㉢ 자극을 주면 더욱 심화 되므로, 자극을 피하고 진정관리를 해 준다.

② 농포(황 여드름, Pustule) : 염증이 약간 진행되는 시기로 농이 발생하는 형태를 말한다.

③ 결절(Nodule)

㉠ 구진보다 크고 단단한 형태를 하고 있다.

㉡ 여드름이 검붉은 색을 띄고, 흉터 발생이 생길 수 있다.

④ 낭포(Cyst)

㉠ 여드름 중에서 염증의 형태가 크고 가장 심각한 여드름이며, 만지면 말랑말랑한 느낌을 준다.

㉡ 정상피부조직이 파괴되어 흉터발생의 가능성이 높다.

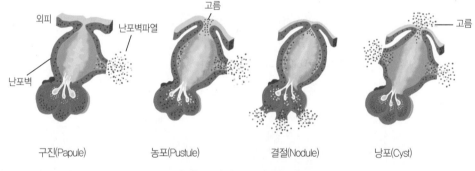

[화농성여드름의 형태]

5. 여드름을 악화시키는 요인

① **스트레스** : 스트레스는 테스토스테론의 추가 분비를 유발하여 피지선을 자극하며 피지의 분비를 촉진시킨다.

② **태양광선** : 모공속의 각질화과정이 촉진되어 모공이 빨리 막힐 수 있다.

③ **습기와 열** : 습기와 열은 여드름을 자극하여 염증성으로 촉진시키는 원인이 된다.(사우나, 석고마스크, 벨벳 마스크는 화농성여드름 피부에는 사용하지 않는다)
④ 외부에서 주는 압력과 마찰은 여드름을 더욱 악화시킨다.
⑤ 중독성 약은 피부를 예민하게 하면서 여드름을 화농성으로 악화시킨다.
⑥ 여성들에게 있어 배란기에 증가되는 황체호르몬은 예민성을 동반한 화농성 여드름으로 촉진시킨다.
⑦ 임신 초기 황체호르몬의 증가로 지루성을 동반한 화농성 여드름이 촉진된다.
⑧ 여드름을 유발하는 성분에 의해서 얼굴 전체에 화이트헤드 형태의 여드름이 발생된다.

6. 여드름 관리 방법

① 각질제거
② 피지흡착을 통해 피지 조절을 한다.
③ 박테리아 성장을 억제 한다.
④ 수분공급을 통해 피부의 건조함을 보완한다.
⑤ 화농성 여드름의 경우 스크럽이 함유된 딥 클렌징이나 고마쥐 타입은 피부에 자극을 주기 때문에 피하는 것이 좋다.
⑥ 여드름 피부는 림프드레나쥐를 통해 피부를 진정시키는 관리방법이 좋다.
⑦ 화농성 여드름에는 석고마스크, 벨벳 마스크는 가급적 하지 않는 것이 좋다.

CHAPTER 05

피부노화

Ⅰ 피부노화

1. 피부노화의 정의

① 노화란 나이가 들면서 점진적으로 일어나는 퇴행성 변화로 기능적, 구조적 변화가 일어나며 외부 환경에 대해 반응능력이 떨어지는 현상이다.

② 피부노화는 땀샘과 피지샘의 감소, 색소 침착, 콜라겐과 엘라스틴의 변성 및 탄력감소 등의 현상이 나타나게 된다.

2. 노화 원인설

1) DNA 프로그램설

노화와 죽음은 태어날 때부터 정해진 DNA 유전자에 의해 결정된다는 이론이다.

2) 프리래디칼설(Free Radical Theory)

정상적인 대사과정에서 생산되는 여러 가지 활성산소들에 의하여 생체 구성 성분들이 산화적 손상을 받고 이러한 손상들이 축적되어 노화와 죽음까지 이르게 된다는 이론이다.

> **TIP**
>
> • **활성산소(유해산소)**
> 통제할 수 없이 활성이 강한 산소로서 주위 화합물과 아주 쉽게 반응하여 전자를 잃거나 얻으려 하기 때문에 높은 반응성을 띄고 있다.
> 정상대사 과정에서 끊임없이 생성. SOD 및 체내 항산화효소에 의해 제거되기도 한다.
>
> • **SOD**
> 활성산소를 제거시키는 효소(Suportoxide Dismutase)의 약자로써 몸 안의 필요 이상의 활성산소가 생겼을 때 중화하는 물질

3) 오류 파국설(Error Catastrophe Theory)

세포가 분열작용과 증식작용을 반복하는 사이 여러 가지 오류(Error)가 발생, 축적이 되고 이때 DNA 손상에 의해 결과적으로 노화를 일으킨다는 이론이다.

4) 텔로미어[1] 단축설

세포는 끊임없이 분열하면서 새로운 세포를 만드는데, 세포 분열이 일어날 때마다 텔로미어가 조금씩 짧아지고 일정 길이 이하로 짧아지면, 세포는 더이상 분열하지 못하고 수명을 다하여 노화가 진행된다는 이론이다.

5) 독소설

신진대사 과정에 의해 발생된 독소 및 체내 유해물질이 배출되지 못하고 축적되어 노화가 진행된다는 이론이다.

6) 신경피로설

신경세포의 피로가 오면 중추신경의 기능이 저하되고 노화가 가속 된다는 이론 특히, 스트레스에 의한 신경의 피로가 높아지는데, 나이가 듦에 따라 인체의 중추신경세포가 점점 감소하고 기능이 저하되어 노화가 발생한다는 이론이다.

3. 피부노화 형태

1) 내인성 노화(Intrinsic Aging)

나이가 듦에 따른 자연적인 노화

① 표피가 얇아지고, 탄력이 떨어진다.
② 예민화를 동반, 건조 및 잔주름이 나타난다.
③ 교원섬유와 탄력섬유의 감소와 변성이 생긴다.
④ 멜라닌 세포와 랑게르한스 세포의 수와 기능이 감소하여, 보호능력이 줄어든다.
⑤ 한선의 수가 감소하며, 땀의 분비가 줄어든다.
⑥ 피지선의 크기는 증가하나, 피지 생성 기능은 감소한다.

---

1   텔로미어란 염색체 DNA말단 부위에 있는 구조를 말한다.

2) 외인성 노화(Extrinsic Aging)

환경적인 요소에 의한 노화현상으로 외적요인에 의해 내인성 노화가 가속화 되기도 한다.

① 주로 자외선에 의한 노화이므로 광노화(Photo Aging)라고도 한다.
② 햇빛, 추위, 바람, 공해, 스모그 등이 원인이 된다.
③ 스트레스, 흡연과 알코올 섭취, 수면습관 및 자세, 중력 등 일상적 생활습관의 영향을 받는다.
④ 광선을 많이 받는 얼굴, 팔, 손등, 목뒤 등에 불규칙한 색소 침착 및 색소질환이 나타난다.
⑤ 비교적 굵고 깊은 주름이며 내인성 노화에 비하여 일찍부터 관찰된다.
⑥ 표피는 두꺼워지며, 비정상적인 혈관 확장, 피부암, 콜라겐의 변성 및 파괴, 색소 침착 등 내인성 노화에 비해 나타나는 증상이 심하다.

> **TIP**
>
> • 내인성 노화(자연노화, 생리적 노화) : 유전이 대표적
> • 외인성 노화(후천적 노화, 환경적 노화) : UV가 대표적

4. 노화 예방법

① 적당한 운동 및 긍정적 사고
② 과식금지
③ 금연 및 적당한 음주
④ 신선한 야채 섭취
⑤ Stress(스트레스) 피할것
⑥ 깨끗한 공기와 물
⑦ 과잉 지방 섭취 금물
⑧ 적당한 일광욕/자외선에 대한 보호

출제예상문제

01 피부의 표피의 구조를 가장 바깥쪽으로부터 알맞게 표기된 것은?

① 각질층-투명층-유극층-과립층-기저층
② 각질층-유극층-투명층-과립층-기저층
③ 각질층-투명층-과립층-유극층-기저층
④ 각질층-기저층-과립층-유극층-투명층

ANSWER

③ 표피는 5개의 층으로 이루어져있고 밖에서부터 각질층-투명층-과립층-유극층-기저층의 순서로 되어있다.

02 천연보습인자(NMF)에 대한 설명으로 옳지 않은 것은?

① 수분의 증발을 막는다.
② 아미노산, 피롤리딘카르복실산,젖산,요소 등으로 구성되어 있다.
③ 세라마이드,지방산,콜레스테롤이 있는 2중층의 친유기 집단의 형태이다.
④ 미생물과 오염물질의 피부침투를 막는다.

ANSWER

③ 각질 간 지질에 대한 설명이다.

03 다음 중 수분저지막(barrier zone)이 위치하는 층은?

① 유극층   ② 기저층
③ 각질   ④ 과립층

ANSWER

④ 수분저지막은 과립층에 위치하여 외부물질에 대한 방어역할과 수분 유출을 막는다.

04 표피층의 유극층에서 면역 작용에 기여하는 세포는 어느 것인가?

① 랑게르한스세포   ② 멜라노사이트
③ NK 세포   ④ 대식세포

ANSWER

① 유극층에서 면역에 관여되는 일을 담당하는 세포는 랑게르한스 세포이다.
③ NK세포(Natural killer cell, 자연살해세포)는 특정항원 반응이 아니라, 스스로 판단하여 이물질을 인식하고 항원생성을 억제시키는 세포이다.
④ 대식세포는 진피층의 면역과 관련된 세포로 백혈구의 포식작용을 통해 인체를 보호한다.

05 피부의 표피 중 주로 두꺼운 피부에 존재하고 엘라이딘 이라는 유동물질이 있는 층은?

① 과립층
② 유극층
③ 각질층
④ 투명층

ANSWER

④ 투명층에는 엘라이딘(Elaidin)이라는 반유동물질이 함유되어 있어 투명하게 보이고 수분의 투과를 막고 자외선을 반사하는 기능이 있다.

06 망상층의 특징을 옳게 설명한 것은?

① 유두층 위에 위치하고 불규칙한 그물모양의 결합조직으로 진피의 50%를 차지한다.
② 일정한 방향을 가진 교원섬유와 탄력섬유가 매우 엉성하게 구성되어 있으며 두 섬유질 사이에 점다당질의 기질이 젤 상태로 분포되어 있다.
③ 교원섬유는 자기길이의 1.5배까지 늘어나며 수분보유력이 뛰어나다.
④ 랑거선에 따라 피부를 절개하면 수술시 상처의 흔적을 최소화 할 수 있다.

ANSWER

④
① 유두층 아래 위치한 결합조직으로 진피의 대부분(90%)을 차지한다.
② 교원섬유와 탄력섬유가 매우 치밀하게 구성되어 있다.
③ 탄력섬유(엘라스틴)가 자기길이의 1.5배까지 늘어나고 피부에서 탄력을 관장한다.

07 피하지방층에 대한 설명으로 틀린 것은?

① 체온 보호기능이 있어 체온손실을 막아준다.
② 테스토스테론과 관계가 있다.
③ 완충작용이 있어 외상으로부터 내부를 보호한다.
④ 인체에서 소모되고 남은 영양이나 에너지를 저장하는 기능이 있다.

ANSWER

② 피하지방은 에스트로겐과 연관이 있으며 신체의 영양상태, 부위, 성별, 연령등에 따라 다양한 양상을 보인다.

08 다음은 피부의 기능 중 어느 작용에 대한 설명인가?

한선과 피지선에서 나온 땀과 피지가 섞여 피지막을 형성하여 수분증발 억제와 박테리아성장을 억제한다.

① 감각작용
② 분비 및 배설작용
③ 체온조절작용
④ 흡수작용

ANSWER

② 피부 진피층에 위치한 한선과 피지선에서 분비되는 땀과 피지가 산성막을 형성해 피부를 보호한다.

09 노화가 발생하면 땀의 분비가 저하된다. 어떤 기관과 관련된 증상인가?

① 모유두
② 모낭
③ 한선
④ 피지선

ANSWER

③ 땀의 분비는 한선에서 이루어지며 노화가 진행되면 땀의 분비가 감소된다.

10 피부의 가장 이상적인 피부의 산성도는 어느 것인가?

① pH 2.2~4.5　　② pH 5.2~5.8

③ pH 3.5~5.5　　④ pH 7.5~8.5

ANSWER

② 건강한 피부의 pH는 5.2~5.8이며 약산성을 띤다.

11 다음 중 에크린선에 대한 설명으로 옳은 것은?

① 입술과 음부를 제외한 전신에 분포되어 있다.

② 모낭의 윗부분과 연결되며 모공에 개구된다.

③ 사춘기부터 분비가 시작되어 갱년기 이후 기능이 퇴화된다.

④ 출생 시 전신의 피부에 형성되었다가 생후 5개월경에는 퇴화된다.

ANSWER

① 에크린선

②, ④ 아포크린(대한선)에 대한 설명이다.

③ 피지선에 대한 설명이다.

12 피지에 대한 설명으로 맞는 것은?

① 여성 호르몬인 에스트로겐에 의해 피지 분비가 촉진된다.

② 진피의 망상층에 피지선이 존재한다.

③ 50대 이후가 되면 더욱 많이 분비된다.

④ 피지가 많이 분비되는 것을 다한증이라 한다.

ANSWER

②

① 테스토스테론에 의해 피지분비 촉진된다.

③ 50대이후에는 피지선이 퇴화된다.

④ 다한증은 땀이 많이 분비되는 것이다.

13 다음 중 피부표면의 항상성을 유지하기 위해 필요한 요소가 아닌 것은?

① 땀　　　　　② 지질

③ 각질　　　　④ 콜라겐

ANSWER

④ 콜라겐은 진피의 대부분을 차지하는 섬유상 단백질로 많은 수분을 함유할 수 있는 능력이 뛰어나다.

14 다음의 감각기능 중 가장 넓게 분포되어 있는 감각은?

① 냉각　　　　② 압각

③ 통각　　　　④ 온각

ANSWER

③ 진피에 일반 감각기관의 말단 수용기가 분포되어 있어 감각작용을 담당한다. 단위면적당 1㎠ 피부면적기준으로 촉각점 25개, 온각점 1~2개, 냉각점 12개, 통각점 100~200개 가 존재한다.피부는 통증에 가장 민감하고 온도에 가장 둔하다.

15 모발의 성장주기에 대한 설명으로 맞는 것은?

① 퇴화기는 전체 모발의 10% 정도를 차지하고 있으며, 수명은 1~1.5개월 정도이다.

② 성장기는 모발의 60%를 차지하고 있으며, 남·녀 간의 차이가 없다.

③ 모주기란 모발의 성장주기로 성장기, 정체기, 퇴화기 의 3단계로 나눌 수 있다

④ 퇴화기는 모모세포가 분열을 멈추어 성장이 멈추는 시기로, 모유두와 모구가 분리되어 모근은 위로 밀려 올라가게 된다.

ANSWER

④

① 퇴화기는 전체모발의 1%차지

② 성장기는 80~90이상을 차지하며 남녀간에 차이가 있다.

③ 성장기-퇴화기 - 휴지기의 3단계로 되어있다.

출제예상문제　chapter 06

16 완전히 각질화 되지 않은 부분으로써 공기를 함유하고 있어 흰색의 반달모양으로 보이는 부분은?

① 조체　　　　　② 조상
③ 반월　　　　　④ 조근

ANSWER
③ 조체는 눈으로 보이는 손톱자체를 의미하며 조상은 손톱을 받치는 부분이며 조근은 손톱의 뿌리이다.

17 디음 조갑에 대한 설명으로 맞는 것은?

① 조소피(큐티클) : 조표피라고도 하며 손톱 부분을 덮고 있는 부분으로 신경이 없는 피부이다.
② 조상(nail bed) : 완전히 케라틴화 되지 않아 흰색 반달모양으로 보이는 부분이다.
③ 조기질(nail matrix) : 손톱의 뿌리
④ 조근 (nail root) : 네일바디를 받치고 있는 부분으로 손톱의 신진대사와 수분 공급에 역할을 담당한다

ANSWER
①
② 조반월, ③ 조근, ④ 조상에 대한 설명이다.

18 모세혈관 확장피부에 대한 설명으로 옳은 것은?

① 굵은 주름이 두드러져 보이고, 얼굴이 그늘져 보인다.
② 모세혈관이 수축된 상태이다.
③ 피부두께는 얇아지고 각질의 두께는 두꺼워진다
④ 각화주기가 빨라져 각질층이 얇아진다.

ANSWER
④
①, ③ 노화피부에 대한 설명이다.
② 모세혈관 확장피부는 모세혈관이 확장과 수축을 반복하다 혈관이 이완된 상태이다.

19 예민피부의 관리법으로 옳은 것은?

① 세안 후 마무리에 냉온세안을 반복한다.
② 알로에와 카렌듈라가 들어간 성분을 이용한다.
③ 수시로 진정관리 팩을 한다.
④ 주2회정도 각질제거를 한다.

ANSWER
②
① 냉온이 반복된 세안은 큰 온도차에 의해 피부자극이 유발될수 있다.
③ 진정팩도 너무 자주해주면 자극이 될수 있다.
④ 각질이 얇은 예민피부는 각질제거제품 사용 시에 사용시간, 횟수, 제품의 타입을 주의해야하며 잦은 각질제거는 옳지 않다.

20 건성피부의 원인이 아닌것은?

① 심한 냉난방과 같은 외부자극
② 프로게스테론의 증가
③ 잦은 세안
④ 연령의 증가

ANSWER
② 프로게스테론은 피지증가의 원인이다.

21 표피수분부족피부의 특징으로 틀린 것은?

① 피지분비가 많은 지성피부에서도 찾아볼 수 있는 피부타입이다.
② 지나친 냉난방이나 세안습관도 원인이 된다.
③ 피부가 번들거리고, 화장이 잘 지워진다.
④ 수분이 많이 부족한 건성피부이다.

ANSWER
③ 지성피부의 특징이다

22 다음 중 영양에 대한 설명이 바른 것은?

① 열량소, 구성소, 조절소로 분류한다.
② 기본적인 생체기능을 하는데 필요한 에너지이다.
③ 생명체의 성장과 생명을 유지, 활동을 계속하는 과정을 영양이라고 한다.
④ 신체의 구성성분, 에너지 공급, 생리작용의 조절을 한다.

ANSWER

③
① 영양소의 분류를 말한다.
② 기초대사량에 대한 정의이다.
④ 영양소의 일반적인 작용을 말한다.

23 다음 중 종류가 틀린 것은?

① 탄수화물   ② 비타민
③ 단백질   ④ 지방

ANSWER

②
①, ③, ④ 열량소이고, 비타민은 조절소이다.

24 탄수화물에 대한 설명이 적절한 것은?

① 우리가 섭취하는 탄수화물은 1g당 9kcal의 열량이 발생한다.
② 탄수화물은 곡류 및 감자류의 주성분이고 값싸게 얻을 수 있다.
③ 탄수화물은 탄소, 질소, 산소 구성되어 있다.
④ 탄수화물은 다량 섭취하여도 열량원으로 사용되고, 나머지는 탄수화물 성분으로 체내에 저장된다.

ANSWER

②
① 탄수화물은 1g당 4kcal의 열량을 낸다.
③ 탄수화물은 탄소, 수소, 산소로 구성된다.
④ 탄수화물은 다량섭취시열량으로사용되고 나머지는 글리코겐으로 체내에 저장된다.

25 열량원으로 쓰이고 남은 것은 글리코겐과 지방으로 전환되어 저장되고, 혈액 중 1%를 함유하고 있는 것은?

① 전분
② 맥아당
③ 포도당
④ 유당

ANSWER

③
① 전분은 다당류로 감자, 고구마에 널리 존재한다.
② 맥아당은 이당류이다.
④ 유당은 이당류로서 동물의 유즙에 존재한다.

26 단백질의 작용이 아닌 것은?

① 모발, 손톱, 피부, 뼈, 혈관 등 조직을 생성하는 작용을 한다.
② 효소, 호르몬의 합성에 중요하다.
③ 체내의 수분 조절과 산, 염기의 평형을 유지하는 작용을 한다.
④ 체온 유지 및 장기의 보호 작용을 돕는다.

ANSWER

④ 체온 유지 및 장기의 보호 작용은 지방이 하는 작용이다.

출제예상문제 chapter 06

27 단백질에 대한 설명으로 바른 것은?

① 단백질은 탄소, 수소, 산소로 구성 되어 있다.
② 단백질은 질소를 함유한 물질로서 신체의 기본 구성성분이다.
③ 체내에서 합성이 가능한 필수 아미노산과 체내에서 합성되지 않는 비필수 아미노산 있다.
④ 약 5~10개의 아미노산이 펩티드 결합을 하고 있다.

ANSWER

②

① 탄소, 수소, 질소로 구성되어 있다.
③ 체내에서 합성이 가능한 비 필수 아미노산과 음식을 섭취해야만 체내에서 합성되는 필수 아미노산으로 있다.
④ 단백질은 수천 수백 개의 아미노산이 펩티드 결합으로 하고 있다.

28 필수 아미노산으로 짝지어진 것은?

① 이소류신, 리신, 알라닌, 시스틴
② 트레오닌, 트립토판, 발린, 리신
③ 글리신, 세린, 발린, 티로신
④ 프롤린, 시스틴, 글루타민, 티로신

ANSWER

②

• 필수 아미노산 : 이소류신, 류신, 리신, 메티오닌, 페닐알라닌, 트레오닌, 트립토판, 발린
• 비 필수 아미노산 : 알리닌, 아스파라긴, 아스파르트산, 시스테인, 시스틴, 글루탐산, 글루타민, 글리신, 프롤린, 세린, 티로신

29 지방에 대한 설명으로 틀린 것은?

① 탄소, 수소, 산소로 구성되며 물에 녹지 않는다.
② 단순지질, 복합지질, 유도지질로 분류 된다.
③ 탄소의 결합 방식에 따라 필수 아미노산, 비 필수 아미노산으로 나누어진다.
④ 과잉증세로는 비만, 고혈압, 동맥경화, 간 질환 증세가 있다.

ANSWER

③ 체내에 합성에 따라 필수 지방산과 비 필수 지방산으로 구분 된다.

30 산과 알카리 평형을 유지, 체내 노폐물 배설 촉진을 하는 무기질은?

① 칼슘　　② 마그네슘
③ 나트륨, 칼륨　　④ 요오드

ANSWER

③

① 칼슘 : 뼈와, 치아의 형성, 근육의 수축과 이완작용, 신경흥분 전달 작용, 혈액응고
② 마그네슘 : 당질대사, 지질대사, 단백질 대사에 관여
④ 요오드 : 갑상선의 구성 요소, 활력증진, 건강한 피부, 체온조절, 기초대사율 증가, 성장, 신경과 근육에 작용

31 갑상선의 중요한 구성 성분이고 기초 대사률 증가, 건강한 피부, 신경과 근육에 작용하는 것은?

① 요오드　　② 나트륨
③ 인　　④ 철

ANSWER

① 요오드

• 성인의 체내에 함유된 요오드는 갑상선에 70~80% 함유, 나머지는 근육과 혈액에 존재한다.
• 갑상선의 구성 요소, 활력증진, 건강한 피부, 체온조절, 기초대사율 증가, 성장, 신경과 근육에 작용한다.
• 결핍증 : 점액수종, 크레틴병

32 다음 중 지용성 비타민에 대한 설명이 틀린 것은?

① 비타민 A : 레티놀이라고 하고, 세포분화 및 시각관련 작용을 한다.

② 비타민 D : 햇빛을 받아야만 체내에서 합성되고, 부족하면 구루병이 생길수 있다.

③ 비타민 K : 혈액응고에 관여, 간 기능을 돕고, 모세혈관을 튼튼하게 한다.

④ 비타민 E : 항산화기능, 모세혈관강화, 부족하면 괴혈병이 생긴다.

ANSWER

④ 비타민C에 대한 설명이다.

33 항산화기능, 유신과 불임증, 갱년기 장애를 예방하고 콩류 푸른 잎 채소에 많이 함유 되어 있는 것은?

① 비타민 K   ② 비타민 E

③ 비타민 A   ④ 비타민 D

ANSWER

②

① 비타민K : 혈액응고에 관여, 간 기능을 돕고, 뼈의 형성에 관여, 모세혈관을 튼튼하게 해줌

③ 비타민A(레티놀) : 시각관련 작용, 세포분화 (상피세포의 유지)항산화 및 항암작용, 정자생성, 면역기능, 야맹증, 약시를 예방 치료

④ 비타민D(칼시페롤, Calciferol) : 혈중 칼슘 농도의 조절, 세포의 증식과 분화 조절, 구루병, 충치, 골절을 예방

34 비타민과 결핍증이 틀린 것은?

① 비타민 B₁ : 각기병, 식용부진, 신경쇠약

② 비타민 B₆ : 당뇨병, 빈혈, 지루성피부염, 우울증, 설염

③ 비타민 C : 괴혈병, 골절, 설사증세, 상처치유 지연

④ 비타민 B₂ : 펠라그라, 구내염, 피부염, 설사, 불면증

ANSWER

④ 비타민B3(니아신)에 대한 설명이다.

35 엽산대사와 밀접한 관계가 있고 악성 빈혈, 엽산의 결핍증과 동일하고 집중력과 기억력 상실, 치매 마비 증상이 나타나는 비타민은?

① 비타민 D   ② 비타민 B5

③ 마그네슘   ④ 비타민 B12

ANSWER

④ 비타민B12(코발라민)에 대한 설명이다.

36 광선의 종류 중 발열작용이 있어 열선이라 하며 피부 깊숙이 침투하여 혈액순환 촉진하고 신진대사 원활하게 하는 효과가 있는 광선은 무엇인가?

① 가시광선   ② 적외선

③ 자외선   ④ 감마선

ANSWER

② 태양광선의 50% 이상을 차지하며 770~2200 nm의 장파장이다. 적외선은 인체에 무해하며 근육이완효과가 있고, 피부 깊이 영양분을 침투시킨다.

37 자외선에 대한 설명 중 옳은 것은?

① 우리나라에서는 4~8월에 강하며 특히 6월이 가장 강하다.

② 파장의 길이에 따라 장파장(UVC), 중파장(UVB), 단파장(UVA)로 구별된다.

③ 파장의 길이가 800~1,000nm의 장파장이며, 피부반응을 유발하는 중요한 광선이다.

④ 열을 내주기 때문에 열선이라고도 한다

ANSWER

①

② 파장의 길이에 따라 UVA는 장파장, UVB는 중파장, UVC단파장으로 나뉜다.

③ 200~400nm의 단파장으로 피부반응을 유발하는 중요한 광선이다.

④ 열을 내주는 열선은 적외선이다.

38 태양광선에 대한 설명이다. 어느 광선에 대한 설명인가?

> 즉각 색소 침착을 유발해 Sun tan 발생시킨다. 진피 상부까지 침투된다.

① UVA ② UVB

③ UVC ④ 적외선

ANSWER

① UVA는 진피상부까지 침투되므로 콜라겐과 엘라스틴의 파괴, 변형시켜 노화현상을 일으키고 즉각 색소 침착을 유발해 Sun tan 유발한다.

39 다음 중 피부색을 나타내는 색소가 아닌 것은?

① 헤모글로빈 ② 멜라닌

③ 에르고스테롤 ④ 카로틴

ANSWER

③ 에르고스테롤은 비타민D의 전구물질이며 피부색은 나타내는 색소는 멜라닌, 헤모글로빈, 카로틴이다.

40 멜라닌으로 인해 생성되는 기미에 대한 설명으로 틀린 것은?

① 과도한 각질제거제 사용으로 생성

② Vit C가 함유된 제품을 바르면 미백효과가 있다.

③ 티로시나제의 활성에 의해 색소침착이 유발된다.

④ 선탠기계를 이용하면 기미발생이 되지 않는다.

ANSWER

④ 선탠기계도 과도하게 사용하면 기미가 유발된다.

41 멜라닌의 형성과정이다. 다음의 괄호에 들어갈 단어는?

> ( ) ( )
> ⇓ ⇓
> 티로신 – 도파 – 도파퀴논 – 도파크롬 – 멜라닌 형성

① 티로시나제 ② 아밀라아제

③ MSH ④ 판크레아틴

ANSWER

①

② 침의 아밀라아제는 소화효소이다.

③ MSH는 멜라닌세포형성자극호르몬이다.

④ 판크레아틴은 췌장의 효소이다.

42 다음 중 멜라닌 세포의 수는 정상이나 멜라닌이 생성되지 않는 피부증상은?

① 백반증 ② 지루성 각화증

③ 백피증 ④ 오타씨 모반

ANSWER

③ 백반증은 멜라닌색소세포의 파괴현상이며 지루성각화증은 검버섯으로 과색소 침착현상이며, 오타모반은 유전적인 소인의 청갈색 또는 청회색의 색소반점이다.

43 다음중 면역에 대한 개념을 가장 잘 설명한 것은?

① 세균이나 바이러스, 지나친 스트레스, 신체의 저항력을 감퇴시키는 요인 등에 의해 야기되는 질병으로부터 저항할 수 있는 인체의 능력을 말한다.

② 외부에서 침입한 모든 외부인자를 말하며, 바이러스, 미생물, 균 등을 말한다.

③ 침입한 이물질을 잡아 포식하고 소화하는 대형 식세포를 말한다.

④ 방어 단백질로써 혈관을 확장시키고, 혈액량을 늘리며 이로 인해 부종, 소양감이 나타난다.

ANSWER
③
①, ② 항원, ③ 대식세포, ④ 히스타민에 대한 설명이다.

44 다음 중 면역기능에 관여하는 기관으로 옳지 않은 것은?

① 흉선　　　　　② 췌장
③ 골수　　　　　④비장

ANSWER
② 흉선, 골수, 비장, 림프구 등은 면역기능을 담당하는 기관이다.

45 다음 중 능동면역에서의 대표적 방어 작용으로 옳은 것은?

① 보체　　　　　② 식작용과 염증반응
③ 피부의 점막　　④ 림프구

ANSWER
④
①, ②, ③ 수동면역에 의한 방어작용이다.

46 균, 먼지 등 외부에서 침입하여 면역체계에서 면역반응을 일으키게 하는 원인물질을 무엇이라 하는가?

① 항체　　　　　② 항원
③ 히스타민　　　④ 보체

ANSWER
② 항원에 대한 설명이다.

47 다음 중 획득 면역은?

① 특이성 면역　　② 선천 면역
③ 비 특이성 면역　④ 수동 면역

ANSWER
①
②, ③, ④ 자연면역에 속한다.

48 다음 중 면역체계의 설명으로 옳은것은?

① 면역의 방어기전은 비특이성면역과 특이성면역으로 분류되며, 비특이성면역은 모든 이질인자에 대해 작용하고 특정한 인자에 대한 인지는 필요없다.

② 태어날때부터 자연적으로 얻어져 인종과 개인의 특이성을 갖는 면역을 획득면역이라한다.

③ 인체의 방어벽이 무너질 경우에 면역체계가 무너지고 균이나 바이러스의 침입은 더 어려워진다.

④ 자연면역는 매우 특이한 작용을 가진 방어기전을 말하며 대표적으로 림프구가 있다.

ANSWER
①
② 자연면역에 대한 설명이다.
③ 면역체계가 무너질 경우 균이나 바이러스의 침입은 쉬워진다.
④ 후천면역에 대한 설명이다.

49 다음은 무엇에 대한 설명인가?

특이한 이질인자를 인식하지 않고 많은 각기 다른 이질인자로부터 인체를 보호한다.
특별한 기억작용이 없으며 제1방어선으로는 피부, 점막 등이 있고, 제2방어선으로는 보체, 인터페론 등이 있다.

① 비 특이성 면역　　② 특이성 면역
③ 자연 살해 세포　　④ 림프구

ANSWER
① 비특이성면역
비특이성면역은 제1방어선의 기계적장벽인 피부 및 점막 등이 있고 제2방어선의 방어단백질인 보체, 인터페론 등이 있다.

50 다음 중 피부의 면역에 관한 설명으로 맞는 것은?

① T림프구는 항원전달세포에 해당한다.
② B림프구는 면역글로불린이라고 불리는 항체를 생성한다.
③ 표피에 존재하는 각질형성세포는 면역조절에 작용하지 않는다.
④ 세포성 면역에는 B세포가 있다.

ANSWER
②
① T세포는 세포대 세포의 접촉을 통하여 직접적으로 항원을 공격하는 세포 매개성 면역이다.
③ 각질형성 세포는 면역학적 반응을 조절하는 사이토카인을 비롯, 다양한 생물학적 반응조절물질을 생성 ·및 분비한다.
④ B세포는 체액성 면역이다.

51 다음중 노화와 관련된 설명으로 가장 옳은 것은?

① 피부의 노화현상 으로는 교원섬유, 탄력섬유 등이 감소하며 땀과 피지가 증가한다.
② 노화란 시간이 지남에 따라 나타나는 퇴행성 변화로써 외부 환경에 대해 인체 반응능력이 떨어지는 현상이다.
③ 노화는 나이가 듦에 따라 나타나는 자연스러운 현상이므로 예방하거나 지연 시킬수는 없다.
④ 내인성노화는 외인성 노화에 비해 노화속도가 빠르고 나타나는 증상이 심하다.

ANSWER
②
① 피부노화현상은 교원섬유와 탄력섬유의 감소는 가져오지만 땀과 피지 분비는 줄어든다.
③ 꾸준한 운동, 식이요법과 체중조절, 긍정적 사고로 인해 노화를 예방 및 지연시킬 수 있다.
④ 외인성 노화는 내인성 노화에 비해서 노화현상이 심하며 빠르게 나타난다.

52 노화의 원인설중 세포내 불완전 산화가 생체막의 구조적, 기능적 손상을 유발할 뿐만 아니라, 노화를 촉진시킨다는 노화의 원인설은?

① DNA프로그램설　　② 텔로미어 단축설
③ 오류설　　④ 프리래디칼설

ANSWER
④ 프리 래디칼설은 불안정하고 강력한 활성산소가 DNA나 단백질을 산화하여 상해를 입히고 이것이 노화로 이어진다고 보는 이론이다.

53 다음중 노화 이론설과 연결이 옳게 된 것은?

① 텔로미어 단축설 : DNA전달 과정중 오류가 발생하게 되고 이것이 축척되어 DNA손상을 가져오고 이해 노화가 발생한다는 이론

② 오류파국설 : 신경세포의 피로가 오면 중추신경의 기능이 저하되고 노화가 가속된다는 이론

③ DNA 프로그램설 : 노화와 죽음은 태어날때부터 정해진 DNA 유전자에 의해 결정된다는이론

④ 프리래디칼설 : 신진대사 과정중에서 발생된 독소 및 노폐물이 축척되어 노화가 나타난다는 이론

ANSWER

③

① 오류설, ② 신경피로설, ④ 독소설에 대한 이론이다.

54 다음 중 외인성 노화와 관계된 것이 아닌 것은?

① 자외선

② 스트레스

③ 잘못된 수면습관

④ 유전

ANSWER

④ 유전은 내인성노화의 대표적 예이다.

55 나이가 들어감에 따라 자연스레 나타나는 자연적 노화현상은 어느것인가?

① 광노화   ② 내인성 노화

③ 외인성 노화   ④ 표피의 노화

ANSWER

② 내인성 노화는 나이듦에 따라 자연스레 나타나는 노화현상으로 유전이 주된 원인이다.

56 다음 중 노화에 관련된 내용중 옳은 것은?

① 외인성 노화의 주된 원인은 유전이다.

② 내인성 노화의 주된 원인은 유전이다.

③ 외인성 노화는 자연적 노화, 생리적 노화가 있다.

④ 내인성 노화의 주된 원인은 자외선으로 광노화라고도 한다.

ANSWER

②

① 외인성 노화의 주된 원인은 자외선으로 광노화라고도 한다.

③ 내인성노화에 대한 설명이다.

④ 외인성노화에 대한 설명이다.

57 다음 중 외인성 노화로 인해 나타나는 증상이 아닌 것은?

① 기미, 색소등의 색소침착

② 혈관확장, 콜라겐의 변성

③ 굵고 깊은 주름

④ 탄력 증가

ANSWER

④ 교원섬유와 탄력섬유의 변성으로 인해 탄력이 현저히 떨어진다.

출제예상문제

chapter 06

58 노화에 의한 피부변화로 옳은 것은?

① NMF의 주성분인 아미노산이 증가하여 피부 수분 함수량이 높아진다.

② 한선과 피지선이 발달하여 땀과 피지분비가 증가한다.

③ 노화가 진행됨에 따라 콜라겐과 엘라스틴의 합성능력이 높아져 진피가 두꺼워진다.

④ 피부의 부속기관으로써 조갑이 얇아지고 잘 부서진다.

ANSWER

④
① 아미노산이 감소하여 수분함수량이 떨어지고 건조해진다.
② 한선과 피지선이 줄어든다. 땀과 피지의 분비가 감소한다.
③ 콜라겐과 엘라스틴의 합성능력이 현저히 떨어지고 진피층이 얇아진다.

59 노화와 죽음은 태어날때부터 정해진 유전자 정보에 의해 프로그램화 되어있다고 보는 노화 이론설은?

① DNA프로그램설

② 독소설

③ 오류파국설

④ 텔러미어 가설

ANSWER

① DNA 프로그램설에 관련된 내용이다.

60 다음 중 노화 관리법으로 적당하지 않는 것은?

① 적당한 운동과 긍정적인 사고를 가지도록 노력하고 스트레스를 피한다.

② 신선한 야채섭취와 균형있는 영양섭취로 과식을 막고 체중조절을 한다.

③ 적당한 관리를 통해 순환을 촉진시키고 수분공급을 위해 보습팩등을 적당히 해준다.

④ 적당한 흡연은 산소공급을 해준다.

ANSWER

④ 흡연은 산소공급의 장애를 일으켜 노화를 촉진시킨다.

Anatomy
and Physiology

P·A·R·T

3

해부생리학

CHAPTER 01

세포^{Cell}의 구성 및 작용

Ⅰ 세포의 구조

세포¹는 핵과 세포질, 세포막으로 구성되어 있으며 모든 생명체의 구조적, 기능적, 유전적 최소단위이다.

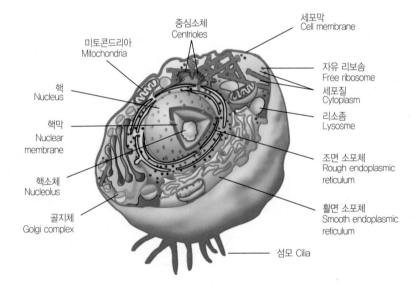

미토콘드리아 Mitochondria	중심소체 Centrioles
핵 Nucleus	세포막 Cell membrane
핵막 Nuclear membrane	자유 리보솜 Free ribosome
핵소체 Nucleolus	세포질 Cytoplasm
골지체 Golgi complex	리소좀 Lysosme
	조면 소포체 Rough endoplasmic reticulum
	활면 소포체 Smooth endoplasmic reticulum
	섬모 Cilia

---

1 1600년대 로버트 후크(Robert Hook)가 현미경으로 코르크 조각을 관찰하다 수도사의 작은 방과 닮은 구조를 관찰하고 세포(cell)라 불렀다.

1. 핵(Nucleus)

세포의 가장 중요한 중추로 세포분열, 성장 및 단백질 합성 등에 관여한다. 핵은 분열하는 세포에는 항상 있으며, 적혈구와 혈소판을 제외한 모든 세포에 존재한다.

> **TIP** 해부생리학의 정의
>
> - **해부학(anatomy)**
>   생명체의 구조나 형태를 연구하는 학문
> - **생리학(physiology)**
>   생명체의 작용이나 기능을 연구하는 학문

1) 핵막(Nuclear Membrane)

2중막이며, 핵공이 있어 세포질과의 물질교류가 이루어진다.

2) 핵소체(인, Nucleolus)

단백질과 rRNA가 결합한 구조이며, 막 구조를 가지지 않고 리보솜을 합성한다.

3) 염색질

과립 또는 가는 실 모양의 물질로 염기성단백질 및 DNA라 부르는 핵산이 들어있어 세포분열 시 염색체[1]를 만든다.

4) 핵산

핵산에는 DNA(디옥시리보핵산), RNA(리보핵산) 두 종류가 있다.

① DNA : 유전자 암호(유전정보를 담고 있음), 이중나선구조

② RNA : 유전 암호 해독체(유전자 암호를 받아 세포질에서 단백질 합성에 관여), 단일 사슬 구조(mRNA : 유전정보의 전달, tRNA : 아미노산 운반, rRNA : 리보솜의 구성성분)

---

1 주성분은 DNA와 단백질로, 세포분열을 할 때 비로소 그 모양이 나타나며 중심부가 이어진 두 개의 실 모양을 하고 있다. 인간의 염색체는 모두 23쌍이며, 그 중 22쌍은 상염색체이고 1쌍의 성염색체는 남여가 다른데, 남자는 XY, 여자는 XX이다.

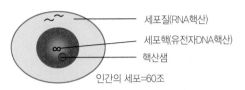

세포질(RNA핵산)
세포핵(유전자DNA핵산)
핵산샘

인간의 세포=60조

DNA: 디옥시리보핵산(Deoxyribo Nucleic Acid) : 인체의 설계도
RNA: 리보핵산(Ribo Nucleic Acid) : DNA의 명령을 받아 실제로 단백질 합성

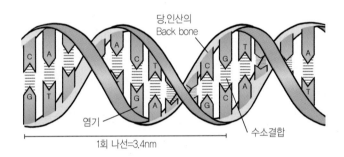

당,인산의
Back bone

염기

수소결합

1회 나선=3.4nm

2. 세포질(Cytoplasm)

세포에서 핵을 제외한 나머지 모든 부분으로, 세포의 성장과 생활에 필요한 수분, 영양물질, 효소, 세포소기관 등을 포함하고 있다.

1) 미토콘드리아(사립체, Mitochondria)

섭취된 음식물 중의 영양물질을 산화시켜(세포내호흡) 인체에 필요한 에너지 형태인 ATP[1]를 생성한다. 외막은 매끈하고 내막은 구불한(크리스타) 이중막으로 되어있다.

생물체, 조직의 타입에 따라서 세포 내 존재하는 미토콘드리아의 양은 다양하다. 단 하나의 미토콘드리아가 존재하는 세포가 있는 반면 수천 개의 미토콘드리아를 함유하는 세포도 존재한다.

---

1 '세포발전소'라고도 불리는 미토콘드리아에서는 생물이 직접 이용할 수 있는 에너지 형태인 ATP(아데노신삼인산, Adenosine Triphosphate)가 ADP + P로 변하면서 7.3kcal/mol의 에너지가 방출된다.

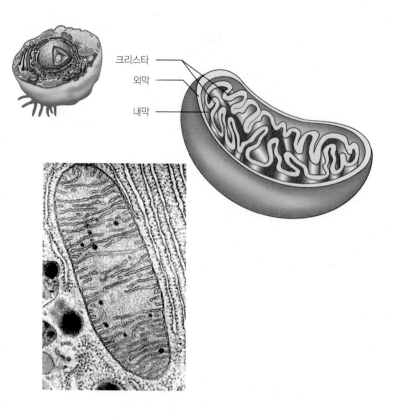

크리스타
외막
내막

[미토콘드리아]

뇌, 심장, 간, 근육에는 세포당 수천개가 존재하고, 비활동적인 지방세포에는 세포당 수백개가 존재한다.

2) 리보솜(Ribosome)

① RNA 유전정보에 따라 단백질 합성(효소 생성)이 일어나는 장소이다.
② 소포체(형질내세망)에 붙어있는 것과 자유롭게 떠다니는 것이 있다.

3) 소포체(형질내 세망, Endoplasmic Reticulum)

세포질 내에 있는 막들의 연결망으로 망상구조를 가지며 물질이동의 통로 역할을 한다.
막의 표면에 리보솜이 붙어 있는 것을 조면소포체(조면형질내세망), 리보솜이 붙어 있지

세포의 구성 및 작용 chapter 01

않은 것을 활면소포체(골면형질내세망)라 한다. 조면소포체에서는 리보솜에서 합성된 단백질이 운반되며 활면소포체에서는 지질, 스테로이드가 합성된다.

4) 골지체(Golgi Complex)

① 형질 내 세망의 일부가 떨어져 나와 생긴 것으로, 납작한 주머니가 여러 겹으로 포개진 구조이다.
② 형질 내 세망에서 생산된 지방 및 단백질복합체를 농축, 정제, 운송, 분비(방출) 기능이 있다.
③ 분비기능이 뛰어난 침샘, 위·창자분비세포 등에 발달해 있다.

5) 리소좀(용해소체 Lysosome)

구형의 주머니 모양으로, 가수분해 효소가 들어 있어 이물질 분해 및 세포 내 소화를 담당한다. 리소좀 막이 터지면서 작용하므로 '자살세포'라는 별명이 있다.

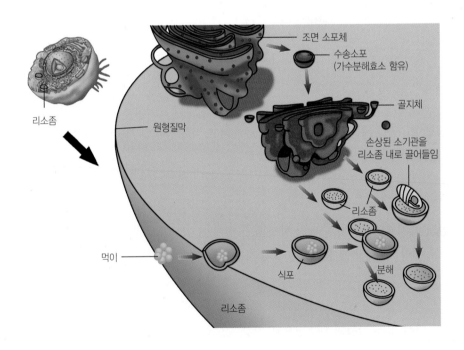

6) 중심체

2개의 중심립이 직각으로 배열되어 있으며, 세포 분열 시 양극으로 이동하여 성상체를 이룬 후 방추사를 형성한다.

3. 세포막(=원형질막, 선택적 투과막)

① 세포와 외부를 경계 짓는 막으로, 세포의 형태를 유지하고 선택적 투과성이 있어 세포 안팎으로의 물질 출입을 조절한다.
② 유동성이 있는 인지질 2중층에 단백질이 불규칙하게 분포한 유동 모자이크 막이다.
③ 인지질 2중층 + 단백질 + 탄수화물(당지질, 당단백질 형태로 존재)
④ 세포막은 보조없이 원형질막을 통과할 수 없으며, 단백질과 결합하여 세포안으로 들어가는 것을 촉진, 확산 한다.

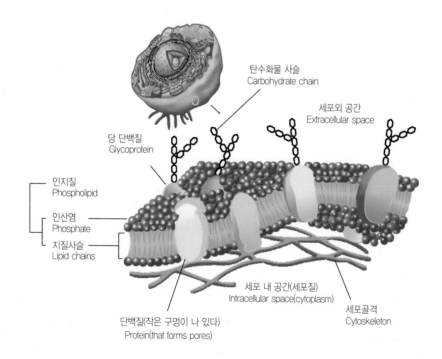

탄수화물 사슬
Carbohydrate chain

세포외 공간
Extracellular space

당 단백질
Glycoprotein

인지질
Phospholipid

인산염
Phosphate

지질사슬
Lipid chains

세포 내 공간(세포질)
Intracellular space(cytoplasm)

세포골격
Cytoskeleton

단백질(작은 구멍이 나 있다)
Protein(that forms pores)

TIP 세포막을 통과하는 물질의 이동

① **수동이동**

에너지의 공급 없이 일어나는 물리적인 이동을 말한다.

㉠ 확산 : 가장 일반적인 이동 방법으로, 고농도에서 저농도로 물질분자의 이동을 말한다.

예) 물에 잉크가 퍼지는 현상, 냄새가 퍼지는 현상, 고농도에서 저농도로의 물질 분자의 이동 등을 말한다.

㉡ 삼투 : 저농도에서 고농도로 이동하는 현상으로 용질은 통과하지 않고 용매가 반투막을 통하여 이동하는 것이다.

예) 김장배추절일 때 소금이 배추 속으로 들어가는 것이 아니라 배추속에 있는 수분이 밖으로 나오는 현상. 등장액(세포의 농도=용액의 농도, 세포의 부피는 변하지 않는다.), 고장액(세포의 농도 〈 용액의 농도, 세포는 수축한다.), 저장액(세포의 농도 〉 용액의 농도, 세포는 팽창하고 심하면 터져버리는 용혈 현상이 일어난다.)

㉢ 여과 : 높은 압력이 낮은 압력으로 이동하는 압력 경사(압력차)에 의해서 수분과 용해물질이 막을 통과하는 것이다.

예) 혈압에 의해 모세혈관 내 물질이 밖으로 빠져나가는 현상

② **능동이동**

수동이동과 달리 물질의 이동에 에너지가 필요한 것을 말한다.

예) $Na^+ - K^+$ 펌프(농도 경사에 역행하여 이동함), 식세포작용, 음세포작용, 토세포작용

Ⅱ 세포분열

생명체는 성장하고 또 자손을 만들어 내는데, 세포의 수를 늘려야 하며, 이를 위해 세포분열을 한다. 세포분열은 어미 세포가 두 개의 '딸세포'로 나뉘는 과정을 말한다.

세포분열은 세포분열시 방추사의 유무에 따라 무사분열과 유사분열로 나뉘며 유사분열은 다시 염색체수 변화에 따라 체세포분열과 감수분열로 나뉜다.

1. 무사 분열(amitosis)

세포분열 과정에서 방추사(絲)가 나타나지 않는(無) 분열을 무사분열이라 한다. 주로 단세포 생물 등에서 볼 수 있다.

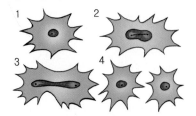

[무사분열]　　　　　　　　　[유사분열]

2. 유사분열(mitosis)

① 세포분열 과정에서 방추사(絲)가 나타나는(有) 분열을 유사분열 이라 한다.

② 인간의 염색체 숫자는 2n = 46으로써 23쌍의 유전자를 가진다. 이렇게 염색체가 둘 이상인 경우 분열시에 염색체가 적도면에 배열되고 방추사에 의해 양쪽으로 나뉘는 과정을 거치는데, 이렇게 염색체가 나타나고 방추사가 나타나는 세포분열을 유사분열이라 한다.

③ 유사분열은 모세포와 딸세포의 염색체 숫자 변화에 따라 다시 체세포분열과 감수분열로 나뉜다.

④ 유사분열의 4단계는 전기, 중기, 후기, 종기이다.

- 간기 : 휴지기로 분열을 하지 않는 시기이다.
- 전기 : 중심체가 둘로 나뉘고, 그들 사이에 방추사라는 가는 실 모양의 구조가 생긴다. 유사분열의 단계중 소요시간이 가장 길다.
- 중기 : 염색체가 세포의 적도면에 나열하여 방추체의 중앙에 정렬한다.
- 후기 : 염색체들이 좌우 똑같이 반쪽으로 갈라져 방추사에 의해 중심체 쪽으로 각각 끌려간다. 유사분열의 단계 중 소요시간이 가장 짧다.
- 종기 : 양극에 끌려간 염색체가 그 형태가 없어지고 핵막과 핵소체가 다시 형성되어 결국 2개의 세포가 생긴다. 유사분열의 소요시간은 약 1시간 정도이며 전기가 길고 후기가 가장 짧다.

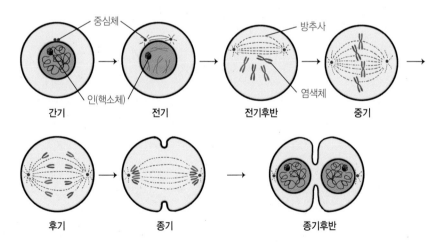

[유사분열의 4단계]

1) 체세포 분열

① 일반적으로 한 개체를 유지하기 위해 이루어지는 세포분열로, 모세포와 딸세포 사이의 유전자 갯수에 변화가 없다.

② 상처를 입었을때 회복되는 과정이나 피부가 각질의 형태로 잃어버리는 세포를 보충하는것, 머리카락이 자라는것, 키가 크고 체중이 늘어나는등 성장과정과 손상의 회복과정에서 보여지는 세포 분열은 모두 체세포 분열이다.

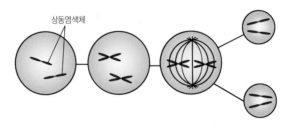

[체세포 분열]

2) 감수분열(meiosis)

① 주로 동물의 난자·정자, 식물의 화분·배낭모세포 등 생식세포 형성과정에서 일어나는 세포분열이다.

② 감수분열 과정은 체세포분열 과정과 같은 단계(전기→중기→후기→말기)를 거치나, 체세포분열과 달리 두 번 연속해서 분열(제1분열, 제2분열)하여 염색체수가 체세포의 반으로 줄어들고 4개의 딸세포가 형성된다.

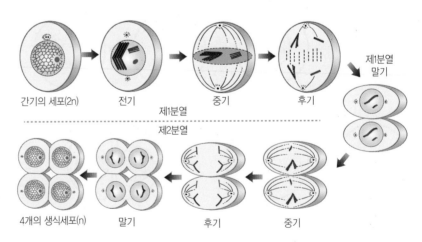

[생식세포 분열과정]

Ⅲ▶ 세포의 작용

물질의 합성, 분해에 의해 여러 가지 물질이나 에너지를 생성하고 노폐물을 제거함

1. 동화 작용(Anabolism)

저분자 물질을 고분자 물질로 합성하는 것으로, 세포의 성장과 생식을 위해 필요한 수분, 영양, 산소를 흡수하여 에너지를 축적하는 과정

2. 이화 작용(Catabolism)

고분자 물질을 저분자 물질로 분해하는 것으로, 근육의 사용, 소화 등과 같이 특별한 기능을 수행하기 위해 에너지를 소모하는 과정

Ⅳ▶ 인체 구조의 단계

세포 ⊂ 조직 ⊂ 기관 ⊂ 계통 ⊂ 개체

1. 세포(Cell)

생명체의 구조적, 기능적, 유전적 기본단위이다.

2. 조직(Tissue)

분화의 방향이 같고 구조가 비슷한 세포가 모여 상호 연관성을 맺은 세포집단이다.

1) 상피 조직

주로 외계와 접하고, 외부의 환경 변화에 대하여 강한 저항성을 가지도록 분화되어 있다.
보호기능(표피), 흡수기능(장의 점막), 분비기능(타액선, 한선, 피지선, 효소 분비)

① **단층 편평상피** : 한층의 납작한 모양의 세포

　　Ex 모세혈관, 모세림프관, 폐포 등

② **중층 편평상피** : 표층엔 편평상피가 배열되고 심층엔 다각형세포가 겹친 모양, 외계와 직접 접촉하는 부위

　　Ex 표피, 구강, 식도, 항문 등

③ **원주상피** : 폭보다 높이가 긴 원주형 모양의 세포집단

　　Ex 소화관, 난관, 자궁, 비강점막, 기관 등

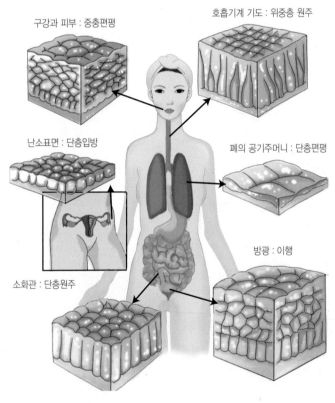

[인체구조]

④ **이행상피** : 여러층으로 배열되어 있으나 뇨(urine)의 충만도에 따라 세포 모양이나 두께 변화

　　Ex 신우, 요관, 방광, 요도의 내표면 등

2) 결합조직

① 4가지 기본조직 유형 중에 가장 많은 양을 차지하며 신체 전반에 걸쳐 넓게 분포된 조직이다.

② 신체일부를 연결하거나 지지, 보호, 지방저장 및 물질운반을 한다.

　　⒠ 치밀 및 성긴조직, 혈액 및 림프 등의 액상조직, 뼈와 연골, 인대, 건 등의 지지조직

3) 근육조직

신체나 기관의 운동을 담당하는 조직으로 수축성을 가진 근섬유라고하는 세포로 구성된다.

⒠ 골격근, 심장근, 내장근

4) 신경조직

① 신체내외에 가해지는 자극을 받아 몸의 일정한 곳으로 전달하는 정보전달 기능조직이다.

② 뉴런이라 부르는 신경세포와 이를 지탱하는 신경교질로 구성된다.

3. 기관(Organ)

조직이 모여 일정한 형태를 갖추고 일정한 기능과 활동을 수행하는 부분이다.

⒠ 구강, 인두, 식도, 위, 소장, 대장 등

4. 계(계통; Organ System)

기관이 모여 기능면에서 같은 일을 돕는 체계이다.

⒠ 골격계, 근육계, 내분비계, 비뇨기계, 소화계, 순환계, 생식기계, 신경계, 호흡기계 등

5. 개체(Individual)

기관계가 정연한 배치를 통하여 전체적인 조화와 통일을 이룬 독립적인 생명체이다.

골격계

POINT

해부생리에서 가장 출제빈도가 높은 부분은 근. 골격계이므로, 집중적으로 학습할 필요가 있다!!

Ⅰ 골격의 기능

① 지지기능 : 인체의 가장 기본적인 형태를 이루고 체중을 지지한다.

② 보호기능 : 신체 내부장기를 보호한다.

③ 운동기능 : 근육의 도움을 받아 인체를 움직이게 한다.

④ 저장기능 : 칼슘, 인과 같은 무기질 저장한다.

⑤ 조혈기능 : 적골수(Red Bone Marrow)에서 혈액세포를 생산한다.

TIP

골격의 기능은 지지, 보호, 운동, 저장, 조혈 기능이다.

Ⅱ 뼈(골)의 형성 및 발생

태아골격은 대부분 연골로 구성되나 성숙됨에 따라 점차 뼈와 연골로 대치된다.
골모세포가 골세포로 분화함으로써 골조직이 형성되는데 이 과정을 '골화'라 한다.
뼈의 성장에는 성장호르몬, 성호르몬, 갑상선호르몬, 비타민D 등이 관여한다.

① **뼈의 길이 성장** : 골단판(성장판)[1]에서 활발한 세포분열 의해 일어난다.

② **뼈의 부피 성장** : 뼈 바깥쪽에선 골아세포(뼈형성세포)가 안쪽에선 파골세포가 작용하여 부피는 성장하나 무게는 가볍게 만든다.

---

1 골단연골이라고도하며 이곳이 연골조직일 경우 성장호르몬의 영향을 받아 성장할 수 있으나, 골화(석회화)되면 더 이상 세포재생이 이루어지지 않아 성장이 멈추게 된다.

Ⅲ 뼈의 구조

골막, 골질, 골수강, 골단으로 이루어져 있으며 무기질(칼슘, 인) 45%, 유기질(대부분 콜라겐) 35%, 물 20%로 구성되어 있고 인체 조직 중 수분함량이 가장 적다.

1. 구조

1) 골 막
뼈의 가장 바깥을 덮는 질긴 섬유결합조직막, 뼈 보호 및 근육부착 장소 역할을 한다.

2) 골 조직(Osseous tissue)
뼈의 외층에 신경과 혈관의 통로인 하버스관과 볼크만관이 있는 치밀골, 골의 내부를 구성하는 해면골이 있다.

① **치밀골** : 뼈의 가장 바깥층, 신경과 혈관의 통로인 하버스관과 볼크만관이 존재한다.

② **해면골** : 골의 내부를 구성한다.

3) 골수강
뼈의 내층으로 골수가 차있는 공간이다.

① **적색골수** : 조혈기능이 있어 적혈구, 백혈구 등을 생성하는 골수

② **황색골수** : 지방으로 채워져 황색을 띠며 조혈기능이 없는 골수, 그러나 적색골수 부족 시에는 대체능력 있음

4) 골 단
① 장골의 양쪽 비대된 끝부위이다.(양쪽 골단의 사이를 골간이라 함)
② 해면골에 중첩하고 치밀골이 얇으며 뼈의 나이 판정에 이용된다.

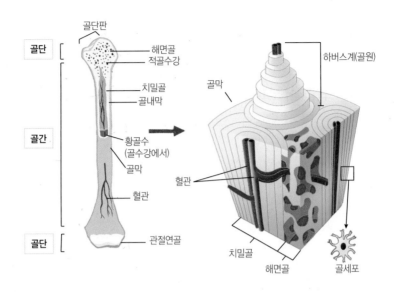

Ⅳ 뼈의 형태상 분류

① **장골** : 길이가 긴 뼈로 팔·다리에 주로 존재한다.

> Ex 대퇴골, 상완골, 요골, 척골, 경골, 비골

② **단골** : 짧은 뼈, 입방체의 형태로 손목·발목에 주로 존재한다.

> Ex 수근골, 족근골

③ **편평골** : 얇고 납작한 뼈를 말한다.

> Ex 견갑골, 늑골, 두개골 일부

④ **불규칙골** : 모양이 일정하지 않은 다양한 모양의 뼈이다.

> Ex 척추, 관골

⑤ **함기골** : 내면에 공간을 형성하여 공기를 함유하고 있는 뼈이다.

> Ex 전두골, 상악골, 사골, 접형골, 측두골

⑥ **종자골** : 씨앗모양의 작은 뼈로 힘줄에 매달려 있다.

> Ex 슬개골

Ⅴ 골격의 종류 및 구성

전신의 골격은 성인의 경우 206개로 구성되어 있으며, 두개골·척추·흉곽과 같이 체간에서 축을 이루는 뼈가 80개이고 상하지·어깨·골반을 구성하는 부속 뼈가 126개이다.

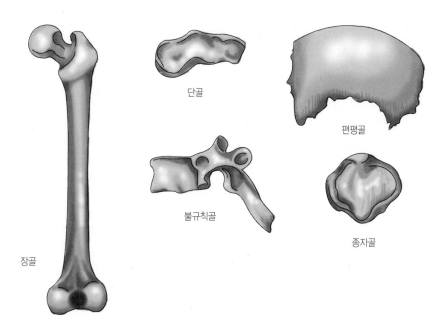

단골

편평골

불규칙골

종자골

장골

[뼈의 분류]

> **TIP**
>
> 인체는 출생 시 약 270여개의 뼈를 갖고 있으나 청년기를 지나면서 여러 뼈들이 서로 유합하여 개수가 줄어 성인이 되면 총 206개의 뼈가 된다.

골격계 chapter 02

성인 골격의 뼈(206개)

체간골격 (몸통뼈대, 80개)	두개골 (머리뼈, 22개)	뇌두개골 (뇌머리뼈, 8개)	전두골, 두정골, 측두골, 후두골, 접형골, 사골
		안면두개골 (얼굴머리뼈, 14개)	관골(광대뼈), 상악골, 하악골, 비골, 서골, 하비갑개골, 누골, 구개골
	이소골(귀속뼈, 6개)		망치뼈, 추골, 침골, 등자골, 등골
	설골(목뿔뼈, 1개 : 다른 뼈들과 직접 관절을 이루지 않는 유일한 뼈)		
	척추 (척주, 26개)	경추(목뼈, 7개)	
		흉추(등뼈, 12개)	
		요추(허리뼈, 5개)	
		천추(엉치뼈, 1개)	
		미추(꼬리뼈, 1개)	
	흉골(복장뼈, 1개)		
	늑골(갈비뼈, 24개)		
체지골격 (팔, 다리 뼈, 126개)	상지골 (팔뼈, 64개)	상지대(팔이음뼈, 4개)	쇄골, 견갑골
		자유상지골 (자유팔뼈, 60개)	상완골, 요골, 척골, 수근골, 중수골, 수지골
	하지골 (다리뼈, 62개)	하지대(다리이음뼈, 2개)	관골(장골, 좌골, 치골 통칭)
		자유하지골 (자유다리뼈, 60개)	대퇴골, 슬개골, 경골, 비골, 족근골, 중족골, 족지골

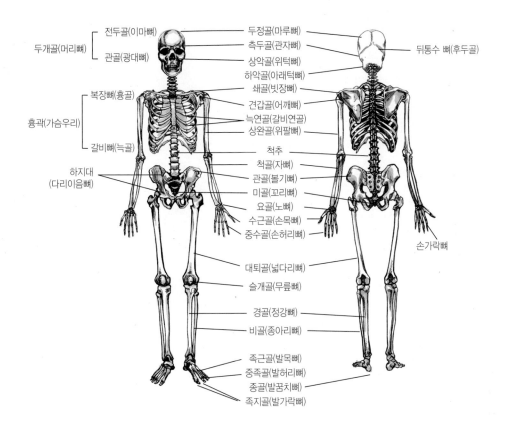

1. 뇌두개골

전두골, 두정골, 측두골, 후두골, 접형골(뇌하수체를 수용하는 나비모양뼈), 사골(가장 깊숙한 곳에 있는 십자 벌집모양뼈)

2. 안면두개골

관골(광대뼈), 상악골, 하악골, 비골(코뼈), 서골(코 중격의 쟁기모양뼈), 하비갑개골, 누골, 구개골(입천장뼈)

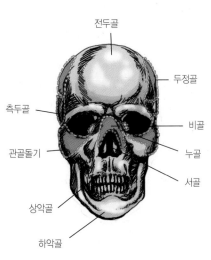

3. 척추

척추는 척추를 형성하는 뼈구조물로 위로는 머리를 받치고, 아래로는 골반과 연결되어 척수를 감싸 보호하고 있다.

보통 26개의 뼈로 경추 7개, 흉추 12개, 요추 5개, 천골 1개, 미골 1개로 구성된다. 경부, 흉부, 요부, 천부의 4개의 만곡이 있다.

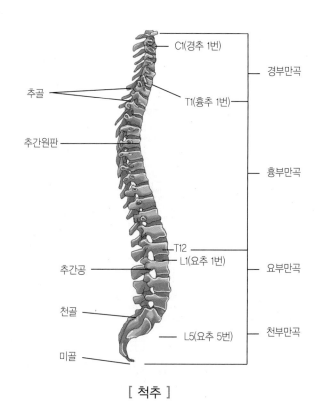

[척추]

4. 흉곽

가슴은 흉골과 늑골로 구성되며 척주의 흉추와 함께 흉곽을 형성한다.

① **흉골(복장뼈)** : 흉곽 안쪽 중앙의 가늘고 납작한 편평골로 조혈기능 있다.

② **늑골(갈비뼈)** : 좌우 12쌍의 긴 뼈로 늑골과 늑연골로 구분된다.

　참(진)늑골 : 제 1~7 늑골, 흉골과 직접 연결

　거짓(가)늑골 : 제 8~12 늑골, 흉골과 직접 연결되지 않음

　부유늑골 : 제 11~12 늑골, 흉추에만 연결됨

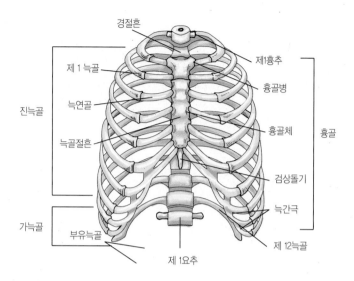

5. 상지골

① **상지대(팔이음뼈)** : 상지를 몸통에 결합시키는 쇄골, 견갑골

② **자유상지골(팔뼈)** : 상완골, 요골, 척골, 수근골(8개), 중수골(5개), 수지골(14개)

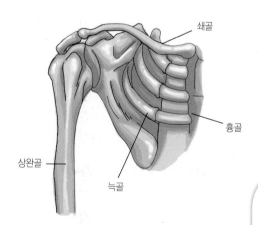

TIP

• 쇄골은 흉골과 견갑골을 연결시
  키는 뼈로 S자 모양으로 생겼다.
• 요골과 척골은 협력하여 하완을
  구성하는 뼈이다.

6. 하지골

1) 하지대(다리이음뼈) : 관골(장골, 좌골, 치골)

관골과 천골, 미골은 연결된 그릇 모양을 하고 있으며 골반이라 한다.

2) 자유하지골(다리뼈)

① 대퇴골(인체에서 가장 긴 뼈), 슬개골, 경골, 비골, 족근골(7개), 중족골(5개), 족지골(14개)
② 경골과 비골은 협력하여 하퇴를 구성하는 뼈이다.

TIP

• **관절**
2개 이상의 뼈가 연결된 부위, 뼈의 결합을 돕고 운동을 조절한다.
① 부동관절 : 섬유성관절(봉합, 인대결합), 연골관절
② 가동관절 : 평면관절, 경첩관절, 안장관절, 절구관절

• **연골**
골과 골 사이의 충격을 흡수하는 결합 조직

03 CHAPTER

근육계

I 근육의 형태 및 기능

1. 골격근(뼈대근, 수의근, 횡문근)

① 일반적으로 뼈에 붙어 있는 근육이다.
② 자의적으로 움직이고 통제될 수 있으므로 수의근이라 한다.
③ 가로무늬근(횡문근)으로 방추형 세포에 줄무늬가 배열되어 있다.
④ 움직임, 자세유지, 관절안정 기능이 있고, 혈액순환 및 열 생산 등에도 관여한다.

2. 내장근(평활근, 불수의근, 민무늬근)

① 내장기관과 혈관벽을 이루는 근육이다.
② 의도적으로 움직일 수 없는 불수의근으로 자율신경의 지배를 받는다.
③ 가로무늬가 없는 민무늬근이다.

3. 심장근(심근, 불수의근, 횡문근)

① 심장을 구성하는 근육으로 심근을 수축시켜 혈액을 혈관과 전신에 보내는 역할을 한다.
② 의지에 의해 통제될 수 없는 불수의근으로 자율신경의 지배를 받는다.
③ 가로무늬근(횡문근)으로 밝고 어두운 띠가 교대로 배열된 모양이다.

> **TIP**
>
> 내장근과 심장근은 대뇌의 지배를 받지 않고, 자율신경의 지배를 받아 신경이 끊어져도 자동적으로 움직일 수 있다.

세포의 형태	골격근	평활근	심장근
위치	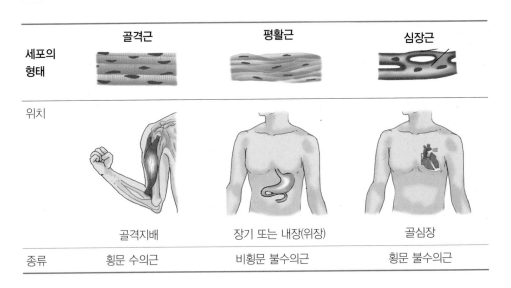		
	골격지배	장기 또는 내장(위장)	골심장
종류	횡문 수의근	비횡문 불수의근	횡문 불수의근

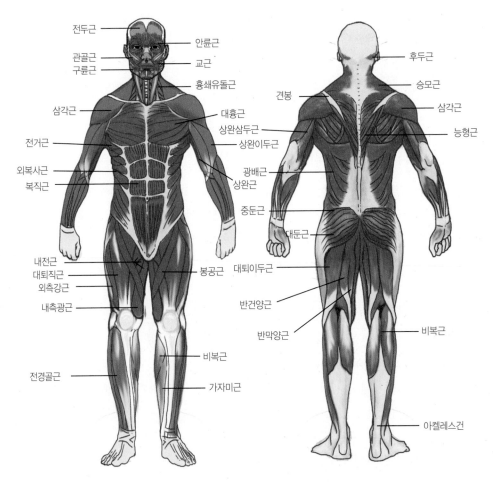

전두근
관골근
구륜근
삼각근
전거근
외복사근
복직근
내전근
대퇴직근
외측강근
내측광근
전경골근

안륜근
교근
흉쇄유돌근
대흉근
상완삼두근
상완이두근
광배근
상완근
봉공근
비복근
가자미근

후두근
승모근
삼각근
능형근
견봉
중둔근
대둔근
대퇴이두근
반건양근
반막양근
비복근
아켈레스건

TIP

- **근육의 생리**

  근세포가 자극을 받아 흥분을 일으킴으로써 근섬유가 수축하여 운동이 일어난다.

  〈근세포가 자극 → 흥분 → 자극전달 → 화학변화 → 근섬유 수축〉

  근 수축시 에너지원이 부족하거나 산소공급이 저조하면 젖산이 축적되고 근육의 피로현상이 온다.

- **근육의 구성**

  근원섬유(액틴, 마이오신) – 근섬유 – 근섬유 다발 – 근육

- **액틴(actin)과 마이오신(miocine)**

  액틴과 마이오신은 근 수축계의 기본을 이루는 화학 물질이다.

  근원섬유에는 액틴과 마이오신이라는 화학물질(단백질)이 겹쳐 가로무늬를 형성하는데, 이화학물질이 근수축에 관여한다.

---

1 근 수축의 모양에 따라 연축, 강축, 긴장, 강직으로 나누어진다.

 전신근육

1. 두부의 근

1) 안면근(표정근)

다수의 안면근은 피부의 연부조직과 얼굴의 다른 근육으로 직접 부착되어 있어 수축 시 관절 동보다는 얼굴의 피부운동을 주도하여 감정을 표현하는 데 관여하므로 표정근이라 한다.

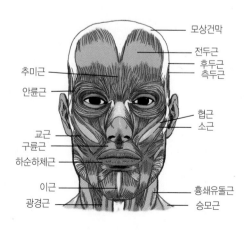

후두·전두근 (뒤통수 이마 힘살근)	모상건막(두개골 건막)에 부착되어 수축하면 눈썹이 올라가고 놀란 표정과 이마의 주름 형성
추미근(눈썹주름근)	전두근과 안륜근 밑에 위치하며 눈썹 사이에 수직으로 주름지게 함
안륜근(눈둘레근)	눈을 둘러싸고 있어 뜬 눈의 크기를 조절하는 둥근 모양의 괄약근, 눈을 감고 윙크하고 깜박거리는데 사용
관골(협골)근(광대근)	입의 가장자리에서 광대뼈까지 연결되며 웃거나 미소 지을 때 입술을 올림
협근(볼근)	수축 시에 입안의 음식물을 유지시키며 음료수나 젖을 빠는 데 사용되는 근육, 구륜근 내로 삽입되는 근육
구륜근(입둘레근)	입을 둘러싸고 있는 괄약근, 입을 다물거나 입술을 오므리는 데 사용
상순거근(윗입술올림근)	윗입술을 들어올려 싫은 표정을 나타낼 때 쓰이는 근육
이근(턱끝근)	턱 끝에 위치하고 아랫입술을 내밀어 불쾌한 표정을 나타내는 근육
하순하체근(아랫입술내림근)	구강을 하방으로 당기는 근육
소근	입꼬리를 외방으로 당겨 볼에 보조개 형성

2) 저작근

① 상악, 하악의 악관절에 작용하여 음식물을 씹는 데 관여하는 근육이라 한다.
② 인체 중에서 강한 근육이다.

> **TIP**
>
> 저작근은 씹는데 관여하는 근육으로서 교근(깨물근), 측두근(관자근), 내·외익돌근(가·안쪽 날개근)이다.

교근(깨물근)	측두골의 관골돌기에서 하악골까지 연결된 근육, 수축 시 측두근과 함께 작용하여 턱을 닫게 함
측두근(관자근)	측두골의 편평한 부위에서 하악골까지 연결되는 부채 모양의 근육, 교근의 협동근
외·내측익돌근 (가·안쪽날개근)	외측익돌근은 입 여는 것을 내측익돌근은 턱 닫는 것을 도움

2. 경부(목)의 근육

머리와 어깨 동작에 관여하고 기관의 동작에도 관여한다.

흉쇄유돌근(목빗근)	흉골과 쇄골에서 측두골의 유양돌기까지 연결되는 폭이 좁고 강한 근육. 목의 양쪽 근육 수축은 고개를 숙이게 하며 한쪽만 수축하면 머리를 반대방향으로 회전하게 함
광경근(넓은목근)	피부 바로 밑에 위치하며 목의 전면과 외측면에 넓게 퍼져있는 얇은 근육. 구각을 하방으로 당겨 슬픈 표정과 놀란 표정을 짓게 함

3. 흉부 근육

대흉근(큰가슴근)	전상부 흉벽을 감싸고 팔에 걸친 부채꼴 모양의 큰 근육. 팔이 가슴과 교차하여 내전과 굴곡하는 움직임에 관여함
소흉근(작은가슴근)	견갑골의 오훼돌기에서 견갑골을 당기는 기능
전거근(앞톱니근)	겨드랑이 아랫부위에 있는 흉벽 측면에 부착한 근육. 수레를 밀 때 처럼 견갑골을 전방으로 당기거나 팔 올리는 것에 관여함
늑간근(갈비사이근)	늑골 사이에 위치하는 근육. 외늑간근은 흡기 시에 내늑간근은 호기 시에 주로 작용함

> **TIP** 호흡근
>
> 호기(날숨)일 때 : 횡경막 이완, 내늑간근
> 흡기(들숨)일 때 : 횡경막 수축, 외늑간근

4. 복부 근육

복직근(배곧은근)	흉골부터 치골까지 연결되는 근육. 척추를 굴곡시키거나 허리를 구부리게 함
외복사근(배바깥빗근)	복부측벽을 구성하여 사선으로 작용
내복사근(배속빗근)	복부의 외측 벽에 위치하며 외복사근과 함께 작용하여 힘을 더해주는 근육
복횡근(배가로근)	복부근육의 가장 심부층에 있으며 내외복사근을 도와줌

근육계

chapter 03

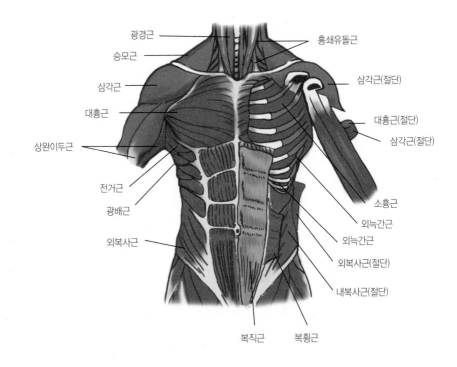

광경근
승모근
삼각근
대흉근
상완이두근
전거근
광배근
외복사근

흉쇄유돌근
삼각근(절단)
대흉근(절단)
삼각근(절단)
소흉근
외늑간근
외늑간근
외복사근(절단)
내복사근(절단)

복직근　　복횡근

5. 등 근육

승모근(등세모근)	목 후방과 어깨, 등 상부에 부착한 승모(마름모꼴) 모양으로 존재하는 넓은 근육. 머리 들어 하늘을 쳐다볼 때 어깨를 으쓱하거나 뒤로 당길 때 사용됨. 흉쇄유돌근(머리를 숙임)과는 반대로 작용하며 스트레스에 민감함
광배근(넓은등근)	등의 중하부에서 상완골까지 붙는 넓고 평평한 근육. 등 뒤로 팔을 들어올리거나 회전하는데 사용됨. 수영선수의 근육
척추기립근(척추세움근)	장늑근(엉덩갈비근), 최장근(가장긴근), 극근(가시근) : 척추를 지지하고 신전시키며 장늑근과 최장은 늑골에 부착되어 늑골을 하방으로 당기는 역할도 함
상후거근(위뒤톱니근)	늑골을 들어올리거나 숨을 들이쉴 때 사용됨
하후거근(아래뒤톱니근)	숨을 내쉴 때 사용됨

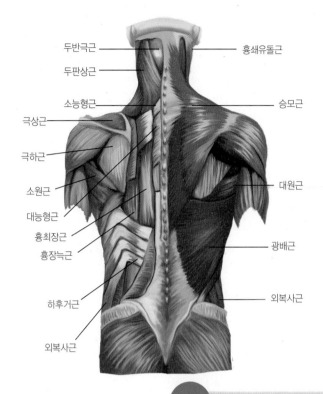

두반극근 ——————— 흉쇄유돌근

두판상근 ———

소능형근 ——— ——— 승모근

극상근 ———

극하근 ———

소원근 ——— ——— 대원근

대능형근 ———

흉최장근 ———

흉장늑근 ——— ——— 광배근

하후거근 ———

——— 외복사근

외복사근 ———

TIP

승모근은 기시부 두개골 저부이고, 쇄골, 견갑골에 부착하며 지배신경은 척수뿌리, 목신경이며 견갑골을 들어올리고, 뒤로 당기며, 내림

6. 상지의 근육

삼각근(어깨세모근)	견관절을 덮고 어깨의 둥근 부위를 형성하는 두꺼운 근육, 쇄골과 견갑골부터 상완골까지 연결, 수축 시 팔을 수평적 자세(허수아비 자세)로 들어 올려서 회전시킴, 상지의 근육주사 부위
극상근(가시위근), 극하근(가시아래근), 소원근(작은원근), 대원근(큰원근), 견갑하근(어깨밑근)	견갑골에서 상완골에 부착된 근육 그룹, 어깨 관절의 팔 회전
상완이두근(위팔두갈래근)	상완 전면의 근두가 2개인 근육, 전완을 굴곡시킴, 알통을 만드는 근육
상완삼두근(위팔세갈래근)	상완 후면부의 근두가 3개인 근육, 전완을 신전시킴, 상완이두근과 상완근의 길항작용을 함
상완근(위팔근)	상완이두근의 아래에 위치하며 상완이두근과 함께 전완을 굴곡시키는 근육

7. 하지의 근육

다리에 작용하는 근육들은 엉덩이, 무릎, 발의 관절에 운동을 일으킨다.

1) 대퇴를 움직이는 근육군

대둔근(큰볼기근)	엉덩이 모양을 만드는 큰 근육, 계단을 올라갈 때 똑바르게 세우거나 앉을 때 사용, 장요근과 길항하며 대퇴의 신전 및 외측회전을 함
중둔근(중간볼기근)	대퇴의 외전과 회전에 작용, 근육 주사의 부위
소둔근(작은볼기근)	작고 심층에 있는 둔근
장요근(엉덩허리근)	서혜부의 전면에 위치하는 근육, 수축 시 대퇴를 굴곡하고 둔근의 길항근으로 작용
내전근(모음근)	대퇴의 내측에 위치하는 근육, 말에 계속 타고 있기 위해서 기수가 사용하는 근육으로 장내전근, 단내전근, 대내전근, 박근으로 구성

2) 하퇴를 움직이는 근육군

① 하퇴를 움직이는 근육은 대퇴에 부착한다.
② 대퇴사두근, 봉공근, 슬굴곡근으로 구성된다.

대퇴사두근	대퇴의 전면과 외측면에 위치하는 머리가 네 개의 근육으로 외측광근(가쪽넓은근), 중간광근(중간넓은근), 내측광근(안쪽넓은근), 대퇴직근(넙다리곧은근)으로 구성된다. 대퇴의 굴곡과 신전을 주도하며 슬개건 반사 검사부위로 이용
봉공근(넓다리빗근)	인체에서 가장 긴 근육, 대퇴의 전면에 위치한 끈 같은 근육으로 비스듬한 방향으로 대퇴사두근 위를 통과하고 다리를 회전시킴, 다리를 교차해서 양반다리로 앉을 수 있게 함
슬건근	허벅지 뒤쪽에 있는 대퇴이두근(넓다리두갈래근), 반막양근(반막모양근), 반건양근(반힘줄모양근) 좌골(골반뼈)로부터 경골까지 연결되며 하퇴를 구부릴 수 있게 함. 대퇴사두근의 길항근

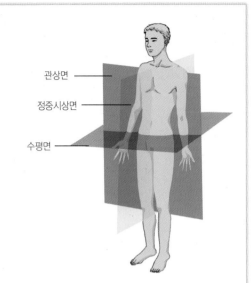

용어정리

- 해부학적 자세 : 사람이 곧게 바로 선 상태에서 얼굴과 눈은 앞으로 향하고 양팔을 내려 손바닥이 앞을 향하며 양다리는 약간 벌려 발끝이 앞을 향하도록 서있는 자세
- 시상면 : 신체를 좌우로 나누는 면, 좌우 똑같이 나눈면을 정중시상면이라 함
- 관상면(전두면) : 신체를 앞뒤로 나누는 면
- 수평면(횡단면) : 신체를 수평으로 나누는 면

관상면

정중시상면

수평면

[해부학적 자세와 각종 절단면]

- 골격근에 따른 명칭 – 연축(Twitch) : 단일수축, 순간적인 자극으로 근육이 오그라들었다가 이완 되어 되돌아가는 1회의 과정

- 근수축반응
  - 강축(Tetanus) : 근육에 계속해서 2번 이상 자극을 줄 때 나타나는 큰 수축현상
  - 긴장(Tonus) : 근육이 부분적으로 수축을 지속하고 있는 상태
  - 강직(Contraction) : 뻣뻣하게 굳어서 움직일 수 없게 된 상태

- 건(Tendon) : 힘줄, 골막에 붙어 뼈에 근육을 부착하는 부분
- 근막 : 근육을 둘러싸고 있는 막, 인접근육과 분리
- 기시(Origin) : 근 수축 시 고정되는 쪽으로 근의 머리(근두)가 부착되는 점
- 정지(Insertion) : 근 수축시 움직이는 곳으로 근의 꼬리(근미)가 부착되는 점

- 골격근 기능에 따른 명칭
  - 주동근 : 운동 시 주된 역할을 하는 근육
  - 협력근 : 운동 시 주동근을 돕는 근육
  - 길항근 : 운동 시 반대의 작용을 하는 근육, 관절을 일정 각도에서 멈춰 힘을 발생시키거나 운동이 정밀해지도록 함
  - 신근(항중력근) : 중력에 저항하여 자세를 유지하는데 작용하는 근육
  - 굴근 : 굽힐때 사용되는 근육

- 인체의 방향에 관한 용어
  - 내측(Medial)과 외측(Lateial): 신체의 정중면에서 가까운 위치와 먼위치
  - 전측(Anterior)과 후측(Posterior) : 신체의 전면과 후면
  - 근위(Proximal)와 원위(Digital) ; 신체의 중심에서 가까운 위치와 먼 위치
  - 상방(Superior)과 하방(inferior) : 기립자세에서 신체의 머리쪽과 발쪽
  - 천부(Superficial)와 심부(Deep) : 신체의 표면에 가까운 위치와 깊은 위치

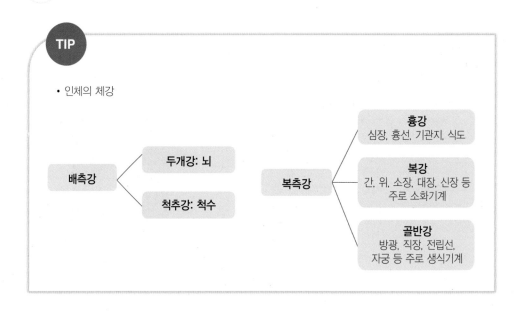

・인체의 체강

3) 족관절과 발을 움직이는 근육군

발의 근육은 하퇴의 전면, 외측면, 후면에 위치한다.

전경골근(앞정강근)	하퇴전면에 부착하며 발의 배굴을 일으키는 근육
비복근(장딴지근)	하퇴후면에 종아리 근육을 형성하며 족저굴곡시키는 근육, 발끝으로 서 있을 수 있게 함
가자미근	하퇴후면에 부착하여 발을 족저굴곡시키는 근육
장비골근(긴종아리근)	하퇴의 외측면에 부착하여 족저굴곡, 족저궁을 지지하는 근육

04 CHAPTER
신경계

▶ 신경계의 기능

1. 감각기능

감각신경은 인체 내부와 외부 환경으로부터 자극을 받았을 때 감각기로부터 받아들인 자극을 중추신경계로 전달한다.

Ex 감각뉴런

2. 운동기능

중추신경계의 명령을 반응기로 전달하여 근육을 수축 또는 이완하게 한다.

Ex 운동뉴런

3. 통합기능

중추 신경계를 구성하며 감각 뉴런과 운동뉴런 사이를 연결하여 한 기관이나 다른 부분의 기관과의 조화를 조절하는 기능을 말한다.

Ex 연합뉴런

Ⅱ ▶ 신경조직의 구성

1. 신경원(Neuron, 뉴런)

① 신경전달의 구조적, 기능적 최소 단위
② 수상돌기, 세포체, 축삭으로 구분되어 있다.

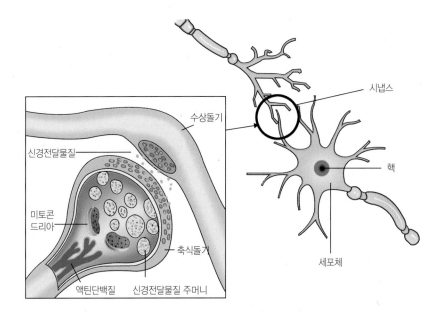

1) 수상돌기
다른 뉴런으로부터 자극을 받아들인다.

2) 신경세포체
핵과 세포물질이 있다.

3) 축삭(축색돌기)
다른 뉴런이나 반응기에 자극을 전달한다. 축삭을 확대하면 3가지 독특한 구조가 있는데 수초, 슈반세포, 랑비에르 결절이다.

① **수초(Myelin)**[1] : 축삭을 싸고있는 특유한 지방체로 축삭을 보호하고 절연시킨다.

② **슈반세포(Schwann Cells)** : 말초신경에서 축삭을 둘러싸고 있으며 슈반세포의 세포질과 핵은 수초 바깥쪽에 놓이는데 이를 신경초(neurilemna)라 하며 신경초는 신경이 손상되었을 때 신경재생에 중요한 역할을 한다.

③ **랑비에르결절(Node of Ranvier)** : 수초에 의해 덮여서 있지 않은 축삭의 부분이다.

4) 시냅스(Synapse) : 연접

뉴런과 뉴런의 접속부위, 축삭종말과 정보를 받는 세포의 결합을 연접이라고 한다.

- **신경전달물질** : 아세틸콜린, 노르에피네프린, 에피네프린, 세로토닌, 엔돌핀

2. 신경교(neuroglia) 또는 교세포(gilial cells)

① 중추신경계 내에 위치하는 가장 풍부한 신경세포로 신경접착제 역할을 한다.

② 뉴런의 지지, 보호, 분리, 양육하며 일반적으로 민감한 신경원을 보호하는 역할을 하나 신경자극을 전도하지는 않는다.

1 　뉴런의 축색돌기는 수초라는 지방성분의 절연체 물질로 둘러싸여진 유수뉴런과 그렇지 않은 무수뉴런으로 나누어진다. 유수뉴런은 도약 전도를 해서 자극의 전도 속도가 매우 빠르며, 무수뉴런은 도약전도를 하지 못해 전송속도가 느리다.

Ⅲ 신경계의 구성

사람의 신경계는 크게 뇌와 척수로 구성되는 중추신경계와 우리 몸 전체에 분포하는 말초 신경계로 구성되어 있다.

1. 중추신경계(CNS : Central Nervous System)

1) 뇌

① 뇌의 무게는 체중의 약 2.5%이나 뇌에 흐르는 혈액의 양은 약 20%, 산소 소비량은 20~25%이다.

② 뇌는 기능상 감각령(시각, 후각, 미각, 청각, 피부 감각의 중추)과 운동령(팔, 다리, 머리, 몸통 등의 운동중추) 그리고 연합령(정신작용과 조건반사의 중추)으로 구성되어 있다.

구 분	기 능
대뇌	감각, 수의운동(의지대로 움직일 수 있는 운동)의 중추, 고등 정신 활동(추리, 판단, 기억, 감정)의 중추
소뇌	수의 운동 조절, 반고리관 또는 전정기관의 정보를 받아 균형 유지
간뇌	시상 : 전신의 감각을 중계히는 역할을 한다. 시상하부 : 생리조절 중추, 체온, 혈당량(식욕조절), 삼투압 등의 항상성 조절, 성행동조절, 감정 조절, 호르몬 분비 송과체 : 생물학적 시계역할
중뇌	안구운동과 홍채 작용(동공반사) 조절
연수	신경교차, 심장, 호흡, 소화 작용의 중추, 연수반사(하품, 재채기, 구토)의 중추

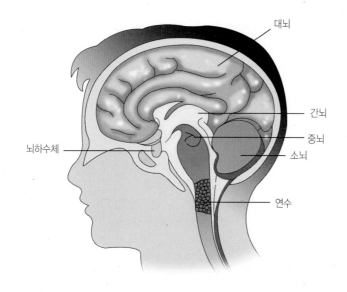

2) 척수

① 척수는 뇌와 말초 신경 사이에 흥분을 전달하는 통로이다.

② 척수의 기능

   ㉠ 감각신경로 : 척수의 등쪽에 있는 통로(후근)를 통해 연결

   ㉡ 운동신경로 : 배쪽의 통로(전근)를 통해 척수와 연결

> **TIP** 중추신경계 보호체계
>
> 중추신경계 조직은 매우 민감하고 손상을 입을 경우 회복이 어려우므로 뼈, 수막, 뇌척수액, 뇌혈관장벽들로 이루어진 보호체계를 가지고 있다.
> 뼈(두개골과 척수) → 경막 → 지주막 → 지주막하강(뇌척수액) → 연막

ⓒ 반사중추 : 척수 반사(배변, 배뇨, 무릎반사)의 중추

③ 뇌에 연락하지 않고, 감각뉴런과 운동뉴런 사이의 시냅스 반사를 일으킨다.

2. 말초신경계(PNS : Peripheral Nervous System)

1) 체성신경계

대뇌의 자극을 받아 우리가 의식할 수 있는 자극과 반응에 관여하는 신경계로 감각기가 수용한 자극을 중추 신경으로 보내고 중추 신경의 명령을 근육 등의 반응기로 보내는 역할을 한다.

① 운동신경과 감각신경이 쌍으로 존재한다.

② 12쌍의 뇌신경과 31쌍의 척수 신경으로 구성된다.

구분	기능
뇌신경 (12쌍)	뇌에서 시작하여 주로 얼굴, 목 부위에 연결된 신경 다발 • 후각신경(제1뇌신경) : 후각 • 시각신경(제2뇌신경) : 시각 • 동안신경(제3뇌신경) : 안구운동, 동공수축 • 활차신경(제4뇌신경) : 안구의 후하방운동 • 3차신경(제5뇌신경) : 뇌신경 중 가장 큼, 안면의 피부와 저작근에 존재하는 감각신경과 운동신경의 혼합신경, 각막의 지각, 누선, 상순, 윗니, 아랫니, 인두, 혀의 지각, 저작운동 • 외선신경(제6뇌신경) : 안구의 외측운동 • 안면신경(제7뇌신경) : 얼굴의 표정근을 지배하는 운동신경과 맛지각(혀의 앞쪽 2/3)하는 감각신경으로 이루어진 혼합신경, 타액분비, 누선분비, 안면근육운동(표정) • 전정와우신경(제8뇌신경) : 청각, 평형감각 • 설인신경(제9뇌신경) : 혀의 맛 감각, 연하, 타액분비조절 • 미주신경(제10뇌신경) : 연수에서 나와 흉부와 복부로 내려가며 퍼져있는 머리를 벗어난 유일한 뇌신경, 운동, 감각 및 부교감신경이 혼합된 혼합신경, 연하, 가스교환, 혈압조절, 장내반사 • 부신경(제11뇌신경) : 발성, 두부운동, 어깨운동 • 설하신경(제12뇌신경) : 대화나 연하시 혀 운동
척수신경 (31쌍)	척수에서 시작하여 온 몸 각 부위에 연결된 신경 다발 경신경 8쌍, 흉신경 12쌍, 요신경 5쌍, 천골신경 5쌍, 미골신경 1쌍

2) 자율신경계

대뇌의 지배를 받지 않고 우리 몸의 기능을 자율적으로 조절하며, 최고 중추는 간뇌이다.

① 중뇌, 연수, 척수의 조절을 받으며 운동신경으로만 구성되어 있고, 교감신경과 부교감
   신경으로 구성되어 있다.

② 보통 하나의 기관에 교감신경, 부교감신경이 이중으로 분포하여 길항적으로 작용

③ 소화기에는 부교감신경, 스트레스에 대해서는 교감신경이 우위

  ㉠ 교감신경 : 활동신경 → 아드레날린, 노르아드레날린 분비

  ㉡ 부교감신경 : 휴식신경 → 아세틸콜린 분비

구분	동공	심장박동	혈관	혈압	소화운동	입모근	방광	땀분비
교감신경	확대	촉진	수축	상승	억제	수축	이완	촉진
부교감신경	축소	저하	이완	하강	촉진	반응없음	수축	반응없음

---

1   체성신경계의 대부분은 대뇌가 관여하는 의식적인 자극의 이동통로이지만 모두 그런 것은 아니다. 미주 신경
    은 자율신경으로 심장, 소화기관 등에 분포한다.

순환계

순환계에는 산소와 영양분을 공급하고, 이산화탄소와 노폐물을 체외로 배설하기 위한 운반 시스템으로 심장 혈관계와 림프계로 구성된다.

- **심장혈관계** : 심장, 혈관, 혈액
- **림프계** : 림프관, 림프절, 림프액

Ⅰ 심장혈관계

1. 심장

심장은 흉강 중앙에 위치하며 성인의 경우 무게가 약 250~350g 정도이고, 자신의 주먹만한 크기의 근육기관으로 4개의 공간으로 나누어져 있다.

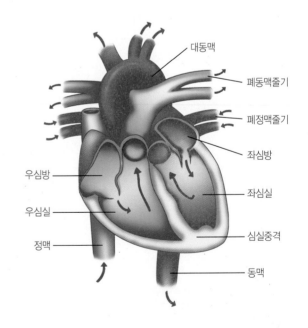

1) 구성

① 위에 위치한 두 개의 공간을 심방, 아래에 위치한 두 개의 공간을 심실이라 하며 각각 좌우로 구분

② 심방과 심실 사이는 혈액역류방지를 위해 판막이 존재함(삼첨판, 이첨판, 폐동맥판막, 대동맥 판막)

③ 관상동맥 : 심장에 독자적인 혈관으로 심장 자체에 영양을 공급한다.

④ 심실은 주로 동맥을 통해 영양분과 산소를 다른 장기로 보내주는 역할을 하기 때문에 심방보다는 두꺼운 근육층으로 되어 있다.

2) 기능

① 인체의 각 혈관을 통해 혈액을 보내 영양분과 산소를 공급

② 두 개의 펌프기능으로 정맥피와 동맥피가 섞이는 일 없이 체순환과 폐순환이 일어남
   → 분당 70회 정도 박동

③ 정상혈압 : 120/80mmHg(수축기혈압/이완기혈압)

④ 심장박동의 중추는 연수이며 자율신경이 심장의 활동을 조절함

2. 혈액

① 혈액은 약 80%의 수분을 포함하며 대략 비중 1.06, pH 7.4 정도이다.

② 혈액은 성인의 경우 체중의 8% 가량을 차지하며 약 4~6ℓ 정도이다.

1) 혈액의 기능

① 운반기능
   ㉠ 소화관에서 흡수된 영양소나 대사산물 및 폐에서 받아들인 산소가스를 온몸에 운반
   ㉡ 내분비기관에 합성된 호르몬을 표적기관에 운반
   ㉢ 세포로부터 나온 노폐물을 배설기관으로 운반

② **조절기능** : 전신을 돌며 수분, 체온, 채액의 pH 등을 조절한다.

③ **보호기능** : 면역 및 식균작용(감마글로불린항체/백혈구), 지혈작용(혈소판)을 한다.

2) 혈액의 구성

약 55%의 혈장과 약 45%의 혈구(적혈구, 백혈구, 혈소판) 성분으로 이루어진다.

① 혈장 : 혈액에서 혈구성분(적혈구, 백혈구, 혈소판)을 제외한 액체로 수분 90%, 혈장단백질 7%, 포도당, 지방, 무기염류 등을 포함하며 담황색을 띈다.

> **TIP**
>
> 혈장기능 장애시 혈우병이 나타난다.

혈장단백질은 알부민, 글로불린, 피브리노겐으로 구성된다.

- ㉠ 알부민(Albumin) : 혈장단백 가운데 가장 많은 양, 혈액의 교질삼투압 유지에 필요
- ㉡ 글로불린(Globulin) : γ-글로불린은 면역작용
- ㉢ 피브리노겐(Fibrinogen) : 혈액응고작용

② 혈구성분 : 혈액 내에는 적혈구 〉 혈소판 〉 백혈구의 순으로 많다.

구분	적혈구	혈소판	백혈구
형태	가운데가 오목한 원반형의 무핵세포	혈구세포 중 가장 작은 불규칙모양의 무핵세포	적혈구보다 약간 큰 구형 또는 부정형의 유핵세포 * 과립백혈구(중성구, 산성구, 염기성구)와 무과립백혈구(단핵구, 임파구)로 나뉨
생성	적골수(출생 후의 경우임)	적골수(거핵세포의 파편)	과립백혈구는 적골수, 무과립백혈구는 임파조직(일부는 골수)에서 만들어짐
수명	약 120일	약 5~10일	약 3~4일
기능	적혈구 세포질 내부의 헤모글로빈이 산소와 결합하여 산소를 운반함	혈액응고 및 지혈(트롬보플라스틴을 생성시켜 혈장 내 혈액응고인자 동원)	외부로부터 침입한 세균 등을 세포 내로 끌여 들여 섭식함
소멸	간, 골수, 비장, 임파절에 있는 망상 내피계에서 식작용으로 파괴됨	알려진바 없음	파괴되거나 죽은 백혈구는 거식구에 의해 해리됨

> **TIP**
> 혈액응고
>
> • 피브린 : 혈장속의 피브리노겐에 효소 트롬빈이 작용하여 생기는 불용성 단백질이며, 섬유상을 이루고 있다.
> • 프로트롬빈 : 혈액 응고에 관여하는 효소로 트롬보겐이라고 하며, 간에서 비타민K의 작용으로 생성
> • 칼슘이온 : 혈장속에 항상 존재하며, 상처나 출혈시 혈액응고 촉진 작용을 한다.

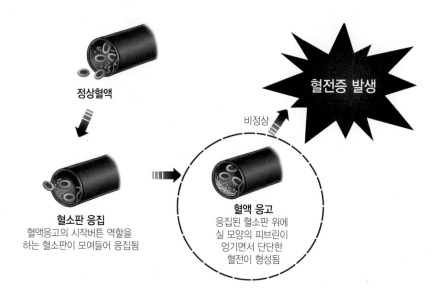

정상혈액

혈소판 응집
혈액응고의 시작버튼 역할을
하는 혈소판이 모여들어 응집됨

비정상

혈전증 발생

혈액 응고
응집된 혈소판 위에
실 모양의 피브린이
엉기면서 단단한
혈전이 형성됨

[출혈 시 혈액 응고 기전(지혈과정)]

a. 혈관수축 : 초기에 혈관은 수축하여 손상된 부위로 혈액이 흐르는 것을 막는다. 하지만 이정도로는 지혈이 되지 않는다. b. 1차 지혈 : 혈소판의 부착 및 응집. 혈관벽이 손상 받으면 내피 밑층이 노출되고, 혈소판이 혈관의 아교질(collagen)에 부착하며, 활성화 되어 여러 물질을 분비하고, 주변의 혈소판들을 결합하게 하여 혈소판마개(platelet plug)를 형성함. c. 2차 지혈과정 : 응집된 혈소판에 피브린이 엉기면서 혈전 형성. 혈관벽이 손상을 받아 혈관 내피세포에 조직인자가 발현되면 혈관내의 인자와 급속히 결합하여 혈액응고 인자가 활성화가 시작되고 결국 피브리노겐(fibrinogen)이 섬유소(fibrin)로 활성화. 혈소판마개(Platelet plug)와 섬유소가 엉겨 지혈마개(hemostatic plug)가 형성되어 완전한 지혈이 이루어짐.

3. 혈관

혈액을 운반하는 통로로서 크게 동맥, 정맥, 모세혈관으로 구분한다.

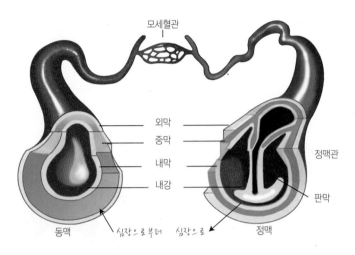

[동맥, 모세혈관, 정맥의 흐름과 단층 구조]

구분	동맥	정맥	모세혈관
구조	외막, 중막, 내막의 3층 : 심장이 박동할 때 압력을 극복할 정도의 두꺼운 근육층과 탄성이 큰 조직으로 되어있음	외막, 중막, 내막의 3층 : 동맥에 비해 얇은 근내층과 탄력이 적은 조직으로 되어있음	단층 내피세포 : 세동맥과 세정맥을 연결하는 그물모양의 얇고 가는 혈관
특징	각 조직에 산소가 풍부한 혈액을 공급(단, 폐동맥 제외)	몸의 각부분의 혈액을 모아 심장으로 보내는 역할–혈압이 동맥에 비해 훨씬 낮음 –외부의 작용으로 폐쇄되기 쉬움	조직 사이에서 산소와 영양을 공급하고 이산화탄소와 대사 노폐물의 교환이 실제로 이뤄지는 장소
판막유무	X	O(혈액 역류 방지)	X

4. 혈액순환

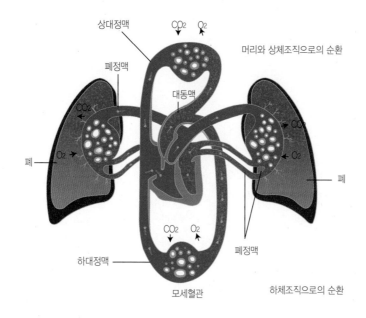

상대정맥
폐정맥
대동맥
폐
하대정맥
모세혈관
CO_2 O_2
머리와 상체조직으로의 순환
CO_2
O_2
CO_2
O_2
폐
폐정맥
CO_2 O_2
하체조직으로의 순환

[혈액순환계의 구성]

1) 체순환

좌심실 → 대동맥 → 온몸(세동맥-모세동맥-모세정맥-세정맥) → 대정맥 → 우심방

① 대순환이라고도 하며 좌심실의 수축력을 그 원동력으로 함
② 체순환은 폐순환의 결과로 들어온 산소가 많은 혈액을 온몸으로 보내는 역할이다.
③ 좌심실에서 대동맥을 통해 나간 혈액이 전신을 순환하며 각 조직에 산소와 영양분을 공급하고 이산화탄소와 노폐물을 받아 대정맥을 통해 우심방으로 들어오는 순환이다.

2) 폐순환

우심실 → 폐동맥 → 폐(가스교환) → 폐정맥 → 좌심방

TIP

• **태아순환**
모체의 자궁벽에 부착된 태반이 탯줄(Umbilical Cord)에 의해 태아와 연결되어 영양분과 산소를 공급하고 노폐물을 모체의 배설기관을 통해 배출함

• **하지정맥류**
혈액순환 이상으로 피부 밑에 형성되는 검푸른 상태를 하지정맥류라 한다.

① 소순환이라고도 하며 우심실의 수축력으로 혈액을 폐로 보내는 순환

② 체순환을 마친 혈액을 우심실에서 폐로 보내 폐포를 통해 이산화탄소와 산소를 교환한 후 좌심방으로 돌아오는 과정

Ⅱ 림프계

① 림프계는 조직액을 혈액순환으로 운반하는 보조계로서 순환계의 일부이다.

② 림프계는 세포 주변에 존재하는 과도한 물과 단백질, 지방, 죽은 세포 등을 흡수하여 혈관계 안으로 돌려주는 역할과 지용성 영양분의 흡수, 림프구의 활동을 도와 감염으로부터 조직을 보호하는 역할을 한다.

> **TIP** 림프계의 역할
>
> • 노폐물 배출(과도한 물과, 단백질, 지방, 죽은세포 흡수)
> • 지용성 영양분 흡수
> • 면역기능(림프구의 활동을 도와 감염으로부터 조직을 보호함)

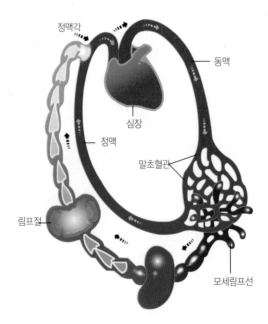

[혈관의 흐름과 림프의 흐름]

1. 림프액(Lymph)

① 림프는 물, 전해질, 대사물, 단백질을 포함한 맑은 액체이다.

② 림프는 혈액과 같이 심장 박동에 의해 흐르지 않고 골격근의 수축, 흉곽운동, 림프관 내의 평활근수축에 의해 흐른다.

③ 림프액은 모세림프관 – 수집림프관 – 림프절 – 림프본관 – 정맥의 순서로 이동한다.

TIP

림프 본관과 심장 주변 정맥과 만나는 부분이 림프액의 최종목적지이며, 이곳을 터미너스(Termimus)라 한다.

2. 림프관

① 림프관은 모세혈관, 정맥과 구조와 분포가 비슷하다.

② 모세림프관의 큰 구멍으로 조직으로부터 체액과 단백질이 흡수된다.

③ 수집림프관에는 판막이 있어 림프액의 역류를 막는다.

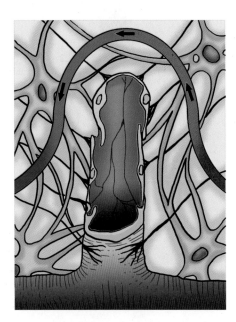

[모세림프관의 내피세포]

림프관 밖에 조직액이 많아지면서 압력이 높아지면 필라멘트가 내피세포를 잡아당겨 조직액이 유입

3. 림프절

① 1~30mm정도의 콩알모양을 한 구조물로서 전신에 산재해 있으며 머리와 목, 겨드랑이,
  서혜부, 복부, 골반, 가슴에 많이 분포(500~1,500개 림프절 존재)
② 식균작용, 림프구 생산 등의 면역기능
③ 림프액 농축 기능(40%까지 농축 가능), 여과·식균작용 이외의 림프기관은 편도, 흉선,
  비장 등이 있다.

4. 림프순환

① 오른쪽 머리와 오른쪽 상체에서 모인 림프액 : 우측림프관 → 우측쇄골하정맥
② 나머지 전신에서 모인 림프액 : 흉관 → 좌측 쇄골 하정맥

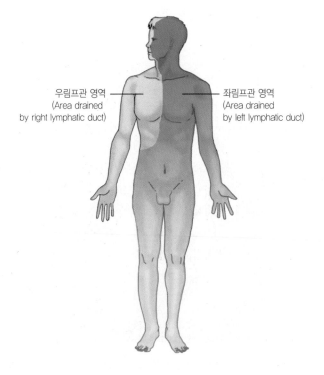

우림프관 영역
(Area drained
by right lymphatic duct)

좌림프관 영역
(Area drained
by left lymphatic duct)

[좌우 림프관의 영역]

소화기계

I 소화

1. 소화의 정의

음식물 속에 들어 있는 영양소를 우리 몸이 흡수할 수 있을 정도의 작은 크기로 분해하는 과정이다.

2. 소화의 종류

① **기계적 소화(물리변화)** : 크기 감소 + 이동 + 혼합(소화효소가 관여하지 않는다)

② **화학적 소화(화학변화)** : 소화효소의 가수분해 작용으로 고분자 영양소가 저분자 영양소로 되는 과정

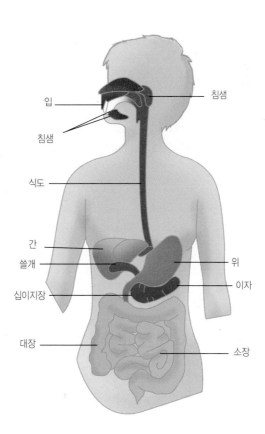

Ⅱ 소화과정

1. 입에서의 소화(체온범위, pH 7)

음식물이 입 안에 들어오면 반사적으로 침샘에서 침을 분비하며, 침 속에는 아밀라아제라는 소화 효소가 들어 있어 녹말을 엿당과 덱스트린으로 분해한다.

① **저작** : 입안으로 들어온 음식물이 잘게 부서져 침과 섞이는 과정이다.

② **연하** : 입안에서 저작된 음식물 덩어리가 인두에서 식도로 내려가는 삼키는 과정을 말한다.

2. 위에서의 소화(체온범위, pH 2)

1) 위의 구조

① 간과 횡격막 바로 아래에 위치한 주머니 모양의 기관이다.
② 분문부, 위저, 위체, 유문부의 네 부분으로 나뉘어 진다.

2) 위액 성분

① 염산(Hcl) : 위산, 위 내부를 pH 2로 만들어 주며, 펩시노겐을 활성화, 부패 방지(살균)
② 펩시노겐 : 펩신으로 활성화 되어 단백질을 소화시킨다.
③ 뮤신(점액) : 위벽을 보호하는 물질

3. 소장에서의 소화(체온범위, pH 8)

1) 구조 및 기능

① 약 6~7m에 이르는 길이가 긴 구조로, 십이지장(소장의 첫 번째 구역으로 약 25㎝), 공

장(소장의 두 번째 구역으로 약 2.4m), 회장(소장의 세 번째 구역으로 약 3.6m)으로 이루어져 있다.

② 영양소의 주흡수가 일어나는 곳이다.

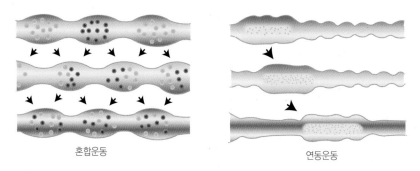

혼합운동　　　　　　　　　　　　연동운동

[소장의 운동]

2) 소화액 분비 원리

① 산성음식물 → 세크레틴 분비 → 혈관계 → 췌장에 도달 → 췌장액 분비

② 음식물 자극 → 콜레시스토키닌 분비 → 혈관계 → 췌장액, 쓸개즙, 장액 분비

3) 소화액의 종류

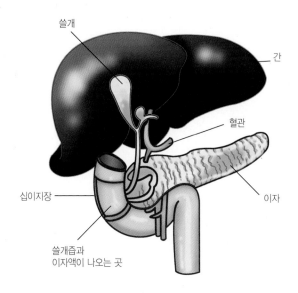

쓸개

간

혈관

이자

십이지장

쓸개즙과
이자액이 나오는 곳

소화샘	소화액	소화효소	소화작용
췌장(이자)	췌장액(이자액) (췌장 → 십이지장)	트립신 리파아제 아밀라아제 말타아제 탄산수소나트륨	단백질 → 펩톤 지방 → 지방산, 글리세롤 녹말 → 엿당 엿당 → 포도당 산성음식물 중화
간	쓸개즙 (간 → 쓸개 → 십이지장)	지방의 소화를 돕는다.	없음
장샘	장액 (장샘 → 소장)	펩티다아제 말타아제 수크라아제 락타아제	펩톤 → 아미노산 엿당 → 포도당 설탕 → 포도당, 과당 젖당 → 포도당, 갈락토오스

4. 대장에서의 소화

① 구조 : 맹장, 결장, 직장으로 구성되어 있다.

② 소화 효소가 분비되지 않는다

③ 대장균에 의한 셀룰로오스 분해 → 비타민 B, K 합성

④ 수분흡수 과다(변비발생), 수분 흡수 기능 저하(설사유발)

 영양소의 흡수와 이동

1. 소장의 구조

소장 내의 많은 주름과 융털 존재 → 표면적 증가 구조(효율적 양분 흡수)

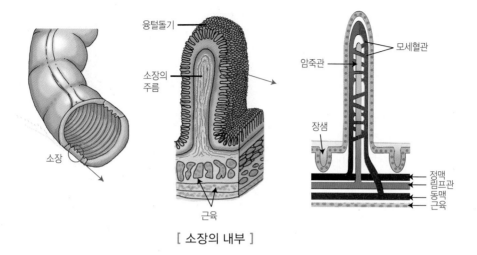

[소장의 내부]

2. 영양소의 흡수와 이동

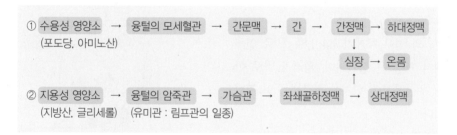

① 수용성 영양소 → 융털의 모세혈관 → 간문맥 → 간 → 간정맥 → 하대정맥
　(포도당, 아미노산)　　　　　　　　　　　　　　　　　　　　　↓
　　　　　　　　　　　　　　　　　　　　　　　　　　심장 → 온몸
　　　　　　　　　　　　　　　　　　　　　　　　　　↑
② 지용성 영양소 → 융털의 암죽관 → 가슴관 → 좌쇄골하정맥 → 상대정맥
　(지방산, 글리세롤)　(유미관 : 림프관의 일종)

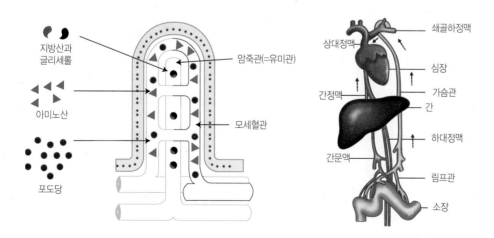

3. 영양소의 저장

① 포도당 : 포도당의 일부는 간에 글리코겐의 형태로 저장되고, 나머지는 온몸의 조직 세포로 운반되어 에너지원으로 쓰인다.

② 아미노산 : 세포로 운반된 아미노산은 다시 단백질로 합성되어 원형질의 재료가 된다.

③ 지방산과 글리세롤 : 지방산과 글리세롤은 지방으로 재합성되어 유미관으로 흡수되며, 온몸의 조직 세포로 운반되어 에너지원으로 쓰이거나 피부 밑 등에 저장된다.

Ⅳ 부속 소화 기관

1. 간

1) 구조

① 성인의 경우 무게가 1.4~1.8kg으로 인체에서 가장 큰 장기이며, 횡격막 바로 아래 우상복부에 위치한 적갈색을 띤 기관이다.

② 좌엽과 우엽으로 구분되며, 재생력이 강한 장기이다.

2) 기능

① 양분의 전환과 저장

② 혈당량 조절 : 포도당 ↔ 글리코겐(→ 혈당량 0.1% 유지)

③ 담즙 생성 및 분비 : 지방소화촉진

④ 해독작용 및 요소 합성

⑤ 체온 조절 : 근육과 더불어 티록신의 표적기관

⑥ 혈장단백질 합성 : 프로트롬빈(혈액 응고 관련 효소)과 헤파린(혈액 응고 방지 물질) 생성 등

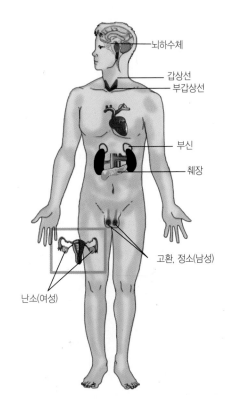

뇌하수체
갑상선
부갑상선
부신
췌장
고환, 정소(남성)
난소(여성)

[내분비선의 위치(남/여)]

2. 쓸개(담낭)

간에서 분비된 쓸개즙을 보관 후 십이지장으로 이동하여 췌장의 프로리파아제를 리파제로 변환시켜 지방의 소화를 돕는다.

3. 췌장(이자)

① 외분비 : 이자액 분비
② 내분비 : 호르몬 분비(인슐린, 글루카곤)

> **TIP**
>
> 췌장에서 분비되는 소화효소는 탄수화물, 지방, 단백질의 3대 영양소를 분해해주는 소화효소가 분비된다. 췌장은 소화효소와 호르몬(인슐린)을 모두 분비하는 소화기관인 동시에 내분비 기관이다.

CHAPTER 07

내분비계

Ⅰ 외분비선과 내분비선

1. 외분비선

침샘, 땀샘과 같은 선 세포에서 만들어진 분비물질이 도관을 통해 몸의 표면이나 작용하는 부위에 직접 분비하는 기관을 말한다.

2. 내분비선

① 도관 없이 직접 모세혈관으로 분비되어 혈액을 통해 온 몸으로 분비되는 기관을 말한다.
② 내분비선에서 만들어진 분비물질을 호르몬(Hormone)이라 한다.

Ⅱ 호르몬의 특성

① 체내의 내분비선에서 생성되며, 분비관이 없이 직접 혈액이나 조직 속으로 분비된다.
② 혈액에 의해 온몸에 운반되고 호르몬에 따라 작용하는 기관이 정해져 있다. 그러한 반응세포나 기관을 표적세포 또는 표적기관이라고 한다.
　티록신(Thyroxin) 같은 호르몬은 다양한 세포에 작용하지만, 대부분의 호르몬은 오직 정해진 표적기관의 세포에만 작용한다.
③ 극히 적은 양으로 물질 대사를 조절한다.
④ 분비량이 적당하지 않으면 결핍증 또는 과다증이 나타난다.

⑤ 척추동물에서는 종이 다르더라도 같은 내분비선에서 분비된 호르몬이면 대체로 작용도 같다.

⑥ 항원성이 없어서 체내에 주사해도 항체가 형성되지 않는다.

Ⅲ 호르몬의 성분

1. 단백질계 호르몬

단백질, 폴리펩티드, 또는 아미노산의 유도체로 된 호르몬이며, 뇌하수체, 갑상선, 부갑상선, 이자, 부신수질 호르몬, 가스트린, 세크레틴 등이 속한다.

2. 스테로이드계 호르몬

성 호르몬, 부신피질 호르몬이 속한다.

Ⅳ 내분비선의 종류와 호르몬

1. 뇌하수체

뇌의 밑, 즉 간뇌 시상하부에 존재하며 직경 1~1.5cm, 무게 0.5~0.6g으로 모든 호르몬 샘의 중추 역할을 담당한다.

1) 뇌하수체 전엽

① 성장 호르몬(Growth H, GH) : 신체 성장 촉진, 단백질 합성
 • 기능항진 : 거인증, 말단비대증
 • 기능저하 : 소인증

② 갑상선 자극 호르몬(Thyroid-Stimulating H, TSH) : 갑상선을 자극하여 티록신(thyroxin)의 분비촉진

③ 부신 피질 자극 호르몬(Adrenocorticotropic H, ACTH) : 부신 피질의 정상적 성장과 발달촉진 / 스트레스 양에 따라 증감

④ 유선 자극 호르몬(Prolactin H, PRL) : 유선에 작용하여 젖의 생성과 분비 촉진

⑤ 난포 자극 호르몬(Follicle Stimulating, FSH)
   여자 : 난소의 여포를 성숙 / 남자 : 세정관을 발달시켜 정자 생산을 촉진

⑥ 황체형성 자극 호르몬(Luteinizing H, LH)
   여자 : 배란을 촉진, 황체를 발달 / 남자 : Androgen의 분비를 촉진

2) 뇌하수체 중엽

① 멜라노사이트 자극 호르몬(Melanocyte Stimulating Hormone, MSH)
② 멜라닌 형성 세포에 작용하여 멜라닌 형성을 촉진시킨다.
   • 기능항진 : 과색소침착

3) 뇌하수체 후엽

① 옥시토신(Oxytocin) : 출산시 자궁을 수축시켜서 분만을 촉진시킨다
   젖샘의 평활근을 자극하여 유즙분비를 촉진시키며, 친밀감과 유대감을 느끼게 하는 호르몬이다.

② 항이뇨호르몬(Antidiuretic Hormone, Vasopressin, ADH) : 세뇨관에서 수분의 재흡수를 촉진시켜 소변의 양을 감소시킨다.

2. 갑상선

① 갑상선은 목 근육 및 후두 아래에 있는 나비 모양의 내분비선이다.
② 성인의 경우 갑상선의 무게는 20~30g 정도 된다.
③ 갑상선 호르몬은 기관의 산소 소모율을 높이고 신진대사를 촉진뿐만 아니라 신체의 성장발육에 필수적인 물질이다.
④ 갑상선에서는 티록신(Thyroxine)을 분비한다.

1) 티록신(Thyroxine)

① 아미노산(티로신,Tyrosine)에 요오드 4원자가 결합하여 만들어진 형태이다.

② 신체 대부분의 세포에서 신진대사를 항진시킨다.

③ 기능항진 : 바세도우병 – 갑상선이 비대해지고, 호르몬의 분비량이 많아서 안구가 튀어나오고 정신적 불안정 등의 증세를 나타낸다.

④ 기능저하 : 크레틴병 – 어릴 때부터 갑상선이 제대로 발달되지 않아 발생하며, 키가 작고 정신적·지적 발달이 지연된다.

2) 칼시토닌(Calcitonin)

혈장 내 칼슘 농도를 감소시킨다.

3. 부갑상선

갑상선 뒤쪽에 상하 좌우로 끝 쪽에 위치한 팥알만한 4개의 내분비선이다.

1) 부갑상선호르몬(Parathormone, Parathroid Hormone, PTH)

골격의 칼슘을 혈액 내로 유리시켜 혈중 칼슘 농도를 증가시킨다.

• 기능항진 : 골다공증
• 기능저하 : 테타니병·신경과 근육이 과민해져 경련

4. 췌장

소화액을 분비하는 외분비선인 동시에 췌장호르몬을 분비하는 내분비선이다.

1) 인슐린(Insulin)

췌장의 β세포에서 분비되며, 간세포에 작용하여 포도당(Glucose)를 글리코겐(Glycogen)으로 전환하여 혈당을 저하시킨다.

2) 글루카곤(Glucagon)

α세포에서 분비되며, 글리코겐(Glycogen)을 포도당(Glucose)으로 전환하여 혈당을 높이는 역할을 한다.

5. 부신

부신은 신장의 윗부분에 붙어 있는 한쌍의 작은 내분비선으로 부신 피질과 부신 수질로 이루어져 있다.

1) 부신 피질 호르몬

스테로이드계통의 화합물로 뇌하수체에서 분비되는 부신 피질 자극 호르몬의 지배를 받는다.

① **염류 코르티코이드** : 알도스테론(Aldosterone) - 신장의 세뇨관에 작용하여 Na^+의 재흡수를 촉진

② **당류 코르티코이드** : 스트레스에 저항력을 갖는다.
  ㉠ 코티솔(Cortisol) - 간 세포에 작용하여 단백질, 지방으로부터 당질을 만들어 혈당량을 상승시킨다.
    • 기능항진 : 쿠싱증후군 - 특징적 얼굴모습, 고혈압, 당뇨, 정신이상
    • 기능저하 : 에디슨병 - 저혈압, 체력저하, 검은 피부
  ㉡ 코티손(Cortisone) - 항염증 작용

③ **성 코르티코이드** : 부신 안드로겐이라 불리는 안드로겐(남성호르몬)이 주로 생산되지만 에스트로겐(여성호르몬)도 일부 생산된다.

> **TIP** 부신피질의 구조
>
> 부신피질의 구조는 3개의 층으로 이루어져 있다.
> • 가장바깥층(사구대): 알도스테론(염류피질호르몬)
> • 가운데층(속상대): 코티솔(당류피질호르몬)
> • 안쪽층(망상대): 안드로겐(성호르몬)

2) 부신 수질 호르몬

부신 수질에서 분비되는 호르몬은 에피네프린 75%, 노르에피네프린 25%가 분비된다.
부신 수질 호르몬의 분비조절은 추위, 동통, 걱정 등 정신적 흥분, 저혈당, 혈압강하 등의 자극으로 시상하부의 핵이 자극되어 교감신경을 통해 이루어 진다.

① 아드레날린(Adrenalin, Epinephrine) : 골격근, 심장, 혈관에 영향, 탄수화물 및 지방대사에 관여

② 노르아드레날린(Noradrenalin, Norepinephrine) : 모세혈관 축소, 동공확대, 소화관 활동억제

6. 생식선

생식선은 생식세포의 생성 기능 외에 내분비선의 기능도 가지고 있어서 성호르몬을 분비한다. 이 성 호르몬은 생식기관의 발달과 제 2차 성징의 발현에 관계하며, 모두가 스테로이드계 화합물로 되어 있다.

1) 정소(Testis)

① **외분비** : 정자

② **내분비** : 안드로겐 ⊃ 테스토스테론 - 사춘기에 생식기 발육을 촉진하고 남성의 2차 성징을 나타낸다. 단백질 합성을 촉진시켜 근의 성장을 촉진하여 남성다운 체형을 만든다.

2) 난소(Ovary)

① **외분비** : 난자

② **내분비**

　㉠ 에스트로겐 : 여성의 2차 성징을 나타내며 난포를 자극하여 난자를 성숙시킨다. 젖샘과 유방의 발달을 촉진시킨다.

　㉡ 프로게스테론 : 임신상태를 유지시키는 유산방지 호르몬으로 배란을 억제하며 출산 전까지 지속된다. 유즙분비를 촉진하며 피지선을 촉진하여 피부를 부드럽고 윤기 있게 한다.

TIP 내분비선의 종류와 기능

내분비선		호르몬	주요기능
뇌하수체	전엽	성장 호르몬(GH)	몸의 성장 촉진 • 기능항진 : 거인증, 말단비대증 • 기능저하 : 소인증
		갑상선자극호르몬(TSH)	갑상선을 자극하여 티록신의 분비 촉진
		부신 피질 자극 호르몬 (ACTH)	부신 피질을 자극하여 코르티코이드 분비 촉진 스트레스양에 따라 증감
		유선자극호르몬(PRL)	유선에 작용하여 젖의 생성과 분비 촉진
		여포자극호르몬(FSH)	女 : 여포와 난자의 성숙 촉진 男 : 세정관을 발달시켜 정자 생산을 촉진
		황체형성 호르몬(LH)	女 : 배란 촉진, 황체 발달 男 : Androgend의 분비를 촉진
	중엽	멜라노사이트 자극 호르몬 (MSH)	Melanocyte에 작용하여 멜라닌 형성 촉진 • 기능항진 : 과색소 침착
	후엽	자궁수축호르몬(옥시토신)	분만시 자궁 근육 수축 촉진 젖샘의 평활근 자극하여 젖이 나오게 한다.
		항이뇨 호르몬(ADH)	세뇨관에서 수분의 재흡수 촉진
갑상선		티록신	물질대사(이화작용) 촉진, 신진대사 항진 • 기능항진 : 바세도우병 • 기능저하 : 크레틴병
		칼시토닌	혈장 내 칼슘 농도 감소
송과선(간뇌)		멜라토닌	• 두부의 피부를 통해 들어오는 빛을 받아들임 • 생식활동의 일주성, 연주성 등 생체리듬에 관여(수면 등)
부갑상선	부갑상선호르몬 (파라토르몬)	부갑상선호르몬(파라토르몬)	혈장 내 칼슘 농도 증가 • 기능항진 : 골다공증 • 기능저하 : 테타니
췌장 (랑게르한스 섬)	α세포	글루카곤	혈당량 증가(글리코겐 → 포도당)
	β세표	인슐린	혈당량 감소(포도당 → 글리코겐)

TIP

내분비선		호르몬	주요기능
부신	피질	무기질 코르티코이드	알도스테론 : 신장에서 Na+ 재흡수
		당류 코르티코이드	코티솔 : 혈당량 증가(단백질, 지방 → 포도당) 코티손 : 항염증 반응
		성 코르티코이드(부신 안 드로겐)	남성 호르몬
		• 기능항진 : 쿠싱 증후군 • 기능저하 : 에디슨병	
	수질	아드레날린(에피네프린)	혈당량 증가(글리코겐 → 포도당)
		노르아드레날린(노르에피 네프린)	모세혈관 축소, 동공확대, 소화관 활동 억 제
생식선	정소	안드로겐(테스토스테론)	남자의 2차 성징 발현
	난소	에스트로겐 /프로게스테론	여자의 2차 성징 발현

배설계

Ⅰ 노폐물의 생성 및 배설

① 탄수화물과 지방이 분해되면 물과 이산화탄소가 생성되며, 단백질이 분해되면 물, 이산화탄소, 암모니아가 생성된다.

② 이산화탄소는 폐를 통해 배출되고 물은 폐, 오줌, 땀으로 배출되며, 암모니아는 간에서 독성이 적은 요소로 바뀐 다음 신장에서 걸러져 오줌으로 배설이 된다.

③ 한 쌍의 신장, 요관, 방광, 요도로 구성되어 있다.

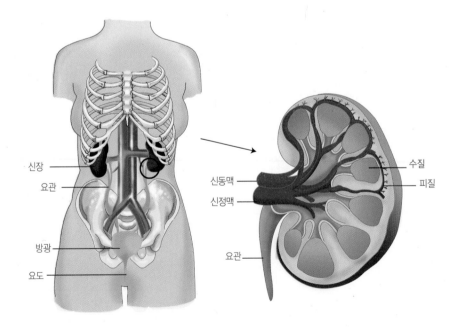

[신장, 요로계의 기관]

Ⅱ 신장의 구조

1. 피질

신장의 겉 부분으로 신장의 피질에는 신장의 구조적, 기능적 단위인 네프론이 분포한다.

네프론(신원) = 말피기소체(사구체+보먼주머니)+세뇨관

2. 수질

신장의 안쪽 부분으로 세뇨관과 집합관이 주로 분포하는데 세뇨관이 모여 집합관을 구성하고 신우로 연결되어 있다.

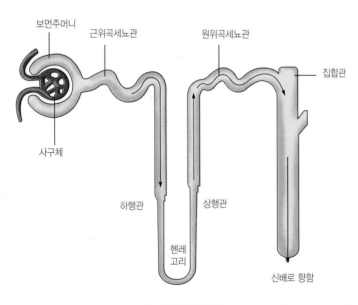

[오줌의 배출]

3. 신우

신장 안쪽의 빈 공간(오줌이 모이는 공간)으로 신우에 모인 오줌은 수뇨관의 연동운동에 의해 방광으로 이동하여 요도를 통해 배출된다.

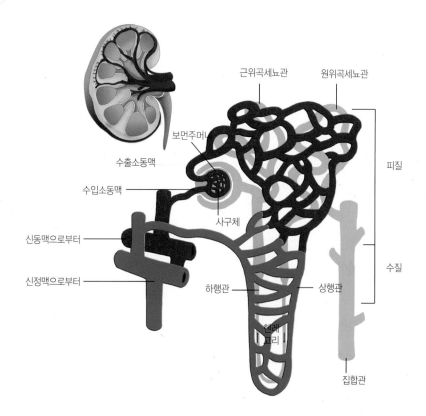

[신우의 구조]

Ⅲ▶ 오줌의 생성

1. 여과(사구체 → 보먼 주머니)

혈압차에 의한 이동 현상

① 혈액이 사구체를 지나는 동안 혈압차에 의해 보먼 주머니로 여과되어 원뇨를 형성한다.

② 원뇨에는 물, 포도당, 아미노산, 요소 등이 포함되며, 혈구와 단백질, 지방과 같이 분자량이 큰 물질은 여과되지 못한다.

2. 재흡수(세뇨관 → 모세혈관)

① 확산, 삼투 현상, 능동 수송
② 원뇨가 세뇨관을 지나는 동안 포도당, 아미노산, 물, 무기 염류 등이 모세혈관으로 재
흡수된다.

3. 분비(모세혈관 → 세뇨관)

① 능동수송(요소, 크레아틴)
② 혈액에 남아있던 크레아틴, 요소, 요산 등이 모세혈관에서 세뇨관으로 능동수송에 의
해 분비된다.

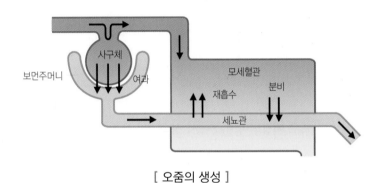

[오줌의 생성]

 오줌의 배설 경로

사구체 → 보먼주머니 → 세뇨관 → 신우 → 수뇨관 → 방광 → 요도

생식계

 남성의 생식기관

1. 정소

남성 호르몬(테스토스테론)이 분비되고, 세정관에서 정자가 형성된다.

2. 부정소

미숙한 정자가 일시적으로 저장되며 이곳에서 성숙되어 운동 능력을 갖추게 된다.

3. 부속선

정낭, 전립선, 쿠퍼선이 있으며 정자에 영양분 및 활동을 촉진하는 물질을 분비한다.

① (저)정낭 : 정자의 에너지원인 영양물질(과당)을 분비한다.

② 전립선 : 알칼리성 물질을 분비하여 질 내부의 산성을 중화시킴으로써 정자를 보호한다.

③ 구요도선(쿠퍼선) : 점액을 분비하여 사정할 때 윤활작용을 한다.

4. 수정관

부정소를 떠난 정자가 요도까지 이동하는 통로

5. 요도

오줌이나 정액이 배출되는 통로

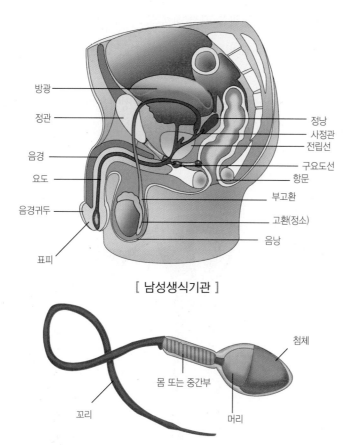

[남성생식기관]

- 정자의 이동경로 : 정소 → 부정소 → 수정관(부속선) → 요도 → 몸 밖

Ⅱ 여성의 생식기관

여성의 생식기관은 난자를 만들고 수정과 발생이 일어나 태아가 생장하는 곳이다.

① **난소** : 내부는 여포로 채워져 있으며 여포에서 난자가 형성된다. 난소에서는 여성 호르
몬인 에스트로겐과 프로게스테론이 분비되며 사춘기 이후부터 양쪽 난소에서 교대로
난자가 배란되는데, 감수제1분열이 끝난 제2난모 세포의 상태로 배란된다.

② **나팔관** : 나팔 모양으로 벌어져 난소를 감싸고 배란된 난자를 받아들여 수란관으로 보낸다.

③ **수란관** : 자궁에 연결된 가느다란 관이다. 수란관의 상단에서 정자와 난자가 만나 수정이 이루어지며, 수정란은 수란관을 따라 자궁으로 이동한다.[1]

④ **자궁** : 두꺼운 신축성 근육질의 벽으로 구성되어 있으며, 수정란이 착상하여 태아로 발생하는 장소이다.

⑤ **질** : 자궁에서 체외로 이어지는 근육질의 통로로 정액을 받아들이며 분만을 할 때는 태아가 배출되는 통로이다. 또한 질의 내벽에서는 젖산이 함유된 약산성의 점액이 분비되어 병원균의 감염을 막는다.

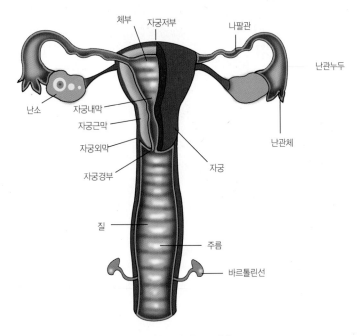

[여성생식기관 – 질]

• 난자의 이동경로 : 난소 → 나팔관 → 수란관 → 자궁 → 질 → 몸 밖

1 　운동능력이 없는 난자와 수정란은 나팔관과 수란관 속의 섬모 운동과 수란관 속을 흐르는 복막액이라는 액체의 흐름에 의해 이동한다.

여성의 생식주기

여성은 사춘기가 되면 폐경기까지 약 28일을 주기로 난자를 형성하고 자궁을 발달시켜 임신을 준비하는 과정을 반복하는데, 이를 생식주기라 하며 이 과정은 뇌하수체 호르몬과 난소 호르몬에 의해 조절된다.

생식주기의 과정

월경기 → 여포기 → 배란기 → 황체기 순으로 반복된다.

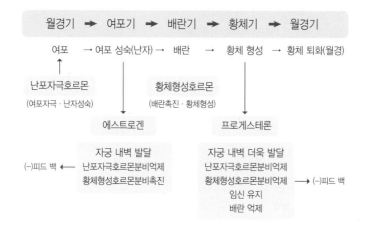

TIP　수정과 임신

수정
- 남성의 성기를 통하여 약 3~5억 마리의 정자가 사정되어 나와 여성의 질을 통해자궁을 지나 나팔관에서 배란된 난자와 만나는 것을 말한다.
- 성교를 통해 여성의 질내에 들어온 정자는 난자를 만나기 위해 꼬리를 흔들면서 질내를 헤엄쳐 거슬러 올라간다. 질에서 자궁구, 자궁경관, 자궁강을 통해 난관으로 들어간 정자는 배란된 난자와 만나게 되는 것이다.
- 정자가 헤엄치는 속도는 1분에 약 3mm이니 사정된 후부터 난관에 도달하기까지는 2~3시간이 걸리는 셈이다. 난관에 도달한 정자는 수정이 되지 않는다 해도 약 3일간 살 수 있다
- 난자의 표면에는 막이 있어서 그것을 녹이지 않고는 난자 속으로 들어갈 수가 없다.

착상
난자와 정자가 결합된 수정란이 자궁벽에 자리잡는 현상

TIP

임신

난자와 정자가 결합된 수정란이 자궁벽에 자리잡는 현상

임신기간 : 마지막 월경이 시작된 날부터 280일 정도(10개월)

① 임신 1개월 (0~3주)
  - 나팔관에서 정자와 난자가 만나서 수정되는 순간 바로 새 생명의 시작이다
  - 수정란은 수정 후 1주일 정도면 자궁 내막에 착상된다.
  - 외형적으로 아직 인간다운 특징은 보이지 않는다.

② 임신 2개월 (4~7주)
  - 태아의 크기 (6mm~1.7cm)로 사과씨에서 포도알만한 크기
  - 아직 인간의 태아처럼 보이지는 않지만 뇌가 커지기 시작하고 손이 생긴다

③ 임신 3개월(8~11주)
  - 태아의 크기 : 3cm 정도로, 대략 딸기만한 크기.
  - 심장 등의 장기가 생기기 시작하며 청진기를 통해 심장소리를 들을 수 있다.
  - 사람의 모습을 갖추고, 손가락, 발가락이 생기며, 성기도 형성되어 남녀 구별이 가능하다.

④ 임신 4개월 (12~15주)
  - 태아가 각 기관들이 완전한 형태를 갖추고 움직임이 조금씩 활발해진다.
  - 성기가 형성되어 남녀의 구분이 확실해진다.

⑤ 임신 5개월 (16 ~19주)
  - 머리털이 자라고 손톱, 발톱이 나기 시작하며, 손가락에 지문이 생기기 시작한다.
  - 심장 박동이 강해지며 청진기로 태아의 심음을 들을 수 있다.

⑥ 임신 6개월 (20~23주)
  - 머리카락이 짙어지고 눈썹이나 속눈썹이 자라 있다.
  - 양수의 양이 늘어나며 뼈와 근육이 발달하고 튼튼해진다.
  - 운동이 활발해져 양수 속에서 몸의 방향을 계속 바꾸어,태동이 확실해진다.
  - 때때로 엄지손가락을 빨면서 젖빠는 연습을 한다.

⑦ 임신 7개월 (24~27주)
  - 눈꺼풀이 생기고 콧구멍도 뚫리며, 눈을 떴다 감았다 한다.
  - 내장은 발달해 있지만 폐의 호흡기능이나 근육 발달이 아직 미숙하다.
    따라서 조산할 경우 아직 밖에서 생활하는 것은 불가능하다.

⑧ 임신 8개월 (28 ~31주)
  청각 기관이 거의 완성되어 모체 바깥 소리에도 반응을 나타낸다.

⑨ 임신 9개월 (32~35주)
  - 손톱, 발톱이 자라나고 머리카락 빛깔도 짙어진다.
  - 태아의 위치가 거의 정해진다.
  - 임신 후기에 들어서면 자유롭게 움직이던 태아가 머리를 아래로 한 자세로 ..자리잡는데, 이것은
    아기가 태어나려고 하는 준비 단계의 하나다.

⑩ 임신 10개월 (36~39주)
  - 손톱이 길게 자라며 머리카락 길이는 3cm 정도가 된다.
  - 태아의 크기 : 키는 약 50cm, 몸무게는 약 3.2kg
  - 사람의 형태를 완전히 갖추었기 때문에 37주 이후에는 언제 태어나도 문제 없는 상태가 된다..

CHAPTER 10

출제예상문제

01 다음 중 핵의 주요 성분으로 유전적 특성을 갖는 DNA를 가지고 있는 것은?

① 중심체　　　　② 핵공
③ 염색체　　　　④ 핵막

ANSWER

③
① 중심체 : 세포 분열 시 양극으로 이동하여 성상체를 이룬 후 방추사를 형성한다.
② 핵공 : 핵막에 있는 큰 구멍, 물질의 이동의 통로가 된다.
③ 염색체 : DNA와 단백질로 이루어진 유전물질이다.
④ 핵막 : 세포질과 핵을 나누는 막이며 핵공이 있어 물질교류가 이루어진다.

02 다음 설명 중 잘못된 것은?

① 핵막 : 세포질에 핵을 연결시켜 이들 사이의 물질을 운반한다.
② 미토콘드리아 : 생명대사의 중심이며 ATP를 형성한다.
③ 리보솜 : 단백질을 합성한다.
④ 리소좀 : 세포의 내부와 외부를 연결하는 교통로이다.

ANSWER

④ 리소좀은 가수분해 효소가 들어 있어 이물질 분해 및 세포내 소화를 담당한다.

03 세포에서 핵을 제외한 나머지 모든 부분으로 세포의 성장과 재생을 위한 영양물질을 함유하고 있는 곳을 무엇이라 하는가?

① 핵　　　　② 세포질
③ 골지체　　　　④ 원형질

ANSWER

② 세포질은 세포의 성장과 생활에 필요한 물질을 함유하고 있다.

04 다음 중 인체(개체)의 가장 작은 단위부터 큰 단위 순으로 올바르게 나열된 것은?

① 세포 - 기관 - 조직 - 계통 - 인체
② 세포 - 조직 - 기관 - 계통 - 인체
③ 기관 - 세포 - 조직 - 계통 - 인체
④ 조직 - 세포 - 계통 - 기관 - 인체

ANSWER

② 세포 ⊂ 조직 ⊂ 기관 ⊂ 계통 ⊂ 개체(인체)

05 다음의 인체 4가지 조직 중에서 가장 많은 양을 차지하는 조직은?

① 결합조직 　　　② 근조직

③ 상피조직 　　　④ 신경조직

ANSWER

① 결합조직은 4가지 조직 중 가장 많은 부분을 차지하며 신체 전반에 걸쳐 넓게 분포되어있다.

06 외계와 직접 접촉하는 부위로써 표피, 구강, 식도, 항문 등을 구성하고 있는 상피조직은 다음 중 어떤 종류에 속하는가?

① 원주상피 　　　② 단층편평상피

③ 중층편평상피 　　　④ 이행상피

ANSWER

③

• 원주상피 : 폭보다 높이가 긴 원주형 모양의 세포집단
　예) 소화관, 난관, 자궁, 비강점막, 기관 등
• 단층 편평상피 : 한층의 납작한 모양의 세포
　예) 모세혈관, 모세림프관, 폐포 등
• 중층 편평상피 : 표층엔 편평상피가 배열되고 심층엔 다각형세포가 겹친 모양, 외계와 직접 접촉하는 부위
　예) 표피, 구강, 식도, 항문 등
• 이행상피 : 여러층으로 배열되어있으나 뇨(urine)의 충만도에 따라 세포 모양이나 두께 변화
　예) 신우, 요관, 방광, 요도의 내표면 등

07 다음 중 핵 속에 존재하지 않는 것은

① DNA 　　　② RNA

③ 핵소체 　　　④ 중심체

ANSWER

④ 중심체는 세포질 내에 존재한다.

08 다음 중 핵에 대한 설명이 아닌 것은?

① 세포분열 담당 　　　② 단백질 합성

③ 세포의 동력공장 　　　④ 세포성장 담당

ANSWER

③ 세포의 동력공장은 미토콘드리아이다.

09 다음 중 골격의 기능이 아닌 것은?

① 저장기능 　　　② 운동기능

③ 신진대사기능 　　　④ 조혈기능

ANSWER

③ 골격의 기능은 다음과 같다.
• 지지기능 : 인체의 가장 기본적인 형태를 이루고 체중을 지지
• 보호기능 : 신체 내부장기를 보호함
• 운동기능 : 근육의 도움을 받아 인체를 움직이게 함
• 저장기능 : 칼슘, 인과 같은 무기질 저장
• 조혈기능 : 적골수(red bone marrow)에서 혈액세포를 생산

10 다음 중 뇌 두개골에 포함되지 않는 것은?

① 접형골 　　　② 두정골

③ 측두골 　　　④ 하악골

ANSWER

④

• 뇌두개골 : 전두골, 두정골, 측두골, 후두골, 접형골(뇌하수체를 수용하는 나비모양뼈), 사골(가장 깊숙한 곳에 있는 십자 벌집모양뼈)
• 안면두개골 : 관골(광대뼈), 상악골, 하악골, 비골(코뼈), 서골(코 중격의 쟁기모양뼈), 하비갑개골(눈물뼈), 누골, 구개골(입천장뼈)

11 인간의 척주는 성인이 되면서 옆쪽에서 보면 휘어진 상태이다. 이는 인간이 직립보행을 원활하게 할 수 있는 척주의 구조로서 인간의 척주 만곡은 몇 개로 구분되어지는가?

① 2개   ② 3개
③ 4개   ④ 6개

ANSWER

③ 척주는 경추 7개, 흉추 12개, 요추 5개, 천골 1개, 미골 1개로 구성되며 4개의 만곡을 가짐

12 인체(성인)의 뼈는 몇 개로 구성되는가?

① 180개   ② 206개
③ 300개   ④ 345개

ANSWER

② 전신의 골격은 성인의 경우 206개로 구성되어있으며, 두개골·척추·흉곽과 같이 체간에서 축을 이루는 뼈가 80개이고 상지·어깨·골반을 구성하는 부속 뼈가 126개이다..

13 다음 중 수의근에 해당하는 것은?

① 내장근   ② 평활근
③ 골격근   ④ 심근

ANSWER

③
• 수의근 : 골격근
• 불수의근 : 평활근(내장근), 심근

14 흉골과 견갑골 사이를 연결하고 S자 모양의 골격은?

① 늑골   ② 쇄골
③ 관골   ④ 대퇴골

ANSWER

② 쇄골은 흉골과 견갑골을 연결시키는 뼈로 S자 모양으로 생겼다.

15 다음 중 각 근육에 대한 설명이 맞지 않는 것은?

① 후두·전두근 : 모상건막(두개골의 건막)에 부착되어 수축하면 눈썹이 올라가고 놀란 표정과 이마의 주름 형성
② 상순거근 : 윗입술을 들어올려 싫은 표정을 나타낼 때 쓰이는 근육
③ 관골근 : 턱 끝에 위치하고 아랫입술을 내밀어 불쾌한 표정을 나타내는 근육
④ 소근 : 입꼬리를 외방으로 당겨 보조개를 형성하는 근육

ANSWER

③
• 턱 끝에 위치하고 아랫입술을 내밀어 불쾌한 표정을 나타내는 근육은 이근이다.
• 관골근은 입의 가장자리에서 광대뼈까지 연결되며 웃거나 미소 지을 때 입술을 올린다.

16 휘파람을 부는 등 입을 다물게 하는 근육으로 맞는 것은?

① 대협골근   ② 구각하체근
③ 전두근   ④ 구륜근

ANSWER

④ 구륜근은 입을 둘러싸고 있는 괄약근, 입을 다물거나 입술을 오므리는데 사용한다.

17 두부의 근육을 안면근과 저작근으로 나눌 때 안면근에 속하지 않는 것은?

① 후두전두근　　　② 관골근

③ 안륜근　　　　　④ 교근

ANSWER

④ 후두전두근, 관골근, 안륜근 모두 안면근이고 교근은 저작근이다.

18 다음 중 미간에 주름을 만드는 근육은?

① 안륜근　　　　　② 교근

③ 구륜근　　　　　④ 추미근

ANSWER

④ 추미근은 전두근과 안륜근 밑에 위치 하며 눈썹사이에 수직으로 주름 지게 하는 근육이다.

19 다음 중 인체에서 가장 긴 근육은?

① 대퇴직근　　　　② 봉공근

③ 대퇴사두근　　　④ 대둔근

ANSWER

② 봉공근은 인체에서 가장 긴 근육, 대퇴의 전면에 위치한 끈 같은 근육 으로 비스듬한 방향으로 대퇴사두근 위를 통과하고 다리를 회전시킨 다. 다리를 교차해서 양반다리로 앉을 수 있게 하는 근육이다.

20 다음 설명으로 틀린 것은?

① 길항근 : 의지에 따라 움직일 수 없는 근육

② 주동근 : 움직임에 있어서 주체적인 역할을 하 는 근육

③ 신근 : 항중력근, 중력에 저항하여 자세를 유 지하는 근육

④ 수의근 : 자발적으로 움직일 수 있는 근육

ANSWER

① 길항근 : 운동 시 반대의 작용을 하는 근육, 관절을 일정 각도에서 멈 춰 힘을 발생시키거나 운동이 정밀해지도록 함

21 다음 중 신경계의 기본 기능이 아닌 것은?

① 운동기능　　　　②감각기능

③ 보호기능　　　　④ 통합기능

ANSWER

③ 신경계의 기본 기능은 운동기능, 감각기능, 통합기능 이다.

22 다음 중 신경계의 구분이 다른것은?

① 뇌신경　　　　　② 교감신경

③ 척수신경　　　　④ 안면신경

ANSWER

② 뇌신경, 척수신경, 안면신경은 모두 체성신경계이고, 교감신경은 자율 신경계이다.

23 다음 뇌의 기능에 대한 연결 중 잘못된 것은?

① 소뇌 : 평형감각
② 간뇌 : 체온조절
③ 중뇌 : 감정조절
④ 연수 : 반사센터

ANSWER
③ 중뇌는 안구운동과 홍채작용 조절을 한다.

24 평활근과 심장근은 어느 신경의 지배를 받는가?

① 안면신경
② 중추신경
③ 삼차신경
④ 자율신경

ANSWER
④ 자율신경은 장기나 혈관의 운동, 피부의 분비작용을 지배하고 내분비나 대사에 영향을 준다.

25 다음 뇌신경에 대한 연결이 올바르게 된 것은?

① 안면신경 : 표정근 조절
② 삼차신경 : 연하, 가스교환, 혈압조절, 장내반사
③ 미주신경 : 각막의 지각, 누선, 윗니, 인두부분의 지각, 저작운동
④ 설인신경 : 안구운동

ANSWER
① 삼차신경은 각막의 지각, 누선, 윗니, 인두부분의 지각, 저작운동 / 미주신경 : 연하, 가스교환, 혈압조절, 장내반사 / 설인신경 : 혀의 감각

26 신체변화 중 교감 신경의 작용은?

① 한선 억제
② 위액분비 촉진
③ 동공 확대
④ 말초 혈관 이완

ANSWER
③ 교감신경은 한선 촉진, 위액과 타액 분비의 억제, 말초 혈관을 수축시킨다.

27 다음 중 순환계의 구성으로 옳게 짝지어진 것은?

① 신장, 림프계, 신경계
② 심장, 신경계, 림프계
③ 심장, 혈관계, 림프계
④ 신장, 혈관계, 림프계

ANSWER
③ 순환계는 몸 전체에 혈액을 순환시켜 영양을 공급하고 노폐물을 수용하는 계통의 조직으로 심장, 혈관계, 림프계로 이루어 진다.

28 혈액의 혈구성분으로 응고에 중요한 역할을 하는 것은?

① 혈장
② 혈소판
③ 적혈구
④ 림프

ANSWER
② 혈소판의 주요기능은 혈액응고 및 지혈이다.

29 혈액 성분으로 옳은 것은?

① 혈장, 림프, 백혈구, 적혈구
② 적혈구, 백혈구, 혈소판, 혈장
③ 적혈구, 백혈구, 혈소판, 림프
④ 혈소판, 림프, 적혈구, 혈장

ANSWER

② 혈액은 약 55%의 혈장과 약 45%의 혈구(적혈구, 백혈구, 혈소판) 성분으로 이루어진다.

30 다음 순환기 중 판막이 존재하는 부위는?

① 동맥 　　　　　② 정맥
③ 모세림프관 　　④ 모세혈관

ANSWER

② 정맥에는 혈액의 역류를 방지하는 판막이 존재함

31 노폐물과 이산화탄소 가스를 많이 함유하는 혈액은 심장 어느 부분으로 제일 먼저 들어오는가?

① 우심방 　　　　② 우심실
③ 좌심방 　　　　④ 좌심실

ANSWER

① 좌심실(산소가 많은 깨끗한 피) → 대동맥 → 온몸 → 대정맥 → 우심방(노폐물과 이산화탄소가 많은 더러운 피)

32 동맥에 대한 설명 중 틀린 것은?

① 혈관 내에 판막을 가지고 있다
② 탄력섬유가 발달해 있다
③ 심장에서 나가는 혈관이다
④ 산소가 풍부한 혈액을 운반한다

ANSWER

① 정맥 내에 혈액이 중력을 거슬러 역류하지 못하도록 판막이 있다.

33 다음 중 혈액의 기능과 관계 없는 것은?

① 체온조절
② 영양소의 운반
③ 체내로 들어온 세균으로부터 보호
④ 자극의 전달

ANSWER

④ 혈액의 기능은 운반기능(영양소, 산소가스, 호르몬 등), 조절기능(수분, 체온, 채액의 pH 등), 보호기능(면역 및 식균작용, 지혈작용)이다.

34 다음 중 소화에 대한 설명으로 옳은것은?

① 저분자 영양소를 고분자로 합성하는 과정
② 영양소를 분해하여 에너지를 생성하는 과정
③ 소장에서 흡수된 영양소를 온 몸으로 운반하는 과정
④ 고분자 영양소를 체내에서 흡수 가능한 상태로 분해하는 과정

ANSWER

④ 소화란 섭취한 고분자 영양소를 체내에서 흡수 가능한 상태로 분해하는 모든 과정을 소화라고 한다.

35 다음 중 음식물이 지나가는 소화기관의 순서가 맞는것은?

① 인두 → 식도 →위 → 십이지장 → 공장 → 회장 → 결장 → 항문
② 인두 → 식도 → 위 → 십이지장 → 회장 → 공장 → 결장 → 항문
③ 인두 → 식도 → 십이지장 → 위 → 회장 →공장 → 결장 →항문
④ 인두 → 식도 → 위 → 십이지장 →결장 → 공장 → 회장 → 항문

ANSWER
① 소화기관의 순서는 인두 → 식도→ 위 → 십이지장 → 공장 → 회장 → 맹장 → 결장 → 직장 → 항문 순으로 되어 있다.

36 다음 중 소화효소가 아닌것은?

① 펩신   ② 뮤신
③ 리파아제   ④ 아밀라아제

ANSWER
② 펩신- 단백질 소화 효소 / 리파아제 : 지방 소화 효소 / 아밀라아제 : 탄수화물 소화 효소 / 뮤신은 위 장벽을 보호하기 위한 위 점막에서 분비되는 점액질의 물질이다.

37 소화된 음식물이 주로 흡수되는 곳은 어디인가?

① 식도   ② 위
③ 소장   ④ 대장

ANSWER
③ 소장의 융모를 통해 대부분의 소화된 음식물이 흡수된다.

38 섭취한 음식물 중 지용성 영양분이 흡수되는 기관은?

① 모세혈관   ② 유미관
③ 식도   ④ 대장

ANSWER
② 지용성 영양분은 소장벽 융모돌기의 유미관(림프관의 일종)을 통해 흡수되어 진다.

39 다음 중 호르몬의 일반적인 특성에 대해 바르게 설명한 것은?

① 혈액을 통해 운반 되어진다.
② 한번에 많은 양이 분비되어 물질대사를 조절한다.
③ 대부분의 호르몬은 모든 기관에 작용한다.
④ 성호르몬과 부신피질호르몬을 제외한 대부분의 호르몬의 성분은 스테로이드이다.

ANSWER
① 호르몬은 혈액을 통해 운반되며, 극히 적은 양에 의해 대사작용을 하고, 대부분의 호르몬은 표적기관을 가지고 있으며, 성호르몬과 부신피질 호르몬은 스테로이드류 호르몬이다.

40 외분비선과 내분비선의 기능을 모두 하는 기관은?

① 뇌하수체   ② 부신
③ 갑상선   ④ 췌장

ANSWER
④ 췌장(이자)에서 외분비선은 아밀라아제, 리파아제, 트립신 등의 소화액을, 내분비선은 인슐린, 글루카곤 등의 호르몬을 분비한다.

41 다음 호르몬의 기능별 연결이 틀린것은?

① 인슐린 : 혈당 저하

② 항이뇨호르몬 : 세뇨관에서 Na+의 재흡수 촉진

③ 티록신 : 기초대사 촉진

④ 코티솔 : 혈당량 상승

ANSWER

② 항이뇨호르몬은 세뇨관에서 물의 재흡수를 증가시켜 소변의 양을 감소시키는 호르몬이다.

42 자궁수축을 수축하여 분만을 돕고 젖샘을 자극하여 젖이 나오도록 하는 호르몬은 무엇인가?

① 항이뇨호르몬

② 유선자극호르몬

③ 옥시토신

④ 멜라노사이트자극호르몬

ANSWER

③ 옥시토신은 자궁수축 호르몬이라고도 하며 자궁을 수축하여 분만을 돕고 분만 후에는 유선의 평활근을 자극하여 젖이 잘 나오도록 도와주는 호르몬이다.

43 호르몬의 기능 항진–저하에 따른 증상이 올바르게 연결된 것은?

① MSH 기능 저하 : 과색소침착

② 티록신 기능 항진 : 바세도우병

③ 부갑상선 호르몬 기능 저하 : 골다공증

④ 부신피질호르몬 기능 항진 : 에디슨병

ANSWER

②

① MSH 기능저하 : 색소침착없슴

③ 부갑상선호르몬기능저하 : 테타니병

④ 부신피질호르몬기능항진 : 에디슨병병

44 신장의 기능적 단위를 무엇이라 하는가?

① 세포   ② 뉴런

③ 네프론   ④ 시냅스

ANSWER

③ 신장의 기능적 단위를 네프론 또는 신원이라고 한다.

45 다음 중 비뇨기계에 속하는 기관이 아닌 것은 무엇인가?

① 신장   ② 요관

③ 방광   ④ 전립선

ANSWER

④ 전립선은 정액을 분비하는 남성의 생식기계에 해당한다.

46 오줌의 생성과정이 바르게 연결된 것은?

① 여과 → 재흡수 → 분비

② 여과 → 분비 → 재흡수

③ 분비 → 재흡수 → 여과

④ 분비 → 여과 → 재흡수

ANSWER

① 오줌의 생성은 사구체에서 보먼주머니를 통과하면서 여과된 후 세뇨관에서 모세혈관으로 재흡수가 일어나고 다시 모세혈관에서 세뇨관으로 분비과정을 거치게 된다.

47
다음 중 사구체 여과에서 통과되는 성분은?

① 글루코스　　　　② 적혈구
③ 단백질　　　　　④ 지방

ANSWER

① 분자량이 작은 물, 무기염류, 아미노산, 글루코스, 요소 등은 여과된다.

48
다음 중 배란 된 난자가 정자와 만나 수정되는 곳은?

① 난관의 팽배부　　② 자궁
③ 난소　　　　　　④ 질

ANSWER

① 난관의 상단 팽배부(일명 나팔관)에서 배란된 난자가 정자와 만나 수정란이 된다.

49
미 성숙된 정자가 성숙되는 곳은?

① 정소　　　　　　② 부정소
③ 전립선　　　　　④ 구요도선

ANSWER

② 부정소는 미숙한 정자가 일시적으로 저장되며 이곳에서 성숙되어 운동 능력을 갖추게 된다.

50
다음 중 여성 생식기가 아닌 것은?

① 난소　　　　　　② 자궁
③ 정낭　　　　　　④ 난관

ANSWER

③ 정낭은 정액을 생성하는 남성 생식기의 부속선이다.

51
다음 중 난자를 성숙시키고 여성 호르몬을 분비하는 기관은?

① 난소　　　　　　② 정소
③ 난관　　　　　　④ 정낭

ANSWER

① 난소는 난자를 성숙시키고 에스트로겐과 프로게스테론을 분비하는 내분비선이다.

Skin Beauty

Equipment Science

P·A·R·T

4

피부미용기기학

피부미용기기

I ▶ 피부미용기기

1. 기기교육의 필요성

경제성장과 과학문명의 발달은 의학은 물론 미용기기분야에 눈부신 성장을 가져왔다. 효과적인 피부미용을 위해서는 미용기기를 전문적으로 다룰 수 있어야 하고, 기기의 원리와 핵심을 파악할 수 있어야 한다.

2. 미용기기관리의 필요성

① 기기를 사용하여 매뉴얼 테크닉의 한계를 극복한다.
② 활성물질의 침투효과를 높일 수 있다.
③ 손을 이용한 관리, 화장품 사용에 의한 관리, 기기를 이용한 관리, 이들간의 상호작용에서 생기는 시너지 효과가 발생한다.
④ 고객에게 전문적이고 과학적인 피부 관리를 제공할 수 있다.
⑤ 피부미용사의 신체 소모를 줄이고, 효율적인 고객관리를 할 수 있다.

Ⅱ 기본 용어 및 개념

1. 물질(Matter)

우리 주위에는 수많은 종류의 물질이 존재하며, 물질은 공간을 차지하면서 질량을 가지고 있다. 모든 물질은 기본 단위인 원자 및 분자로 구성되어 있다. 또한 물질은 고체, 액체, 기체, 플라즈마 네 가지 상태로 존재한다. 물질은 순물질과 혼합물로 나눈다.

1) 순물질

같은 성질의 물질로만 이루어져 있으며, 물리적·화학적 성질이 일정하다.

① 홑원소 물질(원소) : 한 종류의 원소만으로 이루어진 물질

　　Ex 철(Fe), 수소(H_2)

> **TIP**
>
> • 순물질 : 같은 성질의 물질로만 이루어진 것이다.
> • 혼합물 : 두 가지 이상의 물질이 섞여 있으나, 각 성분 물질이 그대로 유지된 것이다.

② 화합물

　㉠ 두 종류 이상의 원소가 화학적으로 반응하였을 때 화합물이 된다.

　㉡ 원소들의 성질을 잃게 되며 새로운 하나의 화합물이 되어 고유 성질을 가지게 된다.

　　Ex 물(H_2O), 염화나트륨(NaCl), 암모니아(NH_3)

2) 혼합물

두 가지 이상의 물질이 섞여 있으며, 화학 반응 없이 물리적으로 결합되어 생성되는 물질이다.

① 균일 혼합물 : 성분 물질의 어느 부분이나 고르게 섞여 있는 혼합물

　　Ex 설탕물, 소금물, 공기

② 불균일 혼합물 : 성분 물질의 어느 부분에 따라 성분물질의 혼합비율이 다른 혼합물

　　Ex 원유, 흙탕물, 암석

2. 물질의 상태

물질은 에너지의 흡수와 방출에 따라 상태가 고체, 액체, 기체로 변화하는 것이다.

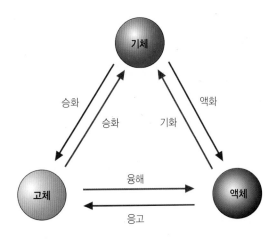

3. 물질의 전자이론

1) 원자의 구조

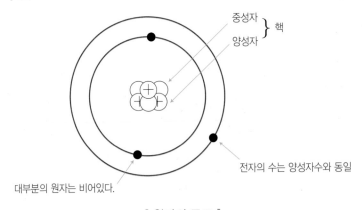

[원자의 구조]

① 원자는 물질을 이루는 가장 작은 단위이다.
② 원자는 원자핵(양성자와 중성자)과 전자(Electrons)로 구성되어 있다.
③ 원자는 (+)전하를 띠고 있는 원자핵과 (−)전하를 띠고 있는 전자로 이루어져 있다.

④ 원자핵의 (+)전하와 전자의 (-)전하량은 같
  아서 전기적으로 중성을 나타낸다.

> **TIP**
>
> 원자핵은 (+)전하를 띤다.
> 즉, 원자핵은 (+)전하를 띠고 있는 양
> 성자(Protons)와 전하를 띠지 않는
> 중성자(Neutron)로 구성되어 있다.

2) 원자간의 결합방법

① **이온결합** : 전자를 버리려는 금속원자와 전
  자를 얻으려는 비금속의 결합

② **공유결합** : 전자를 빼앗으려고만 하는 비금속끼리의 결합(힘이 비슷해서 빼앗지는 못
  하고 공유를 하게 된다.)

③ **금속결합** : 전자를 버리려는 금속끼리 있을때의 결합이다.

3) 이온(Ion)

① 중성인 원자가 전자를 잃고 (+)전하를 띠거나, 전자를 얻어 (-)전하를 띠는 상태를 이온
  이라고 한다.
  　Ex Ca^{2+}(칼슘이온), H^+(수소이온), Cl^-(염화이온)

② 원자가 전자를 잃어버리고 양전하를 띠면 양이온

③ 원자가 전자를 얻고 음전하를 띠면 음이온

Ⅲ 전기Electricity와 전류

① 전기(Eletricity)란 전자(Electrons)가 한 원자(Atom)에서 다른 원자로 이동하는 현상이다.
② 전자의 이동방향은 (-)극 → (+)극으로 이동한다.
③ 전류란 (-)전하를 지닌 전자의 흐름을 말한다

1. 전기의 발생

① 물체를 마찰시키면, 한쪽에서 다른 쪽 물체로 전자가 이동하여 물체는 전기를 띠게 된다.
② 전자를 잃은 물체는 (+)전기를 띠고 전자를 얻은 물체는(-)전기를 띤다.

③ 전기 발생에는 마찰에 의해 생기는 정전기와 화학반응과 전자기 유도에 의해 발생하는 동전기가 있다.

[전기의 분류]

1) 정전기(Static Electricity=마찰전기)

물체에 마찰을 가하면 전기를 띠게 되고 물체 표면에 있는 잘 움직이지 않는 전하를 말한다. 머리카락에 플라스틱 빗을 사용하여 마찰을 가할 경우 생기는 전기를 정전기라 한다.

① **인력** : 서로 다른 종류의 전하를 띠는 물체 사이에는 당기는 힘(인력)이 작용한다.

② **척력** : 같은 종류의 전하를 띠는 물체 사이에는 밀어내는 힘(척력)이 작용한다.

2) 동전기(Dynamic Electriccity)

동전기란 움직이는 전기를 말하며, 자기장이나 화학적반응에 의해 발생되는 전기를 말한다.

① **화학반응** : 전해질과 두 개의 다른 금속을 이용하여 전기를 얻을 수 있다. 건전지의 경우가 대표적인 예이다.

② **전자기유도** : 자기장에 의한 전기발생을 의미한다. 자석의 N극과 S극 사이에서 코일을 회전시키고 자석을 움직이면 코일에 전류가 흐르게 된다.

3) 전하와 대전

① **대전** : 물체가 전기를 띠는 현상

② 대전체 : 전기를 띠고 있는 물체

③ 전하 : 대전체의 전기의 종류

④ 전하량 : 대전된 전기의 양

4) 쿨롱의 법칙(Coulomb's law)

① **쿨롱의 법칙** : 두 전하 사이에 작용하는 전기력의 크기는 두 전하량의 곱에 비례하고
거리의 제곱에는 반비례

② **전하량의 단위** : C(쿨롱)
1C : 1A 흐르는 도선의 단면을 1초 동안 지나가는 전하량

$$F = k \; \frac{q_1 q_2}{r_2}$$
(전하량 : q, 거리 : r, 전기력 : F)

2. 전류의 분류

1) 직류(D.C/ Direct Current)

직류는 전류의 흐르는 방향이 시간이 흐름에 따라 변하지 않는 전류로 갈바닉 전류라 한다.

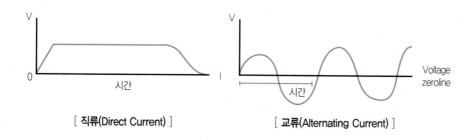

[**직류**(Direct Current)]　　　　[**교류**(Alternating Current)]

2) 교류(A.C/ Alternating Current)

교류는 전류의 방향과 크기가 시간의 흐름에 따라 주기적으로 변하는 전류를 말한다.

① **정현파전류** : 시간의 흐름에 따라 방향과 크기가 대칭적으로 변하는 전류

② **감응전류** : 시간의 흐름에 따라 방향과 크기가 비대칭적으로 변하는 전류

③ **격동전류** : 전류의 세기가 갑자기 강해졌다 약해졌다 하는 전류

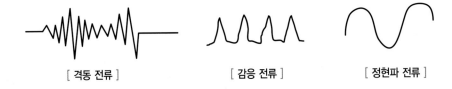

[격동 전류]　　　　　[감응 전류]　　　　　[정현파 전류]

TIP

• 직류전류기기 : 갈바닉 기기, 리프팅 기기
• 교류전류기기 : 고주파 기기, 중주파 기기, 저주파 기기

3. 전류의 방향과 세기

1) 전류(Electric Current)

전류란 (–)전하를 지닌 전자의 흐름을 말하는데, 도선에 전류가 흐를 때 전자가 이동하며 전자가 지닌 (–)전하도 같이 이동한다.

2) 전류의 방향

① 전류는 도선을 따라 전지의 (+) ⇨ (–)극 쪽으로 흐른다.
② 전자의 이동방향은 (–) ⇨ (+)으로 흐른다.
③ 전류의 방향과 전자의 이동방향은 반대이다.

3) 전류의 세기

1초 동안 도선을 따라 흘러간 전하의 양으로서 단위는 A(암페어)이고, 기호는 I를 사용한다.

• 1A = 1000mA
• 1mA(밀리암페어) = 0.001A

TIP

전류는 전자의 흐름이라 하나, 전류와 전자의 방향은 반대이다.
이는 전자가 발견되지 않았던 19세기 초 과학자들이 전류의 방향을 약속했기 때문이다.

4) 전압(Voltage)

① 전류를 흐르게 하는 압력으로 전위차를 나타낸다.

② 전압의 단위 : V(Volt : 볼트)
- 1V(볼트)
- 1kV(킬로볼트) : 1,000V
- 1mV(밀리볼트) : 0.001V

TIP 전기의 기본단위

	단위	기호
전류	A	I
전압	V	V
저항	Ω	R

5) 전기저항

① 전류의 흐름을 방해하는 정도를 나타낸다.

② 전기저항의 단위 : Ω(Ohm : 옴)

③ 전기저항의 기호 : R

④ 옴의 법칙(Ohm's Law) : 전류(I)는 전압(V)에 비례하고, 전기저항(R)에 반비례한다.

$$I = V/R$$

4. 전기 용어

① **전류(Electric current)** : 전류의 세기는 1초에 한 점을 통과하는 전자의 수이다.

② **전압(Voltage)** : 전기를 생산하는데 필요한 압력을 의미 한다.

③ **저항(Ohms)** : 전류가 전도체를 흐를 때 흐름을 방해하는 성질이다.

④ **전력(Watt)** : 전기를 사용할 때 드는 전기적인 힘으로 일정기간동안 사용된 전류의 양이다.

⑤ **주파수(Frequency)** : 1초동안 반복하는 진동의 횟수 또는 사이클 수이다.

⑥ **전도체** : 전류가 쉽게 통하는 물질로서 금속, 탄소, 인체, 전해질, 네온가스 등이다.

⑦ **부도체(비전도체)** : 전류가 잘 통하지 않는 물질로서 플라스틱, 고무, 나무 등이다.

⑧ **반도체** : 도체와 부도체의 중간 성질
  ⊗ 규소, 게르마늄

⑨ **정류기** : 정류기란 교류 전류를 직류 전류로 변환시키는 장치이다.

⑩ **변압기** : 교류회로에서 전압을 바꾸는 데 사용된다.

⑪ **퓨즈** : 전류가 전선에 과도하게 흐르는 것을 방지하는 장치이다.

⑫ **방전** : 전류가 흘러 전기에너지가 소비되는 것이다.

⑬ **전력** : 1초 동안 공급되는 전기 에너지로, 전기를 사용할 때 드는 전기적인 힘을 말하며 단위는 W(Watt : 와트)를 사용한다.

5. 전류의 효과

① 발열 효과(Heating Effect)
② 화학적 효과(Chemical Effect)
③ 전자기 효과(Electromagnetic Effect)

6. 생체전기(Bio-Electricity)

1) 생체전기 개념

① 인체에서 발생하는 미세한 전기현상을 말한다.
② 인체 내에 함유되어 있는 염류 및 염기성 물질이 이온화하면서 일어나는 전기발생현상이다.

2) 생체전기의 역할

① 물질의 흡수와 배출을 돕는다.
② 흡수한 영양물질로부터 생명 에너지를 합성하는 역할을 하며, 즉 생명활동의 에너지이다.
③ 피부에서의 감각신호를 중추신경에 전달하는 신경의 전도기능을 한다.
④ 피부에 화장품성분 흡수를 촉진하거나 피부흡수 장벽을 형성한다.

7. 피부미용에 이용되는 전류

1) 갈바닉 전류(Galvanic Current)

(1) 특징

① 해부학자인 Galvani에 의해 발명되어 갈바닉 전류로 명명되었다.

② 전류의 방향과 크기가 시간에 관계없이 미세하게 흐르는 전류를 말한다.

③ 극성을 갖고 있는 미세한 전압을 이용하여 인체 전체에 퍼져 조직을 활성화시키며, 또한 화학적·물리적 반응을 일으키는 전류이다.

(2) 효과

① 극성의 밀어내고 끌어당기는 성질을 이용하여 피부에 유효성분을 침투시키거나 피지나 노폐물을 제거하는 데 이용한다.

② 갈바닉 전류를 이용한 미용기기의 기능은 이온토포레시스(Iontophoresis)와 디스인크러스테이션(Disincrustation)이다.

(3) 양극과 음극의 효과

① 양극의 효과 : 산성반응으로 수렴효과와 진정효과가 있다.

② 음극의 효과 : 알칼리성 반응으로 세정 작용 및 노폐물 배출작용을 한다.

2) 저주파 전류(Low Frequency Current)

(1) 특징

① 저주파의 주파수는 1~1,000Hz까지의 전류를 말한다.

② 전류가 신체가 들어가면 혈액순환이 촉진되어 세포의 신진대사가 활발하게 된다. 또한 인체 적용 시에 근 수축과 근 이완의 느낌이 강하다.

(2) 효과

① 근육과 신경에 자극과 활력을 주어 통증 완화 효과가 있다.

② 신진대사로 노폐물 제거와 피지선을 자극함으로 피부탄력이 생긴다.

③ 수축과 이완을 통해 지방이 감소하고 근육의 탄력이 생긴다.

3) 중주파 전류(Middle Frequency Current)

(1) 특징
① 중주파는 1,000~10,000Hz까지의 전류를 말한다.
② 피부저항을 적게 받는 주파수로 인체 적용 시 통증이나 불쾌감이 적어 고객관리에 적합하다.

(2) 효과
① 근수축과 근이완 효과가 있어 운동효과를 준다.
② 정맥과 림프순환이 증진되어 부종과 염증이 완화된다.
③ 전신관리 시 셀룰라이트와 지방분해에 많이 활용된다.

4) 고주파 전류(High Frequency Current)

(1) 특징
① 고주파는 100,000Hz 이상의 주파수로 높은 진폭의 교류전류이다.
② 전기화학적 반응이나 전기분해현상이 일어나지 않기 때문에 감각신경섬유나 운동 신경섬 유를 자극하지 않고 열을 발생시킬 수 있다.

TIP 주파수에 따른 분류

전류	주파수(Hz)	
교류 (Alternating Current)	저주파 전류	1~1,000Hz
	중주파 전류	1,000~ 10,000Hz
	고주파 전류	100,000Hz 이상

(2) 효과
① 세포 내에서 열을 발생 시킨다.
② 조직온도의 상승으로 혈관이 확장되고 혈액량이 증가되어 혈액순환이 촉진된다.
③ 통증완화작용과 피부 진정효과를 준다.
④ 살균 작용을 한다.
⑤ 순환 촉진으로 제품의 침투효과를 증진시킨다.

TIP 헤르츠(Hz)란?
1초동안 진동하는 횟수를 진동수 또는 주파수라고 하며 단위는 헤르츠(Hz)를 사용한다.

5) 초음파(Ultrasonography)

(1) 특징

① 초음파는 17,000~20,000Hz이상의 진동주파수로서 인체가 듣지 못하는 불가청 진동음
파이다.

② 초음파의 진동이 조직에서 마찰과 충돌로 인해서 열이 발생되고 혈액순환과 신진대사
를 활성화시킨다.

(2) 효과

① 피부 깊숙이 조직온도를 상승한다.

② 이온화와 유화작용을 통해 모공 속 노폐물을 제거시킨다.

③ 초음파진동에 의한 세포의 합성촉진 및 피부재생효과가 있다.

④ 인체흐름을 원활하게 하며 노폐물배출과 셀룰라이트 개선에 도움을 준다.

⑤ 초음파의 진동작용은 지방연소작용을 한다.

피부미용기기의 종류 및 기능

1. 안면 피부미용기기

관리단계	미용기기 종류
피부분석 시	확대경(Magnifying Lamp)
	우드 램프(Wood Lamp)
	모니터 피부분석기(Skin Scope)
	유분 측정기
	수분 측정기
	pH 측정기
	체지방 측정기

관리단계	미용기기 종류
클렌징·딥클렌징	스티머(Vaporizer)
	브러시 기기(Brush Machine= Frimator)
	진공 흡입기(Suction Machine)
	스킨스크러버(Skin scrubber)
	갈바닉의 디스인크러스테이션(Desincrustation)
스킨 토닉 분무시	분무기(Spray Machine)
	루카스(Lucas)
영양물질 침투시	적외선 램프(Infra-Red Lamp)
	갈바닉기계의 이온토포레시스(Iontoporesis)
	고주파기(High Frequency Machine)
	리프팅 기계(Lifting Machine)
	피부관리용 초음파(Ultrasonic Waves)

2. 전신관리기기 및 광선기기

전신 순환 관리	광선관리기기
저주파기(Low Frequency Current)	적외선 램프(Infra-Red Lamp)
중주파기(Middle Frequency Current)	원적외선 사우나
고주파기(High Frequency Current)	원적외선 비만기
초음파기(Ultrasound)	인공 선탠기
엔더몰로지(Endermologie)	살균 소독기
바이브레이터(Vibator)	컬러테라피기
진공흡입기(Vacuum Suction)	

02 CHAPTER

피부미용기기 사용법

▶ I 피부분석을 위한 기기

1. 확대경(Magnifying Lamp)

1) 특징

① 피부를 확대하여 육안으로 판별하기 어려운 잔주름, 색소 침착, 면포 분석에 도움을 준다.

② 확대경의 확대 배율은 일반적으로 3.5~5배율의 확대경이 사용된다.

③ 여드름 제거에 효과적이다.

2) 사용방법 및 주의사항

① 스위치조작은 고객의 얼굴에서 하지 않고, 고객의 옆에서 전원을 확인하고 사용한다.

② 고객의 눈을 보호하기 위하여 반드시 아이패드(Eye Pad)를 고객의 눈에 덮은 후에 피부분석을 하도록 한다.

③ 나사의 조임 부분을 주기적으로 확인하여 고객이 다치지 않게 한다.

2. 우드 램프(Wood Lamp)

1) 특징

① 미국의 물리학자인 Robert William Wood에 의해 개발되었다.

② 피부질환을 진단하려는 목적으로 의료분야에서 처음 사용되었다.

③ 365nm 이상의 자외선을 이용한 피부분석기로 육안으로 판단하기 어려운 피부상태 진단에 사용한다.

④ 육안으로 보이지 않는 피부의 결점이 자외선을 받게 되면 다양한 색과 광택으로 나타나므로 피부상태 분석을 관찰할 수 있다.

피부상태	반응 색상
정상피부	청백색
건성피부	밝은 보라색
민감성피부	진보라색
피지, 면포, 지성피부	오렌지색
두꺼운 각질 부위	흰색
색소침착부위	암갈색

2) 사용방법 및 주의사항

① 고객의 피부가 깨끗한 피부상태에서 측정한다.

② 어두운 상태에서 측정이 정확하므로 빛을 차단시키거나 후드를 덮고 사용한다.

③ 램프 사용중 관리사나 고객이 직접 램프를 보지 않도록 한다.

④ 고객과 5~6cm 정도 떨어져서 측정한다.

⑤ 눈을 보호하기 위해 반드시 아이패드(Eye Pad)를 하도록 한다.

3. 유분측정기

1) 특징

① 유분측정기는 피부각질층의 유분함유량을 측정하기 위한 기기이다.

② 특수 고안된 플라스틱 필름에 묻은 피지를 빛의 투과성을 이용하여 측정하는 것이다.

2) 사용방법 및 주의사항

① 유분측정을 위하여 측정온도는 20~22℃, 습도는 40~60℃가 적정하다.

② 피부표면의 유분은 수분과 외부요인에 의해 변화가 크므로 무알코올 클렌징제품으로 이용하여 세안 2시간 후 메이크업을 하지 않은 상태에서 측정하는 것이 가장 이상적이다.

4. 수분측정기

1) 특징

수분측정기는 피부각질층의 수분함유량을 측정하기 위한 기기이다.

2) 사용방법 및 주의사항

① 수분측정을 위하여 측정온도는 20~22℃, 습도는 40~60℃
가 적정하다.

② 세안 2시간 후 메이크업을 하지 않은 상태에서 측정하는
것이 가장 이상적이다.

③ 운동 후에는 혈액순환이 정상으로 회복되도록 10~20분 정도 후에 측정을 한다.

④ 직사광선이나 직접조명 아래에서는 측정하지 않는다.

5. pH 측정기

1) 원리

피부표면의 pH분석하는 기기로, 산성도와 알칼리도의 정도를 측정하여 피부상태를 확인
할 수 있다.

2) 특징

① 피부의 pH란 피부표면의 pH로 알칼리성에
가까울 경우, 저항력이 약해져서 피부병이
생기기 쉽다.

② 고객피부의 산성도를 측정하여 예민도와 유
분도를 파악할 수 있다.

TIP

pH란?

수소이온농도를 이용하여 산이나 염
기의 세기를 나타낸다. H^+이 많을수록
산성을 나타낸다. pH의 범위는 1~14
까지로 7은 중성이며, 7을 기준으로 낮
으면 산성, 높으면 알칼리성라고 한다.

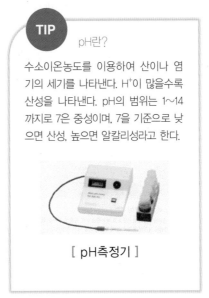

[pH측정기]

6. 모니터 피부분석기(Skin Scope)

① 스킨 스코프(Skin Scope) 라고도 한다.

② 피부와 두피, 모발상태를 30~800배 확대하

는 정교한 피부분석기기이다.

③ 모니터를 통해 고객이 직접 확인할 수 있어 신뢰감을 주는 장점이 있다.

7. 체지방측정기

1) 원리

체중에서 체지방이 차지하는 비율과 체지방량을 측정할 수 있다.

2) 종류

체지방측정기는 피하지방의 두께를 측정하는 간단한 기구인 캘리퍼(Caliper)와 전기의 인체 저항치를 측정한 임피던스법(Impedance, 생체전기저항법)이 있다.

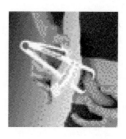 

[체지방측정기]   [체지방분석기]

▶ II 안면을 위한 피부미용기기

1. 스티머(Steamer, Vaporizer)

1) 특징

① 물통의 물이 코일의 센서에 의해 가열되어 멸균기능을 띤 강력한 초립자 증기를 만들어 낸다. 스티머 사용의 주된 효과는 온열효과와 보습효과이다.

② 증기만을 공급하는 방법과 오존(O_3)과 증기를 함께 공급하는 방법이 있다.

2) 효과

① 스팀의 습윤 작용으로 보습효과가 증대된다.

② 각질이 쉽게 떨어지고, 피부의 긴장감을 풀어준다.

③ 온열효과로 모공을 열어 노폐물 배출을 용이하게 해 준다.

④ 혈액순환 및 신진대사의 활성화에 효과가 있다.

⑤ 오존(O_3)에 의한 박테리아를 제거하는 살균, 소독효과가 있다.

⑥ 딥클렌징 단계에서 효소 파우더와 사용하면 매우 효과적이다.

3) 사용방법 및 주의사항

① 스티머의 수조 정지선의 2/3 정도 물을 넣고 버튼을 누르면 5~10분 정도 지나 물이 끓기 시작한다. 끓는 시간이 필요하므로 고객관리 전 예열을 해놓는다.

② 물이 점점 줄어들어 일정량 이하가 되면 수증기가 나오지 않는다. 이때 기계에 찬물을 넣을 경우 수조가 깨지는 경우가 발생이 되므로 주의해야 한다.

③ 피부타입에 따라 적정시간을 고려한다.

피부상태에 따른 사용시간

피부 상태	사용시간
정상, 건성, 노화피부	약 10분
지성	약 10~15분
여드름, 예민, 모세혈관 확장 피부	약 3~5분

④ 스팀이 나오면 30~50cm 떨어진 곳에서 분사한다.

⑤ 환기장치 또는 선풍기의 바람이 스팀의 방향을 변하지 않게 한다.

⑥ 민감한 부분이나 모세혈관이 확장된 부분은 마른 탈지솜으로 덮어 피부를 보호한다.

⑦ 정제수 또는 일반 물의 사용은 가능하나 에센셜오일이나 다른 물질을 넣지 않는다.

⑧ 스티머 이동 시에는 반드시 손잡이 부분을 잡고 이동시킨다.

⑨ 오존은 맨 얼굴일 경우에만 적용하며 제품이 도포되어 있는 경우에는 오존을 적용하지 않는다.

⑩ 사용하지 않을 경우 수조를 비운 후 보관한다.

4) 부적용증

① 심한 염증성 여드름 피부
② 일광 화상된 부위
③ 상처난 부위
④ 모세혈관 확장피부
⑤ 피부 감염 시
⑥ 천식환자

2. 전동브러시(Brush Machine, Frimator)

1) 특징

① 전동기의 회전원리를 이용한다. 피부에 자극이 적은 천연 양모 브러시를 사용하여 클렌징과 딥클렌징의 효과를 주는 피부미용기기이다.

〈브러시 머신 기기〉

2) 효과

① 피부 표면의 노폐물과 각질제거 등의 딥클렌징효과로 피부색을 맑고 투명하게 한다.
② 천연 양모의 회전으로 피부에 부드러운 마찰을 주어 혈액순환을 촉진시키고 신진대사를 활성화시키는 매뉴얼 테크닉 효과가 있다.

3) 사용방법 및 주의사항

① 피부 표면에 클렌징 또는 딥클렌징 할 수 있는 제품을 먼저 도포한다.

② 부위에 적합한 크기를 선택하고 물에 적셔진 브러시를 핸드 피스에 탁 소리가 나도록 끼운다. 정확히 끼우지 않게 되면 회전도중 튕겨 나갈 수 있다.

③ 스위치를 켜고 피부 타입에 맞게 회전속도를 선택하여 관리사 손등에서 체크한다.

④ 회전하는 브러시는 피부에 90° 직각으로 피부에 닿도록 한다.

⑤ 피부에 밀착하되 강한 압을 가하지 않고 원을 그리며 이동한다.

⑥ 얼굴의 넓은 부위에는 넓은 브러시를 사용하고, 좁은 부위엔 좁은 브러시를 사용한다.

⑦ 사용한 브러시는 중성세제로 깨끗하게 세척하여 말린 후 자외선 소독기에 넣어 소독한다.

⑧ 관리 중 브러시를 다른 브러시로 교체시 반드시 스위치를 끈 후 교체한다.

⑨ 머리카락이 브러시에 엉키지 않도록 조심한다.

⑩ 뼈가 돌출된 부위에서는 속도를 낮추어 사용한다.

브러시의 회전속도

피부타입	회전속도
건성. 예민피부	200~250 rpm/min
정상피부	300~400 rpm/min
지성피부	400~450rpm/min
필링	700 rpm/min

※ rpm : 1분 동안 브러쉬의 회전속도를 나타낸다.

4) 부적용증

① 모세혈관 확장피부

② 심한 염증성 여드름 피부

③ 알레르기성 피부

④ 상처가 있는 피부

⑤ 피부질환

3. 스프레이(Spray Machine, 분무기)

1) 특징

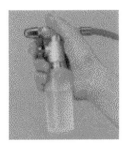

진동펌프의 원리를 이용하여 스킨토너(Skin Toner), 아스트리젠트(Astringent), 미네랄 워터, 아로마 워터 등을 용기에 넣어 얼굴에 분사한다. 분사시 입자가 매우 고아 피부에 산뜻함을 제공한다.

2) 효과

① 입자가 미세하여 피부에 산뜻한 청량감과 모공세척 효과를 준다.
② 피부 건조를 방지하고 산성막의 빠른 회복을 돕는다.
③ 피부 표면의 세정효과가 있다.

3) 사용방법 및 주의사항

① 피부타입에 맞는 제품을 준비한다. 이때 용기의 2/3 정도를 채운다.
② 분사 전 눈을 감게 하거나, 고객의 눈에 아이패드를 덮어준다.
③ 고객의 얼굴에서 30~40cm 떨어진 곳에서 분사한다.
④ 분무 후 가볍게 두드려 흡수시킨다.
⑤ 분무 구멍에 미네랄 등이 쌓이지 않도록 바늘 등을 이용하여 막히지 않게 한다.
⑥ 스프레이를 원하지 않는 가슴과 어깨부위에는 내용물이 흐르지 않도록 수건이나 티슈로 가려준다.

TIP 루카스(Lucas)

토닉단계에서 사용하는 미용기기로 미세한 수분입자와 아로마 워터의 혼합으로 오감만족을 주는 기기이다.

[루카스]

4. 갈바닉기기(Galvanic Machine)

1) 특징

① 낮은 전압의 직류를 사용한다.

② 갈바닉 전류라 불리는 60~80V의 미세한 직류 전류는 인체를 통과할 때 성질이 다른 극성에 의해 화학적인 작용이 일어난다.

③ 같은 극끼리는 밀어내고, 다른 극끼리는 끌어당 기는 전기적 성질을 이용하여 피부에 침투하기 어려운 수용성 제제의 유효성분을 흡수시키는

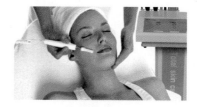

[이온토포레시스]

이온토포레시스(Iontophoresis)나 피부내의 노폐물을 밖으로 배출시켜주는 디스인크러 스테이션 (Desincrustation)으로 사용할 수 있다.

2) 효과

(1) 음극의 효과

① 음극은 알칼리 반응을 하여 알칼리성 용액을 침투시킬 때 사용된다.

② 세정 작용 및 노폐물 배출작용을 한다.

(2) 양극의 효과

① 양극은 산성반응을 하여 산성용액을 침투시킬 때 사용되며, 수렴효과와 진정효과가 있다.

극성의 효과

음극(-)	양극(+)
알칼리반응	산성반응
모공세정	수렴작용
혈액공급 증가	혈액공급 감소
조직을 부드럽게 함	조직을 단단하게 함
신경자극	신경진정
음이온 물질침투에 사용	양이온 물질침투에 사용

② 신경 안정 및 조직에 탄력을 부여한다.

(3) 종류별 효과

관리종류	관리효과
디스인크러스테이션 (Desincrustation)	① 음극봉을 이용하여 음극봉 아래에 생성된 알칼리는 모공을 열어, 피지와 노폐물을 배출시키는 세정효과로 딥클렌징 방법이다. ② 혈관을 확장시켜 혈액순환이 증가되어 영양소와 산소공급, 신진대사를 촉진시킨다. ③ 음극봉은 알칼리로 피부의 pH를 변화시키므로 음극봉의 관리가 끝난 후에는 양극봉으로 피부의 산성도를 회복시킨다.
이온토포레시스 (Iontophoresis)	① 양이온 제품은 양극봉을 이용하여, 음이온 제품은 음극봉을 이용하여, 피부 속으로 유효성분을 침투시키는 영양관리방법으로 이온영동법, 이온도입법이라 한다. ② 이온화된 물질을 피부조직에 침투시키는 방법이다.

3) 사용방법 및 주의사항

관리종류	관리효과
디스인크러스테이션 (Desincrustation)의 사용방법 (=아나포레시스)	① 고객에게 자극이 없도록 젖은 거즈나 젖은 스펀지로 봉을 감싸고 고객의 손 또는 어깨부위에 고정시킨다. ② 피부타입에 맞는 알칼리성 세정제품을 도포한다. ③ 극성의 위치를 확인하고, 세기가 '0'으로 맞춰있는지 확인한다. ④ 전원을 켜기 전 미리 전극봉을 이마나 턱부위에 밀착시킨 후 전원을 켠다. ⑤ 전원을 켜고 강도를 서서히 올려 0.05mA에 맞추어 관리한다. ⑥ 고객이 따끔함을 느끼면 전류를 내린다. ⑦ 관리가 끝난 후에는 전류의 세기를 '0'으로 낮춘 후 전원을 끄고 전극봉을 얼굴에서 뗀다. ⑧ 극성을 양극으로 바꾸어 전원을 다시 켠 후 2~3분간 관리하여, 얼굴의 pH를 맞춰준다. ⑨ 사용후 기기를 소독한다.
이온토포레시스 (Iontophoresis)의 사용방법 (=카타포레시스)	① 관리 시 사용되는 핀셋형, 롤러형, 마스크형 등을 선택한다. ② 사용할 전극에 물에 적신 솜을 잘 감싸 준비한다. 　핀셋 : 핀셋봉에 젖은 솜을 잘 감싼다. 　롤러형, 마스크형 : 제품을 바른 후 젖은 거즈를 깔고 적용시킨다. ③ 고객에게 자극이 없도록 젖은 거즈나 스펀지로 봉을 감싸고 고객의 손 또는 어깨 부위에 고정시킨다. ④ 앰플의 극성을 확인하고, 극성에 따라 (+), (−)를 기기에서 선택한다. ⑤ 피부타입에 맞는 수용성 활성앰플을 도포한 후 기계를 작동 한다. ⑥ 롤러를 얼굴에서 서로 부딪히지 않게 한다. ⑦ 관리시간은 제품과 피부상태에 따라 다르다. ⑧ 관리가 끝날 때는 전류를 낮추어 '0'을 맞추고 난 후 전원을 끈다.

4) 주의사항

① 작동중 전극봉이 얼굴에서 떨어지지 않도록 주의한다.

② 전류의 세기가 너무 강하면 화상이 발생되고, 전류의 세기가 너무 약하면 효과가 약하다.

③ 피부의 한 부분에 너무 오래 머무르지 않게 한다.

④ 기기관리 전 고객 몸에서 금속류를 모두 제거한다.

⑤ 극성의 변환은 반드시 스위치가 꺼진 상태에서 변환한다.

5) 부적용증

① 체내에 금속류(금속판, 금속핀) 등이 있는 사람

② 전기에 예민한 사람

③ 임산부

④ 인공심박기

⑤ 심한 예민성 피부

⑥ 알레르기 피부

⑦ 상처가 있는 부위

5. 고주파기기(High Frequency Machine)

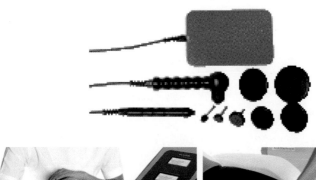

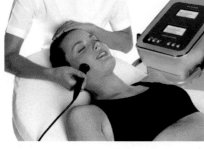
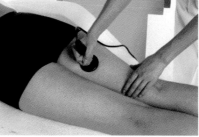

1) 특징

① 주파수가 초당 100,000Hz 이상의 높은 진동률의 테슬러 전류로 파동주기가 짧아 근육 수축을 자극하지 못한다.

② 고주파 전류를 이용하여 피하 조직에 열을 발생시켜 피부의 활성화를 제공하는 요법이다.

③ 전류를 가하면 전극봉의 유리봉내의 공기와 가스가 이온화되어 전류가 전극봉을 통해 근육으로 흩어져서 흐르게 된다. 유리봉내에 공기가 있으면 자색, 네온이 들어 있으면 오렌지, 수은이 있으면 푸른자색을 나타낸다.

④ 고주파 전류는 피부표면에서 스파킹(sparking)작용으로 오존을 발생시켜 살균효과를 준다.

2) 효과

관리종류	관리효과
고주파 직접법	① 피부에 건조효과를 주어 지성, 여드름 피부에 적용한다. ② 오존을 발생시켜 박테리아 살균 및 소독작용이 일어난다.
고주파 간접법	① 건성 및 노화피부의 혈액순환을 촉진시킨다. ② 심부열 발생으로 인해 피부의 긴장을 이완시킨다. ③ 크림의 흡수를 돕는다. ④ 심부열 발생으로 피지선의 활동이 증가되어 건성 및 노화된 피부에 윤택을 부여한다. ⑤ 피부조직의 재생력이 좋아진다.

[직접적용방식]

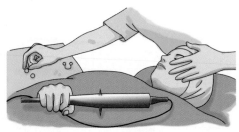

[간접적용방식]

3) 사용방법 및 주의사항

관리종류	사용방법 및 주의사항
고주파 직접법	① 클렌징 후 무알코올 토너를 바른 후 마른 거즈를 얹는다. ② 선택한 유리봉에 홀더를 끼운다. ③ 전류의 세기가 '0'에 있는지 확인한다. ④ 시술부위에 전극봉을 얹은 후 세기를 서서히 올린다. ⑤ 심하게 압을 주지 말고 미끄러지듯이 원을 그리며 마사지 하듯 움직인다. ⑥ 피부타입에 따라 5~7분으로, 최대 10분 이상 넘지 않도록 한다. ⑦ 시술 후 피부에서 전류의 세기를 '0'으로 낮춘 후 전원을 끈다. ⑧ 사용한 유리봉은 알코올 소독을 한다.
고주파 간접법	① 얼굴에 크림이나 오일을 충분히 바른다. ② 고객의 손에 탈크파우더를 바른다. ③ 고객에게 유리봉을 관리할 동안 잡고 있도록 안내한다. ④ 한손은 고객의 얼굴부위에 대고 다른 손으로는 전원을 켜 전류의 세기를 서서히 올린 후 양손을 이용하여 매뉴얼테크닉 동작을 한다. ⑤ 이때 고객의 얼굴부위에서 손이 떨어지는 동작은 하지 않도록 한다. ⑥ 관리 후 전류의 세기를 '0'으로 낮춘 후 전원을 끈다. ⑦ 사용한 유리봉은 알코올 소독을 한다.

4) 주의사항

① 시작 전 고객 및 관리사 모두 금속류를 제거한다.

② 사용 중 기기의 소리발생을 고객에게 안내한다.

③ 유리봉 교체 시 전원을 끈 상태에서 교체한다.

④ 주변에 물기가 있는지 확인한다.

TIP

스파킹(Sparking)

여드름이 있는 부위와 유리 전극봉 사이를 살짝 떼었을 때 피부와 전극봉 사이에 스파크가 일어난다. 이때 발생되는 오존은 살균효과 및 건조 효과가 있어 박테리아를 죽인다.

⑤ 알코올의 함량이 많은 토너 사용 시 유리봉에 닿을 경우 불꽃이 튀어 화상을 입을 수 있으므로 주의한다.

⑥ 유리봉에 오일이 묻어 있으면 작동이 되지 않을 수 있으므로 오일을 깨끗이 제거한다.

5) 부적용증

① 인공심장 박동기를 착용한 사람

② 임산부

③ 간질

④ 심한 모세혈관 확장 피부
⑤ 체내에 금속을 지닌 사람

6. 진공흡입기기(Vacuum Suction)

1) 특징

① 기계모터의 진공기를 이용하여 유리컵의 압력을 조절하여 피부조직을 흡입하는 관리
　방법이다. 석션기라고도 불린다.
② 유리벤토즈라 불리는 유리컵을 피부에 밀착시킨 후 손가락으로 구멍을 막으면 흡입력
　에 의해 피부가 유리컵안으로 당겨지고, 손가락으로 구멍에서 떼면 피부가 원상태로
　돌아간다.
③ 컵 안의 압력을 감소시켜 컵으로 피부를 들어 올리는 것이며 림프의 방향으로 컵을 이
　동시켜 림프배농을 도와준다.

[진공흡입기]

2) 효과

① 딥클렌징 효과로 피지제거 및 각질제거를 도와준다.
② 조직사이에 정체된 노폐물 배출을 증가시켜 림프순환을 촉진시킨다.
③ 혈액순환의 개선을 해준다.
④ 피부를 자극하여 한선, 피지선의 기능을 활성화시킨다.

3) 사용방법 및 주의사항

① 얼굴에 크림이나 오일을 도포한다.

② 얼굴부위에 맞는 유리벤토즈를 선택 후 금이 가거나 깨졌는지 확인한다.

③ 유리관의 압력이 적당한지 관리사의 손등 또는 팔 안쪽 부위에 확인 후 알코올 소독 후 고객에게 사용한다.

④ 얼굴부위 흡입 시 유리컵의 20% 이상 흡입하지 않으며 전신관리 시 30% 이상 흡입하지 않도록 한다.

⑤ 한 부위당 3~4번 반복 실시한다.

⑥ 유리컵 크기를 조금씩 겹치면서 림프절 방향으로 이동한다.

⑦ 관리가 끝난 후 사용한 유리컵은 중성세제를 이용하여 오일기를 제거 후 알코올로 소독하여 자외선 살균기에 넣어 보관한다.

⑧ 한 부위를 강하게 흡입하면 멍이 생길 수 있으므로 주의한다.

> **TIP** 진공흡입기
>
> 진공흡입기는 다양한 유리컵이 활용되고 안면관리 뿐만 아니라 전신관리에도 많이 사용된다.

4) 부적용증

① 모세혈관 확장피부

② 멍든부위

③ 탄력이 심하게 떨어지는 피부

④ 정맥류 이상

⑤ 심한 염증성 여드름 피부

⑥ 일광화상 된 피부

7. 초음파기기

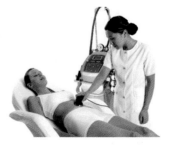

1) 특징

① 진동주파수가 17,000~20,000Hz 이상의 음파의 진동에 의해 온열효과가 발생한다.
② 안면근육의 탄력 및 재생, 딥클렌징 효과 등을 가져온다.
③ 제품의 유효성분을 피부 깊숙이 침투시킨다.

2) 효과

온열효과	① 피부 깊숙이 진동음파에 의해 피부 속 온도가 상승한다. ② 혈액 및 림프순환을 촉진 ③ 신진대사 촉진
물리적 효과	① 진동에 의해 뭉쳐진 근육을 풀어주는 매뉴얼 테크닉 효과 ② 진동에 의해 모공 속 피지, 각질 등을 제거하는 딥클렌징 효과 ③ 진동에 의해 세포와 근육의 활성화
화학적 효과	① 지방분해 효과 ② 재생 효과증진

3) 사용방법 및 주의사항

① 고객관리 전 금속류를 모두 제거한다.
② 초음파 안면 전용 젤을 얼굴전체에 도포한다.
③ 강도는 고객의 상태에 따라, 시술 도중에 조절할 수 있다.
④ 눈가의 민감한 부분은 사용을 금한다.
⑤ 한 부위에 5초 이상 머물면 화상의 위험이 있으므로 한부위에 오랫동안 머무르지 않는다.
⑥ 사용한 도자의 금속면은 부드러운 천이나 티슈로 젤을 제거 후 보관한다.
⑦ 공기는 초음파를 전달하지 못하므로 전용젤이 반드시 필요하다.

> **TIP**
>
> ### 스킨 스크러버(Skin Scrubber)
>
> 초음파 전극과 피부사이에 물을 이용하면 높은 진동율에 의해 물분자에 그 진동이 전달된다. 이 때 물분자의 결합들이 진동에 의해 나누어져 단분자 상태로 되어 물의 피부흡수가 쉽다. 피부로 흡수된 물분자는 다시 내부의 노폐물과 충돌하여 노폐물의 분해를 촉진시켜 외부로 쉽게 노폐물을 배출하는 기기를 말한다.
>
>
>
> 〈스킨스크러버〉

4) 부적용증

① 접촉성 피부염

② 피부에 상처가 있는 사람

③ 임산부

④ 인체 내에 금속류가 있는 사람

⑤ 인공심박기, 악성 종양 환자

⑥ 성형수술 후 3개월이 경과되지 않은 사람

8. 리프팅기기(Lifting Machine)

1) 특징

① 미세직류전류를 이용하여 안면근육의 윤곽을 잡아주고 탄력을 회복시켜 주는 원리이다.

② 리프팅 관리에 사용되는 피부미용기기는 고무장갑형 리프팅기기, 전극봉형 리프팅기기, 중저주파 리프팅기기, 초음파 리프팅기기가 있다.

③ 전극봉을 이용한 기기 : 면봉을 전극봉에 끼운 후 물을 적셔서 근육의 기시점과 종지점을 찾아 근육운동을 시키는 것이다.

④ 고무장갑형 리프팅 기기 : 단속직류를 이용하며 관리사의 손과 고객의 피부가 각각 전극이 되어 고무장갑을 낀 상태에서 마사지를 하여 순환 촉진 및 리프팅 효과를 가져다 준다.

2) 효과

① 탄력을 잃은 피부에 리프팅 효과를 준다.

② 림프순환 및 혈액순환이 촉진된다.

③ 세포재생을 촉진한다.

3) 주의사항

① 고객과 관리사의 금속류를 모두 제거한다.

② 금속기구를 사용할때 손에 물기가 없는 건조한 상태에서 다룬다.

③ 고무장갑형 리프팅 기기는 장시간 관리 시 피부 손상이 발생된다.

4) 부적용증

① 성형수술 직후
② 인체 내에 금속류가 있는 사람은 피한다.
③ 임산부
④ 피부질환자

9. 냉·온 마사지 기기(Ice and Heat Machine)

1) 원리

고온과 저온의 열조절기가 내장되어 있으며 고온법
과 저온법 및 냉온 교대요법등으로 사용된다.

[냉·온 마사지 기기]

2) 효과

① **고온법(온 마사지)** : 혈관확장 및 신진대사 촉진
과 영양물질 흡수가 이루어진다.

② **저온법(냉 마사지)** : 혈관강화 및 모공수축, 탄력증가효과를 준다.

③ **냉온 교대법(냉·온 교대마사지)** : 혈액순환 촉진, 신진대사 촉진, 탄력증진, 물질흡수율
증가효과를 가져다준다.

3) 사용방법 및 주의사항

① 고온법은 피부의 혈액순환이 저하되어 있는 마사지 전에 적용시킨다.
② 저온법은 피부관리 마지막에 적용시킨다.
③ 냉온 교대법은 관리 중간에 적용하여 관리의 효과를 증대시킨다.
④ 크림을 바르고 고온법을 하며, 냉요법에는 에센스 등을 바르고 적용하면 효과가 극대화
된다.
⑤ 관리 후 프로브를 알코올로 깨끗이 닦아 소독한다.
⑥ 눈가 주위는 피한다.

4) 부적용증

① 인공심박기 착용자

② 임산부

③ 모세혈관 확장피부

④ 정맥류

⑤ 암환자

⑥ 멍든부위

Ⅲ 전신을 위한 피부미용기기

1. 진공흡입기(Vacuum Suction)

 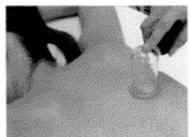

1) 특징

① 유리컵(Ventouse)를 이용한 흡입원리로 피부표면을 진공 상태로 만들어 세포와 조직에 물리적 자극을 가해 매뉴얼 테크닉 효과를 준다.

② 적용부위에 따라 다양한 크기의 유리컵이 있으며, 적절한 크기를 선택할 수 있다.

2) 효과

① 림프와 혈액의 순환을 도와 부종방지효과

② 신진대사 촉진

③ 피지선 활성화로 노폐물 배출에 효과

④ 체지방감소, 셀룰라이트 분해, 탄력증진에 도움을 준다.

3) 사용방법 및 주위사항

① 전신관리 시에 압력 조절을 위해 관리사의 피부에 체크를 한다.

② 림프 드레나쥐 효과를 높이기 위해서는 림프절에 따라 부드럽게 관리한다.

③ 벤토즈의 움직임을 용이하게 하기 위해 전신에 오일이나 마사지 크림을 바르도록 하고 고객에게 적당한 압력과 벤토즈 크기를 사용한다.

④ 전신관리 시 안면에 사용한 벤토즈보다 큰 벤토즈를 적용한다.

4) 비적용증

① 민감성 피부, 모세혈관 확장증 피부

② 상처가 있는 부위, 전염성 피부질환자

③ 정맥류가 심한 경우

④ 임산부, 노약자, 수술 후 환자

5) 소독 및 보관방법

① 중성세제를 풀어 유리관을 세척한다.

② 자외선 소독기에 소독한다.

③ 유리컵이 깨지지 않도록 보관함에 넣어 보관한다.

2. 엔더몰로지기(Endermologie)

1) 특징

엔더몰로지기는 진공흡입원리와 볼과 롤러를 통해 피부의 결합조직에 인위적인 물리적 자극을 주어 신진대사를 촉진시켜 셀룰라이트와 지방을 효과적으로 분해한다.

2) 효과

① 리프팅과 지방분해 효과

② 탄력강화

③ 혈액순환 촉진, 노폐물 배설 촉진

3. 저주파기기

저주파 기기는 저주파 전류(1~1,000Hz)를 근육에 전기적 자극을 가하여 근육을 운동시켜 지방을 에너지로 생성, 발산하게 하는 원리를 이용한다.

(1) 특징

근육운동을 시켜주는 전류를 이용하여 수축운동(Contraction)과 비틀림운동(Twist)을 함께 병행하게 하여 최대한 근육운동을 할 수 있게 하여 단시간 내 관리를 통해 효과적인 에너지 발산을 통하여 비만관리와 체형관리에 효과를 준다.

(2) 효과

① 체형관리와 비만관리에 효과적이다.
② 근육 강화와 탄력증진 효과
③ 수분 및 체내 노폐물 배출효과
④ 체지방감소 효과

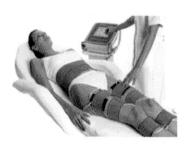

(3) 비적용증

① 인공심장박동기 또는 인공신장기를 사용하고 있는 사람
② 임산부나 임신 가능성이 있는 사람
③ 피부질환자나 상처가 있는 사람
④ 심장병, 당뇨환자, 신장병 등 질환을 앓고 있는 사람
⑤ 인체 내의 금속물질이나 금속판이 있는 사람

4. 중주파기기

중주파기기는 중주파 전류(1,000~10,000Hz)를 이용하는 기기로 근육수축으로 인해 오는 통증의 한계성을 배제한 기기이다.

1) 특징

① 전류의 진폭을 변조시킨 변조중주파를 이용하여 활발한 지방분해와 신진대사 작용이 촉진된다.
② 피부의 임피던스(Impedance)가 적어 인체 적용 시 통증이나 불쾌감이 적다.

2) 효과

① 피부의 전기저항이 낮아 피부통증, 자극, 불쾌감이 없다.
② 전류의 느낌이 부드럽고 특정한 부위, 깊고 넓은 부위를 효과적으로 관리 가능하다.
③ 지방대사를 활성화, 지방분해를 촉진시킨다.
④ 혈류 및 림프순환이 증진되어 신체의 정화기능을 높인다.

3) 비적용증

① 인공심장박동기 또는 인공신장기를 사용하고 있는 사람
② 임산부나 임신 가능성이 있는 사람
③ 피부질환자나 상처가 있는 사람
④ 심장병, 당뇨환자, 신장병 등 질환을 앓고 있는 사람
⑤ 인체 내의 금속물질이나 금속판이 있는 사람

5. 바이브레이터기(Vibrator)

1) 특징

진공타격기 라고도 하며 진동과 회전을 이용하여 순환을 촉진하는 방향성 전신기기로 원을 그리며 작동하여 기계적인 마사지를 제공한다.

2) 효과

① 적용부위에 체온을 높여 근육이완과 근육통 감소
② 림프순환과 혈액순환
③ 신진대사 촉진
④ 지방분해를 도와준다.

3) 사용방법 및 주의사항

① 사용부위에 따라 헤드의 종류를 선택하고 적당한 압을 조절한다.
② 필요에 따라 탈크파우더를 가루가 날리지 않도록 마른 솜에 묻혀 관리할 부위에 펴바른다.
③ 뼈가 돌출되어 있는 부위나 관절은 피한다.

4) 관리가 불가능한 경우

① 모세혈관 확장피부
② 상처부위, 타박상이나 찰과상이 있는 경우
③ 정맥류가 심한 사람
④ 임산부

6. 프레셔테라피기(Pressure Therapy)

1) 특징

압박요법이라고 하는 프레셔 테라피는 팔, 다리, 골반, 허리등 적당한 공기압력을 이용하여 정맥과 림프의 순환을 개선하는 요법이다.

2) 효과

① 림프정체와 림프부종 개선에 효과적이다.
② 정맥성 기능 부전에 효과
③ 노폐물 배출과 체내 균형 유지

7. 파라핀기(Paraffin)

1) 특징

파라핀기는 고형의 파라핀을 녹이는 기기로 파라핀의 뛰어난 보습력을 이용하여 건성, 노화피부, 손, 발 등 다양한 신체 부위에 사용할 수 있다.

2) 효과

① 영양침투와 보습효과

② 각질제거 효과
③ 혈액순환 촉진

Ⅳ ▶ 광선관리기기

1. 광선의 이해

① 광선으로는 자연태양광선이나 인공적인 장치에 의하여 얻을 수 있는데, 미용에서는 적외선, 자외선, 가시광선 등이 이용되고 있다.
② 의료분야에서도 광선을 이용한 치료관리와 기기가 발전해 가고 있다.

1) 파장(Wavelength)

① 전기나 광선은 일정한 파도 모양을 이루며 파(Wave)를 만드는데, 이를 전자파(Magnetic Waves)라 하며, 전자기파는 파장을 가지게 된다.
② 파장(Wavelength)은 수평선상에서 파의 한 점에서 다음 파의 한 점까지의 거리를 말한다.
③ 단위는 Å(Angstron), nm(Nanometer) 등을 사용한다.

광선범위	파장(nm)
X선, 감마선	13.6 이하
자외선 UV-C	200~290
UV-B	290~320
UV-A	320~400
가시광선	400~770
적외선, 근적외선	770~1,500
원적외선	1,500~15,000
무선자기파	20,000 이상

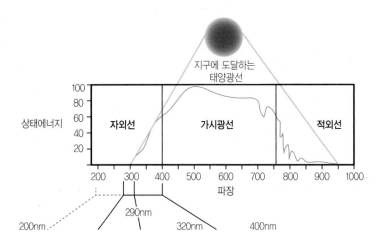

2. 적외선(Infra-Red Ray)

1) 개념

적외선은 파장이 700~400,000nm 사이의 전자기파로서 이 광선이 물질에 흡수 될 때 물질을 구성하고 있는 분자의 격렬한 운동으로 열이 발생되어 물질을 따뜻하게 하는 성질이 있어 열선이라고 한다.

2) 특징

① 불가시광선으로 조명, 전열기구 등에서도 발산되나 가장 많이 발산되는 것은 태양이며, 가시광선(Visible Ray) 중에서 파장이 긴 적색의 바깥쪽에 있어서 적외선이라고 말한다.

② 적외선기기 중 적외선 램프(Infrared Ray Lamp)는 온열작용으로 혈액증가, 순환촉진, 신대대사 촉진, 근육이완의 효과를 나타낸다.

③ 적외선의 종류

광 선	파 장	침투깊이	영 향
근적외선	770~1,500nm	5~10nm	혈관, 림프관, 신경에 영향을 준다.
원적외선	1,500~12,000nm	0.5~2nm	피부 상층부(각질층)에서 거의 흡수되며 피부에서는 근 적외선보다 뜨겁게 느낀다.

3) 효과

① 신체에 적외선을 조사하면 그 부위에 열이 발생한다.

② 열로 인해 신진대사가 증진되며 노폐물이 배출된다.

③ 체온상승 및 혈관확장

④ 근육을 이완시켜 통증완화

⑤ 땀과 피지의 분비를 활발하게 하며 활성물질의 흡수작용을 증진

4) 사용 시 주의사항

① 열을 이용하므로 화상에 주의한다.

② 아이 패드를 이용하여 고객의 눈을 보호한다.

③ 고객과 램프사이의 적정거리(45~90cm)를 유지하고, 고객의 상태에 따라 관리시간을 조절한다.

④ 악성종양이 있는 경우, 심장 및 신장 질환이 있는 자는 절대 금지한다.

⑤ 수술 직후나 일광화상 부위는 적용을 하지 않는다.

3. 자외선(Ultraviolet Ray)

1) 자외선의 특징

① 15~400nm 사이의 파장을 지닌 광선으로 가시광선(Visible Ray)에서 가장 짧은 자색(보라색) 광선의 바깥쪽에 존재하므로 자외선(UV)이라고 한다.

② 태양광선의 1~5%에 지나지 않으나 피부에 자극적인 화학반응을 일으키는 성질이 있어 화학선이라 한다.

③ 살균력이 강하며, 비타민 D 합성에 관여하여 구루병 예방에 필수적이다.

④ 자외선은 파장에 따라 UV A, UV B, UV C의 3가지로 분류된다.

파장에 의한 자외선의 종류

자외선 구분	파장	피부 영향
UV A	장파장(320~400nm)	피부의 태닝효과 광노화의 원인 진피, 모세혈관까지 침투
UV B	중파장(290~320nm)	홍반현상, 수포형성 표피 기저층까지 침투
UV C	단파장(290nm 이하)	피부에 상층부에만 도달 강한 살균력으로 바이러스, 세균 파괴

2) 자외선의 효과

① 홍반반응
② 색소침착과 피부상태 개선
③ 인체 감염에 대한 저항을 증가시켜주는 효과
④ 비타민 D 형성
⑤ 진통완화와 전신 강장효과

3) 자외선을 이용한 기기

(1) 인공 선탠기

① 원리

⊙ 자외선을 이용하여 인공적으로 UV A를 조사하여 피부에 해를 입히지 않고 피부표면을 갈색으로 태운다.

ⓒ 주로 UV A 자외선을 사용하여 멜라닌 세포를 자극하여 색소를 추가적으로 생성하는 과정으로 갈색의 침착이 생기게 한다.

② 적용방법

⊙ 장시간 노출로 렌즈와 망막이 손상될 수 있으므로 눈을 보호해야 한다.

ⓒ UV A에 장시간 노출된 경우 피부가 노화되고 피부암이 유발될 수 있으므로 주의한다.

ⓒ 기기 설치는 환풍구나 통풍이 잘 되는 독립된 방이나 칸막이가 설치된 곳에 있어야 한다.

ⓔ 사용 전 모든 금속류와 렌즈 제거, 향수 및 유분 제거를 위해 샤워한 후에 건조시킨 후 선탠 오일, 선탠 로션 등을 골고루 바른다.

ⓜ 모발을 타월로 감싸고 눈에는 보안경을 착용하고 상처 부위는 밴드로 보호하고 관리에 들어간다.

ⓗ 1회 관리 시는 15분을 초과하지 않도록 하며 점차적으로 시간을 늘리도록 한다.

③ 주의사항

ⓞ 광알레르기가 있는 경우, 햇빛에 전혀 타지 않는 자

ⓛ 피부질환자, 임산부

ⓒ 감기로 인한 고열이 있는 경우, 두통과 현기증 증세가 있는 자

ⓔ 감광성을 유발하는 약을 복용하는 경우

(2) 자외선 소독기

① 원리 : 파장이 짧은 UV C의 강한 살균효과를 이용하여 피부미용실에서 여러 기구의 살균 목적으로 사용되는 자외선 소독기이다. 푸른빛을 내는 수은 램프에서 인공적으로 발생되는 자외선 살균력을 이용하는 것인데, 250nm파장을 가진 UV C만이 방출되는 원리이다.

② 적용방법

ⓞ 피부 관리 시 사용되는 모든 기구들은 사용 후 잘 세척한 후 소독기에 30분~1시간 정도 작동하면 거의 살균이 이루어진다.

ⓛ 자외선이 골고루 조사될 수 있도록 기구끼리 겹치기 않도록 주의한다.

ⓒ 자외선 소독은 살균작용이 표면에서만 일어남으로 소독을 시작한지 20분이 경과하면 뒤집어 골고루 살균되도록 한다.

4. 컬러테라피기기(Color Therapy)

1) 특징

광선 중 눈으로 관찰이 가능한 가시광선 즉 색을 가진 빛은 개별적으로 고유의 파장을 지니고 있어 인체에 적용할 때에 서로 다른 효과를 보이며 미용적 효과를 얻을 수 있도록 고안된 기기를 컬러테라피, 크로마 테라피라 한다.

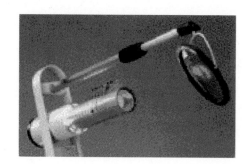

2) 효과

색을 지닌 빛을 이용하며, 빛의 파장, 빛의 세기를 상황에 맞게 인체 적용한다.

컬러에 따른 빛의 파장과 효과

색 광	파 장	효과
빨강(Red)	600~700nm	혈액순환증진과 심장기능 활성화
주황(Orange)	500~600nm	내분비계 기능 활성화
노랑(Yellow)	580~590nm	소화기계 기능 강화
초록(Green)	500~550nm	신경안정 및 신체 평형유지
파랑(Blue)	450~480nm	안정감과 진통 및 최면효과
보라(Violet)	420~460nm	림프계에 활성화

3) 사용방법 및 주의사항

① 클렌징이 잘 된 피부에 조사한다.
② 고객의 몸의 모든 금속류를 제거한다.
③ 주위가 어두워야 색채관리 효과를 얻을 수 있다.
④ 광알레르기성 피부, 각종 피부염은 사용을 금한다.

출제예상문제

01 다음 중 원자에 대하여 올바른 것은?

① 양성자는 (-)전하를 띠고 있다.

② 원자는 쪼갤수록 더 많은 원자로 나누어진다.

③ 양성자와 전자가 원자핵을 이룬다.

④ 원자는 그리스어 atomos에서 유래되었다.

ANSWER

④ 원자는 물질의 최소단위이며 원자핵과 전자로 구성되어 있다.

03 이온에 대한 설명으로 적합하지 않은 것은?

① 동일하지 않는 전하에서는 서로 끌어당긴다.

② 원자가 중성자를 잃거나 얻으면 이온이라고 한다.

③ 동일한 전하끼리는 인력이 작용한다.

④ 이온은 음이온과 양이온으로 구분된다.

ANSWER

③은 척력에 대한 설명이다.

02 다음 중 양이온에 대해 올바르게 설명한 것은?

① 양전기를 띠는 칼슘 원자(Ca²⁺)

② 원자핵 안에 있는 중성자

③ 음전기를 띤 황원자(S)

④ 음으로 하전된 염화이온(Cl⁻)

ANSWER

① 원자가 전자를 잃어버리고 양전하를 띠면 양이온이 된다.

04 다음 중 전류의 설명으로 틀린 것은?

① 저항에 의해 발생되는 전자의 흐름을 의미한다.

② 전류에는 직류와 교류의 두 종류가 있다.

③ 전류의 단위는 암페어(Ampere)이고 기호는 I로 쓴다.

④ 전류의 이동방향은 (+)극에서 (-)극으로 흐르는 것을 정방향으로 한다.

ANSWER

① 전류의 전위차에 의해서 발생하는 전자의 흐름을 의미한다.

05 다음 중 교류전류를 직류전류로 바꾸어 주는 장치는 무엇인가?

① 정류기 　　　　② 변압기
③ 가감저항기 　　④ 퓨즈

ANSWER

① 변압기는 전압을 높이거나 낮추는데 사용된다.

06 다음 중 물질을 구성하는 최소단위이며 기본단위를 무엇이라고 하는가?

① 원자 　　　　　② 분자
③ 원자핵 　　　　④ 이온

ANSWER

① 물질의 최소단위는 원자이다.

07 다음 중 순물질로 옳지 않은 것은?

① 철 　　　　　　② 수소
③ 염화나트륨 　　④ 소금물

ANSWER

④ 같은 성질의 물질로만 이루어져 있다. 수소(H2), 염화나트륨(NaCl)

08 다음 중 불균일 혼합물로 옳은 것은?

① 소금물 　　　　② 우유
③ 설탕물 　　　　④ 공기

ANSWER

② 불균일 혼합물은 성분 물질의 혼합 비율이 다르다.

09 물질의 변화 중 올바르게 설명한 것은?

① 액화 : 기체가 액체로 변하는 것
② 승화 : 액체가 고체로 변하는 것
③ 승화 : 액체가 기체로 변하는 것
④ 융해 : 고체가 기체로 변하는 것

ANSWER

① 기체가 액체로 변화는 것을 액화라 한다.

10 전기현상에 대한 설명으로 맞은 것은?

① 전자의 방향은 (+)에서 (-)극으로 이동한다.
② 전기란 양성자가 한 원자에서 다른 원자로 이동하는 현상을 말한다.
③ 전기란 같은 전하는 당기고 다른 전하끼리는 밀어낸다.
④ 전류의 방향은 (-)에서 (+)극으로 이동한다.

ANSWER

③ 전자의 이동방향은 (-)→(+) 이동한다.

11 전기에 대한 설명으로 틀린 것은?

① 전도체란 전류가 쉽게 흐르는 물질을 말한다.
② 전압의 단위는 볼트(volt)이다.
③ 전류의 흐름을 방해하는 단위는 옴이다 .
④ 전류란 전도체를 따라 움직이는 (+)전하를 지닌 양성자의 흐름이다.

ANSWER

④ 전류는 (-)전하를 지닌 전자의 흐름이다.

출제예상문제

chapter 03

12 전기 용어에 대한 설명으로 올바른 것은?

① 퓨즈 : 전류가 전선에 과도하게 흐르는 것을 방지하는 장치

② 정류기 : 전압을 바꾸는데 사용한다.

③ 주파수 : 1분동안 일어나는 전기적 진동횟수

④ 비전도체 : 전류가 잘 흐르는 물질

ANSWER

① 정류기는 교류를 직류로 변환시킨다. 주파수는 1초 동안에 일어나는 전기적 진동 횟수를 이야기 하며 전류가 흐르지 않는 물질을 비전도체라고 한다.

13 다음 중 전하에 대하여 설명한 것이 아닌 것은?

① 전하는 물질을 구성하고 있는 입자가 띠고 있는 전기이다.

② 같은 전하는 밀어내고, 다른 전하는 끌어당긴다.

③ 음전하가 있는 전자는 양극에서 음극으로 이동한다.

④ 원자핵은 양전하를, 전자는 음전하를 가지고 있다.

ANSWER

③ 음전하는 음극에서 양극으로 이동한다.

14 전기의 흐름을 방해하는 전기저항의 단위는?

① 옴(Ω) ② 암페어(A)

③ 볼트(V) ④ 와트(W)

ANSWER

① 전기의 흐름을 방해하는 성질을 말한다. 단위는 옴(Ω)을 사용한다.

15 원자와 이온의 전기적 설명으로 올바른 것은?

① 양성자 수와 전자의 수가 다르기 때문이다.

② 양성자 수와 전자의 수가 같기 때문이다.

③ 중성자와 전자 수가 다르기 때문이다.

④ 중성자와 전자 수가 같기 때문이다.

ANSWER

② 원자는 전기적으로 중성을 띠고 있으며 양성자와 전자의 수가 같기 때문이다.

16 시간의 따라 전류의 크기와 방향이 비대칭적으로 변하는 전류는?

① 직류 전류 ② 감응 전류

③ 정현파 전류 ④ 단속직류 전류

ANSWER

② 교류 전류에는 정현파전류, 감응전류, 격동전류가 있다.

17 다음 전류 중에 성질이 다른 것은?

① 감응 전류

② 저주파

③ 교류 전류

④ 직류 전류

ANSWER

④ 감응전류와 저주파는 교류전류이다.

18 갈바닉 전류에 대한 내용으로 틀린 것은?

① 갈바닉전류를 이용한 기기는 이온토포레시스와 디스인크러스테이션이다.
② 양극은 신경을 안정시킨다.
③ 조직을 부드럽게 하는 극성은 음극이다.
④ 크기와 방향이 변화는 전류이다.

ANSWER
④ 크기와 방향이 변화는 전류는 교류이다.

19 고주파기기에 대한 설명으로 부적합한 것은?

① 활성성분이 피부 깊숙이 침투되도록 도와준다.
② 세균에 대한 살균작용을 한다.
③ 심부열 상승으로 혈관이 수축되고 혈액량이 감소된다.
④ 100,000Hz 이상의 높은 전류를 사용한다.

ANSWER
③ 열작용으로 혈관이 확장되고 혈액량이 증가된다.

20 다음 중 기기사용 시 체크할 사항으로 올바른 것은?

① 관리 전에 기기작동을 검사한다.
② 고객관리 시 고객이 느끼는 불쾌감을 반드시 설명할 필요가 없다.
③ 관리 후 일어나는 증상을 관리가 종료 후에 바로 알려준다.
④ 인공치아 등 몸 안에 금속이 있는 경우

ANSWER
③ 관리 후 증상에 대해 미리 알려준다.

21 다음 중 피부분석기기 우드램프의 주의사항으로 적절한 것은?

① 한 부위를 오랜시간동안 관찰할 수 있다.
② 고객의 안면 피부분석은 메이크업 상태에서도 가능하다.
③ 측정시 후드덮개를 사용하거나 실내조명을 어둡게 한다.
④ 관리사나 고객의 직접 형광램프를 보도록 한다.

ANSWER
③ 우드램프는 어두운 상태에서 측정이 정확하다.

22 우드램프의 진보라색을 나타날 때 피부상태는 어느 것인가?

① 피지상태가 많은 피부
② 각질이 두꺼운 피부
③ 모세혈관이 확장된 피부
④ 정상 피부

ANSWER
③ 우드램프의 진보라색상은 모세혈관 확장 피부이다.

23 다음 중 확대경의 사용방법으로 바르지 않은 것은?

① 정확한 피부분석을 위해 세안 후에 사용한다.
② 눈에 아이패드를 착용하여 눈을 보호 한다.
③ 확대경 사용시 고객의 얼굴위에서 스위치 조작을 한다.
④ 여드름 추출에 용이하다.

ANSWER
③ 확대경 스위치 조작은 고객의 얼굴에서 하지 않는다.

24 피부 분석을 전문성을 높이기 위해 자외선을 비추어 램프 반응 색상으로 피부보습상태, 피지상태, 색소침착 등을 판별하는 기기는?

① 우드램프
② 모니터 측정기
③ 유·수분측정기
④ 체지방 측정기

ANSWER

① 우드램프는 365nm이상의 자외선을 이용한 피부분석기기이다.

25 다음 중 pH측정기에 대한 설명으로 틀린 것은?

① pH 측정은 산성도를 측정하여 피부상태를 확인할 수 있다.
② pH 지수는 온도, 습도 등의 민감하므로 이런 것들을 고려하여 측정한다.
③ pH 지수는 내적요인에 따라서 변화된다.
④ 플라스틱 필름에 묻은 유분량을 가지고 산도를 측정한다.

ANSWER

④ 유분측정기는 특수 고안된 플라스틱 필름에 묻은 피지를 가지고 사용한다.

26 다음 중 초음파에 대한 설명으로 틀린 것은?

① 초음파는 진동 주파수가 17,000~20,000Hz 이상으로 불가청 진동음파이다.
② 임산부, 악성종양, 피부 질환자에게는 사용하지 않는다.
③ 심장질환자, 고혈압환자에게 적용해도 무방하다.
④ 초음파의 진동으로 발생하는 열을 이용해 혈액순환을 촉진시킨다.

ANSWER

③ 초음파는 심장질환자, 악성종양, 임산부는 사용을 금한다.

27 전동 브러시의 사용법으로 옳지 않은 것은?

① 고객의 피부 상태 및 목적에 알맞은 클렌저를 도포한다.
② 관리전 관리자 자신의 손등을 이용하여 회전속도를 확인한다.
③ 브러쉬 회전속도는 민감성피부에 350-400rpm을 적용한다.
④ 브러시와 얼굴의 각도가 직각을 유지한다.

ANSWER

③ 민감성에 알맞은 브러쉬 회전속도는 200-250rpm이다.

28 다음 중 스티머의 사용 시 사용방법으로 올바른 것은?

① 상처 부위에 효과적이다.
② 스티머는 피부에 증기를 공급한다.
③ 혈관이 확장된 피부에 매우 좋다.
④ 스티머의 효과는 고객얼굴 가까울 수록 증대된다.

ANSWER

② 스티머는 증기를 이용하여 수분을 공급한다.

29 다음 중 열효과를 이용한 기기가 아닌 것은?

① 진공 흡입기　　② 스티머
③ 파라핀 왁스기　④ 고주파기기

ANSWER
① 진공흡입기는 피부표면을 잔공 상태로 만들어 세포와 조직에 물리적 자극을 가해는 기계이다.

30 다음 중 스티머의 사용 설명으로 잘못된 것은?

① 근육을 수축시켜 에너지를 소비하게 한다.
② 온열 효과와 보습효과가 뛰어나다.
③ 피부의 노폐물 배출이 용이하여 클렌징단계에 사용된다.
④ 선풍기 또는 환기장치를 증기의 흐름에 방해되지 않도록 조절 한다.

ANSWER
① 스티머는 근육수축을 발생시키지 않는다.

31 갈바닉전류를 이용한 이온영동법(iontopho-resis)의 주된 효과로 알맞은 것은?

① 모공 내 노폐물 제거
② 색소 피부개선
③ 수용성 활성성분의 침투
④ 알칼리성 반응

ANSWER
③ 이온 영동법은 피부에 수용성물질침투를 말한다.

32 다음 중 갈바닉 기기를 이용시 사용방법으로 잘못된 것은?

① 강도 조절기가 '0'에 있는지 확인하고 전원스위치를 켠다.
② 고객 적용 시 적정세기에 맞추고 난 후 고객에게 관리를 실시한다.
③ 상처부위에 효과적으로 사용한다.
④ 갈바닉 전극을 교환시에는 (+)에서 (-)로 바로 교환한다.

ANSWER
③ 갈바닉은 상처부위에 절대 사용을 금한다.

33 고주파 관리 시 주의사항으로 틀린 것은?

① 임신 중 고주파관리는 태아발육을 촉진시킨다.
② 고객의 신체에 금속물질을 지닌 사람은 적용할 수 없다.
③ 유리전극봉 교환시에는 스위치를 끄고 시행한다.
④ 알코올 성분이 들어있는 제품을 사용해서는 안 된다.

ANSWER
① 고주파관리는 임산부, 고혈압, 심장질환자등에게 사용을 금한다.

34 고주파의 직접법과 간접법의 공통적인 주의사항은?

① 시술부위에 마른 거즈를 사용한다.
② 피시술자의 손에 탈크 파우더를 사용한다.
③ 매뉴얼 테크닉 적용시 손을 고객에서 떨어지지 않도록 유의한다.
④ 전극봉 적용 시 전원이 꺼진 상태에서 시작한다.

ANSWER
④ 스위치를 끈 상태에서 기기를 적용하고 관리을 한다.

35 다음 중 초음파기기의 미용적 효과가 아닌 것은?

① 모공 속 노폐물제거 작용을 한다.
② 온열효과로 인한 림프와 혈액순환을 작용을 준다.
③ 골격과 관절부위에 적용시 재생을 촉진시킨다.
④ 화학적 효과로 세포재생을 활성화시킨다.

ANSWER
③ 초음파 관리시 뼈 부위에는 적용하지 않는다.

36 다음 중 전동 브러쉬의 설명으로 올바른 것은?

① 딥클렌징 효과를 높이기 위한 거친 합성모를 재료로 한다.
② 피부상태에 따라 브러쉬 볼의 크기를 선택한다.
③ 제품을 바르지 않은 맨얼굴에 효과적이다.
④ 브러쉬를 직각으로 유지하고 털끝부위로 가볍게 움직인다.

ANSWER
④ 사용용도에 맞게 제품을 사용한다.

37 피부의 산성도를 빠르게 회복하고 수분입자가 미세하여 오감만족이 큰 기기는?

① 루카스   ② 베퍼라이져
③ 진공흡입기   ④ 스파테라피

ANSWER
① 루카스는 스프레이기기의 일종으로 입자가 미세하다.

38 다음 중 적외선을 이용했을 때 피부미용의 효과로 틀린 것은?

① 영양성분의 침투를 용이하게 한다.
② 근육을 이완시켜 통증완화에 도움을 준다.
③ 피부상태를 식별하는데 도움을 준다.
④ 체온이 상승하여 땀이 발생한다.

ANSWER
③ 적외선은 열선으로 순환촉진, 침투효과, 근육이완효과가 있다.

39 갈바닉기기의 전기세정(Desincrustation)의 주된 효과로 알맞은 것은?

① 피지 및 노폐물 제거
② 피부에서의 산성반응
③ 모공 속에 영양성분 침투
④ 혈관강화

ANSWER
① Desincrustation의 관리목적은 노폐물제거이다.

40 다음 설명은 어느 미용기기에 대한 설명인가?

- 직접 적용방식과 간접 적용방식으로 나뉜다.
- 테슬로 전류를 사용한다.
- 인체심부에 열을 발생시킨다.

① 앤더몰로지   ② 고주파기기
③ 갈바닉기기   ④ 패터기

ANSWER
② 고주파기기는 직접법과 간접법으로 구분된다.

41 다음 중 갈바닉의 세정작용시 가급적 피해야 할 피부유형은?

① 건조한 피부

② 색소침착 피부

③ 피지분비가 많은 피부

④ 순환이 안 되는 피부

ANSWER

① 건조피부에는 탈지, 탈수현상이 생긴다.

42 고주파 직접법에서 스파킹(sparking)은 어떤 효과가 있는가?

① 한선과 피지선 자극 효과

② 살균 효과

③ 혈관확장 작용

④ 세포활성화로 인한 신진대사증진

ANSWER

② 피부표면에서 스파킹(sparking)작용으로 오존을 발생시켜 살균효과를 준다.

43 갈바닉 기기 사용에 대한 설명이다. 다음 중 올바른 것은?

① 이온토포레시스를 사용할 앰플의 극성에 따라 극성을 기기에서 선택한다.

② 디스인크러스테이션은 제품을 사용하지 않는다.

③ 수술 후 7일이 경과되었다면 이온토포레시스 관리를 사용해도 된다.

④ 이온토포레시스는 영양침투 요법이므로 임산부도 관리가 가능하다.

ANSWER

① 영양침투시 제품의 성질을 파악하고 기기에 적용한다.

44 다음 중 브러쉬 기기의 효과가 아닌 것은?

① 클렌징 효과

② 매뉴얼 테크닉효과

③ 딥클렌징 효과

④ 주름완화와 피부탄력증가

ANSWER

④ 브러쉬 기기는 딥클렌징, 클렌징, 매뉴얼 테크닉 효과가 있다.

45 브러쉬기기에 관한 설명으로 틀린 것은?

① 브러쉬볼은 미지근한 물에 적신 후 사용한다.

② 각질이 많거나 지성 피부의 경우는 회전속도를 빠르게 사용한다.

③ 브러싱의 주된 효과는 혈액순환관리이다.

④ 브러싱은 피부에 적용시 피부표면과 직각을 유지한 채 실시한다.

ANSWER

③ 브러쉬 기기의 주된 관리 목적은 각질제거이다.

46 진동음파를 이용하여 피부 노화각질을 제거하는 기기는?

① 엔더몰로지기　　　② 프리마톨기기

③ 스킨스크러버　　　④ 석션기

ANSWER

③ 초음파의 진동음파를 이용하는 각질제거기기는 스킨스크러버이다.

47 스프레이기기의 설명 중 맞는 것은?

① 피부타입 중 지성피부에 가장 효과적

② 피부진정효과

③ 과도한 피지제거

④ 여드름피부에는 사용할 수 없다.

ANSWER
② 수분공급 및 진정효과가 있다.

48 다음 중 중주파에서 사용하는 주파수는?

① 1~1,000Hz   ② 20,000Hz

③ 100,000Hz 이상   ④ 1,000~10,000Hz

ANSWER
④ 중주파의 파장은 1,000~10,000Hz이다

49 다음 중 진공흡입기 사용 시 주의점으로 잘못된 것은?

① 벤토즈가 깨지거나 금이 갔는지 항상 점검한다.

② 림프배농시 벤토즈크기는 신체부위별로 선택한다.

③ 림프절 부위는 절대 관리해서는 안 된다.

④ 크림이나 오일을 도포하여 피부의 자극을 적게 한다.

ANSWER
③ 진공흡입기는 순환관리 시 림프절 방향으로 관리한다.

50 다음 중 엔더몰로지기의 설명으로 올바른 것은?

① 세포 내 열을 발생시켜 지방과 셀룰라이트를 효과적으로 분해한다.

② 흡입과 압박원리를 이용한다.

③ 골격계 부분에 효과적으로 관리가 가능하다.

④ 제품의 경피흡수율을 높여준다.

ANSWER
③ 엔더몰로지기는 기계적인 압박과 흡입원리이다.

51 저주파 기기의 효과로 올바른 것은?

① 심부온열 효과로 신진대사증가

② 근육 수축과 이완으로 근육운동효과

③ 강력한 흡입작용으로 노폐물 배출

④ 혈관확장으로 혈류량 증가

ANSWER
② 저주파의 주파수는 근육운동과 비틀림 운동을 증가시킨다.

52 살균 소독기에 대한 설명으로 알맞지 않은 것은?

① 여러가지 기구의 소독의 목적으로 사용되고 있다.

② 파장이 짧은 UVC의 강한 살균효과를 이용한다.

③ 푸른빛을 내는 수은램프를 이용하여 자외선의 살균력을 사용한다..

④ 350nm의 파장을 가진 UVA만이 방출되는 원리이다.

ANSWER
④ UVA를 이용하는 기기는 인공선탠기이다.

53 컬러테라피 보라색의 효능으로 올바른 것은?

① 중추신경의 자극으로 림프계의 영향을 준다.
② 신체균형과 안정을 준다.
③ 세포재생 활동에 효과적이다.
④ 소화계통 기능을 강화시킨다.

ANSWER
① 보라색의 효능은 림프배농의 역할을 한다.

54 광선에 대한 설명 중 올바른 내용은?

① 적외선 : 혈액순환이 잘 안 되는 경우에 사용한다.
② UV-C : 피부 깊숙이 침투하여 광노화를 촉진한다.
③ UV-A : 살균효과가 가장 큰 광선이다.
④ UV-B : 영양물질의 침투를 촉진하는 광선이다.

ANSWER
① 적외선은 열선으로 순환촉진의 효과가 있다.

55 다음 중 파장이 가장 짧은 것은?

① 가시광선
② UVA
③ UVB
④ 적외선

ANSWER
③ 자외선은 파장에 UVA(장파장), UVB(중파장), UVC(단파장)으로 나뉜다.

56 다음 중 적외선 특징으로 올바른 것은?

① 적용부위의 상태를 확인할 수 없다.
② 온습포보다는 열 침투효과가 적다.
③ 혈액증가, 순환촉진, 신진대사 촉진, 근육 이완 효과가 있다.
④ 불가시광선으로 눈주위에 효과적으로 관리가 가능하다.

ANSWER
③ 적외선은 혈액증가, 순환촉진 신진대사 촉진, 근육 이완 효과가 있다.

57 적외선관리시 인체에 일어나는 반응은?

① 멜라닌 합성을 촉진시킨다.
② 모세혈관 확장을 완화시킨다.
③ 기저층까지 침투하여 피부암을 유발시킨다.
④ 신진대사를 촉진한다.

ANSWER
④ 적외선의 온열작용으로 신진대사의 효과가 있다.

58 파라핀왁스의 효과가 아닌 것은?

① 주로 손·발 관리에 사용된다.
② 혈액순환촉진과 보습력을 증진한다.
③ 열효과로 인하여 근육을 경직시킨다.
④ 영양성분 침투력을 높여준다.

ANSWER
③ 파라핀왁스의 온열효과는 경직된 근육을 이완시킨다.

59 스파 테라피기기의 설명이 틀린 것은?

① 근육경직완화 도움을 준다.

② 기기관리시 고객을 조용하게 혼자남겨둔다.

③ 산소함유량을 극대화시키고 혈액순환을 도우며 신진대사를 증진시킨다.

④ 식후 30분 전에는 시술을 금한다.

ANSWER

② 기기관리 시 고객 상태를 계속적으로 점검한다.

60 적외선등(Infra red lamp)에 대한 설명으로 옳은 것은?

① 주로 UVA를 방출하고 UVB, UVC는 흡수한다.

② 색소침착을 일으킨다.

③ 주로 소독·멸균의 효과가 있다.

④ 온열작용을 통해 화장품의 흡수를 도와준다.

ANSWER

④ 적외선을 열선이라고 하며 영양성분의 흡수율을 높인다.

P·A·R·T

5

화장품학

화장품학 개론

Ⅰ 화장품의 정의

1. 화장품의 정의

화장품 법 2조 1항에 의거하면

화장품이라 함은
인체를 청결·미화하여 매력을 더하고 용모를 밝게 변화시키거나 피부·모발의 건강을 유지 또는 증진하기 위하여 인체에 사용되는 물품으로서 인체에 대한 작용이 경미한 것을 말한다.

2. 기능성 화장품의 정의

기능성 화장품은 화장품 중에서 약리학적 효능, 효과가 강조된 전문적인 기능을 갖는 것으로 보건복지가족부가 정하는 화장품을 말한다.

- 피부의 미백에 도움을 주는 제품
- 피부의 주름개선에 도움을 주는 제품
- 피부를 곱게 태워주거나 자외선으로부터 피부를 보호하는데 도움을 주는 제품

TIP

미백, 주름개선, 피부거칠음, 탈모방지등의 약리학적, 기능적인 화장품을 만들기 위해서는 기초과학인 화학, 물리학 및 응용과학인 해부생리학 및 피부생리학, 피부면역학 등의 기초 지식이 뒷받침되어야 한다.

3. 화장품과 의약품의 구분

① **화장품** : 일반인의 피부 청결, 미화, 보호를 위해 장기적으로 사용 가능한 물품

② **의약외품** : 일반인이 사용하는 물품 중에서 어느 정도의 약리학적 효능, 효과를 나타내기 위해 장기적 또는 단기적으로 사용하는 물품

③ **의약품** : 환자에게 질병치료 또는 진단을 목적으로 일정기간 사용하는 약품

	화장품	의약외품	의약품
대상	정상인	정상인	환자
목적	청결, 미화	위생, 미화	(질병의)진단 및 치료
기간	장기간	단기간/장기간	단기간
부작용	없어야함	없어야함	있을 수 있음

4. 좋은 화장품의 4대 조건

① **안전성** : 피부에 사용했을 때 자극, 알러지, 독성 등이 없이 안전해야 한다.

② **안정성** : 화장품이 안정화 되어있어 변질, 변색, 변취, 미생물의 오염 등이 없어야 한다.

> **TIP**
>
> 좋은 화장품의 3대 조건은 안전성, 안정성, 사용성이며, 4대조건은 유효성이 추가된다.

③ **사용성** : 피부에 사용했을 때 발림성과 흡수성 등의 사용감이 좋아야 한다.

④ **유효성** : 피부에 적절한 보습, 노화억제, 자외선 차단, 미백, 색채, 세정 작용 등의 효과·효능이 좋아야 한다.

▶ 화장품의 기능상의 분류

분류	기능	주요 제품
기초화장품	세안, 피부 정돈, 피부 보호	클렌징, 화장수, 에센스, 로션, 크림, 마스크
메이크업 화장품	베이스 메이크업	메이크업 베이스, 파운데이션, 파우더
	포인트 메이크업	아이라이너, 마스카라, 아이섀도, 립스틱, 블러셔
모발 화장품	두피 또는 모발에 부착된 오염물 제거(세정제)	샴푸, 린스
	모발의 형태를 고정(정발제)	헤어 오일, 헤어 크림, 헤어 로션, 포마드, 헤어스프레이, 젤
	모발의 손상을 방지하고 손상된 모발 회복(영양제)	헤어 트리트먼트 크림, 헤어 팩
	모발의 염색, 탈색 또는 탈염	영구 염모제, 반영구 염모제, 일시 염모제
전신관리 화장품	몸에 부착된 이물질 제거	비누, 바디샴푸, 바디솔트
	몸을 보호	바디로션, 바디크림
	자외선으로부터 피부를 보호	선탠오일, 선탠 리퀴드, 선탠겔
	액취방지, 체취제거	데오드란트
네일 화장품	네일 보호, 색채	각피제거제, 베이스코트, 네일 에나멜, 에나멜 리무버, 탑코트
향수	향취부여	퍼퓸, 오데퍼퓸, 오데뚜왈렛, 오데코롱, 샤워코롱

02 CHAPTER

화장품 성분

▶ 화장품의 원료 및 작용

1. 수성 원료

1) 물(Water, Aqua, Purified Water, Deionized Water) : 정제수

① 화장품에서의 물은 피부를 촉촉하게 하는 작용을 하며 파우더를 제외한 대부분의 화장품의 기초 물질로 사용된다.

② 물에 함유된 금속이온과 불순물 등이 피부에 트러블을 유발하거나 제품을 변질시킬 수 있으므로 화장품에는 정제수를 사용한다.

③ 다양한 여과과정(불순물 제거, 이온수지 여과, 자외선 살균소독 등)을 거친 깨끗한 물을 사용한다.

2) 알코올 : 에탄올(Ethanol = Ethyl Alcohol)

① 화장품에서 사용되는 알코올은 에탄올이며, 에탄올은 휘발성이 있어서 피부에 사용 시 청량감을 부여한다.

② 수렴·소독효과가 있어 지성 및 여드름 피부에 주로 사용되고 있다.

③ 그러나 에탄올의 고 함량은 과도한 탈지·탈수효과로 피부를 건조하고 예민하게 변화시킬 수 있다.

3) 보습제

화장품에 사용되는 보습제는 피부를 촉촉하게 하는 작용을 한다.

① **다가 알코올(Polyol)** : 다가 알코올은 '폴리올(Polyol)'이라고도 하며 분자 내에 2개 이상의 수산기를 함유한 화합물을 말한다. 다가 알코올은 물 분자와 잘 결합하는 성질이

있어 피부에 수분을 공급
하고 수분증발을 억제하
는 기능을 한다.

② **천연보습인자(N.M.F)** : 각
질층에 존재하는 수용성
성분들을 말하며 피부의
수분증발을 억제하고 건
조함을 막아주는 기능을 한다.

③ **고분자 보습제** : 수분과 결합하려는 능력과 수분보유능력이 우수하다.

TIP

좋은 보습제의 조건

1. 적절한 보습능력과 보습능력의 지속성이 있어야 한다.
2. 피부자극 및 부작용이 없어야 한다.
3. 끈적임이 적고, 피부 흡수율이 높아야 한다.
4. 수분보유와 결합능력이 우수해야 한다.
5. 다른 성분과 혼용성이 좋아야 한다.
6. 응고점이 낮아야 한다.

보습제의 종류 및 특성

종류	특성	
다가알코올 (Polyol)	글리세롤 (Glycerol, =글리세린)	분자 크기가 크므로 흡수 보다는 보습막을 형성한다. 피부의 자극과 부작용이 거의 없다. 20% 이상 함유 시 피부의 수분을 빼앗을 수 있다. 끈적임이 있다.
	1·3 부칠렌 클리콜 (1·3 Butylene Glycol)	비교적 순하며 끈적임이 적다.
	프로필렌 글리콜 (Propylene Glycol)	산뜻한 느낌으로 피부에 흡수율이 높으나 자극이 있다.
	솔비톨(Sorbitol)	보습력이 뛰어나며 피부자극이 거의 없다. 고가의 유화제 흡습제로 사용된다. 끈적임이 강하다.
천연보습인자 (N.M.F)	소듐 피로리돈 카르복실 릭 엑시드(Sodium P.C.A)	피부에 천연적으로 존재하며 수분 결합력이 우수하다.
	아미노산 (Amino Acid)	수분 보유력이 우수하며 독성이 없다. 콜라겐보다 분자량이 작아 침투력이 좋다.
고분자 보습제	콜라겐(Collagen)	수분 보유, 결합 능력이 뛰어나다. 끈적임이 없다.
	하이루론산 (Hyaluronic Acid)	자신의 질량의 최소 수백배의 수분을 보유한다.

2. 유성원료

1) 식물성 오일

식물의 잎이나 열매에서 추출하며 동물성오일에 비해 흡수력이 다소 떨어지나 피부에 안전성이 뛰어나다.

① 윗점 오일(Wheat Germ Oil)
- ㉠ 밀 배아에서 추출한다.
- ㉡ 불포화지방산이나 항산화제인 비타민 E를 다량 함유하고 있어 산화가 쉽게 되지 않고, 특히 건성과 노화피부의 세포 재생에 효과적이다.

② 호호바 오일(Jojoba Oil)
- ㉠ 호호바 종자(북미산 회양목과의 관목)를 압출하여 정제한다.
- ㉡ 인체의 피지와 지방산의 조성이 유사하여 피부 친화성이 좋으며 피지분비조절, 보습 및 상처치유 효과가 뛰어나므로 지성은 물론, 여드름 피부에도 적합하다.
- ㉢ 다른 식물성 오일에 비해 쉽게 산화되지 않아 보존안정성이 좋다.

③ 아몬드 오일(Almond Oil)
- ㉠ 아몬드 핵에서 추출한다.
- ㉡ 피부 유연작용과 퍼짐성이 우수하고 진정 작용이 있다.

④ 올리브유(Olive Oil)
- ㉠ 지중해 근방에 서식하는 잘 익은 올리브의 열매를 냉동 압착하여 추출한다.
- ㉡ 식물성 오일 중에서 피부의 흡수가 잘 되며 주로 선탠 오일로 사용된다.

⑤ 아보카도유(Avocado Oil)
- ㉠ 악어가 먹는 배인 아보카도 열매에서 추출한다.
- ㉡ 피부 친화성과 퍼짐성이 좋다.
- ㉢ 비타민 A·B2가 함유되어 있으며 콜라겐을 증가시키고 활성화시켜 건성·노화피부에 좋다.

⑥ 피마자유(Castor Oil)
- ㉠ 피마자(아주까리)의 종자에서 추출한다.
- ㉡ 피부의 침투가 뛰어나며, 화장품에서 다른 성분들의 결합을 도와준다.

⑦ 코코넛 오일(Coconut Oil)

　㉠ 야자의 종자에서 추출하며 야자유라고도 한다.

　㉡ 비누의 원료, 연고, 마사지크림, 자외선 차단제품의 원료로 많이 사용된다.

⑧ 로즈힙 오일(Rosehip Oil)

　㉠ 야생 장미의 종자에서 추출한다.

　㉡ 화상, 상처치유, 노화억제, 색소침착 방지 효과가 있다.

⑨ 마카다미아 넛트 오일(Macadamia Nut Oil)

　㉠ 마카다미아의 열매에서 추출한다.

　㉡ 인체의 피지와 유사하여 피부의 친화성이 좋다.

2) 동물성 오일

동물의 피하조직이나 장기에서 추출한다. 피부의 흡수력이 우수한 반면, 부작용의 가능성이 있다. 동물성 오일은 색이나 냄새가 강하므로 그대로 화장품의 원료로 사용하기가 어려우며, 탈취 및 탈색 등의 과정을 거쳐 사용된다.

① 스쿠알란(Squalane)

　㉠ 심해상어 간유에서 추출한다.

　㉡ 불포화 지방산인 스쿠알렌(Squalene)에 수소를 반응시켜 포화지방산으로 만들어 안정화 시킨 것이다.

② 밍크오일(Mink Oil)

　㉠ 밍크의 피하지방에서 추출한다.

　㉡ 피부의 유연제로 사용된다.

3) 광물성 오일

석유 등 광물질에서 추출하며 무색, 투명하고 향이 없으며 피부 흡수율이 낮다.

① 미네랄 오일(Mineral Oil : Liquid Paraffin)

　㉠ 석유에서 추출한다.

　㉡ 피부 표면에 남아, 방어막을 형성하고 발림성을 좋게 만들어 준다.

② 바셀린(Vaseline : Petrolatum)

　㉠ 석유 증발 후에 남은 것을 정제한다.

　㉡ 피부의 수분 증발을 억제하며 피부를 보호해 준다.

③ 실리콘(Silicon)

ㄱ 발림성이 매끄럽고 가벼우며, 끈적임이 없다.

ㄴ 수분을 통과시키지 않는 방수 효과가 있어 핸드크림에도 많이 사용된다.

4) 고급 지방산(Fatty Acid)

① 팔미틴산(Palmitic Acid) : 팜유 등을 비누화 분해하여 추출한다.

② 스테아린산(Stearic Acid) : 주로 우지를 비누화 분해하여 추출한다.

5) 고급 지방 알코올(Fatty Alcohol)

① 세틸 알코올(Cetyl Alcohol) : 경납, 야자유에서 추출한다.

② 스테아릴 알코올(Stearyl Alcohol) : 경납, 우지, 야자유에서 추출한다.

6) 에스테르(Ester)

지방산과 지방 알코올의 탈수반응으로 생성된다.

노화 및 건성용 화장품에 많이 사용되나, 여드름을 유발할 수 있는 성분(Comedogenic)이다.

① 이소프로필 미리스테이트(Isopropyl Myristate)

② 이소프로필 팔미테이트(Isopropyl Palmitate)

③ 부틸 스테아레이트(Butyl Stearate)

7) 왁스

고형의 유성성분으로 화장품의 굳기를 증가시켜준다.

① 동물성 왁스

ㄱ 라놀린(Lanolin) : 양모에서 추출하며, 알러지 및 여드름을 유발 시킬 수 있다.

ㄴ 밀납(Bees Wax) : 꿀벌의 벌집에서 추출한다.

ㄷ 경납(Spermaceti) : 향유 고래에서 추출한다.

② 식물성 왁스

　　㉠ 카르나우바 왁스(Carnauba Wax) : 카르나우바 야자나무의 잎에서 추출한다.

　　㉡ 칸델리라 왁스(Candelilla Wax) : 칸델리라 식물의 줄기에서 추출한다.

3. 활성성분

1) 지성, 여드름 피부에 적용 가능한 성분

① 썰파(Sulfar)

　　㉠ 각질탈락, 피지조절, 박테리아 성장억제 기능이 있다.

　　㉡ 사용농도 2~10%가 적정하며 노란색이다.

② 살리실산(Salicylic Acid)

　　㉠ 지용성이며 BHA로 불리운다.

　　㉡ 각질탈락, 피지조절, 박테리아 성장억제 기능이 있다.

　　㉢ 사용농도는 0.5~2%가 적정하다.

③ 유칼립투스(Eucalyptus)

　　㉠ 살균, 항균, 수렴, 박테리아 성장 억제, 면역력 강화 기능이 있다.

　　㉡ 시원하고 상쾌한 느낌이 난다.

④ 티트리(Tea Tree)

　　㉠ 살균, 냄새제거, 항균, 방부작용을 한다.

　　㉡ 여드름, 문제성, 울혈 피부에 효과적이다.

⑤ 라벤더(Lavender) : 수렴, 살균, 항균작용을 한다.

⑥ 레몬(Lemon) : 피지 조절, 방부, 수렴 작용이 있다.

⑦ 클레이(Clay)

　　㉠ 점토라 불리우며, 카오린과 벤토나이트를 포함한다.

　　㉡ 피지 흡착기능이 우수하며 미네랄을 포함하고 있다.

　　㉢ 불용성[1]이다.

1　불용성(不溶性) : 액체에 녹지 않는 성질

⑧ 캄포(Camphor)

 ㉠ 방부, 항염, 수렴, 냉각의 작용을 하고 혈액순환 촉진작용이 있다.

 ㉡ 사철나무에서 추출물이나 합성하여 사용하는 경우가 많다.

2) 건성, 노화 피부에 적용 가능한 성분

① 콜라겐(Collagen)

 ㉠ 수분을 보유하고 결합하는 능력이 뛰어나다.

 ㉡ 열(38℃)과 빛(UV A)에 의해 쉽게 파괴 된다.

 ㉢ 3중 나선형 구조이며 끈적임을 남기지 않는다.

 ㉣ 과거에는 송아지에서 추출하였으나 현재는 해양이나 식물에서 추출한다.

종류	특성
마린 콜라겐(Marine Collagen)	해양성 콜라겐으로 독성이 없다.
식물성 콜라겐(Phyto Collagen)	식물성 콜라겐으로 독성이 없다.
콜라겐(Collagen)	tero–peptite에 독성이 있다.
아테로 콜라겐(A–Tero Collagen)	tero–peptite를 제거한 Collagen으로 무독성이다.

② 엘라스틴(Elastin)

 ㉠ 수분 증발 억제 기능이 있다.

 ㉡ 피부에 윤기를 주고 부드럽게 하는 효과가 있다.

 ㉢ 콜라겐보다 분자 구조가 크며 끈적임이 있다.

 ㉣ 과거에는 송아지에서 추출하였으나 현재는 주로 식물에서 추출한다.

③ 히아루론산(Hyauronic Acid)

 ㉠ 보습효과가 우수하고 피부 유연성을 증가시키고 부드럽게 한다.

 ㉡ 자신의 질량의 최소 수백배의 수분을 보유한다.

 ㉢ 과거에는 닭 벼슬에서 추출하였으나 현재는 주로 유전자 배양으로 만든다.

④ 소듐 피로리돈 카르복실릭 엑시드(Sodium PCA/Sodium Pyrrolidone Carboxylic Acid)

 ㉠ 천연보습인자 NMF 중 약 12%를 차지하는 성분이다.

 ㉡ 피부에 천연적으로 존재하며 수분 결합력이 우수하다.

 ㉢ 여드름을 유발하지 않으며 알레르기를 일으키지 않는다.

⑤ 아미노산(Amino Acid)

㉠ 천연보습인자 NMF 중 약 40%를 차지하는 성분이다.

㉡ 수분 보유력이 우수하며 독성이 없다.

㉢ 콜라겐보다 분자량이 작아 침투력이 우수하다.

⑥ 세라마이드(Ceramide)

㉠ 수분 증발을 억제하고 유해물질의 침투를 억제하는 피부 보호막 역할을 한다.

㉡ 각질과 각질 사이에 접착제 기능을 한다.

㉢ 각질 세포 간 지질의 주성분이며 피부 유연제로 사용된다.

⑦ 솔비톨(Sorbitol)

㉠ 끈적임이 많으며 딸기류, 사과, 포도, 해조류에서 추출한다.

㉡ 글리세린 대체물질이며 보습 작용과 유연 작용을 한다.

㉢ 흡습 작용을 하나 공기 중 수분량이 많으면 피부의 수분을 빼앗기는 경우가 있다.

⑧ 레시틴(Lecithin)

㉠ 계란과 콩에서 추출한다.

㉣ 피부에 유연감을 부여하며 항산화제 기능을 한다.

㉡ 친수성이며 수분을 끌어당긴다.

㉢ 리포좀(liposome)¹의 원료이며 천연 유화제로 사용된다.

⑨ 알로에(Aloe)

㉠ 무색, 투명하며 알로에 잎에서 추출한다.

㉡ 항염, 진정 작용을 하고 보습 효과가 뛰어나다.

⑩ 해초(Seaweed : Algae)

㉠ 해조류에서 추출한다.

㉡ 겔 형성을 위한 점증제로 사용되며 탈수방지 역할을 한다.

㉢ 비타민과 미네랄, 미량원소를 함유하고 있다.

㉣ 보습, 항염, 독소제거 효과가 있다.

⑪ 플라센타(Placenta)

㉠ 과거에는 소의 태반에서 추출하였으나 현재에는 식물에서 추출한다.

---

1   리포좀(Liposome) : 세포막의 구성성분인 인지질성분으로 만든 속이 비어있는 구형의 이중막이다. 수용성이나 지용성 물질을 피부에 침투시키거나 화장품의 침투 능력을 높이기 위해 사용한다.

ⓛ 많은 여성 호르몬과 비타민을 함유하고 있다.

ⓒ 피부의 신진대사와 혈액순환을 촉진하며 재생작용이 우수하며 약간의 미백작용이 있다.

⑫ 비타민 A(Retinol)

ⓐ 지용성 비타민이고 상피 보호 비타민이라 불리운다.

ⓛ 피부각화 주기 정상화 물질로 노화를 예방하고 재생에 효과가 뛰어나다.

ⓒ 주름 개선에 뛰어난 효과를 보인다.

⑬ 비타민 C(Ascorbic Acid)

ⓐ 수용성 비타민이다.

ⓛ 항산화, 재생, 미백, 혈관강화 효과가 있다.

ⓒ 물과의 반응으로 쉽게 파괴되며 열에 약하다.

ⓔ 멜라닌 생성을 억제하여 미백의 효과가 있고 콜라겐과 엘라스틴의 합성에도 관여한다.

⑭ 비타민 E(Tocopherol)

ⓐ 지용성 비타민이다.

ⓛ 항산화제 효과가 뛰어나며 산화방지제의 기능이 있다.

ⓒ 피부로 흡수하는 능력이 매우 우수하다.

ⓔ 재생의 효과가 우수해서 항노화제로 사용된다.

⑮ 징코(Gingko)

ⓐ 혈액순환을 촉진하고 혈관을 보호하는 작용을 한다.

ⓛ 항산화작용으로 유해산소로부터 피부를 보호해 준다.

ⓒ 주성분은 카테킨(Catechin), 탄닌(Tannin)이다.

⑯ AHA(Alpha Hydroxy Acid)

ⓐ 과일이나 채소에서 추출한 천연산을 말한다.

ⓛ 각질제거, 피부 간접재생의 효과가 뛰어나며 피부의 유연기능과 보습기능이 있다.

ⓒ 농도에 따라 다양한 효능으로 적용할 수 있으며, 피부에 도포 시 따끔거림이 있다.

ⓔ 피부와 점막에 약간의 자극이 있다.

구분	구성	추출	효능 및 특징
주요산	글라이콜릭산(Gly-colic Acid)	사탕수수	• AHA 중에서 분자량이 가장 작아 침투력이 우수하다.
	젖산(Lactic Acid)	우유	• 보습 효과가 우수하다. • 세라마이드 양을 증가시킨다.
보조산	사과산(Malim Acid)	사과	• 약간의 박테리아 성장을 억제한다.
	주석산(Tataric Acid)	포도	• 다른 종류의 AHA 성분의 효능을 강화시킨다.
	구연산(Citric Acid)	오렌지	• 화장품의 pH를 조절하는 기능을 한다. • 산화방지제로 작용한다.

3) 예민 피부에 적용 가능한 성분

① 비타민 P

㉠ 수용성 비타민이며 혈관벽을 강화시키는 작용을 한다.

㉡ 혈액순환 촉진 효과와 항균작용이 있다.

㉢ 비타민 C의 기능을 보강시켜준다.

② 비타민 C(Ascorbic Acid)

㉠ 수용성 비타민이며 물과의 반응으로 쉽게 파괴되며 열에 약하다.

㉡ 항산화제[1], 재생, 미백, 혈관강화 효과가 있다.

③ 비타민 K

㉠ 지용성 비타민이다.

㉡ 혈관벽을 강화시키는 작용을 하며, 항출혈성 비타민으로 불린다.

④ 아줄렌(Azulene)

㉠ 캐모마일에서 추출하며 파란색이다.

㉡ 항염, 항알러지, 상처치유, 진정작용을 한다.

⑤ 캐모마일(Chamomile)

㉠ 항염, 재생, 방부, 냉각의 효과가 있다.

㉡ 화끈거리는 피부나 극 예민한 피부에 효과적이다.

---

[1] 항산화제(antioxidant) : 산화력이 강한 유해산소(활성산소)의 기능을 억제함으로 피부 노화를 예방한다. 대표적인 항산화 비타민은 비타민C와 비타민 E이다.

⑥ 감초(Licorice)

    ㉠ 콩과 식물이며 뿌리와 줄기에서 추출한다.

    ㉡ 해독, 항알레르기, 항염, 미백의 효과가 있다.

⑦ 알란토인(Allantoin)

    ㉠ 구더기, 요산, 컴프리 뿌리에서 추출한다.

    ㉡ 항염, 보습, 진정, 상처치유 효과가 있으며 알레르기를 유발하지 않는다.

⑧ 판테놀(Panthenol / Vit B5)

    ㉠ 보습, 항염, 상처치유 효과가 있다.

    ㉡ 세포 분열을 촉진하고 조직의 회복을 돕는다.

    ㉢ 침투성이 있으며 자극이 없고 여드름을 유발하지 않는다.

⑨ 비사볼롤(Bisabolod)

    ㉠ 캐모마일에서 얻어지며 합성원료로 사용하기도 한다.

    ㉡ 진정, 항염, 항알러지 효과가 있다.

⑩ 위치하젤(Witch Hazel)

    ㉠ 하마멜리스(Hamamelis) 나무의 가지와 껍질에서 추출한다.

    ㉡ 항염, 방부, 상처치유 효과가 있다.

    ㉢ 유해산소로부터 피부를 보호하며 약간의 방부의 기능이 있다.

⑪ 리보플라빈(Riboflavin/ Vit B2)

    ㉠ 트러블을 방지하는 효과가 있으며 피부를 부드럽게 하는 유연제로 사용한다.

⑫ 프로폴리스(Propolis)

    ㉠ 밀납(Beed Wax)의 한 성분이다.

    ㉡ 항염 기능이 있으며 면역력을 증가시키는데 도움을 준다.

    ㉢ 주성분인 플라보노이드가 유해산소를 제거함으로 항산화제로 사용된다.

4) 색소침착피부에 적용 가능한 성분

비타민C, 코직산, 알부틴, 상백피, 닥나무추출물, 뽕나무추출물, 감초등이 있다. 상세설명
은 기능성 화장품 중 1. 미백에 도움을 주는 제품' 내용을 참조한다.

5) 방부제

화장품에 불순물이 침투하게 되면 미생물의 작용으로 부패하게 되는데, 방부제는 이러한 부패를 억제하여 화장품의 변질을 방지한다.

① 에탄올(Ethanol)

② 벤조산(Benzoic Acid)

③ 파라옥시 안식향산(Paraben) : 메틸 파라벤(Methyl Paraben), 에틸 파라벤(Ethyl Paraben), 프로필 파라벤(Propyl Paraben), 부틸 파라벤(Butyl Paraben)

④ 이미다조리디닐 우레아(Imidazolidinyl Urea)

6) 산화방지제

화장품이 장기간 진열되거나 뚜껑을 열어 사용하게 되면 유성성분이 공기 중의 산소에 의해 산화된다. 화장품이 공기 중 산소에 의해 산패되는 것을 방지하기 위해서 사용한다.

① EDTA(Ethylendiamine Tetraacetic Acid)
② BHT(Butylhydroxytoluene)
③ BHA(Butylhydroxyanisol)
④ α-Tocopherol

7) pH 조절제

화장품의 pH를 조절하기 위하여 사용되며, 화장품에서 사용 가능한 pH는 3~9이다.

① 시트러스 계열(Citrus Fruit) : 제품의 산성화

② 암모니움 카보나이트(Ammonium Carbonate) : 제품의 알칼리화

8) 점도 조절제(점증제)

화장품에 점성을 조절하기 위하여 사용한다.

① 합성 점액질 성분 : 카보머(Carbomer), 잔탄검(Xanthan Gum)

② 천연 점액질 성분

성분	추출
젤라틴	동물의 연골에서 추출
펙틴	사과에서 추출
스타취	옥수수나 감자 등 전분에서 추출
알긴산	해조류에서 추출
한천	우뭇가사리

> **TIP**
>
> 카보머와 잔탄검은 팩에서는 점도조절제(증가제.증점제) 및 피막제로 사용된다.

8. 계면활성제

1) 계면

고체, 액체, 기체 등 물질 상호간에 서로 성질이 다를 경우 계면이 존재하게 된다.

2) 계면활성제(표면활성제)

① 계면활성제란 고체, 액체, 기체 상호간에 있는 경계면을 잘 섞이도록 도와주는 물질을 말한다.
② 계면활성제는 한 분자내에 친수기와 친유기가 존재하며, 계면에 흡착하여 표면 장력을 감소 시킨다.
③ 강한 정도에 따라 친유성 계면활성제, 친수성계면활성제로 구분된다.

친수기   친유기

[계면활성제]

3) HLB(Hydrophilic Lipophilic Balance)

계면활성제가 물에 잘 녹는가 녹지 않는가를 나타내는 척도이다. 비이온계면활성제는 0~20으로 나타내며 HLB가 낮을수록 물에 잘 녹지 않고, HLB가 높을수록 물에 잘 녹는 성질을 나타낸다.

0   친유성   친수성   20

화장품 성분

chapter 02

4) 작용

유화, 가용화, 분산, 침투, 습윤, 기포, 세정

[계면활성제의 세정작용]

5) 계면활성제의 종류 및 특징

종류	특징
음이온 계면활성제 (Anionic Surfactant)	• 물에 용해될 때 친수기 부분이 음이온을 나타낸다. 세정과기포 작용이 우수 예) 비누, 클렌징품, 샴푸, 세정제, 에멀젼의 유화제
양이온 계면활성제 (Cationic Surfactant)	• 물에 용해될 때 친수기 부분이 양이온을 나타내며 역성비누라고도 한다. 예) 살균제, 정전기 방지제, 헤어린스
양쪽성 계면활성제 (Amphoteric Surfactant)	• 알칼리에서는 음이온, 산성에서는 양이온을 나타낸다. 예) 베이비 샴푸
비이온 계면활성제 (Nonionic Surfactant)	• 물에 용해될 때 이온화 되지 않는다. • 자극성이 적어 기초 화장품에 주로 사용된다.

6) 비누의 제조방법 및 종류

세정을 목적으로 사용되는 고급지방산을 말하며 알칼리성이며 물에 녹는다.

TIP

계면활성제의 피부의 자극도와 세정력

자극도 : 양이온 계면활성제 〉 음이온 계면활성제 〉 양성 계면활성제 〉 비이온 계면활성제
세정력 : 음이온 계면활성제 〉 양이온 계면활성제 〉 양성 계면활성제 〉 비이온 계면활성제

(1) 제조방법

• 검화법 : 유지를 알칼리로 가수분해하는 방법(비누와 글리세린 생성)
• 중화법 : 유지를 지방산과 글리세린으로 분해하여 지방산을 알칼리로 중화하는 방법

(2) 종류

화장비누, 투명비누, 저자극성 비누, 약용비누, 물비누, 가루비누, 종이비누

피부타입별 적용 가능한 성분

피부타입	성분
지성·여드름 피부에 적용 가능한 성분 (각질제거, 피지조절 및 흡착, 염증완화 및 진정성분)	썰파(Sulfar)
	살리실산(Salicylic Acid)
	유칼립투스(Eucalyptus)
	티트리(Tea Tree)
	라벤더(Lavender)
	레몬(Lemon)
	클레이(Clay/카오린 Kaolin/벤토나이트 Bentonite)
	캄포(Camphor)
건성·노화 피부에 적용 가능한 피부 (보습, 피부장벽정상화, 순환, 각화과정 촉진 등)	콜라겐(Collagen)
	엘라스틴(Elastin)
	히아루로닉 엑시드(Hyauronic acid)
	소듐 PCA(sodium PCA)
	세라마이드(Ceramide)
	솔비톨(Sorbitol)
	레시틴(Lecithin)
	알로에(Aloe)
	해초(Seaweed/Algae)
	플라센타(Placenta)
	레티놀(Retinol)
	레티닐 팔미테이트(Retinyl Palmitate)
	비타민 C(Ascorbic Acid)
	비타민 E(Tocopherol)
	징코(Gingko)
	AHA(Alpha Hydroxy Acid)
예민 피부에 적용 가능한 성분 (진정 및 혈관강화)	비타민 P
	비타민 C(Ascorbic Acid)
	비타민 K
	프로폴리스(propolis)

피부타입	성분
예민 피부에 적용 가능한 성분 (진정 및 혈관강화)	판테놀(Panthenol /Vit B5)
	리보플라빈(Riboflavin / Vit B2)
	알란토인(Allantoin)
	캐모마일(Chamomile)
	아줄렌(Azulene)
	비사볼롤(Bisabolod)
	위치하젤(Witch Hazel)
	감초(Licorice)
색소침착 피부에 적용 가능한 성분	코직산(Kojic Acid)
	알부틴(Arbutin)
	상백피(Mulberry Exraction)
	닥나무 추출물(Broussonetia Exract)
	뽕나무추출물
	비타민 C(Ascorbic Acid)
	감초(Licorice)

TIP 여드름유발성분(comeodogenic)

1. 동물성오일들

라놀린 오일, 밍크오일, 향유고래, 우지등 피부 유연제로 많이 사용되는 성분. 특정 물질에 의해 심한 여드름 유발 가능성

2. 에스테르 성분들

피부를 부드럽게 하는 유연제 역할을 하며 피부 자극은 별로 없지만 여드름 유발 가능성 미리스틸 미리스테이트(Myristlyl Myristate), 이소프로필 미리스테이트(Isopropyl Myristate), 미리스틸 락테이트(Myristlyl Lactate), 이소프로필 스테아레이트(Isopropyl Stearate)

3. 알코올류(Alcohol)

아세틸렌 라놀린 알코올(Aceteylated lanolin Alcohol), 세테아릴 알코올(Cetearyl Alcohol) 유화제로서 화장품의 점도조정. 식물성 오일이나 천연 왁스를 환원시켜 얻어지는 성분으로 점도가 높음

4. D&C 색소들

D&C란 약이나 화장품에 들어가는 색소로서 천연색소와 달리 석탄산에서 추출한 성분으로 피부 자극 및 여드름 유발률이 높음

5. 미네랄 오일(Mineral Oil)

액체 파라핀으로 석유에서 추출되어 불순물이 많이 포함되어 있으며, 정제가 잘 된 미네랄 오일등은 유아나 예민 피부에 사용이 가능 하나 상대적으로 값이 저렴한 제품은 불순물등으로 인하여 피부 알러지나 여드름 유발률이 높음

6. 해조 추출물 (Algae Extract)

피부의 수분 보유력을 높이는 활성 성분. 해조류에서 특수한 성분을 분리해 사용하지만 여드름 유발 가능성이 높음

7. 코코넛 오일(Coconut Oil)

유연제로 많이 사용되는 성분으로 크림 등의 베이스로 사용되며 비누, 연고, 마사지 크림 등에 널리 사용되며 여드름 유발률이 높음

8. Acrylates C Alkyl Acrylate Coopolymer(알킬 아크릴레이트 쿠프리머)

피부를 문지를 때 오일 성분이 쉽게 스며들어가게 하는 보습 유화제로, 크림이나 자외선 차단 제품에 많이 포함됨. 향수의 유화제로도 많이 사용됨

9. 그 외 잠재적으로 여드름을 유발시킬 수 있는 성분

아라키돈산(Arachidonic acid), 코코아 버터(Cocoa butter), 포도씨 오일(Grapeseed oil), 피치커넬 오일(Peach kernel oil), 스윗아몬드 오일(Sweet almond oil), 모노이소스테아레이트(Mono−isosterate)

Ⅱ 화장품의 제조

1. 가용화 (Solubilization)

물에 소량의 오일이 계면활성제에 의해 투명하게 용해되어 있는 상태를 말하며, 가용화의 대표적인 예로는 화장수나 향수 등이 있다.

- 계면활성제는 농도가 증가하면 계면활성제의 분자나 이온들이 결합체를 형성
- 분자내에 친수성부분과 친유성부분을 모두 가지고 있는 물질

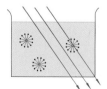

2. 유화(Emulsification)

1) 유화(Emulsion)

물과 기름처럼 서로 섞이지 않는 물질들을 섞이게 하는 것을 말하며, 유화의 대표적인 예로는 크림이나 로션 등이 있다.

2) 유화의 종류

① O / W : 수중유형 상태(물에 오일이 분산되어 있는 상태)

② W / O : 유중수형 상태(오일에 물이 분산되어 있는 상태)

③ W / O / W : 3중의 유화상태로 노화, 건성피부 제품에 이용

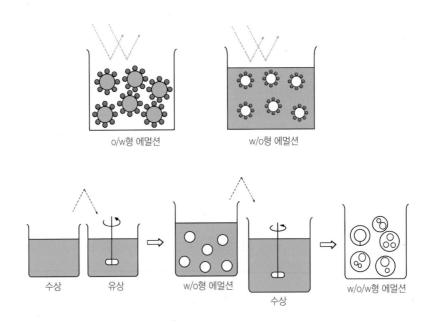

[W/O/W 에멀션의 제조방법]

1) 희석법

에멀전에 외부상(미세한 입자를 둘러싸고 있는 액체부분)과 상용성이 있는 액체를 가하면 그액체는 에멀전에 잘 혼합한다. 즉 o/w형 에멀전에 물을 가하면 잘 분산되어 혼합되고 w/o형 에멀전에서는 혼합되지 않는다.

2) 전기전도법

물과 기름의 전기 저항의 차이을 이용하는 방법으로 o/w형은 전기전도도가 크고 w/o형은 미약한 전도도를 갖는다.

3) 색소 첨가법

에멀전에 유성염료 또는 수성염료의 분말을 가하여 섞었을 때 유성염료가 용해되면 w/o형, 수용성 염료가 용해되면 o/w형이다.

3. 분산(Dispersion)

계면활성제에 의해 고체입자를 액체(물 또는 오일)성분에 균일하게 혼합시키는 것을 말하며 분산의 대표적인 예로는 마스카라와 파운데이션 등이 있다.

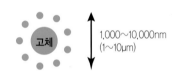

1,000~10,000nm
(1~10μm)

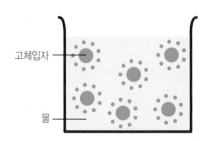

고체입자

물

[계면활성제의 분산작용]

1) 프로펠러믹서(propeller mixer)

분산력이 약해 예비분산 및 유화에 사용. 저점도 상태의 액체 혼합에 이용된다. 화장수제조

2) 검믹서(gum mixer) 안료분산

수용성 고분자 등의 점증제를 효율적으로 분산시키는데 이용된다.

3) 호모믹서(homo mixer)

터번형의 회전날개를 원통으로 둘러싼 구조. 균일하고 미세한 유화 입자를 얻을 수 있다.

4) 호모나이저(Homogenizer)

시료에 고압을 가하여 작은 구멍으로 분출시키는 강력한 연속식 유화기

5) 디스퍼(Disper)

고속으로 회전하는 봉의 끝에 터번형의 회전날개를 부착시킨 형태

4. 화장품의 안전성 검사

1) 첩포시험(Patch Test)

홍반, 부종, 가려움, 화끈거림, 따가움의 감각적인 자극 반응을 평가하는 방법으로 사람의 팔이나 등 부위에 실시하는 예비시험이다.

① **진단용 첩포시험** : 접촉성 피부염 환자에 시행하여 자극원 또는 감작원을 구하는 방법

② **밀폐 첩포시험** : 피검자의 등 부위, 상완내측에 패취(Patch)를 이용하여 검체를 밀폐, 첩포한 후 48시간 후에 패취를 제거하여 피부 반응을 관찰하는 방법

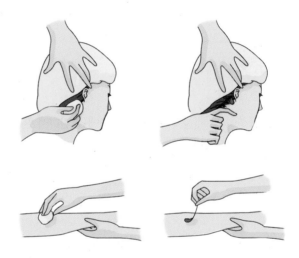

〈패치테스트〉

첩포시험(Patch Test)에 의한 판정기준

미약한 홍반	±
명확한 홍반 또는 소량의 구진	+
홍반과 종창(腫脹) 또는 홍반과 구진	++
홍반, 종창 및 작은 수포	+++
수포(水疱), 진무름	++++

화장품의 종류와 작용

 기초 화장품

1. 목적

세정 작용, 정돈 작용, 보호 작용

2. 종류

1) 세안화장품

피부 표면에 있는 화장품의 잔여물 및 노폐물을 제거한다.

2) 화장수(Toner)

피부의 보습, pH 조절, 잔여물 제거 및 수렴·청량감을 부여한다.

① **유연화장수** : 피부 보습 + 유연감

② **수렴화장수** : 피부 보습 + 수렴

3) 에센스(Essence)

① 에센스는 활성성분이 고농축 되어있는 화장품으로 수분과 영양을 공급한다.

② 유사 용어로는 세럼(Serum), 부스터(Booster), 컨센트레이트(Concentrate), 앰플(Ampoule) 등이 있다.

4) 로션(Lotion)

① 로션은 피부에 수분을 공급한다.

② 로션은 보통 O/W형 유화형태를 지니며 60~80% 정도의 수분과 30%이하의 유분을 함유하고 있어 피부에 사용 시 촉촉하며 퍼짐성도 우수하다.

5) 크림(Cream)

① 크림은 피부에 유효성분을 침투시키고, 외부환경으로부터 보호한다.

② 크림은 유화 형태에 따라 O/W형과 W/O형으로 나눌 수 있다.
O/W형은 W/O형에 비해 촉촉함과 퍼짐성은 우수하지만 수분 지속성이 낮고, W/O형은 O/W형에 비해 수분 지속성은 우수하지만 퍼짐성이 낮다.

6) 팩 / 마스크(Pack / Mask)

① 피부에 피막을 형성하여 일시적으로 피부를 외부와 차단시켜 수분 증발을 막는다.

② 유효 성분의 침투를 용이하게 한다.

③ 일시적으로 피부 온도를 높혀 혈액 순환을 촉진하며, 피부 활력을 준다.

④ 노화된 각질층 등을 팩제와 함께 제거시키므로 피부표면을 청결하게 한다.

팩 제거방법에 따른 분류

종류	작용
필오프 타입(Peel off type)	팩이 건조된 후 형성된 투명한 피막을 떼어내는 타입이다. 팩이 건조되는 동안 피부에 긴장감을 주어 탄력을 부여하며 떼어낼 때 오염물질과 각화된 각질을 제거한다.
워시오프 타입(Wash off type)	물로 닦아내는 타입이다.
티슈오프 타입(Tissue off type)	티슈로 닦아내는 타입이다.
시트 타입(Sheet type)	시트를 얼굴 위에 올려놓았다가 사용 후 시트를 제거하는 타입이다.

Ⅱ 메이크업 화장품

1. 메이크업 화장품의 색조 성분

색소는 유기합성 색소(염료, 레이크, 유기안료)로 나뉘며, 그 외 천연색소와 무기안료, 고분자분체, 기능성 안료 등이 있다.

2. 안료와 염료의 구분

① **염료** : 용매(물 또는 기름)에 녹는다. 착색된다. 기초 및 모발 화장품에 사용(수용성, 유용성 염료로 구분)된다.

② **레이크** : 물에 용해가 어려운 염료를 칼슘 등의 염으로 물에 불용화시킨 것과 물에 잘 녹는 염료를 황산알루미늄, 황산지르코늄 등으로 물에 불용화하여 알루미나에 흡착시킨 것이다. 레이크를 안료와 구분하지 않고 안료라 통칭한다. 안료에 비해 안정성이 떨어진다.

③ **안료(유기)** : 용매(물 또는 기름)에 녹지 않는다. 착색되지 않는다. 메이크업화장품에 사용, 빛을 반사 및 차단함. 커버력 우수, 무기, 유기안료 분류된다.

④ **무기안료** : 천연에서 산출되는 광물류를 뜻하며 광물성안료라 부른다. 불순물을 함유하여 품질면에서 많은 문제점이 있어서 합성에 의한 무기물이 주로 이용된다. 내열, 내광의 안정성은 좋으나 색의 선명도는 염료에 비해 떨어진다.

사용특성별	안료
체질안료	마이카, 탈크, 탄산칼슘, 탄산마그네슘, 무수규산, 산화알루미늄, 황산바륨, 카올린
착색안료	적색산화철, 흑색산화철, 황색산화철, 산화크롬, 군청, 감청
백색안료	이산화티탄, 산화아연
진주광택안료	운모티탄, 어린박, 옥시염화비스머스
특수 기능성 안료	질화붕소, 포토크로믹 안료, 미립자복합분체

2. 메이크업 화장품의 종류

1) 베이스 메이크업(Base Make-up)

① 메이크업 베이스(Make-up Base)
  ㉠ 인공 피지막을 형성하여 피부를 보호한다.
  ㉡ 파운데이션의 밀착성을 높여주고 색소 침착을 방지한다.
  ㉢ 메이크업 베이스의 종류와 기능

종류	기능
녹색	붉은 피부색 커버
보라	노란 피부색
핑크	창백한 피부 커버
파랑	기미, 주근깨 등 잡티가 있는 피부 커버

② 파운데이션(Foundation)
  ㉠ 피부의 결점커버와 피부색상을 조절하며, 자외선으로부터 피부를 보호하고, 얼굴의 윤곽을 수정해 준다.
  ㉡ 파운데이션의 종류

분류	종류
유화형	• O/W형 : 리퀴드 파운데이션 • W/O형 : 크림파운데이션
분산형	컨실러, 스틱 파운데이션
파우더형	파우더 파운데이션, 트윈케이크

③ 파우더(Powder)
  ㉠ 파우더는 베이스 메이크업을 고정시키고 번들거림을 막아 화사한 피부색을 연출한다.
  ㉡ 종류 : 파우더 팩트, 루즈 파우더

2) 포인트 메이크업(Point Make-up)

눈의 결점을 커버하고, 눈 부위를 또렷하게 하며 눈썹을 풍부하게 보이도록 해 준다. 또한 눈썹 및 눈썹 모양을 입체적으로 보이게 하여 눈을 더욱 생동감 있고 아름답게 표현해 준다.

① 아이라이너(Eye Liner)
   ㉠ 속눈썹 부위에 가늘게 선을 그려주어 눈의 윤곽을 뚜렷하게 하고 눈을 커 보이게 한다.
   ㉡ 종류 : 펜슬타입, 리퀴드 타입, 젤타입

② 마스카라(Mascara)
   ㉠ 속눈썹을 짙고 길어보이게 만드는 제품으로 눈에 깊이감을 주고 눈매를 선명하게 표현해 준다.
   ㉡ 종류 : 볼륨 마스카라, 컬링 마스카라, 롱래시 마스카라, 워터프루프 마스카라, 투명 마스카라

③ 아이섀도(Eye Shadow)
   ㉠ 눈꺼풀 부위에 도포하여 눈에 음영과 입체감을 부여하고, 눈의 아름다움과 개성을 표현한다.
   ㉡ 종류 : 펜슬 타입, 케이크 타입, 크림 타입

④ 립스틱(Lip Stick)
   ㉠ 입술에 건조를 방지하고, 색감을 주어 혈색과 광택을 부여한다.
   ㉡ 종류 : 모이스처 립스틱, 매트 립스틱, 롱라스팅 립스틱

⑤ 블러셔(Blusher)
   ㉠ 효과적인 치크는 건강미를 연출하고 얼굴의 입체감을 부여한다.

Ⅲ 모발 화장품

1. 세정기능(세발용) 모발 화장품

① 두피 또는 모발에 부착된 오염물을 제거하여 청결한 상태로 유지하기 위한 기능을 한다.
② 종류 : 샴푸, 헤어린스

2. 정발기능(정발용)

① 모발을 원하는 형태로 만드는 스타일링(Styling)의 기능과 모발의 형태를 고정시켜 주는 세팅(Setting)의 기능을 한다.
② 종류 : 헤어오일, 헤어크림, 헤어로션, 포마드, 헤어무스, 헤어스프레이, 헤어젤

3. 헤어트리트먼트(Hair Treatment)

① 모발의 손상을 방지하고, 손상된 모발을 회복시키는 기능을 한다.
② 종류 : 헤어트리트먼트 크림, 헤어 팩

4. 염모제

① 모발의 염색·탈색 또는 탈염의 기능을 한다.
② 종류 : 영구 염모제, 반영구 염모제, 일시 염모제

Ⅳ 전신관리 화장품

1. 세정 및 목욕제

① 몸에 부착되어 있는 이물질을 제거하여 몸을 청결하게 유지해 주는 기능을 한다.
② 종류 : 비누, 바디 샴푸, 바디 솔트

2. 트리트먼트제

① 몸을 보호하는 기능을 한다.
② 종류 : 바디 로션, 바디 크림

TIP

바디샴푸가 제 기능을 다하기 위해서는 높은 거품 생성력 및 거품지속성, 풍부한 거품량, 부드러운 품질을 지니며, 자극이 적어야 한다.

3. 일소, 일소방지제

① 햇빛(자외선)에 의하여 피부를 보호하여 아름답게 하거나 피부 거칠어짐 및 트러블(기미, 주근깨, 홍반, 염증 등)을 방지하는 기능을 한다.
② 종류 : 선탠오일, 선탠리퀴드, 선탠겔 등

4. 액취방지제

① 땀이나 다른 방향물질에 의하여 발생하는 체취를 제거하는 기능과 피부상재균의 증식을 억제하는 항균 기능을 한다.
② 방취화장품의 기능 : 땀을 억제하는 제한기능, 피부상재균의 증식을 억제하는 항균기능, 발생한 체취를 억제하는 기능, 향기에 의한 마스킹 기능
③ 종류 : 데오도란트

 ## 네일 화장품

매니큐어는 네일을 보호하고, 손·발가락 끝을 아름답게 하기 위한 화장품이다.

① **각피제거제(큐티클오일)** : 손·발톱의 큐티클을 불려주는 기능을 한다.

② **베이스코트** : 손톱 표면의 틈을 메우고 네일 에나멜이 착색되거나 변색 되는 것을 방지하고, 네일 에나멜의 밀착성을 높여주는 기능을 한다.

③ **네일에나멜** : 네일을 보호하는 동시에 네일에 색과 광택을 부여하는 기능을 하며, 네일 에나멜의 피막을 형성하는 성분은 니트로셀룰로즈이다.

④ **에나멜 리무버** : 네일 에나멜에 의하여 형성된 피막을 제거하는 기능을 한다.

⑤ **탑코트** : 광택과 굳기를 증가시키고 에나멜의 내구성과 지속력을 높여주는 기능을 한다.

> **TIP** 핸드 세니타이저(hand sanitizer)
>
> 핸드케어(hand care)제품 중 사용할 때 물을 사용하지 않고 직접 바르는 것으로 피부청결 및 소독효과를 위해 사용하는 제품을 말한다.

화장품의 종류와 작용

chapter 03

Ⅵ 향수의 분류

1. 농도(함량)에 따른 분류

① 퍼퓸(Perfume) : 향의 농도 15~30%, 지속시간 6~7시간
② 오데퍼퓸(Eau de Perfume) : 향의 농도 9~12%, 지속시간 5~6시간
③ 오데토일렛(Eau de Toilet) : 향의 농도 6~8%, 지속시간 3~5시간
④ 오데코롱(Eau de Cologne) : 향의 농도 3~5%, 지속시간 1~2시간
⑤ 샤워코롱(Shower Cologne) : 향의 농도 1~3%, 지속시간 1시간

2. 휘발성에 따른 분류

	탑노트	미들노트	베이스노트
특성	휘발성이 강해 바로 맡을 수 있는 향, 예리하고 침투적	대부분의 오일에 해당되며, 부드럽고 따뜻한 느낌의 향	향을 지속시키는 고착제로서 심오한 느낌
작용	블렌딩 된 배합 향을 결정짓는 역할	조합된 오일의 질을 높이는 역할	조합된 오일에 깊이를 주며 피부에 정착
지속시간	3시간 이내 증발	6시간에서 2~3일까지 지속	6시간에서 7일까지 지속
용량	전체 향의 10~20%	전체 향의 50~80%	전체 향의 10% 미만
비율	15~25%	30~40%	45~55%
분류	스트러스, 그린	플로럴,플루티,그린,오리엔털	무스크, 우디, 앰버, 오리엔털

3. 향수의 구비조건

① 향의 조화가 잘 이루어져야 한다.
② 향의 특징이 있어야 한다.
③ 시대에 부합되는 향이어야 한다.
④ 향취를 부여하는 목적이므로 어느 정도의 지속성을 가져야 한다.

TIP

퍼퓸〉오데퍼퓸〉오데토일렛 〉오데코롱 〉샤워코롱

에센셜(아로마) 오일 및 캐리어 오일

1. Aroma의 어원과 역사

1) Aromatherapy의 정의

Aromatherapy는 아로마(Aroma : 향기)와 테라피(Therapy : 치료)를 합성한 용어로 약용 식물의 꽃, 잎, 줄기, 뿌리, 열매 등으로부터 추출한 방향성 오일을 이용하여 마사지, 흡입, 입욕 등의 방법으로 심신의 균형을 유지하는 자연치유요법이다.

2. Aroma의 역사

1) 고대

① 이집트
  ㉠ 종교의식, 왕의 즉위식에 주로 사용
  ㉡ 죽은자의 육체에서 빠져나온 악령퇴치
  ㉢ 시체의 방부처리
  ㉣ 인체용 향유로 사용

② 그리스
  ㉠ 히포크라테스 : 정유를 이용한 의료행위로 방향마사지와 목욕의 유효성

③ 로 마
  ㉠ 신체를 가꾸는데 향을 적용
  ㉡ 목욕문화의 발달로 다양한 향기물질 적용
  ㉢ 네로황제 : 목욕문화의 대중화

④ 중 국
  ㉠ 침술과 병행한 초본학 발달
  ㉡ 자스민, 라벤더, 로즈마리 사용
  ㉢ 본초강목(2,000개 이상 식물 혼합 처방기록), 황제내경(B.C 2000년경)

⑤ 인 도
  ㉠ B.C 2000경 700여종의 사용식물

> **TIP** 아비체나와 증류법
>
> 최초의 아랍인 의사 아비체나(Avicenna)는 10세기경 증류법을 발명하여 식물자체로 서가 아닌 오늘날의 에센셜 오일 상태로의 변화를 가져왔으며 라벤더, 캐모마일 등 식물이 인체에 미치는 효능에 대해 기술하였다.

기록(리그베다 : 가장 오래된 종교서적)

ⓛ 아율베다(Ayurvedic) 의학서

⑥ 아라비아

ⓐ 증류법(쿨링 시스템) 최초개발, 십자군 전쟁 당시 유럽으로 전파(1000년경)

ⓛ 식물이 인체에 미치는 효능에 대해 기술

2) 근대 아로마테라피의 기원 및 발전

① 르네 모리스 가뜨포세

ⓐ 근대 아로마테라피의 아버지

ⓛ 최초로 아로마테라피라는 용어 사용

ⓒ 라벤더의 화상치유 효능발견

② 장 발레 : 2차 세계대전시 환자들의 상처치유와 정신적 치료
에 아로마 향유 적용

③ 마가렛 모리

ⓐ 아로마 마사지의 창시자

ⓛ 피부미용에 에센셜 오일 적용(1950년대 최초로 영국에 아
로마테라피를 활용한 피부미용법 소개)

Ⅷ 에센셜 오일 Essential Oil

약용식물, 즉 Herb의 꽃, 줄기, 열매, 잎, 뿌리 등에서 추출한 오일을 정밀하게 정제해 낸 100% 천연의 방향성 오일을 정유라고 한다.

> **TIP** 정유의 다양한 적용 범위
>
> 마사지, 수욕법(입욕, 좌욕, 족욕), 증기 요법, 습포, 모발관리, 아로마 화장품 및 생활용품 제조

1. Essential oil의 효능

① 항균작용   ② 항염작용

③ 진정작용   ④ 진통작용

⑤ 혈액, 림프순환 촉진   ⑥ 배설, 배농작용

⑦ 문제성피부(여드름, 기미, 예민, 노화) 개선   ⑧ 면역 증진

2. 추출방법(Extraction)

1) 수증기 증류법(Distillation)

가장 오래되고 많이 애용되고 있는 방법으로 대량의 오일을 추출할 수 있는 장점이 있으나 추출시간이 다소 오래 걸리며, 추출도중 산화가 일어나 오일의 성분이 변할 수 있다는 단점이 있다.

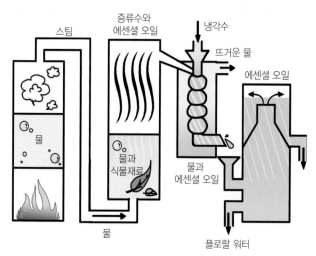

스팀   증류수와 에센셜 오일   냉각수   뜨거운 물   에센셜 오일   물   물과 식물재료   물과 에센셜 오일   물   플로랄 워터

2) 압착법(Compression)

열대성 과일(시트러스 계열)에서 오일을 추출할 때 주로 사용한다.

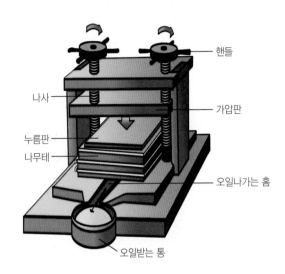

3) 용매 추출법(Solvent Extraction)

(1) 휘발성 용매 추출법

휘발성이 강한 에테르, 핵산이나 벤젠같은 휘발성 유기용매에 식물의 꽃을 일정기간 냉암소에 침적시켜 향기 성분을 녹여내면 왁스가 함유된 고형 물질(콘크리트, concrete)이 얻어진다. 이것을 에틸 알코올에 녹이면 왁스는 녹지 않고 에센셜 오일만 녹는데, 이를 여과하여 농축시킨 것을 앱솔루트(absolute)라 한다. 주로 장미, 자스민, 오렌지꽃 등 오일 함량이 적은 고가의 에센셜 오일 추출에 사용된다.

(2) 비휘발성 용매 추출법

동식물의 지방유를 이용한 추출법으로 온도를 가하지 않는 냉침법과 가온을 해주는 온침법이 있다.

4) 액체 이산화 탄소 추출법

최근 에센셜 오일 추출법으로 널리 사용되는 방법으로 저온에서 추출이 가능하여 열에 매우 약한 향기 성분을 파괴시키지 않고 추출할 수 있으며, 기존 핵산, 석유에테르 대신 대기압하에 쉽게 기체로 변하는 이산화탄소를 사용하기 때문에 잔류 용매를 남기지 않는다. 비용이 많이 드는 단점이 있다.

3. 인체 내 흡수 경로

(1) 후각을 통한 흡수

코 → 실리아 → 후각구 → 후각신경 → 변연계 → 뇌피질 → 시상하부 → 뇌하수체 → 호르몬 → 자율신경계

(2) 호흡을 통한 흡수

코 → 부비강 → 인두 → 후두 → 기관지 → 페포 → 혈관 → 온몸

(3) 피부를 통한 흡수

표피 → 진피 → 체액 → 림프계 → 혈액 → 온몸

> **TIP**
>
> 후각신경은 다른 감각보다 예민하기 때문에 후각신경을 통한 오일의 흡수 속도가 가장 빠르고, 피부를 통해 흡수된 노일은 진피에서 모세혈관과 림프 순환을 통해 전신에 전달된다.

IX ▶ 에센셜 오일의 블렌딩 Blending / 사용 시 주의사항 / 보존과 구입

1. 향유 혼합

향유는 물, 또는 식물유에 2~3가지를 희석, 혼합하여 사용하는데 이를 블렌딩이라 한다.

2. 브렌딩의 원칙

① 하향-중향-상향의 순서로 블렌딩한다.
② 케리어 오일(Carrier Oil, Base Oil)에 혼합되는 정유의 양은 1~3% 정도로 한다.

3. 에센셜 오일 사용상 주의사항

① 100% 순수한 것을 사용한다.
② 극히 소량일지라도 희석하여 사용한다.
③ 임신 중에는 주의하여야 사용한다.

화장품의 종류와 작용

chapter 03

④ 눈, 입술, 생식기 등 점막부위에는 주의하여 사용한다.

⑤ 어린이 손에 미치지 않는 곳에 둔다.

⑥ 중병에 걸린 환자 및 알러지 체질은 사용 전 전문의와 상의한다.

⑦ 심한 화상, 또는 고열이 있을 경우 사용을 피한다.

⑧ 개별 에센셜오일의 안전성을 철저히 고려하여 사용한다.

⑨ 사용전 미리 안전성 테스트(패취테스트)를 실시한다.

4. 보존과 구입

1) 보존법

① 사용 후 반드시 마개를 닫아 보관한다.

② 갈색 또는 암청색 병에 넣어 냉암소에 보관한다.

③ 일반적으로 정유는 개봉 후 6개월~1년 내에 사용하는 것이 좋다.

④ 1회 블렌딩 양은 최대 1~2주 사용분을 넘지 않도록 한다.

 베이스 오일 Base Oil , 캐리어오일 Carrier oil

'캐리어', 또는 '베이스' 오일로 불리는 식물성 오일은 에센셜 오일과 달리 휘발성이 없으며, 에센셜 오일의 자극을 낮추고 피부흡수를 높이는 역할을 한다.

1. 윗점 오일(Wheatgerm Oil)

① 습진, 건성(마른 버짐), 피부노화 방지 효과가 있다.

② 풍부한 비타민 E로 항산화 작용을 하며, 미네랄 역시 풍부하다. 무거운 느낌의 오일로서 단독 사용보다는 가벼운 오일에 5~10% 정도 희석해 사용하는 것이 좋다.

③ 세포생성, 혈액순환촉진, 결합조직 개선에 효과적이며, 혈액의 응고를 막아주는 성분이 함유되어 있어 동맥에 축적되는 콜레스테롤 수치를 낮춘다.

2. 스위트 아몬드 오일(Sweet Almond Oil)

① 모든 피부타입에 적절하며 윤기 없는 피부, 거친 피부에 좋다.
② 기저귀 땀띠, 튼 손, 가려움증과 염증 부위에 효과적이다.
③ 가벼운 느낌의 오일로 높은 자양분과 불포화 유지방산, 리놀릭산, 단백질, 미네랄 등이
   풍부하다.

3. 아보카도 오일(Avocado Oil)

① 모든 피부타입에 적절하며, 건성, 습진, 탈수예방효과가 있다.
② 비타민 A, D, 레시틴, 칼륨 등이 풍부하다.
③ 무거운 느낌의 오일로서 가벼운 오일에 25%정도 희석해 쓰이나 건성 부위에 단독으로
   사용하기도 한다. 높은 밀도로 농도가 짙고 피부에 깊이 스며드는 성질이 있어 비만
   관리용으로도 많이 사용된다.

4. 호호바 오일(Jojoba Oil)

① 모든 피부 타입에 적절하며 피부유연효과가 있다.
② 항박테리아, 피지를 조절하는 기능이 있어 지성·여드름 피부는 물론, 안면, 바디관리
   에도 사용된다.

5. 그레이프씨드 오일(Grapeseed Oil)

① 모든 피부에 사용가능 하며 여드름 피부에 효과적이다.
② 끈적거림이 없는 가벼운 오일로서 포도 씨에서 추출한다.
③ 비타민 E가 풍부하여 항산화 작용과 피부재생 효과가 뛰어나다.

6. 캐롯 오일(Carrot Oil)

① 건성피부 가려움증, 습진, 피부재생에 효과적이다.

화장품의 종류와 작용

chapter 03

② 베타카로틴, 비타민, B, C, D, E가 풍부한 오일로 피부건조·습진·재생에 효과가 있다.

③ 단독으로는 사용이 불가능하며, 가벼운 오일류에 10% 정도 희석하여 사용한다.

7. 코코넛 오일(Coconut Oil)

모든 피부 타입에 적절하며, 피부노화 방지, 목 주름 연화제, 선탠용 오일로 사용한다.

XI ▶ 대표적으로 활용되는 Essential Oil의 종류 및 특성

	종류	효능
탑노트	바질(Vasil)	살균, 소독, 강장, 거담, 발한작용
	버가못(Bergamot)	살균, 소독작용, 피지조절, 충혈 피부 진정작용
	유칼립투스(Eucalyptus)	거담, 살균, 이뇨, 정혈, 호흡기질환예방
	그레이프후르트(Grapefuit)	살균, 소독, 식욕증진, 이뇨, 정화, 근육 내 독소제거작용
	레몬(Lemon)	소독, 수렴, 방부, 이뇨, 면역력 강화, 체지방 감소
	레몬나무(Lemongrass)	두통, 정신피로해소, 수렴, 공기정화, 이뇨, 살균작용
	만다린(구주귤/Mandarin)	소화촉진, 진정, 피부연화, 체지방 감소
	오렌지(Orange)	항우울, 소화촉진, 식욕증진, 긴장완화, 체지방 감소
	페퍼민트(Peppermint)	거담, 두통, 수렴, 소염, 해열, 항 신경장애
	티트리(Tea Tree)	살균, 소독, 항바이러스, 발한작용
미들노트	카모마일(Camomile)	진정, 상처치유, 소염, 진통, 항알러지, 항우울, 항경련작용
	클라리 세이지(Clary Sage)	항우울, 항경련, 진정, 최음, 스트레스 이완, 활력공급
	싸이프레스(Cypress)	수렴, 이뇨, 지혈, 해열, 혈관수축작용
	휀넬(회향/Fennel)	이뇨, 발한, 통경, 소독, 소화촉진작용
	프랑킨센스(유향/Frankincense)	수렴, 이뇨, 소독, 공기정화, 세포재생
	제라늄(Geranium)	수렴, 이뇨, 지혈, 세포재생, 림프순환촉진작용
	자스민(Jasmine)	분만촉진, 최음, 통경, 항 우울, 피지조절
	쥬니퍼(Juniper)	발한, 살균, 소독, 수렴, 해독, 통경, 이뇨작용
	라벤다(Lavender)	살균, 소독, 진정, 피지조절, 통경, 해독, 항우울, 구풍작용
	마죠람(Marjoram)	거담, 강장, 구풍, 소독, 항신경장애
	장미(Rose)	생식기 강장, 최음, 항우울, 항염증, 혈관확장 개선
	로즈마리(Rosemary)	두뇌기능촉진, 정신피로회복, 이뇨, 발한, 혈액순환 촉진
	일랑일랑(Ylang Ylang)	피지분비조절, 최음, 항우울, 소독작용

	종류	효능
베이스 노트	시다우드(Cedarwood)	거담, 살균, 소독, 수렴, 이뇨작용
	시나몬(Cinnamon)	소독, 통경, 호흡기질환예방
	샌달우드(백단향/Sandalwood)	거담, 진정, 이뇨, 수렴, 소염작용

 ## 기능성 화장품

1. 미백에 도움을 주는 제품

① 멜라닌 생성 및 산화방지
② 멜라닌 색소 환원, 피부색소 침착 방지
③ 피부 각질 제거, 칙칙함 개선, 기미. 주근깨 개선 및 제거

2. 미백성분

1) 비타민 C(Ascorbic Acid)

① 대표적인 수용성 비타민으로 불안정하고 산화가 잘 된다.
② 순수 비타민 C를 안정화 시킨 마그네슘 아스코르빌 포스페이트나 아스코르빌 팔미테이트 같은 안정화된 유도체 성분을 많이 사용 한다.
③ 티로시나아제(Tyrosinase) 작용을 억제하며, 도파의 산화를 억제한다.

> **TIP**
>
> 미백 화장품의 메커니즘
>
> ① 티로신이 도파로 전환되는데 필요한 효소인 티로시나제 효소의 활성을 억제 : 알부틴 코직산, 닥나무, 뽕나무, 감초 추출물, 아데노신 아마이드, 비타민C.
> ② 도파(Dopa)가 도파퀴논(Dopaquinone)이 되기위한 산화과정을 억제 : 비타민 C 및 유도체
> ③ 각질세포의 박리를 통해 멜라닌색소의 배출 촉진 : AHA등의 각질제거
> ④ 자외선 노출 방지 : 자외선 차단제 사용

2) 알부틴(Arbutin)

① 알부틴은 월귤나무 잎 또는 딸기 등에서 추출한다.
② 하이드로퀴논과 당이 결합된 형태를 지니고 있다.
③ 비타민 C에 비해 비교적 안정적이어서 널리 사용되어지고 있다.
④ 티로시나아제 형성을 억제하는 효과가 있다.

3) 코직산(Kojic Acid)

① 누룩 곰팡이에서 추출한다.
② 티로시나아제 형성을 억제하는 효과가 있다.

4) 닥나무 추출물(Broussonetia Extract)

① 닥나무(종이의 원료)에서 추출한다.
② 티로시나아제 형성을 억제하는 효과가 있다.

5) 뽕나무 추출물(Mulberry Extract)

① 코직산의 함류량이 많이 들어있는 상백피(뽕나무 껍질)에서 추출한다.
② 티로시나아제 형성을 억제하는 효과가 있다.

6) 감초 추출물(Licorice)

① 감초에서 추출한다.
② 티로시나아제 효소의 작용을 억제하며 항염효과가 있다.

7) 나이아신 아마이드(Vit B3, Niacin)

① 몸에 필수적인 필요 요소이다.
② 빛과 열에 안정적이다.
③ 티로시나아제 형성을 억제하는 효과가 있다.

3. 주름개선에 도움을 주는 제품

1) 주름개선 화장품

① 피부탄력강화, 콜라겐합성, 섬유아세포 생성 촉진
② 활성산소와 프리라디컬 제거

TIP 주름 생성의 원인

① 노화가 진행되면서 각화 주기가 길어져 각질층이 두꺼워 진다.
② 진피층의 콜라겐과 무코다당류의 감소로 수분이 손실된다.
③ 광노화에 의한 콜라겐과 엘라스틴의 감소현상이 나타난다.

2) 주름개선성분

(1) 레티놀(Retinol)

① 순수 비타민 A이다.

② 주름 개선제, 여드름 치료제로 사용한다.

③ 레틴 A는 각질을 탈락시켜 세포교체를 가속화 하고, 섬유아세포(Fibroblasts)의 영양공급을 증가시켜 콜라겐과 엘라스틴 생성도 증가하게 된다.

④ 레티놀은 효능, 효과는 좋으나 너무 불안정하여 변질되기 쉽고, 보관이 어려워 안정화된 레티놀의 유도체인 레티닐 팔미테이트가 화장품에 주로 사용된다.

	레티놀 Retinol	레티닐 팔미테이트 Retinyl Palmitate
안정성	효능, 효과가 우수하나 불안정하다. 변질이 쉽고 보관이 어려워 안정성이 떨어진다.	레티놀 유도체로 안정성이 우수하다.
기능성 인증	2500 I.U[1] 이상 함유 시 인증한다.	10,000 I.U 이상 함유 시 인증한다.

(2) 아데노신(Adenosin)

① 수용성으로 피부의 침투율이 낮다.

② 섬유아세포(Fibroblast)의 증식을 촉진시켜 콜라겐과 엘라스틴의 합성을 증대시킨다.

3. 자외선 차단 및 흡수, 선탠 화장품

1) 자외선 차단 화장품

① 자외선 차단 및 산란, 일소의 방지

② 피부를 곱게 태워주거나 자외선으로부터 피부를 보호하는데 도움을 주는 제품

③ 자외선으로부터 손상된 피부 진정 및 복구, 수분증발 억제 기능 함유

(1) 자외선 흡수제(UV Filter)

① 특징 : 화학적 차단, 스스로 자외선을 흡수하고, 발랐을 때 투명하다.

㉠ 장점 : 촉촉하고 산뜻하다. 메이크업이 밀리지 않는다.

㉡ 단점 : 흡수제이기 때문에 트러블 가능성이 산란제에 비해 상대적으로 높다.

---

1 IU(International Unit) 비타민 · 호르몬 등 그 밖의 의약품 등의 미량의 생리 활성 물질에 관한 농도를 표시하는 단위이다. 적정(適正)에 사용하는 표준 용액의 작용의 세기. 표준 용액 속의 적정 시약의 농도를 통일 · 표시하기 위하여 국제적으로 결정 · 승인된 실용단위이다.

② 성 분

    ㉠ 옥틸 메톡시 신나메이트(Octyl Methoxycinnamate)

    ㉡ 파바(PABA, Para-Aminobenzoic Acid, 파라 아미노산안식향산) 유도체

    ㉢ 아보벤존(Avobenzone), 디옥시벤존(Dioxybenzone)

(2) 자외선 산란제(난반사 인자)

① 특징 : 물리적 인자, 각질의 역할, 물리적으로 자외선을 반사, 산란시킴, 백탁 현상

    ㉠ 장점 : 상대적 차단율이 높다. 트러블 가능성이 거의 없다.

    ㉡ 단점 : 메이크업 밀림, 인위적인 메이크업의 느낌

② 성 분

    ㉠ 이산화티탄(티타늄 디옥사이드, Titanium Dioxide)

    ㉡ 산화아연(징크 옥사이드, Zinc Oxide)

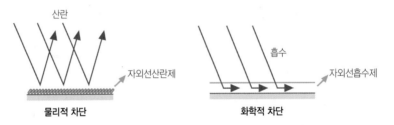

[자외선 차단제의 작용원리]

> **TIP** 자외선 차단제 사용 방법
>
> ① 일광 노출 30분전에 사용한다.
> ② 사용량은 충분하게 발라주어야 한다.
> ③ 땀을 흘리거나, 시간이 지남에 따라 지워지므로 덧바르거나, 메이크업 시에는 파우더류로 차단을 지속 시킨다.
> ④ SPF 가 높아질수록 피부 자극도도 높아지고, 효과는 동일 하므로, 너무 높은 차단 지수는 지양한다.
> ⑤ 병변 부위에 바르지 않는다.
> ⑥ 눈주변은 자극도가 높으므로 피하거나, 전용차단제를 사용한다.
> ⑦ 피부가 약한 유아, 어린이의 경우나 피부가 약한 사람은 자외선 흡수제가 들어있지 않은 물리적 차단제(산란제)가 들어가 있는 제품(저자극)을 사용한다.
> ⑧ SPF (홍반지수)는 UVB에 대한, PA(흑화지수)는 UVA에 대한 차단 지수이다.

(3) 선탠화장품

① 선탠화장품 : 자외선에 의해 멜라닌 색소의 양을 늘리는 것이다. 자외선에 의해 피부 손상을 막기 위해서는 UVB차단성분을 함유하고 있으며, UVA차단성분의 함유량은 매우 낮다.

② 셀프태닝화장품 : 다이하이드록시아세톤(Dihydroxyacetone : DHA) 성분을 이용하여 각질층을 갈색으로 착색시켜 준다.

TIP   자외선 차단제 사용 방법

1) SPF(Sun Protection Factor)
일광차단지수 또는 자외선 차단지수라고 한다.
자외선에 의한 피부홍반에 의해 측정되어 진다.
UVB 방어효과를 나타내는 지수이다.

2) 기준 공식

$$SPF = \frac{\text{자외선 차단제를 도포한 피부의 최소홍반량(MED)[1]}}{\text{자외선 차단제를 도포하지 않은 피부의 최소홍반량(MED)}}$$

3) PA(Protection UV A) / PFA(Protection Factor Of UV A)
최근에는 SPF뿐 아니라 UVA 차단지수를 PA 혹은 PFA로 표기하는데 자외선 차단 제품을 사용했을 때와 사용하지 않았을 때의 최소 흑화량[2]의 비율을 말한다.

표기방법	차단정도
PA+	UVA 차단정도 있음(2~4시간)
PA++	UVA 차단정도 상당히 높음(2~8시간)
PA+++	UVA 차단정도 매우 높음(8시간 이상)

---

1   최소홍반량(Minimum Erythema Dose : MED) : 피부에 홍반을 발생하게 만드는 자외선량
2   최소흑화량(Minial Persistent Agment Darkening Dose : MPPD) : UVA에 조사된 후 색소침착이 2~4시간 지속되는데 필요한 자외선의 최소량

출제예상문제

01 화장품의 정의(화장품법 제2조 1항)에 대한 내용 중 관련되지 않는 것은?

① 화장품은 인체를 청결하기 위해 사용한다.

② 화장품은 인체에 대한 작용이 경미하다.

③ 화장품은 피부의 건강을 유지 또는 증진시키기 위해 사용한다.

④ 화장품은 피부의 건강을 치료하고 회복하기 위해 사용한다.

ANSWER

④ 제2조 1항 화장품의 정의

화장품이라 함은 인체를 청결, 미화하여 매력을 더하고 용모를 변화시키거나 피부, 모발의 건강을 유지 또는 증진하기 위하여 인체에 사용되는 물품으로서 인체에 대한 작용이 경미한 것을 말한다.

02 화장품, 의약외품, 의약품에 대한 설명 중 바른 것은?

① 의약외품은 진단과 치료를 목적으로 한다.

② 화장품은 장기간 사용해도 된다.

③ 의약품은 정상인이 사용하는 것이다.

④ 화장품은 피부과 의사의 처방을 받아야 한다.

ANSWER

②

• 화장품: 정상인의 피부 청결, 미화, 보호를 위해 장기적으로 사용 가능한 물품

• 의약외품: 정상인이 사용하는 물품 중에서 어느 정도의 약리학적 효능, 효과를 나타내기 위해 장기적 또는 단기적으로 사용하는 물품을 말한다.

• 의약품: 환자에게 질병치료 또는 진단을 목적으로 일정기간 사용하는 약품을 말한다.

03 화장품을 만들 때 필요한 4대 조건은?

① 안전성, 안정성, 사용성, 유효성

② 안전성, 방부성, 방향성, 유효성

③ 발림성, 안정성, 방부성, 사용성

④ 방향성, 안전성, 발림성, 사용성

ANSWER

① 화장품 4대 요건은 안전성, 안정성, 사용성, 유효성을 말한다.

04 화장품의 4대 요건이 아닌 것은?

① 안전성   ② 활용성

③ 사용성   ④ 안정성

ANSWER

② 화장품 4대 요건은 안전성, 안정성, 사용성, 유효성을 말한다.

05 화장품의 분류와 제품이 틀리게 연결된 것은?

① 기초화장품 : 클렌징제품, 에센스, 크림류

② 메이크업화장품 : 메이크업베이스, 파운데이션

③ 방향화장품 : 향수, 데오도란트

④ 바디화장 : 바디로션, 바디샴푸, 썬탠오일

ANSWER

③ 데오도란트는 땀의 분비를 억제하는 제품으로 바디화장품에 속한다.

06　기초화장품의 사용 목적과 기능으로 옳은 것은?

① 피부보호　　　　② 결점커버

③ 피부치료　　　　④ 각질제거

ANSWER

① 기초화장품의 사용목적은 세정, 보호, 정돈의 작용에 있다.

07　화장품의 수성원료가 아닌 것은?

① 지방알콜　　　　② 정제수

③ 에탄올　　　　　④ 다가알콜

ANSWER

① 지방알콜은 합성오일에 속하는 유성원료이다.

08　알콜에 기능에 대한 내용 중 바르지 않은 것은?

① 수렴, 살균, 소독의 기능이 있다.

② 휘발성이 있으나 함량이 높아도 건조하거나 민감해지지 않는다.

③ 화장품에 사용되는 알콜 중 에탄올을 주로 사용한다.

④ 화장수, 아스트린젠트, 향수 등에 사용한다.

ANSWER

② 알콜은 휘발성이 있어서 청량감을 부여하나 화장품에 함량이 높으면 탈지, 탈수 현상을 일으킬 수도 있다.

09　천연보습인자에 대한 설명으로 적합하지 않은 것은?

① N.M.F를 말한다.

② 각질층에 존재하는 수용성 성분들을 말한다.

③ 수분증발을 억제하고 건조함을 막아준다.

④ 구성성분 중에서 요소(urea)가 가장 많이 함유되어 있다.

ANSWER

④ 천연보습인자에서 가장 많이 함유되어 있는 성분은 아미노산 Amino acid 40%이다.

10　글리세린의 대체물질로 사용할 수 있으며 보습, 유연작용을 하는 보습성분은?

① 아미노산　　　　② 콜라겐

③ 솔비톨　　　　　④ 프로필렌글리콜

ANSWER

③ 솔비톨은 보습제의 종류 중 다가알코올에 해당하며 피부의 자극이 거의 없다. 글리세린의 대체물질로 사용되며 보습력이 매우 뛰어나다. 고가의 흡습제로 사용된다. 끈적임이 강하다.

11　다음 유성원료 중 식물성 오일에 속하지 않는 것은?

① 피마자유　　　　② 바세린

③ 올리브유　　　　④ 아보카도유

ANSWER

② 바세린은 광물성 오일이다.

12 동물성 오일 중 양털에서 추출한 오일은?

① 밍크오일　　　　② 라놀린

③ 스쿠알란　　　　④ 미네랄 오일

ANSWER

②

① 밍크오일 : 밍크의 피하지방 ③ 스쿠알란 : 상해상어 간유

④ 미네랄오일 : 광물성오일(석유)

13 캐리어 오일 중 액체상 왁스에 속하고, 인체 피지와 지방산의 조성이 유사하여 피부 친화성이 좋으며, 다른 식물성 오일에 비해 쉽게 산화되지 않아 보존안전성이 높은 것은?

① 아몬드 오일　　　② 호호바 오일

③ 아보카도 오일　　④ 맥아 오일

ANSWER

② 호호바 오일은 액체상 왁스타입으로 피지성분과 유사하여 피부 친화력이 좋아 캐리어 오일로 많이 사용된다.

14 화장품 성분 중 기초화장품이나 메이크업 화장품에 널리 사용되는 고형의 유성성분으로 화학적으로는 고급지방산에 고급알코올이 결합된 에스테르이며, 화장품의 굳기를 증가시켜주는 원료에 속하는 것은?

① 밀납　　　　　　② 바셀린

③ 실리콘　　　　　④ 폴리에틸렌글리콜

ANSWER

① 왁스를 말하며 밀납은 벌꿀에서 추출한다. 그 밖에 양모에서 추출한 라놀린, 야자 나무에서 추출한 카르나우바 왁스가 있다.

15 캐모마일에서 얻은 물질로 항염, 항알레르기, 진정, 상처치유에 대한 효과가 있는 것은?

① 알로에　　　　　② 클로로필

③ 알란토인　　　　④ 아줄렌

ANSWER

④

① 선인장에서 추출

② 녹색 식물류에서 추출

③ 컴프리 뿌리나 구더기에서 추출

16 다음 중 자작나무에서 추출하는 성분으로 피지를 조절하고 박테리아 성장을 억제하는 기능이 있는 성분은?

① 카오린　　　　　② 티트리

③ 살리실산　　　　④ 레몬

ANSWER

③ 살리실산은 각질탈락, 피지조절, 박테리아 성장 억제기능을 하며, 카오린은 피지조절, 티트리는 박테리아 성장 억제를 한다.

17 각질제거에 효과가 있는 성분이 아닌 것은?

① A.H.A　　　　　② 유황

③ 솔비톨　　　　　④ 살리실산

ANSWER

③ 솔비톨은 보습성분이다.

18 소의 태반에서 추출하며 비타민과 호르몬을 함유하고 있다. 신진대사와 혈액순환을 촉진하고 재생에 효과적인 성분은?

① 플라센타   ② 레시틴

③ 히아루로닉 엑시드   ④ 콜라겐

ANSWER

① 과거에는 소의 태반에서 추출하였으나 현재에는 식물에서 추출한다.

19 다음 중 해독, 항알레르기, 항염, 상처치유 촉진, 항알레르기 작용을 하며 콩과 식물에뿌리와 줄기에서 추출하는 성분은?

① 감초추출물   ② 아줄렌

③ 비사볼롤   ④ 벤토나이트

ANSWER

①

②, ③은 캐모마일에서 얻어진다. ④ 피지흡착기능이 있는 성분이다.

20 다음 중 색소침착 피부에 효과적인 성분이 아닌 것은?

① 상백피   ② 알부틴

③ 레티놀   ④ 코직산

ANSWER

③ 레티놀은 주름 개선에 도움을 주는 기능성 화장품 고시 원료이다.

21 화장품의 점도를 조절하는 성분은?

① 메틸파라벤   ② 글리세롤

③ 카보머   ④ 바세린

ANSWER

③

① 방부제 성분이다. ② 보습제로 사용된다. ④ 광물성 오일이다.

22 다음 중 방부제의 기능 및 효과인 것은?

① 화장품이 산패되는 것을 방지한다.

② 화장품의 pH를 조절한다.

③ 화장품의 부패를 방지한다.

④ 유성성분이 공기 중에 산소에 의해 산화되는 것을 방지한다.

ANSWER

③

①, ④ 산화방지제 기능이며 ② pH조절제의 기능이다.

23 다음 중 산화방지제에 대한 설명으로 적합한 것은?

① 화장품 내에 세균이 번식하는 것을 방지 한다.

② 화장품이 산패되는 것을 방지하기 위해서 사용한다.

③ 화장품의 향이 좋게 하기 위해 사용한다.

④ 화장품의 변질 방지하기 위해 사용한다.

ANSWER

②

①, ④ 방부제의 기능이며, ③ 방향제에 대한 설명이다.

출제예상문제 chapter 04

24 계면활성제에 대한 설명으로 적합하지 않은 것은?

① 한 분자 내에 친수성기와 친유성기를 함께 가지고 있다.

② 성질이 다른 친유성기와 친수성기가 섞이지 않도록 하는 역할을 한다.

③ 기름을 좋아하는 친유성기는 꼬리부분으로 막대 모양이다.

④ 물을 좋아하는 친수성기는 머리 부분으로 둥근 모양이다.

ANSWER
② 서로 성질이 다른 경계면을 잘 섞이게 하는 활성 물질이다.

25 다음 계면활성제에 대한 설명 중 틀린 것은?

① 유화 : W/O형은 수분 베이스에 오일 입자가 들어 있는 상태이다.

② 가용화 : 계면활성제에 의해 투명하게 용해되는 상태를 뜻한다.

③ 분산 : 고체 입자가 액체 속에 균일하게 혼합된 상태를 말한다.

④ HLB : 계면활성제가 물과 기름에 녹는 상대적 세기를 나타낸다.

ANSWER
① W/O형은 오일 베이스에 수분 입자가 들어 있는 상태이며 유중수형상태라고 한다.

26 비교적 피부 자극이 강하고 모발화장품에서 헤어린스나 트리트먼트, 정전기 방지제로 사용되는 계면활성제의 종류는?

① 양쪽성 계면활성제

② 양이온성 계면활성제

③ 음이온성 계면활성제

④ 비이온성 계면활성제

ANSWER
② 양이온 계면활성제는 물에 용해될 때 친수기 성분이 양이온을 나타내며 역성비누라고도 한다.

27 다음 중 계면활성제의 피부자극도에 따라 순서대로 나열 된 것은?

① 양이온성 > 음이온성 > 양쪽성 > 비이온성

② 음이온성 > 비이온성 > 양이온성 > 양쪽성

③ 비이온성 > 양쪽성 > 음이온성 > 양이온성

④ 양이온성 > 양쪽성 > 음이온성 > 비이온성

ANSWER
① 피부 자극도가 높은순은 양이온성 > 음이온성 > 양쪽성 > 비이온성이다.

28 계면활성제가 물에 잘 녹는지 녹지 않는지를 나타내는 척도는?

① MED   ② SPF

③ PA   ④ HLB

ANSWER
④ HLB는 비이온 계면활성제가 물에 잘 녹는지 녹지 않는가 하는 척도를 나타낸다. 지수가 낮을수록 물에 잘 녹지 않고, 지수가 높을수록 잘 녹는다. 지수는 0~20으로 나타낸다.

29 크림의 유화 형태의 특성에 대한 내용이다. 설명 중 틀린 것은?

① O/W형크림 : 물에 오일이 분산되어 있는 형태이다.
② O/W형크림 : W/O형보다 유분감이 많아 수분 증발을 억제한다.
③ W/O형크림 : 수분지속성은 우수하지만 퍼짐성은 낮다.
④ W/O형 크림 : 건성, 노화 피부에 효과적이다.

ANSWER

② O/W형은 물에 오일이 분산되어 있는 수중 유형형태이며 촉촉함과 퍼짐성이 우수하지만 지속성이 낮다. ②에 내용은W/O형 형태의 특징이며 수분 지속성은 우수하지만 퍼짐성이 낮다.

30 첩보시험에 대한 설명으로 바른 것은?

① 사람의 얼굴에 실시하는 예비시험이다.
② 홍반, 부종, 가려움, 화끈거림, 따가움등의 감각적인 자극 반응을 평가하는 방법이다.
③ 화장품의 변질이나 변색을 확인하기 위한 방법이다.
④ 화장품을 판매하기 위한 목적으로 시험한다.

ANSWER

② 첩포 시험이란 패치테스트라고 하며, 홍반, 부종, 가려움, 화끈거림, 따가움 등의 감각적인 자극반응을 평가하는 방법이다. 사람의 팔이나 등 부위에 실시한다.

31 다음 중 기초화장품의 종류와 목적으로 바르게 연결 된 것은?

① 세안화장품 : 화장품의 잔여물을 제거한다.
② 화장수 : 고농축 되어 있는 활성성분이 수분과 영양을 공급한다.
③ 크림 : 노페물을 제거하고 혈액순환을 촉진한다.
④ 팩,마스크 : 피부보습, 수렴, 청량감을 부여한다.

ANSWER

①
② 에센스 ③ 팩, 마스크 ④ 화장수의 기능이다.

32 크림의 기능으로 설명이 바른 것은?

① 유효성분을 흡수시켜 피부를 개선하는데 도움을 준다.
② 혈액순환을 촉진하고 안색이 맑아진다.
③ 제거 시 노폐물이 제거된다.
④ 피막을 형성하여 외부와 일시적으로 차단한다.

ANSWER

① 크림은 유효성분을 흡수시켜 피부를 개선하는데 도움을 준다.

33 색조 성분에 대한 설명 중 바른 것은?

① 염료와 안료 모두 용제에 녹는다.
② 염료와 안료 모두 용제에 녹지 않는다.
③ 염료는 용매에 녹고, 안료는 녹지 않는다.
④ 염료는 용매에 녹지 않고, 안료는 녹는다.

ANSWER

③ 염료는 용매에 녹고, 안료는 용매에 녹지 않는다.

34 체질 안료에 대한 설명 중 바른 것은?

① 광택을 부여하고 질감을 변화시킨다.
② 화장품의 질을 결정하며 퍼짐성과 부착성을
조절한다.
③ 주성분으로는 산화철, 레이크가 있다.
④ 백색안료와 함께 커버력을 높인다.

ANSWER

②

① 펄 안료에 대한 설명이다. ③, ④는 착색 안료에 대한 설명이다. 체질
안료의 주성분으로는 탈크, 카오린, 마이카 등이 있다.

35 메이크업 화장품에 대한 설명이다. 그 연결
이 바르지 않은 것은?

① 메이크업베이스 : 화운데이션의 밀착성을 높여
준다.
② 화운데이션 : 피부의 결점을 커버하고 피부색
상을 조절한다.
③ 화운데이션 : 베이스메이크업을 고정시킨다.
④ 파우더 : 번들거림을 막고 화사한 피부색을 연
출한다.

ANSWER

③ 베이스메이크업이 지워지지 않고 오래 유지할 수 있게 파우더로 마무
리한다.

36 모발화장품과 그 기능이 바르게 연결된 것은?

① 세정기능 : 헤어샴푸, 헤어스프레이
② 정발기능 : 헤어크림, 헤어무스
③ 영양기능 : 헤어무스, 헤어젤
④ 양모기능 : 헤어린스, 헤어샴푸

ANSWER

② 정발기능이란 모발을 원하는 형태로 만들고 원하는 형태로 고정시키
는 기능을 하는 제품을 말하며 헤어크림, 헤어로션, 헤어무스, 헤어젤
등을 포함한다.

37 다음 중 피부상재균의 증식을 억제하는 항
균기능을 가지고 있고, 발생한 체취를 억제하는 기
능을 가진 것은?

① 바디샴푸   ② 데오도란트
③ 샤워코롱   ④ 오데토일렛

ANSWER

② 데오도란트는 액취방지제로 신체에서 나는 불쾌한 냄새를 없애거나
방지하는 목적으로 사용된다.
① 세정작용 ③, ④ 방향성 제품이기는 하나 항균기능을 가지고 있지는
않다.

38 전신관리 화장품에 대한 설명 중 바르지 않
은 것은?

① 세정제 : 몸에 부착되어 있는 이물질을 제거하
고 청결하게 한다.
② 트리트먼트제 : 몸을 보호하고 아토피를 치료한다.
③ 일소, 일소방지제 : 햇빛에 의하여 피부가 거칠
어지고 트러블이 나는 것을 방지한다.
④ 일소, 일소방지제 : 썬탠오일, 썬탠젤 등을 포
함한다.

ANSWER

② 트리트먼트제는 몸을 보호하는 기능은 있으나 아토피를 치료하지는 않는다.

39 네일 케어용 제품에 대한 설명으로 바르지 않은 것은?

① 네일에나멜 : 네일에 색을 지우고 피막을 제거한다.
② 베이스코트 : 에나멜이 착색되거나 변색되는 것을 막는다.
③ 탑코트 : 에나멜의 내구성과 지속력을 높여준다.
④ 각피제거제 : 손,발톱의 큐티클을 불려주는 기능을 한다.

ANSWER
① 네일에나멜은 네일을 보호하고 네일에 색과 광택을 부여한다. 색을 지우고 피막을 제거하는 제품은 에나멜 리무버이다.

40 향수의 지속시간이 높은 순서대로 나열한 것은?

① 퍼퓸 > 오데퍼퓸 > 샤워코롱 > 오데코롱 > 오데토일렛
② 샤워코롱 > 오데코롱 > 오데토일렛 > 오데토퍼퓸〉퍼퓸
③ 오데퍼퓸 > 오데토일렛 > 오데코롱 > 샤워코롱 > 퍼퓸
④ 퍼퓸 > 오데퍼퓸 > 오데토일렛 > 오데코롱 > 샤워코롱

ANSWER
④ 향의 지속시간이 높은 순으로 나열하면 퍼퓸 > 오데퍼퓸 > 오데토일렛 > 오데코롱 >샤워코롱 순이다.

41 에센셜 오일 사용 시 주의사항으로 틀린 것은?

① 정유는 100% 순수한 것을 사용해야 한다.
② 임신 중에는 사용을 하면 안되는 오일이 있으며 사용 시 주의해야 한다.
③ 희석을 하면 효과가 떨어지므로 원액 그대로 사용한다.
④ 피부질환이나 심한 화상, 상처가 있는 경우 사용을 피한다.

ANSWER
③ 정유는 극히 소량일지라도 희석하여 사용해야 한다.

42 에센셜 오일의 인체 흡수 시 경로가 바르지 않은 것은?

① 호흡을 통한 흡수
② 피부를 통한 흡수
③ 후각을 통한 흡수
④ 복용을 통한 흡수

ANSWER
④ 에센셜 오일은 폐, 코, 피부를 통해 흡수하며 복용하지 않는다.

43 불면증, 스트레스나 긴장 완화에 효과적이고 상처치유효과와 함께 여드름 염증완화에도 도움이 되는 에센셜 오일은?

① 라벤더   ② 로즈마리
③ 장미   ④ 일랑일랑

ANSWER
① 라벤더는 살균, 소독, 진정, 해독, 스트레스와 긴장 완화, 통증 완화 기능이 있다.

출제예상문제

chapter 04

44 다음 중 기능성 화장품에 속하는 것은?

① 피지를 제거하고 피부 표면을 청결히 하는 데 도움을 주는 화장품

② 모세혈관을 강화하고 피부를 튼튼하게 하는 데 도움을 주는 화장품

③ 자외선으로 보호하거나 태우는데 도움을 주는 화장품

④ 여드름을 치유하고 개선하는데 도움을 주는 화장품

ANSWER

③ 기능성화장품이란 피부 미백에 도움을 주는 화장품/ 주름개선에 도움을 주는 화장품/ 자외선으로부터 피부를 보호하거나 태워주는 화장품을 말한다.

45 다음 중 피부표면에 물리적인 장벽을 만들어 자외선을 반사하고 분산하는 자외선 차단 원료는?

① 옥틸메톡시신나메이트

② 파라아미노안식향산(PABA)

③ 티타니움디옥사이드

④ 아보벤존

ANSWER

③ 자외선차단제는 산란제와 흡수제로 나뉘어지며 ①, ②, ④는 자외선 흡수제 성분이다.

46 SPF에 대한 설명으로 틀린 것은?

① Sun Protection Factor의 약자로써 자외선 차단 지수라 불리어진다.

② 엄밀히 말하면 UV-B 방어효과를 나타내는 지수라고 볼 수 있다.

③ 오존층으로부터 자외선이 차단되는 정도를 알아보기 위한 목적으로 이용된다.

④ 자외선차단제를 바른 피부가 최소의 홍반을 일어나게 하는데 필요한 자외선 양을 바르지 않은 피부가 최소의 홍반을 일어나게 하는데 필요한 자외선 양으로 나눈 값이다.

ANSWER

③

①, ②, ④ SPF에 관한 설명이다.

47 자외선 차단제에 대한 설명 중 바르지 않은 것은?

① 365일 매일 사용해야 한다.

② 차단제 성분으로는 산란제와 흡수제가 있다.

③ 주름을 개선하고 탄력을 증대시키는 효과가 있다.

④ 자외선으로 부터 피부를 보호한다.

ANSWER

③ 자외선차단제는 자외선으로부터 피부를 보호하며 1년 내내 사용해야 한다. 차단 작용은 반사시키는 물리적 작용과 흡수시키는 화학적 작용이 있다.

48 비타민 C의 효능 및 작용에 대한 설명 중 바르지 않은 것은?

① 모세혈관 강화
② 티로시나제 억제
③ 멜라닌 합성 촉진
④ 콜라겐 합성 촉진

ANSWER
③ 멜라닌 생성을 억제한다.

49 티로시나아제 활성을 억제하고 멜라닌 생성을 억제하는 기능이 있는 미백 성분이 아닌 것은?

① 코직산
② 뽕나무추출물
③ 레시틴
④ 비타민 C

ANSWER
③ 레시틴은 천연유화제로 사용되며 리포솜의 원료이다.

50 주름을 개선하고 탄력을 증대시키는 효과가 있는 성분이 아닌 것은?

① 아데노신
② 아미노산
③ 레티놀
④ 레티닐팔미테이트

ANSWER
② 아미노산은 천연보습인자이며 보습의 효과가 우수하다.

출제예상문제　chapter 04

Sanitation
Management

P·A·R·T

6

공중위생관리학

공중보건학

1. 공중보건학 총론

1) 세계보건기구(W.H.O : World Health Organization) 헌장

건강이란 단순히 질병이 없고 허약하지 않은 상태만을 의미하는 것이 아니라, 육체적·정신적·사회적으로 완전히 안녕한 상태를 의미한다(1948).

2) 공중보건학의 정의

공중보건학은 조직화된 지역사회의 노력으로 질병예방, 수명연장, 육체적·정신적 효율을 증진시키는 것을 목적으로 한다. 치료는 의료 영역에 해당한다.

① **공중보건학 대상** : 개인이 아니라 광범위하게 지역사회의 전체 주민을 대상으로 삼는다.

② **윈슬로(E.A Winslow)의 공중보건학의 정의** : 조직화된 지역사회의 노력으로 질병예방, 수명연장, 건강증진, 육체적·정신적 효율의 증진

3) 공중보건학의 범위

> **TIP**　**윈슬로(Winslow)와 핸런(Hanlon)등의 공중보건학의 범위**
>
> 1. **환경보건 분야** : 환경위생, 식품위생, 환경보전과 공해, 산업환경
>
> 2. **보건관리 분야** : 보건행정, 보건영양, 인구보건, 모자보건 및 가족보건, 노인보건, 학교보건 및 보건교육, 보건통계, 보건정보관리, 정신보건, 각종 사고와 중독관리
>
> 3. **질병관리 분야** : 역학, 감염병 관리, 성인병 관리, 기생충 질환관리

4) 건강증진

인구의 건강을 측정하는 지표는 건강지표, 보건지표, 보건지수 등의 용어로 사용한다.

① **건강지표** : 개인, 가족, 사회 또는 인구단위의 건강수준이나 특성을 설명하는 수량적 내용으로 축소된 한계의 개념(비례사망지수, 평균수명, 보통사망률, 영아사망률, 질병 이환율, 기생충감염률 등)이다.

② **보건지표** : 여러 단위의 인간의 건강뿐만 아니라 이에 관련되는 보건정책, 의료제도, 자연환경, 인구규모 또는 국민의 보건에 대한 규범과 가치관 등 여러 내용의 수준이나 구조 또는 특성까지를 설명할 수 있는 확대된 내용의 수량적 크기이다.

> **TIP**
>
> 보건수준 평가의 대표적인 기준은 영아사망률이다.

2. 질병관리

1) 역학(Epidemiology)의 개념

(1) 역학의 정의

① 히포크라테스의 저서 'Epidemic'에서 유래(epi : ~에 관한, demos : 인구, ology : 학문)한다.

② 집단 내에 발생하는 질병의 빈도와 분포를 결정하는 요인들에 관하여 연구하는 학문이다.

2) 질병 발생 원인의 역학적 인자

(1) 질병의 발생 요인

① **병인(병원체)요인** : 질병을 일으키는 직접적인 요인

ㄱ 생물학적 인자 : 세균, 바이러스, 곰팡이, 기생충 등

ㄴ 물리·화학적 인자 : 대기·수질오염, 방사선, 유독성 물질, 열 등

ㄷ 사회적 인자 : 정서적 긴장, 정신적인 스트레스, 관습 등

② **숙주 요인** : 숙주의 병인에 대한 감수성과 면역기전에 좌우되며, 내·외적 요인의 상호작용에 의해 결정

ㄱ 유전적 인자 : 질병의 감수성과 관련이 있는 내적 요인

      ㄉ 생물학적 인자 : 성별, 연령별 특성

      ㄊ 체질적 인자 : 과거 질병에 대한 폭로 경험, 영양상태, 성격 등

      ㄌ 기타 : 사회·경제적 수준과 결혼 및 가족형태, 직업 등

③ **환경 요인** : 질병발생을 일으키는 외적인 요인

      ㄅ 생물학적 환경요인 : 병원소, 매개체, 식품, 약성분 등

      ㄉ 물리·화학적 환경요인 : 고열과 한랭, 공기(기압), 주택시설, 음료수, 소음, 지리적 조건 등

      ㄊ 사회적 환경요인 : 사회조직, 경제적 상태, 사회적 관습, 주민들의 생활습관, 사회적 융합 및 이동 등의 직·간접적으로 영향

[질병의 3대요인]

3. 가족 및 노인보건

1) 인구정책

(1) 인구정책의 의의

인구의 적절한 상태를 실현하기 위한 국가의 의식적·계획적 대책

(2) 인구정책의 방법

① **인구조정정책** : 출생, 사망, 인구 이동의 현실적 상태와 이상적 상태 사이에 큰 격차가 있을 때 이 격차를 좁혀 국가가 바라는 상태로 이끄는 것

      ㄅ 양적 조정정책 : 대상은 출생률로, 가족계획사업을 통하여 구현

      ㄉ 질적 조정정책 : 인구의 성별, 연령별 구조 등의 불균형을 결혼 및 출산을 통하여 이루려는 우생학적 정책과 결부

② **인구대응정책** : 인구대응정책은 인구변동으로 인해 야기된 식량, 주택, 교육 등 제반 문제의 해결을 위해 추구하는 정책

(3) 우리나라의 인구정책

① 국민보건 수준의 향상과 보건문제 해결을 위한 적절한 정책 수립 및 집행
② 인구 노령화의 진행으로 노인의 질병문제 및 전반적인 노후대책에 대한 정책수립을 위하여 노력
③ 남아선호사상으로 인한 심각한 성비 불균형의 조절을 위해 노력

(4) 인구 구성형태

① **피라미드형** : 인구 증가형으로 후진국형이다. 출생률이 사망률보다 높다.

② **종형** : 인구 정지형으로 가장 이상적인 형이다. 출생률과 사망률이 모두 낮은 경우이다.

③ **항아리형** : 인구 감퇴형으로 선진국 형이다. 출생률이 사망률보다 낮다.

④ **별형** : 도시형으로 유입형이다.

⑤ **호로형** : 농어촌 유출형이다.

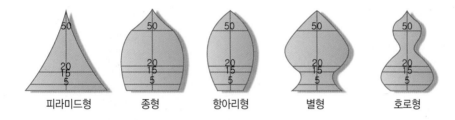

(5) 주요보건지표

건강지표 3가지

세계보건기구(W.H.O)에서 한 나라의 건강수준을 다른 국가들과 비교할 수 있도록 다음의 세 가지 제시한다.

㉠ 평균수명(Expectation Of Life) : 생명표[1] 상의 출생 시 평균여명(平均餘命)
㉡ 조사망률(Crude Death Rate : CDR) : 인구 1,000명당 1년간의 전체 사망자 수
㉢ 비례사망지수(Proportional Mortality Indicator : PMI) : 연간 전체 사망자 수에 대한 50세 이상의 사망자수의 구성 비율. 평균수명이나 조사망률의 보정지표가 됨
PMI=(50세 이상의 사망자수/총사망자수)×100

---

1 일정한 시기에 출생한 인구가 사망 질서에 따라 어떻게 감소하는가를 표시한 것으로 생존수, 사망수, 생존율, 정지인구, 평균여명과 같은 함수를 기초로 이루어져 있다.

※ 비례사망지수가 낮은 것은 높은 영아사망률과 낮은 평균수명에 원인이 있는 것으로 건강 수준이 낮은 것을 의미

2) 노인보건

(1) 노인보건의 의의
노인은 일반적으로 생리적·신체적 기능의 퇴화와 심리적인 변화로 인하여 자기유지 기능과 사회적 역할기능이 약화되고 있는 사람으로 정의 하고 있으며, 이러한 노인들의 건강유지 및 소득보장, 의료보장, 관계복지시설의 확충, 사회활동기회의 제공 등에 대한 전반적인 문제해결을 위한 것

(2) 노인보건의 중요성
① 최근 평균수명의 증가로 인구 노령화가 가속화 됨
② 다른 연령층에 비하여 의료비가 증가하여, 이에 대한 보건의료대책이 필요
③ 노후의 소득보장과 의료보장, 관계복지시설의 확충, 사회활동기회 부여 등의 방안 마련의 필요성

(3) 노인보건 지수
① 노령(=노년)화 지수=(65세 이상 인구 수/15세 미만 인구 수)×100
   ㉠ 부양인구인 연소인구비에 대한 노인인구비
   ㉡ 같은 부양인구이지만 부양형태가 다르기 때문에 중요한 의미를 가짐

② 노령(=노년)인구 지수=(65세 이상 인구 수/15~64세 인구 수)×100
   ㉠ 노령(노년)인구는 의료비와 생활부조가 증가하고 재정의 투입 회수가 불가능
   ㉡ 연소인구는 양육비와 교육비가 증가되나 투입이 회수 가능
   ㉢ 노인인구비=(65세 이상 인구 수/총 인구 수)×100

③ 가장 많이 이용되어 지는 지표

4. 환경보건

1) 환경위생의 의의

(1) 의의

세계보건기구(WHO)의 환경위생전문위원회

'환경위생은 인간의 신체발육, 건강 및 생존에 유해한 영향을 미치거나 미칠 가능성이 있는 인간의 물리적 생활환경에 있어서의 모든 요소를 통제하는 것이다'라고 정의

(2) 환경위생의 범위

① 「환경정책기본법」상의 환경

　　㉠ 자연환경 : 지하·지표(해양을 포함한다) 및 지상의 모든 생물과 이들을 둘러싸고 있는 비생물적인 것을 포함한 자연의 상태(생태계 및 자연경관을 포함한다)

　　㉡ 생활환경 : 대기, 물, 폐기물, 소음, 진동, 악취, 일조 등 사람의 일상생활과 관계있는 환경

② 일반적 환경의 구분

　　㉠ 자연적 환경

　　　　a. 생물학적 환경 : 동물, 식물, 곤충, 병원미생물 등

　　　　b. 물리·화학적 환경 : 공기, 토양, 물, 소리, 광선 등

　　㉡ 사회적 환경

　　　　a. 인위적 환경 : 의복, 식생활, 주거, 위생시설, 산업시설 등

　　　　b. 문화적 환경 : 정치, 사회, 문화, 경제 등

2) 기후와 온열조건

(1) 기후의 개념

① 어떤 장소에서 매년 반복되는 대기현상의 종합된 평균상태

② 기후의 3요소 : 기온, 기습, 기류

(2) 기후의 온열조건

① 기온

　　㉠ 기온은 태양의 복사열로 일반적으로 지상 1.5m 높이의 건구온도를 말함

> **TIP**
>
> 공기의 물리적 성상인 기온, 기습, 기류 및 복사열 등은 인체의 체온조절에 중요한 영향을 미치는 온열요소로 각각 독립적이기보다는 상호 복합적으로 작용한다.

ⓛ 쾌적 기온 : 18±2℃

② 기습

    ㉠ 기습(습도)이란 일정온도의 공기 중에 포함될 수 있는 수분의 양을 말함

    ⓛ 쾌적 습도 : 기온이 18℃ 전후일 때, 40~70% 범위

③ 기류

    ㉠ 기류는 바람이라고 하는데 기압의 차와 기온의 차이에 의해서 생성

    ⓛ 쾌적 기류 : 실내는 0.2~0.3m/sec, 실외는 1m/sec

④ 복사열 : 대류나 전도와 같은 현상을 거치지 않고 열이 직접 전달되는 것을 복사열이라 함

(3) 공기

① 공기의 조성

    ㉠ 질소(N_2)

        a. 공기 중의 78%를 차지

        b. 정상기압에서는 인체에 직접적인 피해가 없으나 고기압 환경이나 감압 시에는 영향 → 잠함병(Decompression Sickness) 또는 감압병(Cassion Disease)

    ⓛ 산소(O_2)

        a. 공기 중에 약 21% 존재한다.

        b. 공기 중의 산소량이 10% 이하일 경우에는 호흡곤란이 오고, 7% 이하이면 질식사하게 됨

    ㉢ 이산화탄소(CO_2)

        a. 무색, 무취의 가스로 청량음료, 냉매(Dry Ice)등에 사용

        b. 공기보다 무거움

TIP

- 일교차 : 하루의 최고 기온과 최저 기온의 차이를 일교차라 하는데, 최저 기온은 일출 30분 전, 최고 기온은 오후 2시 전후이다.
- 연교차 : 1년 동안의 최고 기온과 최저 기온의 차이를 말한다.

TIP

실내의 습도가 너무 건조하면 호흡기계 질병이, 너무 습하면 피부 질환이 발생하기 쉬움(건기:인공 가습, 우기: 습기 제거)

TIP 공기의 조성

질소(78%) > 산소(21%) > 아르곤(0.9%) > 이산화탄소(0.03%) > 기타(0.04%)

TIP 공기의 자정작용

① 공기자체의 희석력
② 태양광선의 자외선에 의한 살균작용
③ 식물의 탄소동화에 의한 CO_2및 O_2 교환
④ 강설과 강우에 의한 용해성 가스나 분진의 세정작용
⑤ 산소(O_2), 오존(O_3), 과산화수소(H_2O_2)등에 의한 산화작용

c. 실내공기 오염의 지표

d. 미량의 CO_2 자체는 인체에 유해하지 않음

e. 3% 이하는 호흡촉진, 7% 이상에서는 호흡곤란, 10% 이상에서는 의식 상실·사망 초래

ⓔ 일산화탄소(CO)

    a. 무색·무취·무미

    b. 맹독성으로 인체에 유해함

    c. 헤모글로빈과의 친화성이 산소에 비해 200~300배 더 높음

    d. 물체의 불완전 연소 시에 발생하는 유독가스이다.

ⓜ 아황산가스(SO_2)

    a. 대기오염의 지표

    b. 자동차 배기가스, 석탄 연소, 공장매연 등이 주 발생요인

    c. 자극성이 강하고 흉통 및 호흡곤란을 일으키는 유독가스

    d. 허용기준은 연간 0.05ppm 이하

(4) 대기오염

① 대기오염의 발생원인

    a. 산업의 다양화, 공업의 급진적 발전, 교통기관의 증가 등

    b. 각종 연료의 연소과정, 화학물질의 화학반응과정, 물질의 물리적 변화과정에 발생

② 대기오염물질

a. 1차 오염물질

- 입자상 물질 : 대기 중에 존재하는 미세한 크기의 고체 및 액체의 입자들로서, 입경이 0.001~100μm이며, 대부분 0.1~10μm 범위에 속한다.
  - 분진(Dust) ; 일반적으로 미세한 독립상태의 액체 또는 고체상의 알맹이
  - 매연(Smoke) 및 검댕(Soot) : 연료가 연소할 때 완전히 타지않고 남은 고체물질
  - 미스트(Mist) : 가스나 증기의 응축에 의하여 생성된 대략 2~200μm 크기의 입자상 물질로 매연이나 가스상 물질보다 입자의 크기가 크다.
  - 흄(Fume) : 보통 광물질의 용해나 산화 등의 화학반응에서 증발한 가스가 대기 중에서 응축하여 생기는 0.001~1μm의 고체입자
- 가스상 물질 : 상온의 공기 중에 액체나 고체의 물질이 기화된 상태로 존재하는 것. 대기오염물질의 약 90% 이상 차지

ⓛ **2차오염 물질** : 오염원에서 배출된 1차 오염물질이 태양광선 중·고 에너지를 가진 자외선이나 파장이 짧은 가시광선의 영향을 받아 2차적으로 생긴 물질

- 오존 : 무색의 자극성 기체로 낮은 농도에서도 눈과 목에 자극증상을 일으킬 수 있다.
- PNA류 : PAN, PPN, PBN 등이 있으며, 무색의 자극성 액체
- 알데히드 : 강한 자극성이 있는 가스
- 스모그(smog) : 연기(smoke)와 안개(fog)의 결합을 의미하는 말로 유래되었으나, 오늘날에는 대기 중의 안개 모양의 대기오염 상태를 모두 스모그라 부른다.

③ **대기오염이 인체에 미치는 영향**

㉠ 유해한 대기오염 물질

- 황산화물(SOX) ; 주로 만성기관지염등의 호흡기계 질환을 일으킨다.
- 질소산화물(NOX) : NO와 NO_2 헤모글로빈과 친화력이 매우 강하며 혈액 독으로 작용
- 일산화탄소(CO) : CO-Hb 생성으로 Hb와 O_2의 결합 및 운반저해, 폐포에서 O_2-Hb의 해리 저해와 O_2의 부족초래, 체내의 호흡효소와 결합반응 등으로 각종 생리기능장애를 일으킨다.
- 탄화수소(HC) : 대기중의 NO와 공존해서 광화학반응을 일으켜 Oxydant(총산화성물질)를 발생
- 납(Pb) : 유연 휘발유를 사용하는 자동차의 배기가스나 납을 사용하는 시설 등에서 주로 발생되는데, 납중독이 되면 신경염 및 두통 이나 현기증 등을 발생시킬 수 있다.
- 오존(O_2) : 자동차나 공장등의 배기가스 중 이산화질소와 탄화수소가 햇빛과 반응하여 생성되는데 피부 및 눈을 심하게 자극한다.

(5) 주거위생

① **조건**

㉠ 토지표면이 건조하고 배수가 잘 되어야 한다.

㉡ 진개 매립 시 10년 이상 경과하여야 한다.

㉢ 기후에 순응할 수 있으며 편리하고 경제적인 구조여야 한다.

㉣ 일광, 채광, 통풍 및 방화면에서 이상적이어야 한다.

㉤ 공터가 충분해야 한다.

TIP 군집독

환기가 불충분한 실내 공간에 다수인이 밀집해 있을 때, 불쾌감, 두통, 권태, 현기증, 구토, 식욕저하 등의 증세가 나타난다.

② 채광

　　㉠ 창문 면적은 방바닥 면적의 1/5 정도가 적당하다.

　　㉡ 입사각은 28° 이상, 개각은 4~5° 이상이 좋다.

　　　　a. 입사각 : 앞 건물에 대향 물체가 없을 때 빛이 들어올 수 있는 각도

　　　　b. 개각 : 앞 건물에 대향 물체가 있을 때 빛이 들어올 수 있는 각도

③ 조명의 종류

　　㉠ 직접조명 : 광원으로부터 빛을 직접 들어오게 하는 방법이다. 효율성이 높다.

　　㉡ 간접조명 : 반사광을 물건에 비치는 조명이다. 눈의 보호에 가장 좋다.

　　㉢ 전체조명 : 일반 가정이나 강당, 회의실에 전체적으로 밝게 하는 조명을 말한다.

　　㉣ 부분조명 : 정밀 작업 시 사용된다.

④ 환 기

　　㉠ 자연환기 : 문이나 창문을 통한 환기방식

　　㉡ 인공환기 : 기계의 힘에 의한 환기방식으로 공기를 신속하고 고르게 바꿔준다.

(6) 수질오염

① 수질오염지표

　　㉠ 용존산소(DO : Dissoloved Oxygen) : 물 속에 녹아 있는 산소량

　　㉡ 생물학적 산소요구량(BOD : Biochemical Oxygen Demand) : 물 속에 존재하는 유기물질을 미생물이 산화·분해하여 안정화시키는 데 필요한 산소의 양(하천이나 도시하수의 오염도를 나타내는 지표)

　　㉢ 화학적 산소요구량(COD : Chemical Oxygen Demand) : 수중에 존재하는 유기물을 산화제(과망산칼륨, 중크롬산칼륨)를 사용하여 화학적으로 산화시킬 때 소모되는 용존산소량(해역, 호수 등의 수질오염을 판단하는 지표)

> **TIP**
>
> 수돗물로 사용할 상수의 대표적인 오염지표는 대장균 수이다.

② 수질오염에 의한 피해

　　㉠ 미나마타병 : 수은 중독 – 언어장애, 보행장애, 사지마비증상

　　㉡ 이따이이따이병 : 카드뮴 중독 – 신장 기능장애, 요통, 골연화증, 보행 장애 및 전신 통증

(7) 상 수

① 정수과정

(8) 하 수

① 하수처리과정

(9) 오 물

① 분료처리방법 : 비료화법, 해양투기법, 화학제처리법, 정화조이용법, 수세식처리법, 분뇨소화처리법 등

② 쓰레기 처리(진개처리)

　　㉠ 진개처리법

　　　a. 소각법 : 가장 이상적

　　　b. 매립법

　　　c. 비료화법

　　　d. 바다투기법

　　　e. 소화법

　　　f. 사료법

　　㉡ 진개 매립법

　　　a. 쓰레기는 2m 이상으로 묻는다.

b. 복토는 60cm~1m 이상 덮는다.

c. 진개 매립지는 운동장, 농장 등이 적당하며 주택지로 사용 시에는 10년 이상 경과
해야 한다.

5. 식품위생 및 영양

1) 식중독의 의의와 분류

(1) 식중독의 의의

① 식품섭취로 인하여 발생하는 급성위장염을
주 증상으로 하는 건강장애

> **TIP**
>
> 식중독은 지역에 영향을 많이 받는다.

② 원인 : 세균 및 세균이 생산한 독소, 자연유독물 및 유해 화학물질이 식품에 첨가 또
는 오염되어서 발생하는 것

(2) 식중독의 분류

① 세균성 식중독의 종류

　㉠ 감염형 식중독

　　a. 살모넬라균

　　　• 12~48시간의 잠복기

　　　• 복통·설사·구토 등의 급성 위장염 증세, 가장 발열증상이 심함

　　　• 여름, 가을철에 많이 발생한다.

　　　• 예방 : 보균자 색출, 도출장의 위생검사 철저, 환자의 식품취급 금지, 파리 및
　　　　서족 금지, 식품의 가열처리

　　b. 장염비브리오균

　　　• 1~26시간의 잠복기

　　　• 여름철에 많이 발생한다.

　　　• 원인식품 : 조개류 생식

　　　• 예방 : 조리기구, 행주, 위생적 처리

　　c. 병원성 대장균 식중독

　　　• 10~30시간의 잠복기

　　　• 두통·발열·구토·설사·복통 증세

　　　• 사람에서 사람으로 전염

- 예방 : 분변의 식품오염 방지
ⓛ 독소형 식중독
  a. 포도상구균
    - 잠복기가 가장 짧다(1~6시간의 잠복기).
    - 치사율은 거의 없으며 봄, 가을철에 많이 발생한다.
  - 타액분비증가, 오심, 설사, 구토, 복통 증세
  - 원인식품 : 우유, 유제품, 떡, 김밥, 도시락
  - 예방 : 화농된 사람의 손으로 식품취급 금지
  - 우리나라에서 가장 많은 식중독이 포도상구균 식중독이다.
  b. 보툴리누스균
    - 식중독 중 치명률이 가장 높다.
    - 12~35시간의 잠복기
    - 호흡곤란, 복통, 설사 증상
    - 원인식품 : 통조림, 소시지. 식육, 과일
    - 예방 : 위생적인 조리와 가열처리. 통조림 및 소시지의 위생적 보관 및 가공
  c. 웰치균
    - 아포균으로 10~12시간의 잠복기
    - 주원인 식품은 육류(아포 및 협막형성)
    - 구토·설사·복통 증세

TIP · **세균성식중독과 소화기계 감염병과의 구별**

내장근과 심장근은 대뇌의 지배를 받지 않고, 자율신경의 지배를 받아 신경이 끊어져도 자동적으로 움직일 수 있다.

세균성 식중독	소화기계 감염병
다량의 세균과 독소량이 있어야 발병	소량의 균으로 발병
2차 감염은 없고. 원인식품의 섭취로 발병	2차 감염이 이루어짐
면역이 획득되지 않음	면역이 획득 됨
소화기계 감염병에 비하여 잠복기가 짧음	

② 자연독에 의한 식중독

　㉠ 식물성 중독

　　a. 버섯 중독 : 무스카린

　　　🔵 독버섯의 특징 - 색이 아름답고 선명하며 악취가 나고 신맛이 난다.

　　• 맥각 중독 : 에르고톡신

　　• 솔라닌 중독 : 감자의 새싹

　　• 청매(청산) 중독 : 아미그달린

　　• 면실우(목화씨) 중독 : 고시풀

　　• 독미나리 중독 : 시큐톡신

　㉡ 동물성 중독

　　a. 복어 중독 : 테트로도톡신 - 신경계 독소로 치명률이 높다.

　　b. 패류 중독 : 모시조개, 굴, 검은 조개 등

③ 화학물질에 의한 식중독

　㉠ 불량 첨가물 및 과량사용으로 인한 식중독

　㉡ 오용·우연 등으로 첨가된 유해물질

　㉢ 식품의 제조·저장 등의 관리상 잘못으로 혼입되는 유해물질

　㉣ 기구·용기·포장 등으로부터 용출 또는 이행되는 유해물질

　㉤ 환경오염에 의한 유해물질

　㉥ 방사능 오염 등 기타원인에 의한 식품을 오염시키는 유해물질

2) 영양 : 피부학의 피부와 영양 참조(p.111)

6. 보건행정

1) 보건 행정의 개념

보건행정이란 국민보건에 관한 행정으로서, 보건사업이나 공중보건을 위해 국가나 지방자치단체에서 행하는 행정적 활동이다.

(1) 보건행정의 특성

보건행정은 보건의료의 기술적인 부분과 행정적인 부분이 조화를 이룰 때 효율적으로 이루

> **TIP**
>
> **•과학성과 기술성**
> 보건행정은 과학과 기술이 발달함에 따라 그만큼의 안전한 지식과 기술을 바탕으로 이루어진다. 보건행정은 과학행정인 동시에 기술행정 측면을 갖는다.
>
> **•교육성과 조장성**
> 보건행정은 지역 주민을 교육하고 그들의 자발적인 참여를 조장하여 보건행정의 목적달성을 위해 힘쓴다.

어질 수 있다. 보건행정은 봉사성, 공공성과 사회성, 과학성과 기술성, 교육성과 조장성등의 특성을 갖는다.

(2) 보건행정 조직

보건행정은 공중보건을 행정조직에서 기술적으로 관리하고 통제하는 것이다. 일반적인 행정원리 즉, 관리과정, 의사결정과정, 기획과정, 조직과정, 수행과정, 통제과정을 통해 공중 보건적 측면인 생태학적 고찰, 역학조사, 의학적 기초, 환경 위생학적 부분을 기술적으로 다룬다.

2) 보건교육

(1) 보건교육의 정의

보건교육이란 개인이나 집단이 건강을 유지하거나 향상시키기 위해 현재 갖고 있는 건강에 대한 잘못된 태도나 행위를 교육을 통해 고쳐나가는 학습 수행과정이라 할 수 있다.

(2) 보건교육의 범위

학교보건교육, 지역사회 보건교육, 산업보건교육, 환자보건교육, 전문적 보건교육, 가정보건교육 등으로 구분할 수 있다.

소독학

1. 소독의 정의 및 분류

1) 일반적인 용어의 정의

TIP
소독력
멸균 〉 소독 〉 방부

① **소독(Disinfection)** : 감염을 일으킬 수 있는 병원 미생물을 파괴하여 감염력을 없애는 것이다. 소독은 미생물을 사멸시킬 수는 있지만, 포자는 사멸이 안된다.

② **살균(Sterilization)** : 감염을 일으킬 수 있는 모든 미생물들을 죽인 것이다.

③ **멸균(Sterilization)** : 모든 미생물(병원성, 비병원성, 포자등)을 완전하게 제거하여 멸균시키는 방법이다.

④ **방부(preservative)** : 소독의 효과는 기대할 수 없으나, 미생물의 발육과 성장을 억제 또는 정지시켜 부패나 발효를 억제하는 방법이다.

2. 미생물 총론

1) 미생물 정의

① 육안으로는 보이지 않지만, 현미경을 통해서만 볼 수 있는 아주 작은 생물로서 0.1mm 이하의 미세한 생물체를 총칭한다.

② 미생물의 종류에는 세균, 바이러스, 진균, 원생동물, 리케차 등이 포함된다.

2) 미생물의 역사

① 기원전 신벌설 : 병이란 '신이 죄를 많이 지은 사람에게 내려지는 징벌이다'라고 생각했다.

② 기원전 히포크라테스 : '나쁜 바람이 병을 운반해온다.'

③ 미생물을 최초로 발견한 네덜란드의 레벤후크(1676)이다.

④ 보일은 '부패와 병은 관련되어 있다'(1663)고 하였다.

⑤ 근대 면역학의 아버지라 불리는 파스퇴르는 62~63℃에서 30분간 가열하여 미생물을 살균하는 방식으로 저온살균법을 발견하였다.

⑥ 화학적 소독제인 페놀(석탄산)을 최초로 수술에 응용한 사람은 리스트이다.

⑦ 코흐는 병원균을 발견하여 세균연구의 기초를 확립하였다.

3) 미생물의 분류

(1) 병원성 미생물

미생물이 체내에 침입하여 병적인 반응을 일으키는 미생물이다.

일반적으로 세균, 바이러스, 원충동물 등을 포함된다.

(2) 비병원성 미생물

미생물이 체내에 침입하여도 병적인 반응을 일으키지 않는 미생물들이다. 진균류, 유산균류 등 인체에 유용한 미생물들이 포함된다.

(3) 병원성 미생물

① 미생물의 종류

　㉠ 세균(Bacteria) : 세균은 0.2~2.0㎛의 크기로 단세포로 된 미생물로서, 인간에 기생하여 질병을 유발하며, 유사분열이 없다.

　　a. 세균의 형태에 따른 분류

　　•구균 : 세균의 형태가 공모양을 나타낸다.

　　　EX 포도상 구균, 연쇄상구균, 유행성 뇌척수막염균, 폐렴균 등

　　•간균 : 세균의 형태가 길고 가느다란 막대기 모양의 세균으로 대부분의 세균이 여기에 속한다.

　　　EX 탄저균, 파상풍균, 결핵균, 이질균, 장티푸스, 디프테리아 등

　　•나선균 : 세균의 형태가 긴 나선균이나 코일모양으로 나타난다.

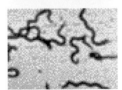

　　　EX 매독균, 렙토스피라 등

ⓒ 바이러스(Virus)

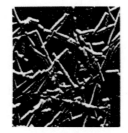

[담배모자이크바이러스]

- 인체에 질병을 일으키는 병원체 중 가장 크기가 작고 전자현미경으로 관찰이 가능하다. 살아있는 세포 내에서만 증식하며 핵산은 DNA나 RNA 하나만 가지고 있기 때문에 DNA 바이러스 또는 RNA 바이러스로 분류한다.
- 열에 대한 반응은 매우 불안정하여 일반적으로 50~60℃에서 30분간 처리하면 파괴되며 세균과 달리 대개 항생물질에 대한 감수성이 없다.
- 주요 질환은 간염, 홍역, 뇌염, 인플루엔자, 소아마비, 천연두 등이 속한다.

ⓒ 진균류(Fungi)

- 곰팡이라고 불리는 것을 진균이라고 하고 진균류의 대부분은 비병원성으로 자연계에 널리 분포하고 있으며, 생물학적으로 식물과 유사하나 엽록소를 가지고 있지 않아 광합성 작용을 하지 않고 기생하여 영양을 얻는 진핵세포군에 속한다.
- 일부 진균은 사람에게 진균증을 일으키는데 진균증의 90%는 약 12종의 균종에 의해 일어나고 그 중에 피부 사상균과 칸디다만이 사람에서 사람으로 전파된다.
- 진균은 아포형성 식물로서 흔히 버섯, 효모, 곰팡이 등을 예로 들 수 있으며, 무좀 등 피부병을 일으킨다.

   예 족부백선, 수부백선, 두부백선, 조갑백선 등

ⓔ 리케차(Rickettsia)

- 세균과 바이러스의 중간 크기에 속하고 세균과 흡사한 화학적 성분을 가지고 있으며, 화학요법제에 대해 감수성이 있는 점이 바이러스와 다르다.
- 진핵생물체의 세포에 기생하며, 감염을 일으키는 그람음성균의 일종이다. 보통 절지동물과 공생한다.
- 진드기, 이, 벼룩 등을 매개로 하여 감염되는 발진성 열성질환인 발진티푸스, 발진열, 록키산 홍반열, 양충병 등을 일으킨다.

   예 쯔쯔가무시병, 발진열, 발진티푸스, 유행성출혈열 등

ⓜ 원생동물(Protozoa)

- 단세포동물로서 대체로 중간숙주에 의해 전파되며, 면역이 생기는 일이 드물고 원충에 따라서는 낭포(Cyst)를 만들어 적합하지 못한 조건에서도 장기간 생존이 가능하다.

- 말라리아, 아메바성 이질, 아프리카 수면병 등이 대표적인 질환이다.

  🎀 *비뇨생식기계 감염인 트리코모나스, 아메바 이질*

③ 미생물의 증식환경

ㄱ 온도 : 미생물의 증식과 사멸에 있어서 가장 중요한 요소이며, 증식 및 생존 온도범 위는 0~70℃이며, 미생물이 증식하기에 최적발육온도는 28~32℃이며, 온도에 따라 저온균, 중온균, 고온균으로 분류된다.

- 저온균 : 15~20℃, 해양성 미생물, 냉장고 등에 증식하는 미생물
- 중온균 : 28~45℃, 대부분의 미생물
- 고온균 : 50~80℃, 온천에 증식하는 미생물

ㄴ 산소 : 산소의 농도에 따라 미생물의 생장에 중요한 작용을 한다. 산소의 농도에 따 라 호기성균, 혐기성균, 통성혐기성균으로 분류할 수 있다.

- 호기성세균 : 미생물의 생장을 위해서 반드시 산소가 필요로 하는 균

  🎀 *결핵균, 디프테리아, 백일해 등*

- 혐기성세균 : 산소가 없어야만 증식할 수 있는 균

  🎀 *파상풍균, 보툴리누스균 등*

- 통성혐기성균 : 산소의 유무에 상관없이 증식되지만 산소가 존재하면 더욱 증식 되는 균

  🎀 *포도상구균, 대장균, 살모넬라균 등*

ㄷ 수분 : 미생물은 약 90%가 수분으로 이루어져 있으며 세균의 대사에 수분이 절대적 으로 필요하다. 미생물의 발육과 증식에 수분이 반드시 필요하며 수분이 없으면 증 식이 불가능하다.

ㄹ 수소이온농도

- 미생물의 증식에는 적당한 수소이온농도 pH 6.5~7.5 에서 증식이 가장 잘된다.
- 대부분의 미생물은 pH 5.0 이하의 산성과 pH 8.5 이상의 알카리성에서 미생물은 사 멸 된다.

ㅁ 삼투압

- 미생물은 견고한 세포막으로 둘러 쌓 여 있으며, 이 세포막은 내부의 침투농 도와 이온농도를 조절한다.
- 당분이나 염분의 농도가 높으면 미생물 의 수분이 빠져나와 원형질 분리현상이 나타나 미생물이 사멸된다.

TIP

미생물 번식에 가장 중요한 환경은 온 도, 습도, 영양이다.

- 미생물의 증식을 억제하는 삼투압 방법 중 잼, 절임 등이 대표적이다.
- 영양원 : 미생물이 증식하기 위해서는 에너지원이 필요한데 이를 영양원이라고 한다.

3. 병원성 미생물

1) 감염병 발생설

① 종교설 시대(Religious Era) : 원시적 사고방식에 의한 선악신설시대(善惡神說時代)라고 할 수 있으며, 초자연적인 신의 작용에 의존하여 선신과 악신이 있어 질병을 일으킨다고 믿던 시대

② 점성설 시대(Astrology Era) : 별자리의 이동에 따라 질병, 기아, 전쟁 등이 발생한다고 믿던 시대

③ 장기설 시대(Miasma Theory Era) : 감염병의 전파는 나쁜 공기나 공기 중의 유독물질 때문에 발생한다고 믿던 시대

④ 접촉전염설 시대(Contagious Communicable Theory Era) : 질병 발생에 관해 점성설이나 장기설이 지배적이었지만, 질병에 대한 경험이 많아짐에 따라 한 사람으로부터 다른 사람으로 전염될 수 있다고 믿던 시대

⑤ 미생물병인론 시대(Bacteriological Era)
　㉠ 1676년 네덜란드의 레벤후크(Anton Van Leeubenhook)가 현미경을 발견함으로 인해 미생물들이 질병 발생의 원인체라는 사실이 인정되기 시작하였고, 1862년 프랑스의 파스퇴르(Louis Pasteur, 1822~1895)가 발효나 부패를 일으키는 미생물을, 1876년 독일의 코흐가 탄저병의 병원균, 결핵균, 콜레라균을 발견함으로 미생물이 감염병을 유발시키는 진범임을 과학적인 관찰과 실험을 토대로 증명해 보임으로 근대의학의 기초를 확립하였다.
　㉡ 또한 세균학의 발달로 면역학도 발전하기 시작하여 질병을 예방하는 백신을 개발하게 되어 감염병 예방에 크게 공헌하게 되었다.

TIP 감염병관리 발전사의 변천과정
종교설 시대(Religious Era) → 점성설 시대(Astrology Era) → 장기설 시대(Miasma Theory Era) → 접촉전염설 시대(Contagious Communicable Theory Era) → 미생물병인론 시대(Bacteriological Era)

2) 감염병의 생성과정

질병발생의 3대 요소감염병 생성과정의 6대 요소

질병발생의 3대 요소	감염병 생성과정의 6대 요소
병인	병원체 병원소
환경	환경병원소로부터 병원체의 탈출 전파 병원체의 신숙주 내 침입
숙주	숙주의 감수성

> **TIP** 감염병의 생성과정
>
> 병원체 → 병원소 → 병원소로부터 병원체의 탈출 → 병원체의 전파 → 병원체의 신숙주 내 침입 → 숙주의 감수성(면역)

① 병원체
  ㉠ 세균(Bacteria)
    • 간균(Bacillus) : 막대기 모양
      ⓔⓧ 디프테리아, 장티푸스, 결핵균 등
    • 구균(Cocus) : 둥근 모양
      ⓔⓧ 포도상구균, 연쇄상구균, 폐렴균, 임균 등
    • 나선균(Spirillum) : 입체적으로 S형 또는 나선형
      ⓔⓧ 콜레라균
  ㉡ 바이러스(Virus)
  ㉢ 진균 또는 사상균(Fungus)
  ㉣ 리케차(Rickettsia)
  ㉤ 원충류(Protozoa)
  ㉥ 기생충(Parasite)

② 병원소

㉠ 인간병원소
- 현성감염자 : 유증상자라고도 하며, 본인이나 타인이 질병이 있음을 인지할 수 있는 자
- 불현성감염자 : 무증상자라고도 하며 병원체에 감염되어 있지만 발병이 없거나 임상증상이 아주 미약하여 본인이나 타인이 환자임을 알 수 없는 환자
- 보균자
  - 병후 보균자(회복기 보균자) : 전염성 질환에 이환되었다가 그 임상증상이 완전히 소실 되었는데도 병원체를 배출하는 보균자로서 세균성이질, 디프테리아 등이 있다.
  - 잠복기 보균자 : 전염성 질환의 잠복기간 중에 병원체를 배출하는 감염자로서 디프테리아, 홍역, 백일해 등의 감염자가 있다.
  - 건강 보균자 : 감염에 의한 임상증상이 전혀 없고, 건강인과 다름없지만, 병원체를 보유하는 보균자로서 디프테리아, 폴리오, 일본뇌염 등에 감염된 보균자에서 볼 수 있다.

㉡ 동물병원소
- 소 : 결핵, 탄저병, 파상열, 살모넬라증
- 돼지 : 살모넬라증, 파상열, 탄저병, 일본뇌염
- 양 : 탄저, 파상열, 브루셀라증
- 개 : 광견병, 톡소플라스마증
- 말 : 탄저, 유행성뇌염, 살모넬라증
- 쥐 : 페스트, 발진열, 살모넬라증, 렙토스피라증, 양충병
- 고양이 : 살모넬라증, 톡소플라즈마증

㉢ 곤충 병원소
- 파리 : 파라티푸스, 결핵, 세균성이질, 결핵, 나병
- 모기 : 황열, 일본뇌염, 말라리아, 뎅기열
- 벼룩 : 페스트, 발진열
- 진드기 : 라임병, 아나플라즈마병, 타일레리아병, 바베시아병이 있으며 보통 파이로병이라 부른다.

㉣ 무생물 병원소
- 흙 : 파상풍균과 일부 진균
- 공기 : 전염성 질병들의 중간 매개체

- 식품
  - 생충 질환 : 기생충의 유충이 동물의 근육에 감염된 고기
    어류의 생식으로 인한 촌충류 감염
  - 세균성 질병 : 살모넬라, 캠필로박터, 예르시니아
- 우유 : 우유를 통해 전달되는 질병은 결핵, 브루셀라증
- 물 : 소변을 통한 병원성 미생물은 물에서 생존, 물에 의해 전달

③ 병원소로부터 병원체의 탈출

- ㉠ 호흡기 계통으로 탈출 : 호흡기 감염병이 주가 되며, 비강, 기도, 기관지, 폐 등의 부분에서 증식한 병원체가 주로 대화, 기침, 재채기를 통해 전파된다. 폐결핵, 폐렴, 백일해, 홍역, 수두, 천연두 등
- ㉡ 소화기 계통으로 탈출 : 위장관을 통한 탈출로 소화기계 감염병이나 기생충 질환일 경우 분변이나 구토물에 의해서 체외로 배출된다. 이질, 콜레라, 장티푸스, 파라티푸스, 폴리오 등
- ㉢ 비뇨생식기 계통으로 탈출 : 주로 소변이나 성기 분비물에 의해 탈출. 성병 등
- ㉣ 개방병소로 직접 탈출 : 신체 표면의 농양, 피부병 등의 상처부위에서 병원체가 직접 탈출하는 것. 나병 등
- ㉤ 기계적 탈출 : 흡혈성 곤충에 의한 탈출과 주시가 등에 의한 탈출. 발진열, 발진티푸스, 나병 등

④ 전파

- ㉠ 직접 전파 : 배출된 병원체가 매개체 없이 새로운 숙주에게 직접 전파되는 것으로 환자의 기침, 재채기 등에 의해서 발생하는 호흡기계 질병(감기, 결핵, 홍역 등)이나 신체적 접촉에 의해서 발생하는 질병(성병, 피부병 등)이 속한다.
- ㉡ 간접 전파
  - 비활성 매개체 전파 : 물, 식품, 공기, 생활용구, 완구, 수술기구 등 무생물 전파체(개달물)를 말함
  - 활성 매개체 전파 : 질병을 전파하는 매개 곤충인 파리, 모기, 벼룩 등과 같은 절지동물과 패류나 담수어와 같은 흡충류의 중간숙주 등

⑤ 병원체의 새로운 숙주로의 침입 : 병원소로부터의 병원체의 탈출과 동일

⑥ 숙주의 감수성

- ㉠ 감수성 : 숙주에 침입한 병원체에 대항하여 감염이나 발병을 저지할 수 없는 상태

ⓛ 면역

3) 감염병 종류와 관리

(1) 급성 감염병

급성 감염병은 소화기계 침입, 호흡기계 침입, 피부점막기계 침입 등으로 구분할 수 있다.

① 소화기계 침입 감염병

소화기계 감염병은 환자나 보균자의 분뇨를 통해 병원체가 음식물이나 식수에 오염되거나 기타 개달물 등을 매개체로 경구적으로 침입됨으로써 감염이 성립되는 감염병을 말한다. 소화기계로 침입되는 감염병은 장티푸스, 파라티푸스, 콜레라, 세균성 및 아메바성 이질, 폴리오, 유행성 간염 등이 있다.

- **장티푸스(typhoid fever)** : 장티푸스는 고열이 몇 주 동안 지속되는 열병으로서 우리나라에서는 제1군 감염병 중 가장 많이 발생되는 감염병이다.

- **콜레라(cholera)** : 콜레라는 심한 위장장애와 전신증상을 호소하는 제1군 급성 법정감염병으로서 발병이 빠르고 구토, 설사, 탈수, 허탈 등의 증세를 일으킨다.

- **세균성 이질** : 세균성 이질은 급성 세균성 질환으로 심한 경우는 대장 점막에 궤양성 병변을 일으키며 발열, 구토, 경련, 점액성 혈변의 증상을 보이는데, 우리나라 제1군 감염병으로서 혈변 없이 설사를 일으키는 경우도 많으며 온대지역에서 발생빈도가 높다.

- **폴리오(급성회백수염 : poliomyelitis)** : 폴리오(소아마비)는 제2군 감염병으로 소아에게 주로 발생되며 중추신경계 손상에 의한 영구적인 마비를 일으키는 급성 전염성 질환이다.

- ⑤ **파라티푸스(paratyphoid fever)** : 장티푸스와 비슷한 증세를 나타내는 파라티푸스는 제

1군 감염병으로 병원체는 Salmonella paratyphi A, Salmonella paratyphi B, Salmonella paratyphi C로 분류되는데, 우리나라에서는 A형보다 B형이 많고, C형은 거의 없다.

② 호흡기계 침입 감염병

호흡기계로 침입되어 발생하는 감염병을 대체로 호흡기 감염병이라 한다. 숙주의 객담, 콧물, 담화나 재채기 등으로 배출되는 병원성 미생물이 병인으로 작용하며 감수성을 가진 사람들의 호흡기 계통으로 침입하여 감염을 일으킨다.

- 디프테리아(diphtheria) : 디프테리아는 제2군 법정 감염병으로 보균자감염이 많으며, 인후, 코 등의 상피조직에 국소적 염증을, 장기조직에 장애를 일으켜 체외독소를 분비하여, 혈류를 통해 운반되기도 한다.

- 백일해(whooping cough) : 백일해는 제2군 감염병으로서 예방접종에 의한 관리가 가장 효과적이다. 9세 이하에 많이 발생하며 특히, 5세 이하에 다발한다. 소아감염병 중에서 사망률이 가장 높은 것 중 하나이다.

- 홍역(measles) : 홍역은 제2군 법정감염병 중 가장 많이 발생하는 감염병으로 강한 바이러스성 질환이다. 홍역은 주기적이어서 대부분 2~3년 간격으로 유행한다. 일반적으로 1~2세에 많이 감염되는데, 열과 전신에 발진이 생기는 급성 감염병이며, 합병증으로 귀나 폐에 염증이 생기는 2차 감염이 문제되기도 한다.

- 인플루엔자 : 급성호흡기 감염병의 대표적인 질병이다. 이 질환이 전염성 질병 중에서 중요한 의미가 있는 것은 다른 질병들은 거의 성공적으로 관리가 되고 있지만 인플루엔자는 아직도 세계적인 유행을 보이고 있기 때문이다. 발열, 오한, 사지통, 근육통, 전신 쇠약감 등이 나타난다.

- 신종플루(신종 인플루엔자) : 2009년 멕시코에서 처음으로 발병되었다. 돼지가 발병되면서 사람에게까지 감염이 되었다. 인플루엔자 바이러스는 한 종에만 영향을 미치는데 요즘에는 한 종류 이상의 바이러스가 영향을 미치는 경우도 발생하고 있다. 즉 2개 이상의 바이러스가 침투하여 유전자 변형이 일어나 새로운 변종 바이러스를 만드는 것이다.

③ 절지동물 매개 감염병

절지동물에 의해서 인간에게 전파되는 질병에는 페스트(벼룩), 발진티푸스이), 일본뇌염(모기), 발진열(벼룩), 말라리아(모기), 사상충증(모기), 양충병(진드기), 황열(모기), 유행성 출혈열(진드기) 등이 있다.

- 페스트(plague) : 제1군 법정감염병이며, 임파선종이나 폐렴 또는 패혈증을 일으키는 급성감염병이다.

- 발진티푸스(epidemic typhus) : 발진티푸스는 제3군 급성감염병으로 발열, 근육통, 전신 신경증상, 발진(장미진) 등을 나타내며 발진이 출혈성일 때가 있다.

- 말라리아(malaria) : 말라리아는 열대지방과 온대지방까지 널리 분포하는데, 말라리아를 전파하는 아노펠레스의 분포와 밀접한 관련을 가지고 있다. 온대지방에서는 모기의 발생 시기인 여름철에 유행하며 열대지방에서는1년 내내 유행하는 것이 특징이다.

- 유행성 일본뇌염(Japanese B. encephalitis) : 유행성 일본뇌염은 뇌에 염증을 일으키는 제2군 감염병으로서 우리나라에서는 8월부터 10월 사이에 많이 발생한다.

④ 동물 매개 감염병

- 광견병(rabies) : 광견병은 인수공통 감염병 중의 하나이며 광견병에 걸려서 생존하는 사람도 있으나 아직은 치명적이다. 발병하면 거의 100%사망하는 급성 뇌염의 하나로 발작하는 증세를 나타내며 예방접종 후 발생이 많이 감소하였다.

- 탄저(anthrax) : 인수공통 감염병으로 가축인 소, 말, 산양, 양 등에 급성 패혈증을 일으 킨다. 소에게 가장 많이 발생하며 사람도 드물지만 피부로 발병을 한다.

- 렙토스피라증(leptospirosis) : 급성 발열성 질환군의 하나로 추수기에 주로 농부에게 발병 된다. 주요 발생지역은 동남아시아와 극동지역이며, 우리나라는 경기도, 강원도, 전라남 도 등의 지역에서 주로 발생한다. 고열과 오한, 근육통과 구토증 등 감기 증세가 있다가

(2) 만성 감염병

의학의 발전으로 전염성 질환의 발생률과 사망률이 많이 감소하였지만 아직도 국민 건강 에 심각한 영향을 미치는 것이 만성 감염병이다. 대표적인 만성 감염병의 종류는 결핵, 나 병, 성 전파질환, 후천성 면역결핍증 및 B형 간염 등이 있다.

4) 기생충관리

(1) 선충류

① 회충

   ㉠ 증상 : 발열, 소화장애, 구토, 복통 등
   ㉡ 예방 : 분변의 위생적 처리, 야채 생식 유의

② 구충

   ㉠ 증상 : 기침, 구토, 빈혈
   ㉡ 예방 : 인분을 사용한 토양에의 노출 시 피부를 깨끗하게 씻는다.

③ 요충

　㉠ 증상 : 항문 주위 가려움 및 습진

　㉡ 예방 : 주로 어린아이에게서 많이 발생되며 옷가지에 묻어나와 집단감염을 일으키므로 내의와 침실을 청결히 한다.

(2) 흡충류

① 간디스토마(간흡충증)

　㉠ 1숙주(우렁이), 2숙주(민물고기)

　㉡ 감염 : 민물고기의 생식이나 오염된 물·조리기구를 통해 감염

　㉢ 예방 : 민물고기의 생식을 금한다.

② 폐디스토마(폐흡충증)

　㉠ 1숙주(다슬기), 2숙주(가재, 게)

　㉡ 감염 : 감염된 게, 가재를 생식함으로서 감염

　㉢ 예방 : 게, 가재의 생식을 금하고 유행지의 생수를 마시지 않는다.

(3) 조충류

① 유구조충(갈고리촌충)

　㉠ 감염 : 돼지고기

　㉡ 예방 : 돼지고기를 충분히 익혀서 먹는다.

② 무구조충(민촌충)

　㉠ 감염 : 쇠고기

　㉡ 예방 : 쇠고기를 충분히 익혀서 먹는다.

③ 광절열두조충(긴촌충)

　㉠ 감염 : 감염된 물고기

　㉡ 예방 : 송어나 연어의 생식을 금한다.

④ 아나사키스충

　㉠ 감염 : 바다 생선

　㉡ 예방 : 바다 생선의 생식에 주의한다.

법정감염병

	제1군	제2군	제3군	제4군	지정
특성	발생 즉시 방역 대책수립	예방접종대상	지속적으로 발생 감시, 방역대책 수립 필요	보건복지가족부령 으로 지정	보건복지가족부장 관 지정
	(6종)	(10종)	(18종)	(15종)	(9종)
질환	• 콜레라 • 페스트 • 장티푸스 • 파라티푸스 • 세균성이질 • 장출혈성대 장균 감염증	• 디프테리아 • 백일해 • 파상풍 • 홍역 • 유행성이하선염 • 풍진 • 폴리오 • B형 감염 • 일본뇌염 • 수두	• 말라리아 • 결핵 • 한센병 • 성병 • 성홍열 • 수막구균성수막염 • 레지오넬라증 • 비브리오패혈증 • 발진티푸스 • 발진열 • 쯔쯔가무시증 • 렙토스피라증 • 브루셀라증 • 탄저 • 공수병 • 신증후군성출혈열(유행성출혈열) • 인플루엔자 • 후천성면역결핍증(AIDS)	• 황열 • 뎅기열 • 마버그열 • 에볼라열 • 라사열 • 리슈마니아증 • 바베시아증 • 아프리카수면병 • 크립토스포리다움증 • 주혈흡충증 • 요우스 • 핀타두창 • 보툴리누스 중독증 • 선종감염병증후군	• A형 간염 • C형 간염 • 반코마이신내 • 성황색도포 • 상구균(VRSA) • 샤가스병 • 광동주혈선충증 • 유극악구충증 • 사상충증 • 포충증 • 크로이츠벨트 야콥병
	발견 즉시 신고	발견 즉시 신고	7일 이내 신고	발견 즉시 신고	7일 이내 신고

4. 소독방법

1) 소독의 종류 및 분류

(1) 열처리법

① 건열법

㉠ 건열 멸균법
- 방법 : 건열멸균기를 이용하여 미생물을 산화시켜 포자 등을 완전히 멸균하는 방법

- 온도 및 적용 시간 : 170℃에서 1~2시간 가열
- 종류 : 주사기, 유리기구, 유지류등과 같은 습열법에 소독되지 않은 것 등에 적합

ⓒ 화염 멸균법
- 방법 : 알코올 램프 등을 이용하여 직접 물체에 가열하여 미생물을 태우는 방법
- 온도 및 적용시간 : 불꽃 속에서 20초 이상 가열
- 종류 : 금속류, 유리봉, 도자기 등에 적합

ⓒ 소각 소독법
- 방법 : 재생가치가 없는 것을 불에 태워 멸균시키는 방법
- 종류 : 병원균에 오염된 가운, 거즈, 수건, 휴지, 결핵환자의 객담 처리 방법 등

② 습열법
ⓐ 자비소독법
- 방법 : 물이 끓기 시작한 후 물속에 넣고 끓이는 방법
- 아포를 형성하지 않는 병원성미생물을 사멸시킬 수 있는 방법으로 가장 많이 이용되는 방법
- 금속제품 소독 시 : 탄산나트륨(중조) 첨가 시 녹스는 것 방지
- 온도 및 적용 시간 : 100℃에서 15~20분간 가열
- 종류 : 식기류, 도자기류, 의류소독, 피부관리실에서 수건 소독시 많이 사용하는 방법

ⓑ 고압증기 멸균법
- 방법 : 압력을 이용한 증기 멸균기로 아포를 포함한 모든 미생물을 멸균시키는 가장 효과적인 방법
- 온도 및 적용 시간 : 100~135℃에서 20분간 고온의 수증기를 쐬는 방법

  10psi(Lbs) : 115℃, 1680기압 → 30분

  15psi(Lbs) : 121℃, 2021기압 → 20분

  20psi(Lbs) : 126℃, 2361기압 → 15분

  (psi : pound per square inch = Lbs)
- 종류 : 통조림, 의류, 외과용 수술복, 외과용 거즈, 기구 등에 적합

ⓒ 간헐 멸균법(유통증기 멸균법과 유사)
- 방법 : 고압증기 멸균법에 의한 파손될 수 있는 물품을 멸균할 때 사용되는 방법으로 3회 정도 나누어 가열 처리하는 방법
- 온도 및 적용시간 : 100℃의 유통증기에서 30~60분간 멸균시킨 후 하루 방치 후 같

은 방법으로 3회 나누어 처리하는 방법 , 가열과 가열 사이에 20°이상의 온도를 유지한다.

- 종류 : 금속성 재료, 사기제품, 액상재료 등에 적합

② 유통증기소독법

- 방법 : 코흐의 증기솥을 이용한 방법
- 온도 및 적용시간 : 100℃의 유통하는 증기에서 30~60분간 가열
- 종류 : 도자기류, 식기 등에 적합

⑩ 저온소독법

- 방법 : 파스퇴르가 고안해낸 방법으로 소독물 대상의 영양분이나 변질 등을 막고, 감염방지 등을 목적으로 우유나 술종류 등을 소독할 때 사용되지만, 대장균은 사멸되지 않는다.
- 온도 및 적용시간 : 62~63℃에서 30분 가열
- 종류 : 음식물(우유)에 가장 많이 사용

(2) 비 열처리법

① 자외선 소독기

- 방법 : 자외선 중 UV C 광선을 이용한 가장 강력한 살균력을 지닌 방법
- 자외선의 특징은 내부 침투력이 약하여 살균작용이 표면에서만 일어나는 단점이 있다.
- 온도 및 적용시간 : 2,400~2,800Å의 파장으로 15~20분간 소독 적용
- 종류 : 수술실, 무균 조작실, 피부 관리 시 사용되는 물품, 가위 등에 적합

② 초음파 멸균법

- 방법 : 매초 8,800cycle 음파가 강력한 교반작용으로 충체를 파괴
- 종류 : 식품, 액체 약품, 시약 등의 멸균에 이용

③ 방사선 멸균법

- 방법 : 방사선을 미생물 세포내 핵의 DNA나 RNA에 작용시켜 단시간 내에 살균작용
- 종류 : 강한 투과력으로 각종 용기, 플라스틱 제품, 포장상품 등을 포장을 개봉하지 않고도 중심부까지 멸균 가능
- 주의사항 : 방사선의 잔류성 및 취급자의 방사선 오염의 우려 등 안전성 및 유해성에 상당한 주의를 요하여야 함

종류			온도 및 시간
물리적 소독법	열처리법	건열법	건열 멸균법	170℃에서 1~2시간 가열
			화염 멸균법	불꽃 속에서 20초 이상 가열
			소각 소독법	불에 태워 멸균시키는 방법
		습열법	자비 소독법	100℃에서 15~20분간 가열
			고압증기멸균법	100~135℃에서 20분간 고온의 수증기를 쐬는 방법
			간헐 멸균법	100℃의 유통증기에서 30~60분간 멸균시킨 후 같은 방법으로 3회 나누어 처리하는 방법
			유통증기멸균법	100℃의 유통하는 증기에서 30~60분간 가열
	비열처리법		저온소독법	62~63℃에서 30분 가열
		자외선 소독법	UVC광선을 이용하여 15~20분간 소독
		초음파 멸균법	매초 8,800cycle 음파의 강력한 교반작용을 이용
		방사선 멸균법	방사선을 미생물 세포내 핵의 DNA나 RNA에 작용시킴

(3) 화학적 소독방법

① 알코올(에틸 알코올)

ㄱ 특징 : 무색, 투명, 휘발성이 강하다. 70% 농도로 사용하면 모든 병원균의 단백질을 응고 변성시켜 살균효과를 나타낸다. 알코올 소독으로 도포 후 2분 경과하면 90% 이상 미생물을 제거할 수 있다. 그러나 아포에는 효과가 없다. 주로 피부와 기구 소독에 효과적으로 사용이 된다.

ㄴ 단점 : 고무제품이나 플라스틱류 등을 녹인다.

피부를 자극하게 되면 지방을 용해시켜 탈지현상이 나타난다.

ㄷ 장점 : 사용이 간편하고 독성이 없다.

② 크레졸

ㄱ 특징 : 병원균과 포자, 결핵균에는 효과가 있으나 바이러스에는 효과가 없다. 석탄산(페놀)보다 소독력의 2배 정도 살균력을 가지고 있으며, 피부에 자극성이 약하다. 물에 잘 녹지 않아 크레졸 비누액 3%와 물 97%의 비율로 혼합하여 소독하며, 손소독에는 1~2%, 기구를 소독할 때는 3%의 용액으로 사용한다. 화장실이나 하수구 등의

소독에 사용한다.

ⓛ 단점 : 바이러스에는 효과가 없다.

냄새가 강하다.

ⓒ 장점 : 소독력이 강하며, 모든 세균에 효과가 있다.

③ 석탄산 (페놀)

ⓣ 특징 : 소독력의 살균지표이다.
세균의 단백질을 응고, 세포의 용해작용을 시켜 살균작용을 한다.
일반적인 소독은 3~5%농도로, 손소독시에는 2% 농도로 사용이 된다.
식염을 첨가하면 소독력이 증가한다. 기구소독 1~3%
고온일수록 소독력도 증가된다.

ⓛ 단점 : 금속을 부식시킨다.
피부점막에 자극을 준다.
포자나 바이러스엔 효과가 약하다.

ⓒ 장점 : 살균력의 안정성이 강하다.
가격이 저렴하고 사용범위가 넓다(넓은 지역의 방역용 소독제).
모든 미생물에 효과가 있다.

TIP 석탄산계수

소독약의 살균력을 비교하는 지표이다. 비교적 성상이 안정한 석탄산을 기준으로 석탄산의 희석배수와 비교하려는 소독약의 희석배율을 비교하는 방법이다. 석탄산 계수가 높을수록 살균력이 강하다.

$$석탄산\ 계수 = \frac{소독약의\ 희석배수}{석탄산의\ 희석배수}$$

예) 석탄산의 90배 희석액과 어느 소독약의 180배 희석액이 같은 조건하에서 같은 소독효과가 있었다면 이 소독약의 석탄산 계수는 90/180 = 2.000이다.
석탄산의 희석배수 90배를 기준으로 할 때 어떤 소독약의 석탄산계수가 4였다면 이 소독약의 희석 배수는 360배이다.

④ 승홍수(염화 제 2수은)

ⓣ 특징 : 강한 살균력과 독성으로 단백질을 응고시킨다. 점막이나 금속기구를 소독하는데는 적당하지 않다. 피부 소독시에는 0.1%(1/1000) 용액을 이용하여 소독한다.

ⓛ 단점 : 독성이 아주 강하여 점막을 자극한다.
금속을 부식시킨다.
사람체질에 따라 부작용이 일어난다.

TIP

승홍에 소금, 염화칼륨, 식염등을 첨가하면 용액에 중성으로 되고, 자극성이 완화되며 소독력이 강해진다. 대변이나 토사물과 혼합하면 살균효과가 저하된다.

ⓒ 장점 : 소량으로도 살균력이 강하다.

온도가 높을수록 살균력이 강하다.

⑤ 역성비누 (양성비누)

ⓐ 특징 : 양이온계면활성제를 이
용한 것으로 물에 잘 녹고 거품
이 잘 일어나지만, 세정력은 거
의 없다. 자극성이 적어 손, 기
구 등의 소독에 적합하다. 이미
용인들의 손세척 시 주로 사용

ⓑ 단점 : 결핵균에는 효과가 없으므
로 객담소독에는 적당하지 않다.
일반비누와 함께 사용 시 침전
을 일으켜 소독력이 떨어진다.

ⓒ 장점 : 무색, 무취, 무미, 무독성, 무자극성이다.

물에 잘 녹는다.

유기체가 없으면 살균력이 높다.

> **TIP** 역성비누와 중성세제의 차이
>
> • 역성비누 : 살균력 우수, 세정력 없음
> • 중성세제 : 살균력 거의 없음, 세정력 우수
>
> 할로겐계 소독약은 염소 또는 요오드를 함유하는 소독약으로 주로 세포막 및 원형질의 단백질은 산화시킴에 의해 소독력을 발휘한다. 이들제제는 저렴할 뿐 아니라 신속한 살균효과를 나타내며, 다양한 병원성 미생물에 대한 사멸효과를 가지고 있어 주요한 소독약으로 간주되고 있다.

⑥ 과산화수소 : 상처난 분위에 도포하면 혈액, 세균, 조직 등에 존재하는 카타라아제라는 효소에 의해서 분해되면서 발생기 산소가 발생하여 거품이 일어나 살균 및 소독 효과를 나타낸다. 상처부위 소독 시 수용액의 농도는 2.5~3.5%의 수용액으로 사용되며, 구강상처나 구내염 등에도 사용된다.

⑦ 생석회 : 산화칼슘을 98% 이상 포함한 냄새가 없는 백색의 분말이다. 생석회에 물 첨가 시 열이 발생된다. 이 생석회는 알칼리성으로서 단백질을 변성시켜 살균작용으로 작용한다. 생석회는 재래식 화장실, 분뇨, 토사물 등의 소독에 적당하다. 값이 저렴하여 넓은 장소 소독에 적합하다.

⑧ 포름 알데히드 : 메탄올을 산화시켜 얻은 기체로서, 자극성 냄새를 갖는 무색기체이다. 이 포름알데히드의 37% 용액을 포르말린이라 한다. 가스 흡입 시 기관지염, 인두염 등을 일으킨다. 면적이 넓은 실내 공간 소독 시 사용된다.

⑨ 포르말린 : 포름알데히드가 37% 이상 함유된 1~1.5%의 수용액이다. 자극성 냄새가 있는 액체로서 세균, 바이러스, 곰팡이 등의 살균소독작용, 방부용으로 사용된다. 인체에 흡입 시 인두염이나 기관지염 등을 일으킨다.

⑩ 표백분(CaOCL₂)

   ⊙ 방법 : 물에 가하면 염소가스를 발생하여 강한 살균력을 나타냄

   ⓛ 종류 : 자극성이 있어 의료용으로는 사용하지 못하며 주로 수영장, 목욕탕, 하수 등의 소독에 이용

종 류	사용방법 및 특징
알코올	70% 농도, 모든 병원균의 단백질 응고로 소독
클레졸	크레졸 비누액 3%, 물 97%로 혼합 소독, 손소독 2%
석탄산	석탄산 3%, 물 97% 혼합 소독, 손소독 2%, 금속부식, 피부점막자극
승흥수	피부소독 0.1% 희석, 금속부식, 온도 높을수록 살균력 강화
역성비누	양이온계면활성제, 무색, 무취, 무독성, 손소독, 살균력우수, 세정력없다
과산화수소	2.5~3.5%의 수용액, 구강상처에 효과
생석회	산화칼슘의 분말, 재래식 화장실
포름알데히드	자극성 기체, 넓은 장소 소독
포르말린	포름알데히드가 37% 이상 함유된 1~1.5%의 수용액
표백분	물에 가하면 염소가스를 발생하여 살균력을 나타냄
훈증	식품에 살균 가스나 증기를 뿌려 미생물과 해충을 죽이는 방법

TIP

소독약품의 적정 희석 농도는 3% 이다.

- **창상용 소독약의 조건**

① 인체에 독성이 적을 것

② 사용할 때 자극이 적을 것

③ 상처 회복을 저해하지 않을 것

④ 작용이 지속 될 것

- **창상용 소독약의 종류**

① 머큐롬액 : 머큐크롬2% 수용액으로서 상처 소독시 그대로 사용해도 된다.

② 희옥도정기 : 상처의 살균제로서 종종 사용되나 국소 자극 작용이 약간 강하다.

③ 아크리놀 : 각종 화농균에 대해서 살균 작용이 있다.

   * 용품이나 기구등을 일차적으로 청결하게 세척하는 것을 희석이라 한다.

2) 소독약의 살균 기전

① 단백질의 응고작용 : 석탄산, 승홍, 알코올, 크레졸, 포르말린

② 산화작용 : 과산화수소, 과망간산칼륨, 오존, 염소, 표백분, 차아염소산

③ 가수분해작용 : 생석회, 석회유

4) 소독액의 용어 및 농도

① 용액 : 두 가지 이상의 물질이 균일하게 혼합된 액체

　　 Ex 설탕물

② 용질 : 용액에 녹아있는 물질

　　 Ex 설탕

③ 용매 : 용질을 용해 시키는 물질

　　 Ex 물

④ %(퍼센트) : 희석액 속에 소독양이 어느 정도 포함되어 있는지 표시하는 수치
　　소독약 100ml 중에 포함되어 있는 양

⑤ ‰(퍼밀리) : 소독액 1,000ml 중에 포함되어 있는 양

⑥ PPM(피피엠) : 용액 1,000,000ml 중에 포함되어 있는 양

⑦ 희석배수 : 새로 만든 소독약이 원래 용액의 몇 배로 묽게 되었는가를 나타낸다.

4) 소독 시 주의사항

① 약제의 저렴한 가격 및 구입이 용이해야 한다.
② 빠른 소독의 효과가 있어야 한다.
③ 인체에 안전하고 독성이 없어야 한다.
④ 부식성, 표백성이 없어야 한다.
⑤ 약제사용 시 바로 제조하여 사용한다.
⑥ 환경오염 발생되지 않아야 한다.
⑦ 용해성이 높을 것

TIP　(별표)3. 〈개정 2008.3.3〉 이용기구 및 미용기구의 소독기준 및 방법(제5조관련)

Ⅰ. 일반기준

1. 자외선소독 : 1㎠당 85㎼ 이상의 자외선을 20분 이상 쬐어준다.
2. 건열멸균소독 : 섭씨 100℃ 이상의 건조한 열에 20분 이상 쐬어준다.
3. 증기소독 : 섭씨 100℃ 이상의 습한 열에 20분 이상 쐬어준다
4. 열탕소독 : 섭씨 100℃ 이상의 물속에 10분 이상 끓여준다.
5. 석탄산수소독 : 석탄산수(석탄산 3%, 물 97%의 수용액을 말한다)에 10분 이상 담가둔다.
6. 크레졸소독 : 크레졸수(크레졸 3%, 물 97%의 수용액을 말한다)에 10분 이상 담가둔다.
7. 에탄올소독 : 에탄올수용액(에탄올이 70%인 수용액을 말한다. 이하 이 호에서　같다)에 10분 이상 담가두거나 에탄올수용액을 머금은 면 또는 거즈로 기구의　표면을 닦아준다.

Ⅱ. 개별기준

이용기구 및 미용기구의 종류·재질 및 용도에 따른 구체적인 소독기준 및 방법은 보건복지가족부장관이 정하여 고시한다.

5. 분야별 위생, 소독

1) 피부 관리 실내 위생, 소독

① 고객 대기실, 상담실, 바닥, 탈의실등 먼지가 발생하므로 청소 및 실내 환기를 자주한다.
② 관리실 내의 실내 공기를 깨끗하게 하여 호흡기 감염병을 예방한다.
③ 관리실 내에 제품이 떨어졌을 경우, 즉시 이물질이 남지 않도록 제거해야 한다.
④ 뚜껑이 있는 휴지통을 사용한다.
⑤ 관리실에서 자주 사용하는 자외선 소독기, 온장고 등 사용 후에는 깨끗이 닦고, 사용 후에는 문을 열어 건조시킨다.
⑥ 트레이는 제품이 묻어 있지 않게 깨끗이 닦아 사용한다.
⑦ 제품사용 시 소독된 스파츌라를 이용하여 필요한 만큼만 사용하고 뚜껑을 닫아 보관한다.
⑧ 구급약품은 잘 보이는 곳에 준비한다.
⑨ 냉·난방 기구는 먼지를 털어내고 사용하지 않을 경우 먼지가 들어가지 않도록 잘 보관한다.
⑩ 샤워실 및 화장실 등 오물이 쌓이지 않게 자주 청소한다.

2) 피부관리사의 위생, 소독

① 고객에게 단정한 느낌을 갖게 하기 위해 관리사 가운을 청결하고 반듯하게 입는다.
② 관리시 손톱은 짧게 깍고, 손을 청결하게 유지한다.
③ 고객에게 불쾌감을 주지 않도록 몸은 청결을 유지한다.

3) 피부관리 도구의 위생, 소독

① 스파츌라 : 금속류의 스파츌라는 알코올 솜을 이용하여 닦아낸 후 자외선 소독기에 소독한다. 나무 스파츌라는 1회용을 사용한다.
② 해면 : 중성세제를 이용하여 깨끗이 세척 후 햇빛에 말린 후 자외선 소독기에 소독한다.
③ 타올 : 자비소독을 한 후 햇빛에 잘 말려 사용하거나 전문 세탁소에서 의뢰한다.
④ 브러시 : 중성세제를 이용하여 깨끗이 세척 후 자외선 소독기에 소독한다.
⑤ 확대경 : 렌즈부위에 얼룩이 생기지 않도록 잘 닦아 청결히 유지한다.
⑥ 스티머 : 물과 식초를 배합하여 물석회를 제거한 후 사용 시에는 증류수를 이용한다.
⑦ 전동브러시 : 다양한 브러시를 중성세제로 세척 후 햇빛에 말린 후 자외선 소독기에 소독한다.
⑧ 석션기 : 유리관이 깨지지 않도록 알코올로 먼저 이물질 제거 후, 중성세제에 세척 한 후 자외선 소독기에 소독한다.
⑨ 초음파 : 헤드부분에 손상이 되지 않도록 부드러운 천으로 닦아낸다.
⑩ 스킨 스크러버 : 헤드부분을 중성세제로 세척 후 알코올에 소독한다.
⑪ 저주파기 : 사용한 고무패드는 먼지가 묻지 않도록 깨끗하게 닦아낸다.

CHAPTER 03

공중위생관리법규

1. 목적 및 정의

1) 공중위생관리법 목적

이 법은 공중이 이용하는 영업과 시설의 위생관리 등에 관한 사항을 규정함으로써 위생수준을 향상시켜 국민의 건강증진에 기여함을 목적으로 한다(법 제 1조).

2) 공중위생관리법 시행령 목적

이 영은 공중위생관리법에서 위임된 사항과 그 시행에 관하여 필요한 사항을 규정함을 목적으로 한다(시행령 제 1조).

3) 공중위생관리법 시행규칙 목적

이 규칙은 공중위생관리법 및 동법 시행령에서 위임된 사항과 그 시행에 관하여 필요한 사항을 규정함을 목적으로 한다(시행규칙 제 1조).

4) 공중위생법상 이·미용업의 정의

(1) 이용업의 정의(제 2조 제 1항 제 4호)
'이용업'이라 함은 손님의 머리카락 또는 수염을 깎거나 다듬는 등의 방법으로 손님의 용모를 단정하게 하는 영업을 말한다.

(2) 피부미용업의 정의 (제 2조 제 1항 제 제5호)
'미용업'이라 함은 손님의 얼굴·머리·피부 등을 손질하여 손님의 외모를 아름답게 꾸미는 영업을 말한다.

2. 공중위생영업의 신고 및 폐업

공중위생영업을 하고자 하는 자는 공중위생영업의 종류별로 보건복지가족부령이 정하는 시설 및 설비를 갖추고 시장·군수·구청장(자치구의 구청장에 한한다. 이하 같다)에게 신고하여야 한다. 보건복지가족부령이 정하는 중요사항을 변경하고자 하는 때에도 또한 같다 (공중위생법 제 3조).

1) 공중위생영업의 신고방법 및 절차 (시행규칙 제 3조)

① 법 제3조제1항에 따라 공중위생영업의 신고를 하려는 자는 제2조에 따른 공중위생영업의 종류별 시설 및 설비기준에 적합한 시설을 갖춘 후 별지 제1호서식의 신고서(전자문서로 된 신고서를 포함한다)에 다음 각 호의 서류를 첨부하여 시장·군수·구청장(자치구의 구청장을 말한다. 이하 같다)에게 제출하여야 한다.

> **TIP**
> 1. 영업시설 및 설비개요서
> 2. 교육필증(법 제17조제2항에 따라 미리 교육을 받은 경우에만 해당한다)
> 3. 면허증 원본(이용업·미용업의 경우에만 해당한다)

② 제1항에 따라 신고서를 제출받은 담당공무원은 「전자정부법」 제21조제1항에 따른 행정정보의 공동이용을 통하여 영업소의 건축물대장등본을 확인하여야 한다. 다만, 신청인이 이에 동의하지 아니하는 경우에는 그 서류를 제출하게 하여야 한다.

③ 제1항에 따른 신고를 받은 시장·군수·구청장은 즉시 별지 제2호서식의 영업신고증을 교부하고, 별지 제3호서식의 신고관리대장(전자문서를 포함한다)을 작성·관리하여야 한다.

④ 제1항에 따른 신고를 받은 시장·군수·구청장은 해당 영업소의 시설 및 설비에 대한 확인이 필요한 경우에는 영업신고증을 교부한 후 15일 이내에 확인하여야 한다.

> **TIP** 재교부 신청
> 1. 신고증을 잃어 버렸을 때
> 2. 신고증이 헐어 못쓰게 된 때
> 3. 신고인의 성명이나 주민등록번호가 변경된 때

⑤ 제3항에 따라 영업신고증을 교부받은 자는 다음 각 호의 어느 하나에 해당되는 때에는 별지 제4호서식의 영업신고증 재교부신청서(전자문서로 된 신청서를 포함한다)에 영업신고증(신고증이 헐어 못쓰게 된 때와 신고인의 성명이나 주민등록번호가 변경된 때에만 해당한다)을 첨부하여 시장·군수·구청장에게 영업신고증의 재교부를 신청할 수 있다.

2) 변경 신고

① 법 제3조제1항 후단에서 '보건복지가족
　부령이 정하는 중요사항'이란 다음 각 호
　의 사항을 말한다.

② 법 제3조제1항 후단에 따라 변경신고를
　하려는 자는 별지 제5호서식의 영업신고
　사항 변경신고서(전자문서로 된 신고서를
　포함한다)에 다음 각 호의 서류(영업 신고

TIP
변경신고 해당사항

1. 영업소의 명칭 또는 상호
2. 영업소의 소재지
3. 신고한 영업장 면적의 3분의 1 이상의
　증감
4. 대표자의 성명(법인의 경우에 한한다)

증, 변경 사항을 증명하는 서류)를 첨부하여 시장·군수·구청장에게 제출하여야 한다.

③ 변경 신고서를 제출받은 시장, 군수, 구청장은 '전자 정부법' 제36조1항에 따른 행정 정보
　의 공동 이용을 통하여 다음 각호의 서류를 확인하여야 한다. 다만 제 3호의 경우 신고
　인이 확인에 동의 하지 아니하는 경우에는 그 서류를 첨부하도록 한다.

　　　　　·건축물대장　·토지이용 계획 확인서　·토지점검확인서　·면허증

④ 신고를 받은 시장, 군수, 구청장은 영업신고증을 고쳐 쓰거나 재교부하여야 한다. 다만
　변경신고사항이 제1항 제5조 또는 제6호에 해당하는 경우에는 변경신고한 영업소의 시
　설 및 설비등을 변경신고를 받은 날부터 15일 이내에 확인 하여야 한다.

3) 공중위생영업의 폐업 신고

① 법 제3조제2항에 따라 폐업신고를 하려
　는 자는 별지 제5호의2서식의 신고서(전
　자문서로 된 신고서를 포함한다)를 시
　장·군수·구청장에게 제출하여야 한다.

② 제 1항의 규정에 의하여 공중위생영업의
　신고를 한 자(이하 '공중위생영업자'라 한
　다)는 공중위생영업을 폐업한 날로부터
　20일 이내에 시장·군수·구청장에게 신고
　하여야 한다.

③ 제 1항 및 제 2항의 규정에 의한 신고의
　방법 및 절차 등에 관하여 필요한 사항
　을 보건복지가족부령으로 정한다.

TIP
변경신고시 지참 서류

1. 영업신고증
2. 변경사항을 증명하는 서류
3. 제2항에 따라 변경신고서를 제출받은
　담당공무원은 「전자정부법」 제21조제1항
　에 따른 행정정보의 공동이용을 통하여
　영업소의 건축물대장등본을 확인하여
　야 한다. 다만, 신청인이 이에 동의하지
　아니하는 경우에는 그 서류를 제출하게
　하여야 한다.
4. 제2항에 따른 신고를 받은 시장·군수·
　구청장은 영업 신고증을 고쳐 쓰거나
　재교부 하여야 한다.

4) 미용업의 승계

(1) 미용업의 지위승계 요건

① 미용업 영업자가 그 미용업을 양도하거나 사망한 때 또는 법인의 합병이 있는 때에는 그 양수인·상속인 또는 합병 후 존속하는 법인이나 합병에 의하여 설립되는 법인은 그 미용업 영업자의 지위를 승계한다.

② 민사집행법에 의한 경매, 「채무자 회생 및 파산에 관한 법률」에 의한 환가나 국세징수법·관세법 또는 지방세법에 의한 압류재산의 매각 그 밖에 이에 준하는 절차에 따라 공중위생영업 관련시설 및 설비의 전부를 인수한 자는 이 법에 의한 그 공중위생영업자의 지위를 승계한다.

③ 제1항 또는 제2항의 규정에 불구하고 이용업 또는 미용업의 경우에는 제6조의 규정에 의한 면허를 소지한 자에 한하여 공중위생영업자의 지위를 승계할 수 있다.

④ 제1항 또는 제2항의 규정에 의하여 공중위생영업자의 지위를 승계한 자는 1월 이내에 보건복지가족부령이 정하는 바에 따라 시장·군수 또는 구청장에게 신고하여야 한다.

(2) 영업자의 지위승계신고

제3조의4 ①법 제3조의2제4항에 따라 영업자의 지위승계신고를 하려는 자는 별지 제6호 서식의 영업자지위승계신고서에 다음 각 호의 구분에 따른 서류를 첨부하여 시장·군수·구청장에게 제출하여야 한다.

① **영업양도의 경우** : 양도·양수를 증명할 수 있는 서류사본 및 양도인의 인감증명서[다만, 양도인의 행방불명(주민등록법상 무단전출을 포함한다) 등으로 양도인의 인감증명서를 첨부하지 못하는 경우로서 시장·군수·구청장이 사실확인 등을 통하여 양도·양수가 이루어졌다고 인정할 수 있는 경우 또는 양도인과 양수인이 신고관청에 함께 방문하여 신고를 하는 경우에는 이를 생략할 수 있다.]

② 상속의 경우 : 「가족관계의 등록 등에 관한 법률」 제15조제1항에 따른 가족관계증명서 및 상속인임을 증명할 수 있는 서류

③ 제1호 및 제2호 외의 경우 : 해당 사유별로 영업자의 지위를 승계하였음을 증명할 수 있는 서류

3. 시설 및 설비 기준

'공중 위생 관리법' 제 3조 1항의 규정에 의한 공중 위생 영업의 종류별 시설 및 설비기준은 다음과 같다.(개정 2014.9.1.)

1) 일반 기준

(1) 공중 위생 영업장은 독립된 장소 이거나 공중위생영업외의 용도로 사용되는 시설 및 설비와 분리되어야 한다.

(2) 제 1호에도 불구하고 영 제 4조 제 2호 각 항목에 해당하는 미용업을 2개 이상 함께 하는 경우로서 다음 각 목의 요건을 모두 갖추는 경우에는 미용업의 영업 장소를 각각 별도로 구획하지 아니하도록 한다.
① 해당 미용업의 영업신고는 1인(공동명의로 신고할 경우 포함)으로 되어 있을 것
② 각각의 영업에 필요한 시설 및 설비 기준을 모두 갖출 것

2) 미용업

(1) 미용업(피부) 및 미용업(종합)

① 피부미용업무에 필요한 베드(온열장치포함), 미용사 기구, 화장품, 수건, 온장고, 사물함등을 갖추어야 한다.
② 미용 기구는 소독을 한 기구와 소독을 하지 아니한 기구를 구분하여 부관할 수 있는 용기를 비치하여야 한다.
③ 소독기, 자외선 살균기 등 미용기구를 소독하는 장비를 갖추어야 한다.
④ 작업 장소, 응접장소, 상담실 등을 분리하기위해 칸막이를 설치할 수 있으나, 설치된 칸막이에 출입문이 있는 경우 출입문의 3분의 1 이상을 투명하게 하여야 한다. 다만 탈의실의 경우에는 출입문을 투명하게 하여서는 아니된다.
⑤ 작업 장소 내 베드와 베드 사이에 칸막이를 설치할 수 있으나, 설치된 칸막이에 출입문이 있는 경우 그 출입문의 3분의 1 이상은 투명하게 하여야 한다.

(2) 미용업(일반 및 미용업(발톱, 손톱))

① 미용 기구는 소독을 한 기구와 소독을 하지 아니한 기구를 구분하여 보관할 수 있는 용기를 비치하여야 한다.
② 소독기, 자외선 살균기 등 미용기구를 소독하는 장비를 갖추어야 한다.
③ 작업 장소, 응접장소, 상담실 등을 분리하기위해 칸막이를 설치할 수 있으나, 설치된 칸막이에 출입문이 있는 경우 출입문의 3분의 1 이상을 투명하게 하여야 한다. 다만 탈의실의 경우에는 출입문을 투명하게 하여서는 아니된다.

4. 영업자 준수사항

1) 공중위생영업자의 위생관리의무

공중위생영업자는 그 이용자에게 건강상 위해요인이 발생하지 아니하도록 영업관련 시설 및 설비를 위생적이고 안전하게 관리하여야 한다.

2) 미용업 영업자의 준수사항

① 점 빼기, 귓불뚫기, 쌍꺼풀 수술, 문신, 박피술 그 밖에 이와 유사한 의료 행위를 하여 서는 아니된다.

② 피부미용을 위하여 '약사법'에 따른 의약품 또는 '의료기기법'에 따른 의료기기를 사용 하여서는 아니 된다.

③ 미용기구 중 소독을 한 기구와 소독을 하지 아니한 기구는 각각 다른 용기에 넣어 보 관하여야 한다.

④ 1회용 면도날은 손님 1인에 한하여 사용하여야 한다.

⑤ 영업장안의 조명도는 75룩스 이상이 되도록 유지하여야 한다.

⑥ 영업소 내부에 미용업 신고증 및 개설자의 면허증 원본을 제시하여야 한다.

⑦ 영업소 내부에 최종 지불요금표를 계시 또는 부착하여야 한다.

⑧ 사목에도 불구하고 신고한 영업장 면적이 66 제곱미터 이상인 영업소의 경우 영업소 외부에도 손님이 보기 쉬운 곳에 '옥외 광고문 등 관리법'에 적합하게 최종지급요금표 를 게시 또는 부착하여야 한다. 이 경우 최종지불요금표에는 일부항목(5개 이상)만을 표시할 수 있다.

3) 이 미용 기구의 소독 기준 및 방법

(1) 일반기준

① 자외선 소독 : 1㎠당 85㎼ 이상의 자외선을 20분 이상 쬐어 준다.

② 건열멸균 소독 : 섭씨 100℃ 이상의 건조한 열에 20분 이상 쬐어 준다.

③ 증기 소독 : 섭씨 100℃ 이상의 습한 열에 20분 이상 쬐어 준다.

④ 열탕 소독 : 섭씨 100℃ 이상의 물속에 10분 이상 끓여 준다.

⑤ 석탄산수 소독 : 석탄산수(석탄산 3%, 물 97%의 수용액을 말한다)에 10분 이상 담가 둔다.

⑥ 크레졸 소독 : 크레졸수(크레졸 3%, 물 97%의 수용액을 말한다)에 10분 이상 담가둔다.

⑦ 에탄올 소독 : 에탄올수용액(에탄올이 70%인 수용액을 말한다. 이하 이 호에서 같다) 에
    10분 이상 담가두거나 에탄올수용액을 머금은 면 또는 거즈로 기구의 표면을 닦아 준다.

(2) 개별기준

이용기구 및 미용기구의 종류·재질 및 용도에 따른 구체적인 소독기준 및 방법은 보건복
지가족부장관이 정하여 고시한다.

4) 공중이용 시설의 위생관리

(1) 공중이용시설의 실내공기 위생관리기준

① 24시간 평균 실내 미세먼지의 양이 $150\mu g/m^3$을 초과하는 경우에는 실내공기정화시설
    (덕트) 및 설비를 교체 또는 청소하여야 한다.
② 제1호의 규정에 따라 청소하여야 하는 실내공기정화시설 및 설비는 다음 각 호와 같다.
    ㉠ 공기정화기와 이에 연결된 급·배기관(급·배기구를 포함한다)
    ㉡ 중앙집중식 냉·난방시설의 급·배기구
    ㉢ 실내공기의 단순배기관
    ㉣ 화장실용 배기관
    ㉤ 조리실용 배기관

(2) 공중 이용 시설안에서 발생되지 아니하여야 할 오염물질의 종류와 허용되는 오염의 기준

오염물질의 종류	오염허용기준
미세먼지(PM −10)	24시간 평균치 $150\mu g/m^3$
일산화탄소(CO)	1시간 평균치 25ppm 이하
이산화탄소(CO 2)	1시간 평균치 1,000ppm이하
포름알데이드(HCHO)	1시간 평균치 $120\mu g/m^3$ 이하

5. 면허

미용사가 되고자 하는 자는 다음 각 호의 1에 해당하는 자로서 보건복지부령이 정하는
바에 의하여 시장, 군수, 구청장의 면허를 받아야 한다.

1) 미용사 면허 요건

① 전문대학 또는 이와 동등 이상의 학력이 있다고 교육과학기술부장관이 인정하는 학교에서 이용 또는 미용에 관한 학과를 졸업한 자

②「학점인정 등에 관한 법률」제8조에 따라 대학 또는 전문대학을 졸업한 자와 동등 이상의 학력이 있는 것으로 인정되어 같은 법 제9조에 따라 이용 또는 미용에 관한 학위를 취득한 자

③ 고등학교 또는 이와 동등의 학력이 있다고 교육과학기술부장관이 인정하는 학교에서 이용 또는 미용에 관한 학과를 졸업한 자

④ 교육과학기술부장관이 인정하는 고등기술학교에서 1년 이상 이용 또는 미용에 관한 소정의 과정을 이수한 자

⑤ 국가기술자격법에 의한 이용사 또는 미용사의 자격을 취득한 자

2) 미용사의 면허신청 절차(시장·군수·구청장에게 제출)

① 전문대학 또는 이와 동등 이상의 학력이 있다고 교육과학기술부장관이 인정하는 학교에서 미용에 관한 학과를 졸업한자에 해당하는 자 : 졸업 증명서 또는 학위증명서 1부

② 고등학교 또는 이와 동등의 학력이 있다고 교육과학기술부장관이 인정하는 학교에서 이용 또는 미용에 관한 학과를 졸업한 자 : 이수 증명서 1부

③「정신보건법」제 3조 1호에 따른 정신질환자에 해당되지 아니함을 증명하는 최근 6개월 이내의 의사의 진단서 또는 같은 호 단서에 해당하는 경우에는 이를 증명할 수 있는 전문의의 진단서 1부

④ 공중의 위생에 영향을 미칠 수 있는 감염병 환자(결핵환자 : 비전염성인 경우 제외)로서 보건복지가족부령이 정하는 자나 마약 기타 대통령령으로 정하는 약물중독자가 아님을 증명하는 최근 6개월 이내의 의사의 진단서 1부

⑤ 최근 6개월 이내에 찍은 가로 3센티미터 세로 4센티미터의 탈모 정면 상반신 사진 2매

3) 미용사 면허 결격 사유

① 금치산자

②「정신보건법」제3조제1호에 따른 정신질환자.
다만, 전문의가 미용사로서 적합하다고 인정하는 사람은 그러하지 아니함

③ 공중의 위생에 영향을 미칠 수 있는 감염병환자로서 보건복지가족부령이 정하는 자

④ 마약 기타 대통령령으로 정하는 약물 중독자

⑤ 제7조제1항 제1호 또는 제3호의 사유로 면허가 취소된 후 1년이 경과되지 아니한 자

4) 미용사 면허 재교부

(1) 면허증 재교부 신청에 해당되는 경우

① 이용사 또는 미용사는 면허증의 기재사항에 변경이 있는 때(성명 및 주민등록번호의 변경에 한한다)

② 면허증을 잃어버린 때

③ 면허증이 헐어 못쓰게 된 때

(2) 면허증 재교부 신청에 필요 서류

① 제출

- 이용업 또는 미용업에 종사하고 있는 자 : 영업소를 관할하는 시장·군수·구청장
- 해당 영업에 종사하고 있지 아니한 자 : 면허를 받은 시장·군수·구청장

② 서류

- 면허증 원본(기재사항이 변경되거나 헐어 못쓰게 된 경우에 한한다)
- 최근 6월 이내에 찍은 가로 3센티미터 세로 4센티미터의 탈모 정면 상반신 사진 1매

③ 면허증을 잃어버린 후 재교부 받은 자가 그 잃어버린 면허증을 찾은 때에는 지체없이 재교부 받은 시장·군수·구청장에게 이를 반납하여야 한다.

5) 미용사의 면허취소

(1) 면허 취소나 6월 이내의 기간 면허의 정지

① 이 법 또는 이 법의 규정에 의한 명령에 위반한 때

② 제6조제2항제1호 내지 제4호(미용사의 면허결격사유)에 해당하게 된 때

③ 면허증을 다른 사람에게 대여한 때

> **TIP** 이·미용사의 면허정지 또는 면허취소
>
> 1. 국가 기술자격법에 따라 이·미용사자격이 취소된 때 : 면허취소
> 2. 국가 기술자격법에 따라 이·미용사자격정지처분을 받은 때 : 면허정지
> 3. 법제 6조 제 2항 제1호 내지는 제 4호의 결격사유에 해당한때 : 면허취소
> 4. 이중으로 면허를 취득한때 : 면허취소(나중에 발급받은 면허를 말함)
> 5. 면허증을 다른 사람에게 대여한때 : 1차 위반은 면허정지 3월, 2차 위반은 면허정지 6월, 3차 위반은 면허취소
> 6. 면허 정지처분을 받고 그 정지기간 중 업무를 행한 때 : 면허취소

공중위생관리법규 · chapter 03

(2) 면허취소·정지처분의 세부적인 기준은 그 처분의 사유와 위반의 정도 등을 감안하여 보건복지가족부령으로 정한다.

6) 면허증의 반납

① 법 제7조제1항의 규정에 의하여 면허가 취소되거나 면허의 정지명령을 받은 자는 지체 없이 관할 시장·군수·구청장에게 면허증을 반납하여야 한다.
② 면허의 정지명령을 받은 자가 제1항의 규정에 의하여 반납한 면허증은 그 면허정지기 간 동안 관할 시장·군수·구청장이 이를 보관하여야 한다.

6. 이용사 및 미용사의 업무

1) 업무범위(업무계정 2013.3.23. 〈시행일 2014.7.1.〉)

(1) 미용업(종합)에 해당하는 업무

• 관련학과 졸업이나 학점이수 등으로 면허를 받은 자
• 2007년 12월 31일 이전에 미용사자격을 취득한 자로서 미용사면허를 받은 자 : 파마, 머리카락 자르기, 머리모양내기, 머리피부손질, 머리카락염색, 머리감기, 손톱과 발톱의 손질 및 화장, 피부미용(의료기기나 의약품을 사용하지 아니하는 피부상태분석, 피부 관리, 제모, 눈썹손질을 말한다.) 얼굴의 손질 및 화장

(2) 미용업(일반)에 해당하는 업무

2008년 1월 1일 이후에 미용사(일반)자격증을 취득한자로서 미용사 면허를 받은자 : 파마, 머리카락 자르기, 머리모양내기, 머리피부손질, 머리카락염색, 머리감기, 의료 기기나 의약품을 사용하지 아니하는 눈썹 손질, 얼굴의 손질 및 화장을 하는 영업

(3) 미용업(피부)에 해당하는 업무

2008년 1월 1일 이후에 미용사(피부)자격증을 취득한자로서 미용사 면허를 받은자 : 의료기기나 의약품을 사용하지 아니하는 피부상태분석, 피부관리, 제모, 눈썹손질을 하는 영업

(4) 미용업(손톱, 발톱)에 해당하는 업무

2014년 1월 1일 이후에 미용사(손·발톱)자격증을 취득한자로서 미용사 면허를 받은자 : 손톱과 발톱을 손질, 화장하는 영업

2) 업무제한

미용사의 면허를 받은 자가 아니면 미용업을 개설하거나 그 업무에 종사할 수 없다. 미용사의 감독을 받아 미용 업무의 보조를 행하는 경우에는 그러하지 아니하다.

3) 미용업 장소제한

미용의 입무는 영업소외의 장소에서 행할 수 없다.
다만, 보건복지가족부령이 정하는 특별한 사유가 있는 경우에는 그러하지 아니하다.

7. 행정지도감독

1) 위생지도 및 개선명령

① 공중위생영업의 종류별 시설 및 설비기준을 위반한 공중위생영업자
② 위생관리의무 등을 위반한 공중위생영업자
③ 위생관리의무를 위반한 공중위생시설의 소유자 등

> **TIP**
> 보건복지 가족부령에 의한 특정 사유
>
> 1. 질병 기타의 사유로 인하여 영업소에 나올 수 없는 자에 대하여 이용 또는 미용을 하는 경우
> 2. 혼례 기타 의식에 참여하는 자에 대하여 그 의식 직전에 이용 또는 미용을 하는 경우
> 3. 「사회복지사업법」 제2조 제3호에 따른 사회복지시설에서 봉사활동으로 이용 또는 미용을 하는 경우
> 4. 제1호 및 제2호외에 특별한 사정이 있다고 시장·군수·구청장이 인정하는 경우[전문개정 2009.9.4]

2) 공중위생감시원의 설치

관계공무원의 업무를 행하게 하기 위하여 특별시·광역시·도 및 시·군·구(자치구에 한한다)에 공중위생감시원을 둔다.

3) 공중위생감시원의 자격 및 임명

① 위생사 또는 환경기사 2급 이상의 자격증이 있는 자
② 「고등교육법」에 의한 대학에서 화학·화공학·환경공학 또는 위생학 분야를 전공하고 졸업한 자 또는 이와 동등 이상의 자격이 있는 자

> **TIP**
> 미용업소 내 게시해야 하는 것은 미용업 신고증, 면허증원본, 미용요금표이다.

③ 외국에서 위생사 또는 환경기사의 면허를 받은 자

④ 3년 이상 공중위생 행정에 종사한 경력이 있는 자

    ※ 공중위생감시원의 인력확보가 곤란하다고 인정되는 때

       → 공중위생 행정에 종사하는 자 중 공중위생 감시에 관한 교육훈련을 2주 이상 받은 자를 공중위생 행정에 종사하는 기간 동안 공중위생감시원으로 임명할 수 있다.

⑤ 공중위생감시원의 자격·임명·업무범위 기타 필요한 사항은 대통령령으로 정한다.

4) 공중위생감시원의 업무범위

① 시설 및 설비의 확인

② 공중위생영업 관련 시설 및 설비의 위생상태 확인·검사, 공중위생영업자의 위생관리의무 및 영업자준수사항 이행여부의 확인

③ 공중이용시설의 위생관리상태의 확인·검사

④ 위생지도 및 개선명령 이행여부의 확인

⑤ 공중위생영업소의 영업의 정지, 일부 시설의 사용중지 또는 영업소 폐쇄명령 이행여부의 확인

5) 명예공중위생감시원의 자격

① 공중위생에 대한 지식과 관심이 있는 자

② 소비자단체, 공중위생관련 협회 또는 단체의 소속직원 중에서 당해 단체 등의 장이 추천하는 자

6) 명예감시원의 업무

① 공중위생감시원이 행하는 검사대상물의 수거 지원

② 법령 위반행위에 대한 신고 및 자료 제공

③ 그 밖에 공중위생에 관한 홍보·계몽 등 공중위생관리업무와 관련하여 시·도지사가 따로 정하여 부여하는 업무

7) 명예공중위생 감시원 운영

① 시·도지사는 공중위생의 관리를 위한 지도·계몽 등을 행하게 하기 위하여 명예공중위생감시원을 둘 수 있다

② 시·도지사는 명예감시원의 활동지원을 위하여 예산의 범위안에서 시·도지사가 정하

는 바에 따라 수당 등을 지급할 수 있다.

③ 명예감시원의 운영에 관하여 필요한 사항은 시·도지사가 정한다

④ 제1항의 규정에 의한 명예공중위생감시원의 자격 및 위촉방법, 업무범위 등에 관하여 필요한 사항은 대통령령으로 정한다.

8) 보고 및 출입·검사

① 특별시장·광역시장·도지사(이하 '시·도지사'라 한다) 또는 시장·군수·구청장은 공중위생관리상 필요하다고 인정하는 때에는 공중위생영업자 및 공중이용시설의 소유자 등에 대하여 필요한 보고를 하게 하거나 소속공무원으로 하여금 영업소·사무소·공중이용시설 등에 출입하여 공중위생영업자의 위생관리의무이행 및 공중이용 시설의 위생관리실태 등에 대하여 검사하게 하거나 필요에 따라 공중위생영업장부나 서류를 열람하게 할 수 있다.

② ①의 경우에 관계공무원은 그 권한을 표시하는 증표를 지녀야 하며, 관계인에게 이를 내보여야 한다.

9) 미용업 영업소의의 폐쇄 (시장·군수·구청장)

(1) 공중위생영업자가 아래와 같은 법을 위반 할 시

① 이 법 또는 이 법에 의한 명령에 위반

② 성매매알선 등 행위의 처벌에 관한 법률

③ 풍속영업의 규제에 관한 법률

④ 청소년보호법

⑤ 의료법에 관계행정기관의 장의 요청이 있는 때에는 6월 이내의 기간을 정하여 영업의 정지 일부 시설의 사용중지를 명하거나 영업소 폐쇄 등을 명할 수 있다.

(2) 영업의 정지, 일부 시설의 사용중지와 영업소 폐쇄명령등의 세부적인 기준은 보건복지가족부령으로 정한다.

(3) 시장·군수·구청장은 공중위생영업자가 영업소폐쇄명령을 받고도 계속하여 영업을 하는 때에는 관계공무원으로 하여금 당해 영업소를 폐쇄하기 위하여 다음의 조치를 하게 할 수 있다.

① 당해 영업소의 간판 기타 영업표지물의 제거

② 당해 영업소가 위법한 영업소임을 알리는 게시물 등의 부착

③ 영업을 위하여 필수불가결한 기구 또는 시설물을 사용할 수 없게 하는 봉인

(4) 시장·군수·구청장은 봉인을 한 후 봉인을 계속할 필요가 없다고 인정되는 때와 영업 자 등이나 그 대리인이 당해 영업소를 폐쇄할 것을 약속하는 때 및 정당한 사유를 들 어 봉인의 해제를 요청하는 때에는 그 봉인을 해제할 수 있다. 게시물 등의 제거를 요 청하는 경우에도 또한 같다.

10) 과징금 처분

① 시장·군수·구청장은 제11조제1항의 규정에 의한 영업정지가 이용자에게 심한 불편을 주거나 그 밖에 공익을 해할 우려가 있는 경우에는 영업정지 처분에 갈음하여 3천만원 이하의 과징금을 부과할 수 있다.

② 과징금을 부과하는 위반행위의 종별·정도 등에 따른 과징금의 금액 등에 관하여 필요 한 사항은 대통령령으로 정한다.

③ 과징금을 납부하여야 할 자가 납부기한까지 이를 납부하지 아니한 경우에는 지방세체 납처분의 예에 의하여 이를 징수한다.

④ 시장·군수·구청장이 부과·징수한 과징금은 당해 시·군·구에 귀속된다.

11) 행정제재처분효과의 승계

① 공중위생영업자가 그 영업을 양도하거나 사망한 때 또는 법인의 합병이 있는 때에는 종전의 영업자에 대하여 제11조제1항의 위반을 사유로 행한 행정제재처분의 효과는 그 처분기간이 만료된 날부터 1년간 양수인·상속인 또는 합병 후 존속하는 법인에 승 계된다.

② 공중위생영업자가 그 영업을 양도하거나 사망한 때 또는 법인의 합병이 있는 때에는 제11조제1항의 위반을 사유로 하여 종전의 영업자에 대하여 진행 중인 행정제재처분 절차를 양수인·상속인 또는 합병 후 존속하는 법인에 대하여 속행할 수 있다.

12) 같은 종류의 영업 금지

① 「성매매알선 등 행위의 처벌에 관한 법률」·「풍속영업의 규제에 관한 법률」 또는 「청소년 보호법」(이하 이 조에서 「성매매알선 등 행위의 처벌에 관한 법률」 등 이라 한다)을 위 반하여 폐쇄명령을 받은 자(법인인 경우에는 그 대표자를 포함한다)는 그 폐쇄명령을 받은 후 2년이 경과하지 아니한 때에는 같은 종류의 영업을 할 수 없다.

② 「성매매알선 등 행위의 처벌에 관한 법률」 등 외의 법률을 위반하여 폐쇄명령을 받은 자는 그 폐쇄명령을 받은 후 1년이 경과하지 아니한 때에는 같은 종류의 영업을 할 수 없다.

③ 「성매매알선 등 행위의 처벌에 관한 법률」 등의 위반으로 폐쇄명령이 있은 후 1년이 경과하지 아니한 때에는 누구든지 그 폐쇄명령이 이루어진 영업장소에서 같은 종류의 영업을 할 수 없다.

④ 「성매매알선 등 행위의 처벌에 관한 법률」 등 외의 법률의 위반으로 폐쇄명령이 있은 후 6개월이 경과하지 아니한 때에는 누구든지 그 폐쇄명령이 이루어진 영업장소에서 같은 종류의 영업을 할 수 없다.

⑤ 누구든지 시·군·구에 이용업 신고를 하지 아니하고 이용업소 표시등을 설치할 수 없다.

13) 청문(시장·군수·구청장)

① 이용사 및 미용사의 면허취소
② 면허정지
③ 공중위생영업의 정지
④ 일부 시설의 사용중지
⑤ 영업소 폐쇄 명령 등의 처분 때에는 청문을 실시하여야 한다.

14) 행정처분기준

(1) 일반기준

① 위반행위가 2 이상인 경우로서 그에 해당하는 각각의 처분기준이 다른 경우에는 그 중 중한 처분기준에 의하되, 2 이상의 처분기준이 영업정지에 해당하는 경우에는 가장 중한 정지처분기간에 나머지 각각의 정지처분기간의 2분의 1을 더하여 처분한다.

② 행정처분을 하기위한 절차가 진행되는 기간중에 반복하여 같은 사항을 위반한 때에는 그 위반 횟수마다 행정처분기준의 2분의 1씩 더하여 처분한다.

③ 위반행위의 차수에 따른 행정처분기준은 최근 1년간 같은 위반행위로 행정처분을 받은 경우에 이를 적용한다. 이때 그 기준적용일은 동일 위반사항에 대한 행정처분일과 그 처분 후의 재적발일(수거검사에 의한 경우에는 검사결과를 처분청이 접수한 날)을 기준으로 한다.

④ 행정처분권자는 위반사항의 내용으로 보아 그 위반정도가 경미하거나 해당위반사항에 관하여 검사로부터 기소유예의 처분을 받거나 법원으로부터 선고유예의 판결을 받은

때에는 Ⅱ. 개별기준에 불구하고 그 처분기준을 다음의 구분에 따라 경감할 수 있다.

•영업정지의 경우에는 그 처분기준 일수의 2분의 1의 범위 안에서 경감할 수 있다.

•영업장폐쇄의 경우에는 3월 이상의 영업정지처분으로 경감할 수 있다.

⑤ 영업정지 1월은 30일을 기준으로 하고 행정처분기준을 가중하거나 경감하는 경우 1일 미만은 처분기중 산정에서제외한다.

(2) 개별기준(개정 2014.7.1.)

위반사항	관련 법규	행정처분기준			
		1차 위반	2차 위반	3차 위반	4차 위반
1. 미용사의 면허에 관한 규정을 위반한 때	법 제7조 제1항				
① 국가기술자격법에 따라 미용사자격이 취소된 때		면허취소			
② 국가기술자격법에 따라 미용사자격정지처분을 받은 때		면허정지	(국가기술자격법에 의한 자격정지처분기간에 한한다)		
③ 법 제6조제2항제1호 내지 제4호의 결격사유에 해당한 때		면허취소			
④ 이중으로 면허를 취득한 때		면허취소	(나중에 발급받은 면허를 말한다)		
⑤ 면허증을 다른 사람에게 대여한 때		면허정지 3월	면허정지 6월	면허취소	
⑥ 면허정지처분을 받고 그 정지기간중 업무를 행한 때		면허취소			
2. 법 또는 법에 의한 명령에 위반한 때	법 제11조 제1항				
① 시설 및 설비기준을 위반 한 때	법 제3조 제1항	개선명령	영업정지 15일	영업정지 1월	영업장 폐쇄 명령
② 신고를 하지 아니하고 영업소의 명칭 및 상호 또는 영업장 면적의 3분의 1 이상을 변경한 때	법 제3조 제1항	경고 또는 개선 명령	영업정지 15일	영업정지 1월	영업장 폐쇄 명령
③ 신고를 하지 아니하고 영업소의 소재지를 변경한 때	법 제3조 제1항	영업장 폐쇄명령			

④ 영업자의 지위를 승계한 후 1월 이내에 신고하지 아니한 때	법 제3조의2 제4항	개선명령	영업정지 10일	영업정지 1월	영업장 폐쇄명령
⑤ 소독을 한 기구와 소독을 하지 아니한 기구를 각각 다른 용기에 넣어 보관하지 아니하거나 1회용 면도날을 2인 이상의 손님에게 사용한 때	법 제4조 제4항	경고	영업정지 5일	영업정지 10일	영업장 폐쇄명령
⑥ 피부미용을 위하여 「약사법」에 따른 의약품 또는 「의료기기법」에 따른 의료기기를 사용한 때	법 제4조 제7항	영업정지 2월	영업정지 3월	영업장 폐쇄명령	
⑦ 공중위생영업자의 위생관리의무 등을 위반한 때	법 제4조 제4항 및 제7항				
㉮ 점빼기 · 귓불뚫기 · 쌍꺼풀수술 · 문신 · 박피술 그 밖에 이와 유사한 의료행위를 한 때		영업정지 2월	영업정지 3월	영업장 폐쇄명령	
㉯ 미용업 신고증 및 면허증 원본을 게시하지 아니하거나 업소내 조명도를 준수하지 아니한 때		경고 또는 개선명령	영업정지 5일	영업정지 10일	영업장 폐쇄명령
㉰ 삭제 〈2011.2.10〉					
⑧ 영업소 외의 장소에서 업무를 행한 때	법 제8조 제2항	영업정지 1월	영업정지 2월	영업장 폐쇄명령	
⑨ 시 · 도지사, 시장 · 군수 · 구청장이 하도록 한 필요한 보고를 하지 아니하거나 거짓으로 보고한 때 또는 관계공무원의 출입 · 검사를 거부 · 기피하거나 방해한 때	법 제9조 제1항	영업정지 10일	영업정지 20일	영업정지 1월	영업장 폐쇄명령
⑩ 시 · 도지사 또는 시장 · 군수 · 구청장의 개선명령을 이행하지 아니한 때	법 제10조	경고	영업정지 10일	영업정지 1월	영업장 폐쇄명령
⑪ 영업정지처분을 받고 그 영업정지기간중 영업을 한 때	법 제11조 제1항	영업장 폐쇄명령			
⑫ 위생교육을 받지 아니한 때	법 제17조	경고	영업정지 5일	영업정지 10일	영업장 폐쇄명령
3. 「성매매알선 등 행위의 처벌에 관한 법률」 · 「풍속영업의 규제에 관한 법률」 · 「의료법」에 위반하여 관계행정기관의 장의 요청이 있는 때	법 제11조 제1항				

① 손님에게 성매매알선등행위 또는 음란행위를 하게 하거나 이를 알선 또는 제공한 때				
㉮ 영업소	영업정지 2월	영업정지 3월	영업장 폐쇄명령	
㉯ 미용사(업주)	면허정지 2월	면허정지 3월	면허취소	
② 손님에게 도박 그 밖에 사행행위를 하게 한 때	영업정지 1월	영업정지 2월	영업장 폐쇄명령	
③ 음란한 물건을 관람 · 열람하게 하거나 진열 또는 보관한 때	개선명령	영업정지 15일	영업정지 1월	영업장 폐쇄명령
④ 무자격안마사로 하여금 안마사의 업무에 관한 행위를 하게 한 때	영업정지 1월	영업정지 2월	영업장 폐쇄명령	

8. 위생등급

1) 위생서비스수준 평가 시기

① 2년마다 실시

② 공중위생영업소의 보건·위생관리를 위하여 특히 필요한 경우 : 보건복지가족부장관이 정하여 고시하는 바에 의하여 공중위생영업의 종류, 위생관리등급별로 평가주기를 달리할 수 있다.

2) 위생관리등급의 구분

① 최우수업소 : 녹색등급

② 우수업소 : 황색등급

③ 일반관리대상 업소 : 백색등급

> **TIP**
>
> **위생서비스수준의 평가**
>
> ① 시·도지사는 공중위생 영업소(관광 숙박업의 경우를 제외한다. 이하 이조에서 같다)의 위생관리수준을 향상시키기 위하여 위생서비스 평가계획(이하 "평가계획"이라 한다.)을 수립하여 시장·군수·구청장에게 통보하여야 한다. (개정 2005.3.31)
>
> ② 시장·군수·구청장은 평가 계획에 따라 관할 지역별 세부평가 계획을 수립한 후 공중위생 영업소의 위생서비스 수준을 평가(이하"위생서비스평가"라 한다)하여야 한다. (개정 2005. 3.31)
>
> ③ 시장·군수·구청장은 위생서비스 평가의 전문성을 높이기 위하여 필요하다고 인정하는 경우에는 관련 전문기관 및 단체로 하여금 위생서비스 평가를 실시하게 할 수 있다. (개정 2005.3.31)
>
> ④ 제 1항 내지 제 3항의 규정에 의한 위생서비스 평가의 주기. 방법. 위생관리 등급의 기준 및 기타 평가에 관하여 필요한 사항은 보건 복지부령으로 정한다. (개정 2008. 2.29)

3) 위생관리 등급 공표

위생관리등급의 판정을 위한 세부항목, 등급결정 절차와 기타 위생서비스평가에 필요한 구체적인 사항은 보건복지가족부장관이 정하여 고시한다.

① 시장·군수·구청장은 보건복지가족부령이 정하는 바에 의하여 위생서비스평가의 결과에 따른 위생관리등급을 해당공중위생영업자에게 통보하고 이를 공표하여야 한다.
② 공중위생영업자는 제1항의 규정에 의하여 시장·군수·구청장으로부터 통보받은 위생관리등급의 표지를 영업소의 명칭과 함께 영업소의 출입구에 부착할 수 있다.

4) 우수 영업소에 대한 포상 실시

시·도지사 또는 시장·군수·구청장은 위생서비스평가의 결과 위생서비스의 수준이 우수하다고 인정되는 영업소에 대하여 포상을 실시할 수 있다.

5) 위생 감시 실시

① 시·도지사 또는 시장·군수·구청장은 위생서비스평가의 결과에 따른 위생관리등급별로 영업소에 대한 위생 감시를 실시하여야 한다.
② 영업소에 대한 출입·검사와 위생감시의 실시주기 및 횟수 등 위생관리등급별 위생 감시기준은 보건복지가족부령으로 정한다.

9. 위생교육

1) 위생교육 대상자

① 미용업 영업자는 매년 위생교육을 받아야 한다.
② 미용업 신고를 하고자 하는 자는 미리 위생교육을 받아야 한다. 다만, 부득이한 사유로 미리 교육을 받을 수 없는 경우에는 영업개시 후 보건복지가족부령이 정하는 기간 안에 위생교육을 받을 수 있다.
③ 위생교육을 받아야 하는 자 중 영업에 직접 종사하지 아니하거나 둘 이상의 장소에서 영업을 하는 자는 종업원 중 영업장별로 공중위생에 관한 책임자를 지정하고 그 책임자로 하여금 위생교육을 받게 하여야 한다.
④ 위생교육의 방법·절차 등에 관하여 필요한 사항은 보건복지가족부령으로 정한다.

공중위생관리법규 chapter 03

2) 위생교육 시간

① 법 제17조에 따른 위생교육은 3시간으로 한다.

② 위생교육의 내용 :「공중위생관리법」 및 관련 법규, 소양교육(친절 및 청결에 관한 사항을 포함한다), 기술교육, 그 밖에 공중위생에 관하여 필요한 내용으로 한다.

③ 보건복지가족부장관이 고시하는 도서·벽지지역에서 영업을 하고 있거나 하려는 자에 대하여는 제7항에 따른 교육교재를 배부하여 이를 익히고 활용하도록 함으로써 교육에 갈음할 수 있다.

④ 영업신고 전에 위생교육을 받아야 하는 자 중 다음 각 호의 어느 하나에 해당하는 자는 영업신고를 한 후 6개월 이내에 위생교육을 받을 수 있다.

　ㄱ. 천재지변, 본인의 질병·사고, 업무상 국외출장 등의 사유로 교육을 받을 수 없는 경우

　ㄴ. 교육을 실시하는 단체의 사정 등으로 미리 교육을 받기 불가능한 경우

⑤ 위생교육을 받은 자가 위생교육을 받은 날부터 2년 이내에 위생교육을 받은 업종과 같은 업종의 영업을 하려는 경우에는 해당 영업에 대한 위생교육을 받은 것으로 본다.

3) 위생교육의 위탁

① 위생교육을 실시하는 단체(이하 '위생교육 실시단체'라 한다)는 보건복지가족부장관이 고시한다.

② 위생교육 실시단체는 교육교재를 편찬하여 교육대상자에게 제공하여야 한다.

4) 수료증 교부 및 보관

위생교육 실시단체의 장은 위생교육을 수료한 자에게 수료증을 교부하고, 교육실시결과를 교육 후 1개월 이내에 시장·군수·구청장에게 통보하여야 하며, 수료증 교부 대장 등 교육에 관한 기록을 2년 이상 보관·관리하여야 한다.

10. 벌칙

1) 1년 이하의 징역 또는 1천만원 이하의 벌금

① 영업 신고를 하지 아니한 자

② 영업정지명령 또는 일부 시설의 사용중지명령을 받고도 그 기간중에 영업을 하거나 그 시설을 사용한 자 또는 영업소 폐쇄명령을 받고도 계속하여 영업을 한 자

2) 6월 이하의 징역 또는 500만원 이하의 벌금

① 변경신고를 하지 아니한 자
② 공중위생영업자의 지위를 승계한 자로서 규정에 의한 신고를 하지 아니한 자
③ 건전한 영업질서를 위하여 공중위생영업자가 준수하여야 할 사항을 준수하지 아니한 자

3) 300만원 이하의 벌금

① 위생관리기준 또는 오염허용기준을 지키지 아니한 자로서 개선명령에 따르지 아니한 자
② 면허가 취소된 후 계속하여 업무를 행한 자 또는 면허정지기간중에 업무를 행한 자, 규정에 위반하여 이용 또는 미용의 업무를 행한 자

4) 양벌규정

법인의 대표자나 법인 또는 개인의 대리인·사용인 기타 종업원이 그 법인 또는 개인의 업무에 관하여 위반행위를 한 때에는 행위자를 벌하는 외에 그 법인 또는 개인에 대하여도 동조의 벌금형을 과한다. 다만 법인 또는 개인이 그 위반 행위를 방지하기 위하여 해당 업무에 관하여 상당히 주의와 감독을 게을리 하지 아니하는 경우에는 그렇지 않다.

5) 과태료

(1) 300만원 이하의 과태료

① 규정을 위반하여 폐업신고를 하지 아니한 자
② 보고를 하지 아니하거나 관계공무원의 출입·검사 기타 조치를 거부·방해 또는 기피한 자
③ 개선명령에 위반한 자

(2) 200만원 이하의 과태료

① 미용업소의 위생관리 의무를 지키지 아니한 자
② 영업소외의 장소에서 이용 또는 미용업무를 행한 자
③ 위생교육을 받지 아니한 자

(3) 과태료의 부과·징수절차

① 과태료는 대통령령이 정하는 바에 의하여 시장·군수·구청장(이하 '처분권자'라 한다)이 부과·징수한다.
② 과태료처분에 불복이 있는 자는 그 처분의 고지를 받은 날부터 30일 이내에 처분권자

에게 이의를 제기할 수 있다.
③ 과태료처분을 받은 자가 이의를 제기한 때에는 처분권자는 지체없이 관할법원에 그 사실을 통보하여야 하며, 그 통보를 받은 관할법원은 비송사건절차법에 의한 과태료의 재판을 한다.
④ 기간내에 이의를 제기하지 아니하고 과태료를 납부하지 아니한 때에는 지방세체납처분의 예에 의하여 이를 징수한다.

(4) 과징금을 부과할 위반행위의 종별과 과징금의 금액
① 과징금의 금액은 위반행위의 종별·정도 등을 감안하여 보건복지가족부령이 정하는 영업정지기간에 과징금 산정기준을 적용하여 산정한다.
② 시장·군수·구청장(자치구의 구청장을 말한다. 이하 같다)은 공중위생영업자의 사업규모·위반행위의 정도 및 횟수 등을 참작하여 제1항의 규정에 의한 과징금의 금액의 2분의 1의 범위 안에서 이를 가중 또는 감경할 수 있다. 이 경우 가중하는 때에도 과징금의 총액이 3천만원을 초과할 수 없다.

(5) 과징금의 부과 및 납부
① 시장·군수·구청장은 과징금을 부과하고자 할 때에는 그 위반행위의 종별과 해당 과징금의 금액 등을 명시하여 이를 납부할 것을 서면으로 통지하여야 한다.
② 통지를 받은 자는 통지를 받은 날부터 20일 이내에 과징금을 시장·군수·구청장이 정하는 수납기관에 납부하여야 한다. 다만, 천재·지변 그 밖에 부득이한 사유로 인하여 그 기간내에 과징금을 납부할 수 없는 때에는 그 사유가 없어진 날부터 7일 이내에 납부하여야 한다.
③ 과징금의 납부를 받은 수납기관은 영수증을 납부자에게 교부하여야 한다.
④ 과징금의 수납기관은 과징금을 수납한 때에는 지체없이 그 사실을 시장·군수·구청장에게 통보하여야 한다.
⑤ 과징금은 이를 분할하여 납부할 수 없다.
⑥ 과징금의 징수절차는 보건복지가족부령으로 정한다.

(6) 과태료의 부과기준
① 일반기준 : 시장·군수·구청장은 위반행위의 정도, 위반횟수, 위반행위의 동기와 그 결과 등을 고려하여 그 해당 금액의 2분의 1의 범위에서 경감하거나 가중할 수 있다.
② 개별기준

위반행위	근거법령	과태료
1. 법 제3조제2항을 위반하여 폐업신고를 하지 아니한 자	법 제22조제1항제1호	30만원
2. 법 제4조제4항 각 호 제7항을 위반하여 미용업소의 위생 관리 의무를 지키지 아니한 자	법 제22조제2항제2호	50만원
3. 법 제4조제6항 및 제7항을 위반하여 위생관리용역업소의 위생관리 의무를 지키지 아니한 자	법 제22조제2항제4호	30만원
4. 법 제8조제2항을 위반하여 영업소 외의 장소에서 이용 또는 미용업무를 행한 자	법 제22조제2항제5호	70만원
5. 법 제9조에 따른 보고를 하지 아니하거나 관계공무원의 출입·검사, 기타 조치를 거부·방해 또는 기피한 자	법 제22조제1항제4호	100만원
6. 법 제10조에 따른 개선명령에 위반한 자	법 제22조제1항제5호	100만원
7. 법 제7조제1항을 위반하여 위생교육을 받지 아니한 자	법 제22조제1항제6호	20만원

6) 수수료

① 이용사 또는 미용사 면허를 신규로 신청하는 경우 : 5,500원

② 이용사 또는 미용사 면허증을 재교부 받고자 하는 경우 : 3,000원

출제예상문제

01 W.H.O 헌장에 나와 있는 건강의 정의를 가장 잘 표현한 것은?

① 질병이 없거나 허약하지 않은 상태

② 육체적, 정신적, 사회적으로 완전히 안녕한 상태

③ 육체적, 정신적으로 안정된 상태

④ 육체적, 정신적, 물질적으로 완전한 상태

ANSWER

② 세계보건기구(W.H.O)헌장 : 건강이란.. 단순히 질병이 없고 허약하지 않은 상태만을 의미하는 것이 아니라, 육체적→정신적→사회적으로 완전히 안녕한 상태를 의미한다(1948).

02 다음 중 공중보건의 대상이 아닌 것은?

① 개인   ② 가족

③ 학교   ④ 지역사회

ANSWER

① 공중보건학의 대상은 광범위하게 지역사회의 전체 주민을 대상으로 삼는다.

03 다음 중 윈슬로와 핸런의 공중보건학의 범위에 해당되지 않는 것은?

① 암환자 치료   ② 전염병 관리

③ 식품위생   ④ 보건영양

ANSWER

① 윈슬로와 핸런의 공중보건학의 범위

·환경보건분야 : 환경위생, 식품위생, 환경보전과 공해, 산업환경

·보건관리분야 : 보건행정, 보건영양, 인구보건, 모자보건 및 가족보건, 노인보건, 학교보건 및 보건교육, 보건통계, 보건정보관리, 정신보건, 각종 사고와 중독관리

·질병관리분야 : 역학, 전염병관리, 성인병관리, 기생충질환관리

04 공중보건학의 질병관리분야에서 역학의 궁극적은 목적은 무엇인가?

① 질병치료

② 전염병의 근절

③ 기생충질환관리

④ 질병 발생의 원인 제거를 통한 질병예방

ANSWER

④ 역학의 궁극적 목적은 질병원인을 제거하거나 이에 대한 예방대책을 마련하여 질병을 예방하는 데 있다.

05 다음 중 전염병의 생성과정이 올바른 것은?

① 병원소→병원체→병원소로부터 병원체의 탈출→병원체의 전파→병원체의 침입→숙주의 감염

② 병원체→병원소→병원소로부터 병원체의 탈출→병원체의 침입→병원체의 전파→숙주의 감염

③ 병원체→병원소→병원소로부터 병원체의 탈출→병원체의 전파→병원체의 침입→숙주의 감염

④ 병원체→병원소→병원소로부터 병원체의 탈출→병원체의 침입→숙주의 감염→병원체의 전파

ANSWER

③ 병원체→병원소→병원소로부터 병원체의 탈출→병원체의 전파→병원체의 침입→숙주의 감염

06 다음 중 병원체의 크기가 가장 작은 것은?

① 기생충　　　　② 박테리아
③ 바이러스　　　④ 원충류

ANSWER

③ 바이러스는 인체에 질병을 일으키는 병원체중 가장 크기가 작고 전자현미경으로 관찰이 가능하다.

07 병원체에 감염되어 있으나 증상이 나타나지 않아 보건학적으로 관리가 가장 어려운 보균자는?

① 잠복기 보균자　　② 만성 보균자
③ 회복기 보균자　　④ 건강 보균자

ANSWER

④ 감염에 의한 임상증상이 전혀 없고, 건강인과 다름없지만, 병원체를 보유하는 보균자를 건강 보균자라 하며 보건학적으로 관리가 가장 어렵다.

08 다음 중 병원소와 질병이 잘못 짝지어진 것은?

① 소 : 결핵, 탄저병, 살모넬라증
② 돼지 : 콜레라, 탄저병
③ 양 : 브루셀라증, 탄저병
④ 쥐 : 페스트, 살모넬라증, 양충병

ANSWER

② 돼지 : 살모넬라증, 파상열, 탄저병, 일본뇌염

09 예방접종 후 획득되는 면역을 무엇이라 하는가?

① 자연능동면역　　② 인공능동면역
③ 자연수동면역　　④ 인공수동면역

ANSWER

② 예방접종 후에 생기는 면역을 인공능동면역이라 한다.

10 질병이환 후 획득되는 면역을 무엇이라 하는가?

① 자연능동면역　　② 인공능동면역

③ 자연수동면역　　④ 인공수동면역

ANSWER

① 질병 이환 후 생기는 면역을 자연능동면역이라 한다.

11 다음 중 1군 전염병에 해당되지 않는 것은?

① 탄저병　　　　　② 콜레라

③ 파라티푸스　　　④ 장출혈성대장균감염증

ANSWER

① 제1군 전염병 : 콜레라, 장티푸스, 파라티푸스, 페스트, 세균성이질, 장출혈성대장균감염증

12 노인의 사회적 문제에 해당되지 않는 것은?

① 평균수명의 증가로 인구 노령화의 가속화

② 노인 보건 의료대책 미비

③ 노인을 위한 다양한 문화센터 프로그램

④ 노인의 사회활동 기회 부족

ANSWER

③ 평균 수명의 증가로 인구 노령화가 가속화 되고 그에 따른 보건 의료대책이 미비하고 노인사회 활동 기회 부족등의 문제점이 대두되고 있다.

13 다음 중 인구가 감소하는 인구구성형태는?

① 항아리형　　　　② 별형

③ 종형　　　　　　④ 피라미드형

ANSWER

① 항아리형은 출생률이 사망률보다 낮아 인구가 감소하는 형태이다.

14 다음 중 한 나라의 건강수준을 다른 나라들과 비교하고자 할 때 쓰이는 건강지표에 해당되지 않는 것은?

① 비례사망지수　　② 조사망률

③ 평균수명　　　　④ 유병률

ANSWER

④ 세계보건기구(W.H.O)의 건강지표 3가지 : 평균수명, 조사망률, 비례사망지수

15 다음 중 대기오염의 지표로 쓰이는 것은?

① 산소(O_2)　　　　② 이산화탄소(CO_2)

③ 아황산가스(SO_2)　④ 질소(N_2)

ANSWER

③ CO_2 : 실내공기 오염의 지표, SO_2 : 대기오염의 지표

16 다음 중 공기의 가장 많은 부분을 차지하는 성분은?

① 산소(O_2)　　　　② 이산화탄소(CO_2)

③ 아르곤(Ar)　　　　④ 질소(N_2)

ANSWER

④ 질소(78%) 〉 산소(21%) 〉 아르곤(0.9%) 〉 이산화탄소(0.03%)

17 다음 중 공기의 자정능력에 대한 설명과 관계없는 것은?

① 태양광선의 적외선에 의한 열선작용

② 태양광선의 자외선에 의한 살균작용

③ 식물의 탄소동화에 의한 CO_2및 O_2교환

④ 강설과 강우에 의한 용해성 가스나 분진의 세정작용

ANSWER

① 적외선은 자정작용과 무관하다.

18 다음 중 보건학적으로 가장 쾌적한 기온은?

① 30~35℃   ② 20~25℃

③ 16~20℃   ④ 10~15℃

ANSWER

③ 쾌적기온 : 18±2℃

19 다음 중 수질오염의 지표에 해당되지 않는 것은?

① 용존산소량(DO)

② 화학적산소요구량(COD)

③ 생물학적산소요구량(BOD)

④ 부유물질(SS)

ANSWER

④ 수질오염의 지표는 용존산소량, 화학적산소요구량, 생물학적 산소요구량이다.

20 이따이이따이병은 어떠한 중금속에 오염되었을 때 발생되는 질병인가?

① 수은   ② 카드뮴

③ 비소   ④ 납

ANSWER

② 미나마타병 : 수은중독, 이따이이따이병 : 카드뮴

21 상수도 정수과정으로 옳은 것은?

① 침전→여과→염소소독→송수→배수→급수

② 염소소독→여과→침전→송수→배수→급수

③ 침전→염소소독→여과→송수→배수→급수

④ 여과→침전→염소소독→송수→배수→급수

ANSWER

① 상수도 정수과정은 침전→여과→염소소독→송수→배수→급수 순이다.

22 하수의 호기성 처리법은?

① 본처리   ② 오니처리

③ 예비처리   ④ 매몰

ANSWER

① 본처리 : 호기성→혐기성 처리

23 바다 생선회로 감염되는 것은?

① 간디스토마   ② 광절열두조충

③ 아나사키스충   ④ 폐디스토마

ANSWER

③ 아나사키스충은 바다 생선회로 감염된다.

출제예상문제 chapter 04

24 송어, 연어로 인한 기생충은?

① 폐디스토마　　　　② 간디스토마

③ 광절열두조충　　　④ 무구조충

ANSWER
③ 광절열두조충은 송어, 연어에 기생하는 기생충이다.

25 통조림, 소시지 등의 식품으로 중독될 수 있는 균은?

① 포도상구균　　　　② 장염비브리오균

③ 보톨리누스균　　　④ 살모넬라균

ANSWER
③ 보톨리누스균은 혐기성 균으로 통조림, 소시지 등 밀봉식품의 섭취 시 식중독을 일으킬 수 있다.

26 식중독의 원인균이 아닌 것은?

① 살모넬라균　　　　② 장염비브리오균

③ 보톨리누스균　　　④ 폴리오균

ANSWER
④ 폴리오는 소아마비를 일으키는 바이러스이다.

27 유구조충은 무엇으로 인해 감염되는가?

① 쇠고기　　　　　　② 돼지고기

③ 연어　　　　　　　④ 조개

ANSWER
② 유구조충은 돼지고기에 의해 감염된다.

28 세균성 식중독이 소화기계 전염병과 구별되는 점이 아닌 것은?

① 균량과 독소량이 다량 포함되어 있지 않다.

② 앓고 난 후에 면역이 획득되지 않는다.

③ 2차 감염은 없고, 원인식품의 섭취에 의해서 발병한다.

④ 잠복기가 길다.

ANSWER
④ 세균성 식중독은 상대적으로 잠복기가 짧다.

29 다음 중 폐 디스토마의 제1숙주는?

① 가재　　　　　　　② 담수어

③ 다슬기　　　　　　④ 연어

ANSWER
③
• 간 디스토마 : 1숙주(우렁이), 2숙주(민물고기)
• 폐 디스토마 : 1숙주(다슬기), 2숙주(가재, 게)

30 다음 중 3대 영양소에 해당되지 않는 것은?

① 탄수화물　　　　　② 무기질

③ 단백질　　　　　　④ 지방

ANSWER
② 3대 영양소 : 탄수화물, 지방, 단백질

31 다음 중 조절소에 해당되는 것은?

① 탄수화물　　　　　② 지방

③ 공기　　　　　　　④ 비타민

ANSWER
④ 비타민, 무기질, 물, 단백질 등이다.

32 보건행정에 대한 설명으로 틀린 것은?

① 공중보건의 목적을 달성하기 위하여 과학적 관리방식을 통한 능률적 행정활동

② 공중보건의 목적을 달성하기 위하여 보건사업의 법률적 관계를 조정하는 행정활동

③ 국민의 생명연장, 질병예방 등을 위한 행정활동과정

④ 국가 간의 질병교류를 막기 위해 개인의 책임하에 수행하는 행정활동

ANSWER

④ 보건행정의 공공의 책임 하에 수행되어지는 행정활동이다.

33 멸균의 정의로 옳은 것은?

① 미생물의 발육과 성장을 억제 또는 정지시켜 부패나 발효를 억제하는 것

② 병원성, 비병원성, 포자 등을 완전하게 제거하여 멸균시키는 것

③ 병원 미생물을 파괴하여 감염력을 없애는 것

④ 미생물을 사멸 시킬수는 있지만, 포자는 사멸이 안되는 것

ANSWER

②

① 방부, ③ 소독, ④ 소독

34 저온 살균법 발견하였으며, 근대 면역학의 아버지는?

① 코흐   ② 레벤차

③ 리스트   ④ 파스퇴르

ANSWER

④

① 미생물(병원균)을 발견

② 현미경을 이용하여 미생물을 발견

③ 페놀을 수술에 처음 이용

35 박테리아의 형태에 따른 분류가 아닌 것은?

① 구균   ② 나선균

③ 간균   ④ 유산균

ANSWER

④ 유산균은 비병원성의 미생물이다.

36 바이러스에 대한 설명으로 옳은 것은?

① 열에 강하다.

② 세균여과기로 여과가 가능하다.

③ 일반 현미경으로 관찰이 가능하다.

④ 핵산으로 DNA와 RNA중 어느 하나만 가지고 있는 생물로 기본적인 세포구조가 결여 되어 있다.

ANSWER

④ 바이러스는 병원성 미생물중 가장 작아 세균여과기로는 분리가 안되며, 크기가 20~250㎜로 전자현미경으로만 관찰 할 수 있다. 핵산으로 DNA(Deoxyribonucleic Acid)와 RNA(Ribonucleic Acid)중 어느 한쪽만 가진 생물의 기본적인 세포구조가 결여되어 있다. 열에 대해 매우 불안정하여 50~60℃에서 30분간 처리하면 파괴된다.

출제예상문제

chapter 04

37 다음중 바이러스성 질환이 아닌 것은?

① 인플루엔자   ② 헤르페스

③ 수부백선   ④ 폴리오

ANSWER

③ 수부백선은 진균류에 의한 질환이다.

38 다음은 어떤 미생물에 관한 설명인가?

바이러스와 박테리아의 중간에 속하는 미생물로,
이, 벼룩, 진드기등의 흡혈 절지동물 에 기생하며,
이를 매개로 하여 감염된다.

① 진균류   ② 원충동물

③ 리케차   ④ 세균류

ANSWER

③ 리케차에 대한 설명이다.

39 다음은 어떤 균에 대한 설명인가?

미생물의 생장을 위해서 반드시 산소가 필요로 하
는 균
예) 결핵균, 디프테리아, 백일해 등

① 통성혐기성균   ② 호기성균

③ 혐기성균   ④ 모든균

ANSWER

② 호기성균에 대한 설명이다.
• 통성섬기성균 : 산소의 유무에 상관없이 증식되지만 산소가 존재하면
　더욱 증식된다.
• 혐기성균 : 산소가 없어야만 증식할 수 있는 균

40 산소의 유무에 상관없이 증식이 가능한 세균은?

① 통성혐기성균   ② 호기성균

③ 혐기성균   ④ 모든균

ANSWER

① 산소의 유무에 상관없이 증식되지만 산소가 존재하면 더욱 증식 된다.

41 미생물의 증식 환경에 영향을 미치는 요인?

① 온도

② 수분

③ 산소

④ 온도, 수분, 산소 등 모두

ANSWER

④ 미생물의 증식 영향에 미치는 요인은 온도, 수분, 산소, 수소이온농도,
　삼투압, 수소이온농도 등이다.

42 물리적 소독법이 아닌 것은?

① 건열멸균법   ② 자비소독법

③ 고압증기 멸균법   ④ 승홍수소독법

ANSWER

④ 화학적 소독법이다.

43 피부관리실용 타올 소독방법으로 적당한 방법은?

① 소각소독법   ② 자비소독법

③ 건열멸균법   ④ 알코올소독

ANSWER

② 100℃ 끓는 물에 15~20분간 소독한다.

44 물리적 소독법의 특징 중 옳은 것은?

① 소각소독법 : 코흐의 증기솥을 이용한 방법

② 자비소독법 : 100℃에서 15~20분간 가열

③ 저온 소독법 : 100~135℃에서 20분간 고온의 수증기를 쐬는 방법

④ 고압증기 멸균법 : 62~63℃에서 30분간 가열

ANSWER

②

① 유통증기 소독법 ③ 고압증기 멸균법 ④ 저온소독법

45 저온살균법의 가장 이상적인 온도 및 시간은?

① 30~35℃ 10분간   ② 62~63℃ 30분간

③ 80~90℃ 30초간   ④ 135℃ 2초간

ANSWER

② 저온살균법은 파스퇴르가 고안해낸 방법으로 소독물 대상의 영양분이나 변질등을 막고, 감염방지등을 목적으로 우유나 술종류등을 소독할 때 사용되지만, 대장균은 사멸되지 않는다. 온도 및 적용시간은 62~63℃에서 30분 가열한다.

46 다음 중 소독효과가 가장 강력한 것은?

① 화염멸균법   ② 유통증기소독

③ 자비소독   ④ 소각 소독법

ANSWER

① 모든 세균을 태워 버리므로 가장 확실하고 강력한 방법이다.

47 소독방법에 대한 설명으로 틀린 것은?

① 자비소독법은 건열법의 하나이다.

② 물리적 소독법에는 건열법, 습열법 등이 있다.

③ 소각소독법은 건열법이다.

④ 화염멸균법은 직접 열을 가하여 미생물을 죽이는 것이다.

ANSWER

① 자비소독법은 습열법이다.

48 우유 소독에 주로 사용되는 소독법은?

① 고압증기 멸균법   ② 유통증기 멸균법

③ 저온소독법   ④ 자비소독법

ANSWER

③ 파스퇴르에 의해 발견된 62~63℃로 30분간 가열하는 방법이다.

49 석탄산의 희석액이 80배와 어느 소독제의 160 희석액이 같은 살균력을 가졌다면 이 소독약의 석탄산 계수는?

① 2.0   ② 0.5

③ 0.2   ④ 2.5

ANSWER

① 소독약의 희석액 160 / 석탄산의 희석액 80 = 석탄산계수 2

출제예상문제 chapter 04

50 소독약의 살균력을 비교하기 위하여 사용되는 것은?

① 승홍수계수   ② 알코올계수

③ 석탄산계수   ④ 크레졸계수

ANSWER

③ 소독약의 살균력을 비교하는 지표이다. 비교적 성상이 안정한 석탄산을 기준으로 석탄산의 희석배수와 비교하려는 소독약의 희석배율을 비교하는 방법이다.

• 소독약의 희석배수

석탄산 계수 = 석탄산의 희석배수

51 역성비누와 중성세제에 관한 설명 중 맞는 것은?

① 역성비누는 세정력이 뛰어나다.

② 중성세제는 세정력이 떨어진다.

③ 중성세제는 살균력이 우수하다.

④ 역성비누는 살균력이 우수하다.

ANSWER

④

• 역성비누 : 살균력 우수, 세정력 없음

• 중성세제 : 살균력 거의 없음, 세정력 우수

52 양이온 계면활성제를 사용한 소독약은?

① 역성비누   ② 승홍수

③ 알코올   ④ 석탄산

ANSWER

① 역성비누는 양이온계면활성제를 사용하여 살균력이 우수하다.

53 화학적 소독법의 특징 중 옳은 것은?

① 포름알데히드 : 상처부위 소독 시 수용액의 농도는 2.5~3.5%의 수용액으로 사용한다.

② 석탄산 : 메탄올을 산화시켜 얻은 기체로서, 자극성 냄새를 갖는 무색기체이다.

③ 승홍수 : 피부 소독시에는 0.1%(1/1000)용액을 이용하여 소독한다.

④ 알코올 : 소독력의 살균지표이다.

ANSWER

③

① 과산화수소 ② 포름알데히드 ④ 석탄산

54 유일한 가스체로서 실내소독이 가능한 소독제는?

① 생석회   ② 크레졸

③ 포름알데히드   ④ 알코올

ANSWER

③ 메탄올을 산화시켜 얻은 기체로서, 자극성 냄새를 갖는 무색기체이다. 이 포름알데히드의 37% 용액을 포르말린이라 한다. 가스 흡입시 기관지염, 인두염등을 일으킨다. 면적이 넓은 실내 공간 소독시 사용된다.

55 소독시 구비조건이 아닌 것은?

① 소독효과가 빨라야 한다.

② 부식성, 표백성이 없어야 한다.

③ 냄새가 강하며 소독 효과가 커야 한다.

④ 인체에 안전하고 독성이 없어야 한다.

ANSWER

③ 냄새가 없어야 한다.

56 소독약의 사용 및 보관상 주의사항중 틀린 것은?

① 미생물의 종류에 따라 소독약의 방법과 시간을 고려한다.
② 소독 대상에 따라 적당한 소독방법을 선정한다.
③ 소독약은 미리 조재하여 보관하여 사용한다.
④ 냉암소에 보관한다.

ANSWER
③ 소독약의 효과를 높이기 위하여 즉시 만들어 사용한다.

57 소독약의 살균기전이 다른 것은?

① 석탄산　　　　② 승홍
③ 알코올　　　　④ 과산화수소

ANSWER
④
①, ②, ③의 소독약은 단백질의 응고작용에 의해 소독된다. ④ 소독약은 산화작용에 의해 소독된다.

58 다음의 내용은 어떤 소독약인가?

피부소독 시에는 0.1%(1/1,000)용액 희석하여 사용하며, 온도가 높을수록 살균력이 강하다. 금속을 부식시킨다.

① 알코올　　　　② 승홍수
③ 과산화수소　　④ 크레졸

ANSWER
② 승홍수에 대한 설명이다.

59 공중위생관리법의 목적은?

① 국민의 사회적 지위 향상
② 건강증진
③ 수명연장
④ 전염병 관리

ANSWER
② 공중위생관리법은 공중이 이용하는 영업과 시설의 위생관리 등에 관한 사항을 규정함으로써 위생수준을 향상시켜 국민의 건강증진에 기여함을 목적으로 한다.

60 이·미용업을 하고자 하는 자는 누구에게 신고를 해야 하는가?

① 보건복지부장관　　② 시장, 군수, 구청장
③ 대통령　　　　　　④ 도지사, 광역시장

ANSWER
② 개설신고 및 폐업 : 시장·군수·구청장에 신고한다.

61 다음 중 미용사 면허를 받을 수 있는 자는?

① 정신질환자
② 약물중독자
③ 금치산자
④ 전염성이 없는 결핵환자

ANSWER
④ 미용사의 면허 결격사유는
★금치산자, ★정신질환자 또는 간질병자, ★공중의 위생에 영향을 미칠 수 있는 전염병 환자로서 보건복지부령이 정하는 자(결핵환자 중 비전염성인 경우는 제외), ★ 마약 기타 대통령령으로 정하는 약물 중독자(대마 또는 향정신성 의약품의 중독자), ★ 제 7조 제 1항, 제 1호 또는 3호의 사유로 면허가 취소된 후 1년이 경과되지 아니한 자이다.

출제예상문제

chapter 04

62 이·미용사의 면허증을 재교부 신청시 할 수 없는 경우는?

① 면허증이 훼손되었을 때

② 면허증을 잃어 버렸을 때

③ 성명 및 주민번호의 변경이 있을 때

④ 자격증이 취소되었을 때

ANSWER

④★ 이용사 또는 미용사는 면허증의 기재사항에 변경(성명 및 주민등록 번호의 변경에 한한다.)이 있는때, ★면허증을 잃어버린때 또는 ★면허 증이 헐어 못쓰게 된 때에는 면허증의 재교부를 신청할 수 있다 (시행 규칙 제 10조 제 1항)

63 이·미용업소의 일부 시설의 사용중지 명령을 받고도 계속하여 그 시설을 사용한 자에 대한 벌칙 사항은?

① 1년 이하의 징역 또는 1천만원 이하의 벌금

② 1년 이하의 징역 또는 500만원 이하의 벌금

③ 6월 이하의 징역 또는 500만원 이하의 벌금

④ 6월 이하의 징역 또는 300만원 이하의 벌금

ANSWER

① 1년 이하의 징역 또는 1천만원 이하의 벌금의 경우는 다음과 같다. ★영업신고를 하지 아니한 자/ ★영업정지 명령 또는 일부 시설의 사용중 지명령을 받고도 그 기간중에 영업을 하거나 그 시설을 사용한자/ ★ 영 업소 폐쇄명령을 받고도 계속하여 영업을 한 자이다.

64 미용업소 내 조명은 얼마 이상의 유지하도록 법에 규정되어 있는가?

① 65Lux 이상

② 75Lux 이상

③ 80Lux 이상

④ 150Lux 이상

ANSWER

② 영업장 안의 조명도는 75룩스 이상이 되도록 유지하여야 한다. (시행규칙 제 6조 별표4 제 6호)

65 다음중 공중위생 감시원이 될 수 없는 자는?

① 위생사 또는 환경기사 2급 이상의 자격증이 있는 자

② 2년 이상 공중위생 행정에 종사한 경력이 있는 자

③ 외국에서 위생사 또는 환경기사의 면허증을 받은 자

④ 고등교육법에 의한 대학에서 화학, 화공학, 위생학 분야를 전공하고 졸업한 자

ANSWER

② 공중위생 감시원의 자격은 다음과 같다. ★위생사 또는 환경기사 2급 이상의 자격증이 있는 자 ★「고등교육법」에 의한 대학에서 화학, 화공학, 환경공학 또는 위생학 분 야를 전공하고 졸업한 자/ ★외국에서 위생사 또는 환경기사의 면허증을 받은 자/ ★3년 이상 공중위생행정에 종사한 경력이 있는 자

66 과태료 처분에 불복이 있는 자는 처분을 고지받은 날로부터 며칠 이내에 처분권자에게 이의를 제기할수 있는가?

① 10일 이내

② 15일 이내

③ 30일 이내

④ 60일 이내

ANSWER

③ 과태료 처분에 불복이 있는 자는 그 처분의 고지를 받은 날부터 30일 이내에 처분권자에게 이의를 제기할 수 있다. (법 제 23조 제 2항)

67 다음 중 위생교육에 대한 내용으로 옳지 않는 것은?

① 공중위생 영업자는 매년 받아야 한다.

② 이·미용업소 개설 시 미리 받아야 한다.

③ 위생교육은 시장 군수 구청장이 실시한다.

④ 위생교육은 매년 8시간을 받아야 한다.

ANSWER

④ 위생교육은 매년 3시간이다.

68 다음 중 청문을 실시해야 하는 경우가 아닌 것은?

① 미용사의 면허를 취소 시킬때

② 공중위생영업의 일부 시설의 사용을 중지 시 킬때

③ 과태료 납부를 안 했을 경우

④ 영업소 폐쇄 명령등의 처분을 하고자 하는 때

ANSWER

③ 청문은 행정기관이 규칙제정이나 행정처분을 행하는데 그 필요성, 타당성을 판단하기위하여 상대방, 이해관계인, 증인, 감정인 등의 변명이나 의견 등을 청취하고 증거를 제출하게 함으로써 사실을 조사하는 절차이다. 청문을 실시하는 사항은 다음과 같은 3가지이다.
★이용사 및 미용사의 면허 취소 및 면허정지 ★공중위생영업의 정지, 일부시설의 사용중지★영업소 폐쇄명령 등의 처분을 하고자 하는 때

69 다음 중 관계 공무원으로 하여금 1차 위반 만으로도 영업을 폐쇄조치하는 처분의 대상이 아닌 경우는?

① 신고를 하지 아니하고 영업소의 소재지를 변경 할 때

② 영업의 폐쇄명령을 받고도 계속 영업을 한 경우

③ 손님에게 도박, 그 밖에 사행 행위를 한때

④ 법을 위반하여 영업정지기간 중 영업을 계속 하는 경우

ANSWER

③ 손님에게 도박, 그 밖에 사행 행위를 한때는 3차 위반 시 영업장 폐쇄명령을 할 수 있다.

70 미용업(피부)의 업무범위가 아닌 것은?

① 의료기기나 의약품을 사용하지 아니하는 피부상태분석

② 머리피부손질

③ 제모

④ 눈썹 손질

ANSWER

② 머리피부손질은 미용업(종합)이나 미용업(일반)에 해당한다.

71 공중위생영업자가 풍속관련 법령 등을 위반하여 관계행정기관의 장의 요청이 있을 때 당국이 취할 수 있는 조치 사항은?

① 일정기간 동안의 업무정지

② 6월 이내 기간의 영업정지

③ 국가기술자격취소

④ 개선명령

ANSWER

④

★ 손님에게 성매매알선 등 행위 또는 음란행위를 하게 하거나 이를 알선 또는 제공한 때 영업소 : 1차위반(영업정지 2월), 2차위반(영업정지 3월),3차위반(영업장 폐쇄명령),/ 미용사(업주) : 1차위반(영업정지 2월), 2차위반(영업정지3월), 3차위반(면허취소),★손님에게 도박 그 밖에 사행 행위를 하게 한때 : 1차위반(영업정지 1월), 2차위반(영업정지 2월),3차위반(영업장 폐쇄명령), ★음란한 물건을 관람, 열람하게 하거나 진열 또는 보관한때 : 1차위반(개선명령), 2차위반(영업정지 15일), 3차위반(영업정지 1월), 4차위반(영업장 폐쇄명령) ★ 무자격 안마사로 하여금 안마사의 업무에 관한 행위를 하게 한 때 : 1차위반(영업정지 1월), 2차위반(영업정지 2월), 3차위반(영업장 폐쇄명령)

출제예상문제

chapter 04

72 이·미용사의 면허를 받을 수 있는 자는?

① 금치산자

② 정신병자

③ 면허취소 1년 이상 경과한 자

④ 마약중독자

ANSWER

③ 미용사의 면허 결격사유는 ★금치산자, ★정신질환자 또는 간질병자, ★공중의 위생에 영향을 미칠 수 있는 전염병 환자로서 보건복지부령이 정하는 자(결핵환자 중 비전염성인 경우는 제외),★ 마약 기타 대통령으로 정하는 약물 중독자(대마 또는 향정신성 의약품의 중독자), ★ 제 7조 제 1항, 제 1호 또는 3호의 사유로 면허가 취소된 후 1년이 경과되지 아니한 자이다.

73 공중위생업의 승계에 관해 잘못 설명한 것은?

① 공중위생업의 신고를 한 자가 그 공중 위생업을 양도하거나 사망할 때 양수인, 상속인이 지위를 승계한다.

② 이 미용업의 경우 면허를 소지한 자에 한하여 승계할 수 있다.

③ 법인의 합병이 있을 경우 합병 후 존속하는 법인이나 합병에 의하여 설립되는 법인은 그 공중위생업자의 지위를 승계한다

④ 이 미용업의 경우 영업자가 면허가 없어도 면허를 소지한 사람을 고용하면 합법적으로 영업이 가능하다.

ANSWER

④ 공중 위생업 승계는 다음과 같다.

· 미용업 영업자가 그 미용업을 양도하거나 사망한 때 또는 법인의 합병이 있는 때에는 그 양수인·상속인 또는 합병후 존속하는 법인이나 합병에 의하여 설립되는 법인은 그 미용업 영업자의 지위를 승계한다.

· 민사집행법에 의한 경매, 「채무자 회생 및 파산에 관한 법률」에 의한 환가나 국세 징수법·관세법 또는 지방세법에 의한 압류재산의 매각 그 밖에 이에 준하는 절차에 따라 공중위생영업 관련시설 및 설비의 전부를 인수한 자는 이 법에 의한 그 공중위생영업자의 지위를 승계한다.

· 이용업 또는 미용업의 경우에는 면허를 소지한 자에 한하여 공중위생영업자의 지위를 승계할 수 있다.

· 공중위생영업자의 지위를 승계한 자는 1월 이내에 보건복지가족부령이 정하는 바에 따라 시장·군수 또는 구청장에게 신고하여야 한다.

74 공중위생영업소의 위생관리 수준을 향상하기 위하여 위생서비스 평가계획을 수립하여야 하는 자는?

① 행정자치부장관

② 보건복지부장관

③ 시 도지사

④ 시장 군수 구청장

ANSWER

③ 위생서비스수준의 평가

시·도지사는 공중위생영업소 위생관리수준을 향상시키기 위하여 위생서비스평가계획을 수립하여 시장·군수·구청장에게 통보하여야 한다.

75 업소의 시설 및 설비는 누구의 영으로 유지, 관리할 수 있는가?

① 보건복지부령

② 대통령

③ 시장

④ 도지사

ANSWER

① 공중위생영업을 하고자 하는 자는 공중위생영업의 종류별로 보건복지가족부령이 정하는 시설 및 설비를 갖추고 시장·군수·구청장(자치구의 구청장에 한한다. 이하 같다)에게 신고하여야 한다. 보건복지가족부령이 정하는 중요사항을 변경하고자 하는 때에도 또한 같다. (공중위생법 제3조)

76 다음 중 미용업을 하는 자가 지켜야 할 사항으로 틀린 것은?

① 의료기구와 의약품을 사용하지 아니하는 순수한 화장 또는 피부미용을 한다.
② 소독을 한 기구와 소독을 하지한 기구는 따로 보관한다.
③ 미용사 면허증을 영업소 안에 제시한다.
④ 면도기는 1회용 면도날을 계속 사용해도 무관하다.

ANSWER

④ 미용업 영업자의 준수사항
· 점빼기·귓볼뚫기·쌍꺼풀수술·문신·박피술 그 밖에 이와 유사한 의료행위를 하여서는 아니된다.
· 피부미용을 위하여 약사법 규정에 의한 의약품 또는 의료용구를 사용하여서는 아니된다.
· 미용기구중 소독을 한 기구와 소독을 하지 아니한 기구는 각각 다른 용기에 넣어 보관하여야 한다.
· 1회용 면도날은 손님 1인에 한하여 사용하여야 한다.
· 업소 내에 미용업 신고증, 개설자의 면허증원본 및 미용요금표를 게시하여야 한다.
· 영업장 안의 조명도는 75룩스 이상이 되도록 유지하여야 한다.

77 이 미용업의개설자 및 종사자는 언제 위생교육을 받아야 하나?

① 개설 후 3월 이내   ② 개설 전에 미리
③ 개설 후 지체없이   ④ 아무 때나 상관없다.

ANSWER

②
· 미용업 영업자는 매년 위생교육을 받아야 한다.
· 미용업 신고를 하고자 하는 자는 미리 위생교육을 받아야 한다. 다만, 부득이한 사유로 미리 교육을 받을 수 없는 경우에는 영업개시 후 보건복지가족부령이 정하는 기간 안에 위생교육을 받을 수 있다.
· 위생교육을 받아야 하는 자 중 영업에 직접 종사하지 아니하거나 둘 이상의 장소에서 영업을 하는 자는 종업원 중 영업장별로 공중위생에 관한 책임자를 지정하고 그 책임자로 하여금 위생교육을 받게 하여야 한다.
· 위생교육의 방법·절차 등에 관하여 필요한 사항은 보건복지가족부령으로 정한다.

78 이 미용업주가 위생교육을 받지 않았을 때의 벌칙은?

① 300만원 이하의 벌금
② 200만원 이하의 과태료
③ 500만원 이하의 벌금
④ 100만원 이하의 과태료

ANSWER

② 200만원 이하의 과태료를 부과하는 경우는 다음과 같다.
· 미용업소의 위생관리 의무를 지키지 아니한 자
· 영업소외의 장소에서 이용 또는 미용업무를 행한 자
· 위생교육을 받지 아니한 자

79 위생 서비스 수준의 평가는 몇 년마다 실시하는가?

① 1년   ② 2년
③ 3년   ④ 5년

ANSWER

② 위생서비스수준 평가는 2년마다 실시한다.

80 소독을 한 기구와 소독을 아니한 기구를 각각 다른 용기에 보관하지 아니할 때 3차 행정처분은?

① 경고   ② 영업정지 10일
③ 영업정지 1월   ④ 폐쇄조치

ANSWER

② 소독을 한 기구와 소독을 하지 아니한 기구를 각각 다른 용기에 넣어 보관하지 아니하거나 1회용 면도날을 2인 이상의 손님에게 사용한 때 1차 위반 : 경고, 2차 위반 : 영업정지 5일, 3차위반 영업정지 10일, 4차 위반 : 영업장 폐쇄명령의 행정처분을 받는다.

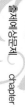

출제예상문제 chapter 04

81 관계공무원의 출입, 검사를 거부 기피하거나 방해한 때 2차 행저처분은?

① 경고   ② 영업정지 5일

③ 영업정지 20일   ④ 영업정지 10일

ANSWER

③ 시·도지사, 시장·군수·구청장이 하도록 한 필요한 보고를 하지 아니하거나 거짓으로 보고한 때 또는 관계공무원의 출입·검사를 거부·기피하거나 방해한 때 1차 위반 : 영업정지 10일 / 2차위반 : 영업정지 20일 / 3차위반 : 영업정지 1월, 4차위반 : 영업장 폐쇄명령

82 관할구역 안의 공중위생 영업자의 현황을 파악·관리하여야 하는 자가 아닌것은?

① 시장   ② 군수

③ 구청장   ④ 세무서장

ANSWER

④ 관할구역 안의 공중위생 영업자의 형황을 파악, 관리하여야 하는 자는 시장, 군수, 구청장이다.

83 면허가 취소되거나 업무정지 명령을 받은 자는 언제까지 시·도지사에게 면허증을 반납하여야 하는가?

① 7일 이내   ② 15일 이내

③ 30일 이내   ④ 지체없이

ANSWER

④ 법 제7조제1항의 규정에 의하여 면허가 취소되거나 면허의 정지명령을 받은 자는 지체없이 관할 시장·군수·구청장에게 면허증을 반납하여야 한다.

84 위생교육은 연 몇 시간 이상 받는가?

① 2시간   ② 3시간

③ 4시간   ④ 6시간

ANSWER

② 법 제17조에 따른 위생교육은 3시간으로 한다.

85 다음 중 가장 무거운 벌칙은?

① 영업자의 준수사항을 지키지 아닌한자

② 면허정지기간 중에 업무를 행한 자

③ 미용업소의 위생관리 의무를 지키지 아니한 자

④ 영업소의 폐쇄명령을 받고도 계속하여 영업을 한 자

ANSWER

④ 보기에 해당하는 벌칙 금액은
① 6월 이하의 징역 또는 500만원 이하의 벌금
② 300만원 이하의 벌금
③ 200만원 이하의 과태료
④ 1년 이하의 징역 또는 1천만원 이하의 벌금이다.

86 '성매매알선 등 행위의 처벌에 관한 법률' 등의 위반으로 이·미용업소의 폐쇄명령을 받은 후 얼마의 기간이 지나야 동일장소에서 영업이 가능한가?

① 3개월   ② 6개월

③ 1년   ④ 1년 6개월

ANSWER

③ 성매매알선 등 행위의 처벌에 관한 법률」등의 위반으로 폐쇄명령이 있은 후 1년이 경과하지 아니한 때에는 누구든지 그 폐쇄명령이 이루어진 영업장소에서 같은 종류의 영업을 할 수 없다.

87 미용업소의 신고사항이 아닌 것은?

① 개업
② 폐업
③ 영업소의 명칭 또는 상호의 변경
④ 1월간 휴업

ANSWER
④ 미용업소는 개업과 폐업, 그리고 변경 사항이 있는 경우에만 신고한다.

88 미용사 면허를 신규로 신청하는 경우 수수료는 얼마인가?

① 5,000원　　　② 5,500원
③ 6,000원　　　④ 6,500원

ANSWER
②
• 이용사 또는 미용사 면허를 신규로 신청하는 경우 : 5,500원
• 이용사 또는 미용사 면허증을 재교부 받고자 하는 경우 : 3,000원

89 현재 이·미용업에 종사하고 있는 사람이 면허증의 재교부 받고자 할 경우 누구에게 서류를 제출해야 하는가?

① 면허를 받는 시장, 군수, 구청장
② 영업소를 관할하는 시장, 군수, 구청장
③ 면허를 받는 시·도지사
④ 영업소를 관할 하는 시·도지사

ANSWER
② 면허증을 재교부 받고자 할 경우
– 이용업 또는 미용업에 종사하고 있는 자 : 영업소를 관할하는 시장·군수·구청장
– 해당 영업에 종사하고 있지 아니한 자 : 면허를 받은 시장·군수·구청장

90 위생관리등급의 구분과 관련하여 녹색등급은 어떤 업소를 의미하는가?

① 최우수업소　　　② 우수업소
③ 일반관리 대상업소　④ 일반업소

ANSWER
① 위생관리등급의 구분
최우수업소 : 녹색등급 / 우수업소 : 황색등급 / 일반관리대상 업소 : 백색등급

91 공중위생관리법령에 따른 과징금의 부과 및 납부에 관한 사항으로 틀린것은?

① 과징금을 부과하고자 할때에는 위반행위의 종별과 해당과징금의 금액을 명시하여 이를 납부할것을 서면으로 통지하여야 한다.
② 통지를 받은자는 통지를 받은 날부터 20일 이내에 과징금을 납부해야 한다.
③ 과징금액이 클때는 과징금의 2분의 1 범위에서 각각 분할 납부가 가능하다
④ 과징금의 징수절차는 보건복지 가족부령으로 정한다.

ANSWER
③ 과징금은 이를 분할하여 납부할 수 없다.

92 다음 중 미용업을 폐업할 경우는 폐업할 날부터 몇일 이내에 신고하여야 하는가?

① 바로　　　② 7일
③ 10일　　　④ 20일

ANSWER
④ 제 1항의 규정에 의하여 공중위생영업의 신고를 한자는 공중위생영업을 폐업한 날로부터 20일 이내에 시장·군수·구청장에게 신고하여야 한다.

93 다음 중 미용업자가 영업신고사항 변경 신고를 하려는 경우에 제출 서류는?

① 영업 신고증 ② 면허증 원본

③ 교육 필증 ④ 보건증

ANSWER

① 미용업자가 영업신고사항 변경 신고를 하려는 경우에 제출 서류는 영업 신고증과 변경사항을 증명하는 서류이다.

94 다음 중 이 미용 기구의 소독 기준 및 방법으로 맞는 것은?

① 자외선소독 : 1㎠당 65㎼ 이상의 자외선을 20분 이상 쬐어준다.

② 건열멸균소독 : 섭씨 100℃ 이상의 건조한 열에 1시간 이상 쬐어준다.

③ 크레졸소독 : 크레졸수(크레졸 3%, 물 97%의 수용액을 말한다)에 10분 이상 담가둔다.

④ 열탕소독 : 섭씨 70℃ 이상의 물속에 10분 이상 끓여준다.

ANSWER

③ 이 미용 기구의 소독 기준 및 방법
- 자외선소독 : 1㎠당 85㎼ 이상의 자외선을 20분 이상 쬐어준다.
- 건열멸균소독 : 섭씨 100℃ 이상의 건조한 열에 20분 이상 쬐어준다.
- 증기소독 : 섭씨 100℃ 이상의 습한 열에 20분 이상 쬐어준다
- 열탕소독 : 섭씨 100℃ 이상의 물속에 10분 이상 끓여준다.
- 석탄산수소독 : 석탄산수(석탄산 3%, 물 97%의 수용액을 말한다)에 10분 이상 담가 둔다.
- 크레졸소독 : 크레졸수(크레졸 3%, 물 97%의 수용액을 말한다)에 10분 이상 담가둔다.
- 에탄올소독 : 에탄올수용액(에탄올이 70%인 수용액을 말한다. 이하 이 호에서 같다)에 10분 이상 담가두거나 에탄올수용액을 머금은 면 또는 거즈로 기구의 표면을 닦아준다.

95 무자격안마사로 하여금 안마사의 업무에 관한 행위를 하게 한 때 3차 위반시 영업소에 대한 행정처분은?

① 영업정지 1월

② 영업정지 2월

③ 영업정지 3월

④ 영업장 폐쇄 명령

ANSWER

④ 무자격안마사로 하여금 안마사의 업무에 관한 행위를 하게 한 때 3차 위반시 영업소에 대한 행정처분
- 1차 위반시 : 영업정지 1월/
- 2차 위반시 : 영업정지 2월/
- 3차 위반시 : 영업장 폐쇄 명령

96 공중이용시설의 위생관리 규정에 따라 청소하여야 하는 실내공기정화시설 및 설비 중 틀린 것은?

① 공기정화기와 이에 연결된 급·배기관

② 중앙집중식 냉·난방시설의 급·배기구

③ 영업소 외부 환경

④ 화장실용 배기관

ANSWER

③ 공중이용시설의 위생관리 규정에 따라 청소하여야 하는 실내공기정화시설 및 설비는 다음과 같다.
- 공기정화기와 이에 연결된 급·배기관(급·배기구를 포함한다)
- 중앙집중식 냉·난방시설의 급·배기구
- 실내공기의 단순배기관
- 화장실용 배기관
- 조리실용 배기관

97 다음 중 위생교육을 받지 아니한 때 2차 행정처분은?

① 경고
② 영업정지 5일
③ 영업정지 10일
④ 영업장 폐쇄명령

② 위생교육을 받지 아니한 때 행정처분은 다음과 같다.
· 1차 : 경고
· 2차 : 영업정지 5일
· 3차 : 영업정지 10일
· 4차 : 영업장 폐쇄명령

98 과태료 처분에 불복이 있는 자는 처분을 고지 받은날로부터 (   )일 이내에 처분권자에게 이의를 제기 할 수 있다. 다음 중 (   ) 안에 들어 갈 기간은?

① 7일 이내
② 15일 이내
③ 20일 이내
④ 30일 이내

④ 과태료처분에 불복이 있는 자는 그 처분의 고지를 받은 날부터 30일 이내에 처분권자 에게 이의를 제기할 수 있다.